COLLECTION LANGUE ET CULTURE
DIRIGÉE PAR JEAN-CLAUDE CORBEIL

LA NOUVELLE GRAMMAIRE EN TABLEAUX

MARIE-ÉVA DE VILLERS

AVEC LA COLLABORATION D'ANNIE DESNOYERS ET DE KARINE POULIOT

LA NOUVELLE GRAMMAIRE EN TABLEAUX

PAR L'AUTEURE DU **MULTIDICTIONNAIRE DE LA LANGUE FRANÇAISE**

CINQUIÈME ÉDITION

ET

UN RECUEIL DE CONJUGAISON

LES MODÈLES POUR CONJUGUER TOUS LES VERBES D'USAGE COURANT

Québec Amérique

Catalogage avant publication de Bibliothèque et Archives nationales du Québec et Bibliothèque et Archives Canada

Villers, Marie-Éva de
La nouvelle grammaire en tableaux
5e éd.
Publ. antérieurement sous le titre: La grammaire en tableaux. 1991.
Publ. à l'origine dans la coll.: Collection Langue et culture.
Comprend un index.
ISBN 978-2-7644-0690-8
1. Français (Langue) - Grammaire. 2. Français (Langue) - Grammaire
- Tableaux. 3. Français (Langue) - Conjugaison. I. Titre. II. Titre: La
grammaire en tableaux.
PC2105.V54 2009   448.2   C2009-940956-9

Nous reconnaissons l'aide financière du gouvernement du Canada par
l'entremise du Fonds du livre du Canada pour nos activités d'édition.

Gouvernement du Québec – Programme de crédit d'impôt pour
l'édition de livres – Gestion SODEC.

Les Éditions Québec Amérique bénéficient du programme de subvention
globale du Conseil des Arts du Canada. Elles tiennent également à
remercier la SODEC pour son appui financier.

Québec Amérique
329, rue de la Commune Ouest, 3ᵉ étage
Montréal (Québec) H2Y 2E1
Téléphone : 514 499-3000, télécopieur : 514 499-3010

Dépôt légal : 2ᵉ trimestre 2009
Bibliothèque nationale du Québec
Bibliothèque nationale du canada

Réimpression : juin 2013

Imprimé au Canada

DIRECTION
Jacques Fortin – éditeur
Luc Roberge – direction générale
Jean-Claude Corbeil – direction linguistique

CONCEPTION ET RÉDACTION
Marie-Éva de Villers
avec la collaboration d'Annie Desnoyers et de Karine Pouliot

COORDINATION ET RECHERCHE
Liliane Michaud

LECTURE-CORRECTION
Yvon Delisle
Karine Pouliot
Éditions précédentes : Agnès Guitard, Odette Dubois-Comeau, Roger Magini

DESIGN GRAPHIQUE
Isabelle Lépine
Éditions précédentes : Emmanuel Blanc, Anne Tremblay

CONCEPTION GRAPHIQUE DE LA COUVERTURE
Isabelle Lépine

MONTAGE
Nathalie Caron
Célia Provencher-Galarneau
Isabelle Lépine

TABLE DES MATIÈRES

De consultation pratique, *La Nouvelle Grammaire en tableaux* poursuit l'objectif de mettre à la portée de tous les connaissances fondamentales de la grammaire, de la syntaxe, de l'orthographe et de la typographie. Cet ouvrage de référence propose sous forme de synthèses l'ensemble des notions inscrites dans les programmes de français du ministère de l'Éducation du Québec. Grâce à des tableaux présentés à l'ordre alphabétique du mot clé, à des explications claires tout autant que concises et toujours accompagnées d'exemples, les lecteurs et les lectrices peuvent accéder très facilement et très rapidement aux renseignements recherchés.

La cinquième édition comprend de nombreux enrichissements, qu'il s'agisse de nouveaux tableaux ou de nouveaux développements insérés dans les tableaux des précédentes éditions. Mentionnons notamment les tableaux sur la grammaire du texte conçus par Annie Desnoyers et qui traitent de la CONCORDANCE DES TEMPS DANS LE TEXTE, de la PROGRESSION DE L'INFORMATION et de la REPRISE DE L'INFORMATION ainsi que les tableaux sur le DISCOURS RAPPORTÉ et sur la notion de FAMILLE DE MOTS. Parallèlement au tableau portant sur le pluriel des noms, un tableau intitulé PLURIEL ET FÉMININ DES ADJECTIFS a été ajouté. Citons aussi les nouveaux tableaux de Karine Pouliot sur les RECTIFICATIONS ORTHOGRAPHIQUES, sur le COURRIEL ainsi que les nouveaux modèles de CURRICULUM VITÆ qu'elle a rédigés et qui s'ajoutent aux tableaux sur la CORRESPONDANCE et la rédaction de la LETTRE.

Un tableau sur la TERMINOLOGIE GRAMMATICALE établit la correspondance entre les termes de la grammaire traditionnelle et ceux de la nouvelle grammaire. L'ouvrage comprend en outre des tableaux portant sur la grammaire de la phrase (ANALYSE GRAMMATICALE DE LA PHRASE, FONCTIONS DE LA PHRASE, TYPES ET FORMES DE LA PHRASE), sur les COMPLÉMENTS et sur la notion de GROUPE (groupe du nom, groupe du verbe, groupe de l'adjectif, groupe de la préposition, groupe de l'adverbe), tableaux conçus par Annie Desnoyers lors de la précédente édition.

Les notions d'ADJECTIF, d'ADVERBE, d'ATTRIBUT, d'AUXILIAIRE, de COLLECTIF, de CONNECTEUR, de DÉTERMINANT, de GENRE, de LOCUTIONS, de NOM, de VERBE font, entre autres, l'objet de synthèses. D'autres tableaux mettent en lumière l'orthographe grammaticale : accord des ADJECTIFS DE COULEUR, du PARTICIPE PASSÉ, des PRONOMINAUX, de QUEL, de QUELQUE et de TOUT. *La Nouvelle Grammaire en tableaux* traite aussi d'étymologie par ses synthèses sur les EMPRUNTS À L'ANGLAIS, sur les EMPRUNTS À L'ARABE, sur les EMPRUNTS AU GREC, sur les EMPRUNTS À L'ITALIEN, sur les EMPRUNTS AU LATIN. Il est à noter que la terminologie des tableaux grammaticaux est conforme aux nouveaux programmes de français du ministère de l'Éducation du Québec.

Dans le contexte du français au Québec, le tableau intitulé QUÉBÉCISME fait état des québécismes originaires de France, des québécismes de création et des québécismes d'emprunt, tandis que le tableau enrichi sur les ANGLICISMES distingue les anglicismes lexicaux qui sont nécessaires de ceux qui sont inutiles, les anglicismes sémantiques (faux amis) et les anglicismes syntaxiques (calques).

La typographie fait aussi l'objet de plusieurs tableaux; parmi les thèmes abordés, citons particulièrement les RÈGLES DE L'ABRÉVIATION, les CHIFFRES ARABES et les CHIFFRES ROMAINS, l'écriture des NOMBRES, les ESPACEMENTS, les GUILLEMETS, l'ITALIQUE, les MAJUSCULES ET MINUSCULES, les NOMS GÉOGRAPHIQUES, les NOMS DE PEUPLES, les RÉFÉRENCES BIBLIOGRAPHIQUES, les SYMBOLES, les SYMBOLES DES UNITÉS MONÉTAIRES et les TITRES D'ŒUVRES.

UN RECUEIL DE CONJUGAISON ET UN DICTIONNAIRE DE VERBES

La Nouvelle Grammaire en tableaux comprend également un **recueil de conjugaison** composé de 76 modèles complets classés à l'ordre alphabétique du verbe type ainsi qu'un **dictionnaire de verbes** où sont précisés les modèles à imiter pour chacun des verbes répertoriés.

XII UN REPÉRAGE FACILE DE L'INFORMATION

Pour trouver le renseignement recherché, l'usager, l'usagère peut consulter :

1. **La liste alphabétique des tableaux** où sont répertoriés les titres des quelque 200 pages de tableaux.

2. **L'index détaillé des mots clés**, qui donne par ordre alphabétique tous les mots figurant dans les tableaux, avec l'indication des pages où l'on peut les retrouver.

3. **Le dictionnaire des verbes**, qui recense les verbes dans l'ordre alphabétique et renvoie aux modèles complets de conjugaison composant la seconde partie de l'ouvrage.

Grâce à ses trois accès faciles, *La Nouvelle Grammaire en tableaux* permet d'acquérir ou de retrouver aisément les notions essentielles à la maîtrise du français.

Destinée particulièrement aux élèves, aux étudiants et aux étudiantes tout autant qu'aux enseignants et aux enseignantes, *La Nouvelle Grammaire en tableaux* s'adresse aussi aux langagiers et langagières, à l'ensemble du personnel administratif, à tous ceux et celles qui recherchent prioritairement la qualité de la langue et de la communication.

Marie-Éva de Villers

Cette liste renvoie aux tableaux classés
par ordre alphabétique (p. 2 à 198).

LISTE DES MODÈLES DE CONJUGAISON

Cette liste renvoie aux modèles de conjugaison classés par ordre alphabétique (p. 199 à 275).

accroître
acquérir
aimer
aller
aller (s'en)
apercevoir
appeler
apprendre
asseoir
avancer
avoir

boire
bouillir

changer
clore
combattre
conduire

congeler
coudre
courir
craindre
créer
croire
cueillir

devoir
dire
dormir

écrire
émouvoir
employer
envoyer
éteindre
être
étudier

faillir
faire
falloir
fendre
finir
fuir

haïr

inclure

joindre

lever
lire

moudre
mourir

naître

ouvrir

paître
paraître
payer
plaire
pleuvoir
posséder
pourvoir
pouvoir
protéger

remettre
résoudre

savoir
servir

sortir
sourire
soustraire
suffire
suivre
surseoir

tressaillir

vaincre
valoir
venir
vêtir
vivre
voir
vouloir

ABRÉVIATIONS ET SYMBOLES UTILISÉS DANS L'OUVRAGE

abrév. . . . . abréviation
adv. . . . . adverbe
CD. . . . . complément direct
CI . . . . complément indirect
ex. . . . . exemple
f. . . . . féminin
fam. . . . . familier
fém. . . . . féminin
fig. . . . . figuré
intr. . . . . intransitif
litt. . . . . littéraire
m. . . . . masculin
masc. . . . . masculin
n. . . . . nom
préf. . . . . préfixe
symb. . . . . symbole
tr. . . . . transitif
v. . . . . verbe

La bouche précède une note sur la prononciation.

L'engrenage précède une note syntaxique.

La fleur de lis précède un québécisme.

La punaise précède une note linguistique, sémantique ou technique.

La règle précède une note grammaticale.

T La lettre T précède une note typographique.

Le crayon précède une note orthographique.

* L'astérisque précède une forme ou une expression fautive, une impropriété.
L'astérisque, lorsqu'il suit un mot, indique un appel de note dans les tableaux de l'ouvrage.

[ ] Les crochets encadrent les transcriptions phonétiques.

( ) Les parenthèses indiquent une possibilité de double lecture ou l'inversion d'un mot.

ALPHABET PHONÉTIQUE
ASSOCIATION PHONÉTIQUE INTERNATIONALE

VOYELLES	CONSONNES	SEMI-CONSONNES
[i] lyre, riz	[p] poivre, loupe	[j] yeux, travail
[e] jouer, clé	[t] vite, trop	[w] jouer, oie
[ɛ] laid, mère	[k] cri, quitter	[ɥ] huit, bruit
[a] natte, la	[b] bonbon	
[ɑ] lâche, las	[d] aide, drap	
[ɔ] donner, port	[g] bague, gant	
[o] dôme, eau	[f] photo, enfant	
[u] genou, rouler	[s] sel, descendre	
[y] nu, plutôt	[ʃ] chat, manche	
[ø] peu, meute	[v] voler, fauve	
[œ] peur, fleur	[z] zéro, maison	
[ə] regard, ce	[ʒ] je, tige	
[ɛ̃] matin, feinte	[l] soleil, lumière	
[ɑ̃] dans, moment	[r] route, avenir	
[ɔ̃] pompe, long	[m] maison, femme	
[œ̃] parfum, un	[n] nœud, tonnerre	
	[ɲ] vigne, campagne	
	['] haricot (pas de liaison)	
	[ŋ] (emprunts à l'anglais) camping	

TABLEAUX

RÈGLES DE L'**ABRÉVIATION**

L'abréviation est la suppression de lettres dans un mot à des fins d'économie d'espace ou de temps.

2

ABRÉVIATION

Mot dont on a supprimé des lettres.

Mme est l'abréviation de *madame*; *M.*, de *monsieur*; *app.*, de *appartement*; *p.*, de *page*.

☞ Lors d'une première mention dans un texte, il importe d'écrire au long la signification de toute abréviation non usuelle, tout sigle, acronyme ou symbole non courant.

SIGLE

Abréviation constituée par les initiales de plusieurs mots et qui s'épelle lettre par lettre.

PME est le sigle de *petite et moyenne entreprise*; *SVP*, de *s'il vous plaît*; *BD*, de *bande dessinée*.

ACRONYME

Sigle composé des initiales ou des premières lettres d'une désignation et qui se prononce comme un seul mot.

Cégep est l'acronyme de *collège d'enseignement général et professionnel*; *OACI*, de *Organisation de l'aviation civile internationale*.

SYMBOLE

Signe conventionnel constitué par une lettre, un groupe de lettres, etc.
Par exemple, les symboles des unités de mesure, les symboles chimiques et mathématiques.

Le symbole de *mètre* est *m*, celui de *kilogramme*, *kg*, celui de *dollar*, *$*.

☞ Les symboles appartiennent au système de notation des sciences et des techniques et s'écrivent sans point abréviatif.

▸ **Pluriel des abréviations**

Les abréviations, les sigles et les symboles ne prennent pas la marque du pluriel, à l'exception de certaines abréviations consacrées par l'usage.

Mme *Mmes*   *n^o* *n^{os}*   *M.* **MM.**

▸ **Accents et traits d'union**

Les accents et les traits d'union du mot abrégé sont conservés dans l'abréviation.

c'est-à-dire *c.-à-d.*   *États-Unis* *É.-U.*

▸ **Point abréviatif en fin de phrase**

En fin de phrase, le point abréviatif se confond avec le point final.

Ces étudiantes sont titulaires d'un M.B.A.

RÈGLES DE L'ABRÉVIATION | *SUITE* >

A

► **Absence de point abréviatif pour les symboles**

Les symboles ne comportent pas de point abréviatif.

année **a**   *centimètre* **cm**   *mercure* **Hg**   *cent* (monnaie) **¢**   *heure* **h**   *watt* **W**

► **Espacement des symboles**

Les symboles des unités de mesure et les symboles des unités monétaires sont séparés par un espacement simple du nombre entier ou fractionnaire obligatoirement exprimé en chiffres.

15 ¢   *10,5 cm*

En l'absence d'une abréviation consacrée par l'usage, on abrégera selon les modes suivants :

• SUPPRESSION DES LETTRES FINALES
(après une consonne et avant une voyelle)

La dernière lettre de l'abréviation est suivie du point abréviatif. On abrège généralement devant la voyelle de l'avant-dernière syllabe.

environ **env.**   *introduction* **introd.**   *traduction* **trad.**   *exemple* **ex.**

T S'il n'y a pas de risque de confusion, il est possible de supprimer un plus grand nombre de lettres.

quelque chose **qqch.**   *téléphone* **tél.**

• SUPPRESSION DES LETTRES MÉDIANES

La lettre finale n'est pas suivie du point abréviatif, puisque la lettre finale de l'abréviation correspond à la dernière lettre du mot.

compagnie **Cie**   *maître* **M^e**   *madame* **Mme**   *vieux* **vx**

T L'abréviation des adjectifs ordinaux obéit à cette règle.

premier **1er**   *deuxième* **2e**

• SUPPRESSION DE TOUTES LES LETTRES, À L'EXCEPTION DE L'INITIALE

L'initiale est suivie du point abréviatif.

monsieur **M.**   *page* **p.**   *siècle* **s.**   *verbe* **v.**

• SUPPRESSION DES LETTRES DE PLUSIEURS MOTS, À L'EXCEPTION DES INITIALES

Les sigles et les acronymes sont constitués par les lettres initiales de plusieurs mots. Par souci de simplification, on observe une tendance à omettre les points abréviatifs dans les sigles et les acronymes.

Organisation des Nations Unies **ONU**   *Société Radio-Canada* **SRC**
Produit national brut **PNB**   *Train à grande vitesse* **TGV**

VOIR TABLEAUX ► **ABRÉVIATIONS COURANTES.** ► **ACRONYME.** ► **SIGLE.** ► **SYMBOLE.**

ABRÉVIATIONS COURANTES

a.	année
AC.	atmosphère contrôlée
adr.	adresse
al.	alinéa
Alb.	Alberta
AM	modulation d'amplitude
app.	appartement
apr. J.-C.	après Jésus-Christ
art.	article
a/s de	aux soins de
av.	avenue
av. J.-C.	avant Jésus-Christ
BD	bande dessinée
bdc.	bas-de-casse
bibl.	bibliothèque
bibliogr.	bibliographie
boul.	boulevard
bur.	bureau
c.	contre
CA ou c. a.	comptable agréé
CA ou c. a.	comptable agréée
c. a.	courant alternatif
c.-à-d.	c'est-à-dire
C.-B.	Colombie-Britannique
c. c.	copie conforme
c. c.	courant continu
C/c	compte courant
c. élec.	courrier électronique
cf., conf.	confer
ch.	chacun, chacune
ch.	chemin
chap.	chapitre
ch. de f.	chemin de fer
Cie	compagnie
coll.	collection
C. P.	case postale
C. R.	contre remboursement
cté, cté	comté
CV	curriculum vitæ
dom.	domicile
Dr, Dr	docteur
Dre, Dre	docteure
E.	est
éd.	édition
édit.	éditeur
édit.	éditrice
enr.	enregistrée
env.	environ
et al.	et alii
etc.	et cetera
É.-U., USA	États-Unis
ex.	exemple
excl.	exclusivement
exp.	expéditeur, expéditrice

FAB	franco à bord
féd.	fédéral
fig.	figure
FM	modulation de fréquence
gouv.	gouvernement
H., haut.	hauteur
HT	hors taxes
ibid.	ibidem
id.	idem
inc.	incorporée
incl.	inclusivement
Î.-P.-É.	Île-du-Prince-Édouard
l., larg.	largeur
l., long.	longueur
ltée	limitée
M.	monsieur
Man.	Manitoba
max.	maximum
MD	marque déposée
Me	maître
Mes	maîtres
min.	minimum
Mlle	mademoiselle
Mlles	mesdemoiselles
MM.	messieurs
Mme	madame
Mmes	mesdames
N.	nord
N. B.	nota bene
N.-B.	Nouveau-Brunswick
nbre	nombre
NDLR	note de la rédaction
NDT	note du traducteur
N.-É.	Nouvelle-Écosse
No, no	numéro
Nos, nos	numéros
Nt	Nunavut
O.	ouest
o	octet
Ont.	Ontario
p.	page(s)
%, p. c., p. cent	pour cent
p. c. q.	parce que
p.-d. g., pdg	président-directeur général
p.-d. g., pdg	présidente-directrice générale
p. ex.	par exemple

pH	potentiel hydrogène
p. j.	pièce jointe
Pr, Pr	professeur
Pre, Pre	professeure
prov.	province
prov.	provincial
P.-S.	post-scriptum
p.-v.	procès-verbal
Qc	Québec
qq.	quelque
qqch.	quelque chose
qqn	quelqu'un
quest., Q.	question
RC, r.-de-ch.	rez-de-chaussée
réf.	référence
rép., R.	réponse
ro	recto
RR	route rurale
RSVP	répondez, s'il vous plaît
rte, rte	route
r.-v.	rendez-vous
s.	siècle
S.	sud
Sask.	Saskatchewan
sc.	science(s)
s. d.	sans date
SI	Système international d'unités
s. l.	sans lieu
s. l. n. d.	sans lieu ni date
s. o.	sans objet
St, Sts	Saint, Saints
Ste, Stes	Sainte, Saintes
Sté	société
suppl.	supplément
SVP, svp	s'il vous plaît
t.	tome
tél.	téléphone
tél. cell.	téléphone cellulaire
téléc.	télécopie
T.-N.-L.	Terre-Neuve-et-Labrador
T. N.-O.	Territoires du Nord-Ouest
TSVP	tournez, s'il vous plaît
TTC, t. t. c.	toutes taxes comprises
TU	temps universel
V., v.	voir
vo	verso
vol.	volume(s)
v.-p.	vice-président
v.-p.	vice-présidente
Yn	Territoire du Yukon

VOIR TABLEAUX ▶ ABRÉVIATION (RÈGLES DE L'). ▶ GRADES ET DIPLÔMES UNIVERSITAIRES. ▶ SIGLE.

ACCENTS

Les accents sont des signes qui se placent sur certaines voyelles afin d'en préciser la prononciation ou de distinguer des mots ayant une prononciation identique, mais une signification différente (homophones).

☞ Certains accents ne sont présents que par tradition orthographique.

▶ **Accent aigu** ☑
   Éléphant, école, accéléré, cinéma, télévision, féminiser, malgré, nuitée, péril.

▶ **Accent grave** ☑
   Règle, grève, lèvre, complètement, baromètre, lèche-vitrines, nèfle, parallèle.

▶ **Accent circonflexe** ☑
   Arôme, câble, extrême, pâle, tâche, forêt, prêt, quête, plutôt, rôder, jeûner.

▶ **Tréma** ☑
   Signe orthographique que l'on met sur les voyelles *e, i, u* pour indiquer que cette voyelle doit être prononcée séparément de celle qui précède ou qui suit.
   Noël, héroïsme, capharnaüm, naïf, laïque, maïs, haïr, inouï, mosaïque.

ACCENTS ET SENS

En plus d'indiquer la prononciation, les accents permettent de distinguer certains mots de forme semblable, mais dont la signification varie :

acre	« surface »	et	**âcre**	« irritant »
chasse	« poursuite du gibier »	et	**châsse**	« coffret »
colon	« membre d'une colonie »	et	**côlon**	« intestin »
cote	« mesure »	et	**côte**	« pente »
haler	« tirer »	et	**hâler**	« bronzer »
mat	« non brillant »	et	**mât**	« pièce dressée d'un voilier »
mur	« paroi »	et	**mûr**	« parvenu à maturité »
roder	« mettre au point »	et	**rôder**	« aller et venir »
sur	« aigre »	et	**sûr**	« certain »
tache	« marque »	et	**tâche**	« travail »

ACCENTS ET MAJUSCULES

Parce que les accents permettent de préciser la prononciation ou le sens des mots, il importe d'accentuer les majuscules aussi bien que les minuscules. En effet, l'absence d'accents peut modifier complètement le sens d'un mot ou d'une phrase. Ainsi, les mots *SALE* et *SALÉ*, *MEUBLE* et *MEUBLÉ* ne se distinguent que par l'accent. Autre exemple : seul l'accent permet de différencier les phrases *UN ASSASSIN TUÉ* et *UN ASSASSIN TUE*.

Ⓣ Les abréviations, les sigles et les acronymes n'échappent pas à cette règle. *É.-U.* (abréviation de *États-Unis*).

ACCENTS ET PRONONCIATION

Pour harmoniser l'orthographe et la prononciation de certains mots, l'Académie française a admis l'emploi d'un accent grave en remplacement de l'accent aigu devant une syllabe contenant un *e* muet.

abrègement	(traditionnellement orthographié *abrégement*)
allègement	(traditionnellement orthographié *allégement*)
allègrement	(traditionnellement orthographié *allégrement*)
évènement	(traditionnellement orthographié *événement*)

☞ Les *Rectifications orthographiques* (1990) harmonisent l'orthographe et la prononciation de certains mots.

VOIR TABLEAUX ▶ ACCENTS PIÈGES. ▶ RECTIFICATIONS ORTHOGRAPHIQUES.

ACCENTS PIÈGES

La langue française comporte plusieurs illogismes, de nombreuses anomalies qui peuvent être la cause d'erreurs. Voici, à titre d'exemples, une liste de mots pour lesquels les fautes d'accent sont fréquentes.

Mots de même origine avec ou sans accent ?

âcre	et	acrimonie		infâme	et	infamie
arôme	et	aromatique		jeûner	et	déjeuner
binôme	et	binomial		pôle	et	polaire
côte	et	coteau		râteau	et	ratisser
diplôme	et	diplomatique		sûr	et	assurer
grâce	et	gracieux		symptôme	et	symptomatique
impôt	et	imposer		trône	et	introniser

MOTS AVEC OU SANS ACCENT CIRCONFLEXE ?

Les participes passés des verbes *croître*, *devoir* et *mouvoir* : *crû*, mais *crue, crus, crues* — *dû*, mais *due, dus, dues* — *mû*, mais *mue, mus, mues.*

Avec un accent circonflexe

abîme	fraîche
aîné	gîte
bâbord	huître
blême	maître
câble	mât
chaîne	piqûre
dégât	voûte

Sans accent circonflexe

barème	cyclone
bateau	égout
boiter	flèche
chalet	guépard
chapitre	pédiatre
cime	racler
crèche	toit

Avec un accent circonflexe

assidûment
crûment
dûment

Sans accent circonflexe

éperdument
ingénument
prétendument

MOTS AVEC UN ACCENT AIGU OU UN ACCENT GRAVE ?

Avec un accent **aigu**		Avec un accent **grave**		Avec un accent **aigu**		Avec un accent **grave**
assécher	et	assèchement		réglementer	et	règlement
bohémien	et	bohème		régler	et	règle
crémerie	et	crème		régner	et	règne
hypothéquer	et	hypothèque		repérer	et	repère
poésie	et	poète		zébrer	et	zèbre

MOTS AVEC OU SANS TRÉMA ?

Avec un tréma

aïeul	haïr
archaïque	héroïsme
caïd	inouï
caïman	maïs
canoë	mosaïque
coïncidence	naïf
égoïste	ouïe
faïence	païen
glaïeul	troïka

Sans tréma

coefficient
goéland
goélette
homogénéiser
israélien
kaléidoscope
moelle
poème
protéine

Les *Rectifications orthographiques* (1990) suppriment ou modifient les accents de certains mots.

VOIR TABLEAU ► ACCENTS.

A
6

ACRONYME

L'acronyme est un sigle composé des initiales ou des premières lettres d'une désignation et qui se prononce comme un seul mot, à la différence du sigle qui s'épelle lettre par lettre (SRC, PME, CLSC).

Benelux	**B**elgique-**Ne**derland-**Lux**embourg
Cégep	**C**ollège d'**e**nseignement **gé**néral et **p**rofessionnel
CILF	**C**onseil **i**nternational de la **l**angue **f**rançaise
Laser	**L**ight **A**mplification by **S**timulated **E**mission of **R**adiation
Modem	**Mo**dulateur **dém**odulateur
OACI	**O**rganisation de l'**a**viation **c**ivile **i**nternationale
Radar	**Ra**dio **D**etecting **a**nd **R**anging

☞ À son premier emploi dans un texte, l'acronyme est généralement précédé de sa désignation au long.

▸ **Points abréviatifs**

La tendance actuelle est d'omettre les points abréviatifs. Dans cet ouvrage, les acronymes sont notés sans points ; cependant, la forme avec points est généralement correcte.

▸ **Genre et nombre des acronymes**

Les acronymes sont du genre et du nombre du mot principal de la désignation abrégée.

La ZEC (zone [féminin singulier] *d'exploitation contrôlée).*
Le SIDA (syndrome [masculin singulier] *immuno-déficitaire acquis).*

ACDI	**A**gence **c**anadienne de **d**éveloppement **i**nternational
AFNOR	**A**ssociation **f**rançaise de **nor**malisation
ALÉNA	**A**ccord de **l**ibre-**é**change **n**ord-**a**méricain
ASCII	**A**merican **S**tandard **C**ode for **I**nformation **I**nterchange
CHU	**C**entre **h**ospitalier **u**niversitaire
CNUCED	**C**onférence des **N**ations **U**nies sur le **c**ommerce et le **d**éveloppement
CROP	**C**entre de **r**echerches sur l'**op**inion publique
DOM	**D**épartement (français) d'**o**utre-**m**er
ÉNA	**É**cole **n**ationale d'**a**dministration (France)
ÉNAP	**É**cole **n**ationale d'**a**dministration **p**ublique
MIDEM	**M**arché **i**nternational du **d**isque et de l'**é**dition **m**usicale
NASA	**N**ational **A**eronautics and **S**pace **A**dministration
ONU	**O**rganisation des **N**ations **U**nies
OPEP	**O**rganisation des **p**ays **e**xportateurs de **p**étrole
OTAN	**O**rganisation du **t**raité de l'**A**tlantique **N**ord
OVNI	**O**bjet **v**olant **n**on **i**dentifié
RADAR	**R**épertoire **a**nalytique **d**'articles de **r**evues
RAIF	**R**éseau d'**a**ction et d'**i**nformation pour les **f**emmes
REÉR	**R**égime **e**nregistré d'**é**pargne-**r**etraite
RREGOP	**R**égime de **r**etraite des **e**mployés du **g**ouvernement et des **o**rganismes **p**ublics
SACO	**S**ervice **a**dministratif **c**anadien **o**utre-mer
SALT	**S**trategic **A**rms **L**imitation **T**alks
SIDA	**S**yndrome **i**mmuno-**d**éficitaire **a**cquis
UNICEF	**U**nited **N**ations **I**nternational **C**hildren's **E**mergency **F**und
UQAM	**U**niversité du **Q**uébec **à** **M**ontréal
ZAC	**Z**one d'**a**ménagement et de **c**onservation
ZEC	**Z**one d'**e**xploitation **c**ontrôlée
ZLÉA	**Z**one de **l**ibre-**é**change des **A**mériques

VOIR TABLEAUX ▸ ABRÉVIATION (RÈGLES DE L'). ▸ ABRÉVIATIONS COURANTES. ▸ SIGLE. ▸ SYMBOLE.

ADJECTIF

On distingue deux catégories d'adjectifs :

▸ L'**adjectif qualifiant**, qui exprime une qualité de l'être ou de l'objet désigné par un nom.
*Un **beau** citron, des roses **odorantes**, des avis **discutables**, une analyse **minutieuse**.*

☞ La qualité exprimée par l'adjectif qualifiant peut être objective ou subjective, positive ou négative.

▸ L'**adjectif classifiant**, qui attribue une catégorie à l'être ou à l'objet désigné par un nom.
*Un animal **invertébré**, des cours **obligatoires**, des plantes **aquatiques**, un dictionnaire **encyclopédique**.*

☞ L'adjectif classifiant exprime une caractéristique objective.

FORMATION DU FÉMININ ET DU PLURIEL DES ADJECTIFS

Pour mettre un adjectif au féminin, il faut généralement ajouter un *e* à la forme du masculin.
Grand, grande; vert, verte; coquin, coquine; pressé, pressée.

Pour mettre un adjectif au pluriel, il faut généralement ajouter un *s* à la forme du singulier.
Grands, grandes; verts, vertes; coquins, coquines; pressés, pressées.

VOIR TABLEAU ▸ PLURIEL ET FÉMININ DES ADJECTIFS.

ACCORD DE L'ADJECTIF

L'adjectif est un receveur d'accord : il s'accorde en **genre** (masculin ou féminin) et en **nombre** (singulier ou pluriel) avec le nom qu'il accompagne, c'est-à-dire qu'il complète ou dont il est l'attribut.
Ces plantes aquatiques sont très odorantes.

ACCORDS PARTICULIERS

- Avec **plusieurs noms au singulier** auxquels il se rapporte, l'adjectif se met au pluriel.
*Un fruit et un légume **mûrs**. Une pomme et une orange **juteuses**.*

- Avec **plusieurs noms de genre différent**, l'adjectif se met au masculin pluriel.
*Une mère et un fils **avisés**.*

- Avec des **mots séparés par *ou***, si l'un des mots exclut l'autre, l'adjectif s'accorde avec le dernier.
*Il est d'une générosité ou d'une bêtise **extraordinaire** : il donne sans compter.*

- Avec des mots coordonnés par *ainsi que, avec, comme, de même que...*, l'adjectif se met au pluriel s'il y a addition et au masculin, dans le cas où les noms sont de genre différent. *L'imagination ainsi que le style **débridés** de cet auteur ont surpris les lecteurs.* L'adjectif s'accorde avec le premier nom s'il y a comparaison.
*Sa générosité, comme son désintéressement, tellement **inusitée**, force l'admiration.*

- Avec un **nom complément d'un autre nom**, l'adjectif s'accorde selon le sens avec le nom complété ou avec le complément du nom.
*Une coupe d'or **ciselée** ou **ciselé**.*

- Avec un **nom collectif**, l'adjectif s'accorde avec le collectif ou avec son complément, selon le sens.
*Ce groupe de touristes **est américain**. Un groupe de touristes **américains**.*

- Si deux adjectifs classifiants se rapportent à un même nom au pluriel, ils se mettent au singulier ou au pluriel selon le sens.
Les gouvernements fédéral et provincial. Les cours obligatoires et optionnels.

VOIR TABLEAU ▸ COLLECTIF.

- Les adjectifs de couleur de forme simple s'accordent en genre et en nombre, alors que les adjectifs composés et les noms employés pour exprimer la couleur restent invariables.
*Des robes **bleues**, des costumes **noirs**. Une jupe **vert forêt**, des cheveux **poivre et sel**.*
*Des écharpes **tangerine**, des foulards **turquoise** ou **kaki**.*

VOIR TABLEAU ▸ COULEUR (ADJECTIFS DE).

- Certains adjectifs peuvent être employés comme adverbes pour modifier le sens d'un verbe; dans ce cas, ils sont invariables.
  > *Ces produits coûtent* **cher**. *Cette soupe sent* **bon**. *Ils vont* **vite**. *Elles s'habillent* **jeune**.

DEGRÉS DE SIGNIFICATION

Les adjectifs **qualifiants** peuvent s'employer:

• au **positif**	qualité attribuée	*La rose est belle.*
• au **comparatif**	supériorité	*La rose est **plus** belle **que** l'iris.*
	égalité	*La rose est **aussi** belle **que** l'iris.*
	infériorité	*La rose est **moins** belle **que** l'iris.*
• au **superlatif** relatif	supériorité	*La rose est **la plus** belle de toutes.*
	infériorité	*La rose est **la moins** belle de toutes.*
• au **superlatif** absolu	supériorité	*La rose est **très** belle.*
	infériorité	*La rose est **très peu** belle.*

Les adjectifs **classifiants** ne peuvent être accompagnés d'un adverbe modificateur pour exprimer divers degrés. *Un animal invertébré* (et non un animal **très** invertébré*), des plantes aquatiques* (et non des plantes **très** aquatiques*).*

🔲 Le langage de la publicité crée volontiers des superlatifs à l'aide des préfixes latins **super, extra, ultra.** *C'était une fête* **super**. Les adolescents font aussi largement usage de ces superlatifs. *Ma copine est* **extra**. Ces emplois doivent être réservés à la langue familière. *Elle est* **hyper-chouette**. *Il est* **archi-fou**. Les mots formés pour la circonstance à l'aide de ces préfixes s'écrivent avec un trait d'union.

PLACE DE L'ADJECTIF

L'adjectif se place généralement à la suite du nom qu'il accompagne.

▸ Les **adjectifs qualifiants** obéissent généralement à cette règle et suivent le plus souvent le nom.
  > *Une histoire fantaisiste. Des outils maniables. Un véhicule rapide. Des images originales.*

Cependant, les adjectifs qualifiants précèdent parfois le nom qu'ils accompagnent:

- s'ils sont courts (souvent monosyllabiques) et d'emploi très courant tels que *beau, bon, grand, gros, jeune, joli, long, meilleur, nouveau, petit, vieux…* (ex.: *un bon garçon, un beau voilier, un grand jardin, une grosse somme, un vieux château*);

- si l'usage a consacré cet ordre (ex.: *un faible taux d'abandon, en piètre état, une excellente maîtrise de la langue*);

- s'ils ont une signification différente selon qu'ils sont placés avant ou après le nom qu'ils accompagnent, par exemple:
  > *une église ancienne* = « qui existe depuis longtemps », *une ancienne église* = « désaffectée »
  > *une personne curieuse* = « indiscrète », *une curieuse personne* = « étrange »
  > *un homme jeune* = « qui n'est pas âgé », *un jeune homme* = « célibataire »
  > *une voiture propre* = « nette », *sa propre voiture* = « qui lui appartient »
  > *un patron seul* = « solitaire », *un seul patron* = « unique »;

- s'il s'agit d'un choix stylistique, notamment dans le style littéraire ou poétique (ex.: *le blanc manteau, un lourd chagrin, un élégant badinage*).

🔧 Les adjectifs de couleur, les adjectifs exprimant la forme et les adjectifs participes (issus d'un participe présent ou d'un participe passé) suivent généralement le nom qu'ils accompagnent. *Des pantalons verts, une table rectangulaire, un chapeau pointu, des écharpes tricotées, des couleurs flamboyantes.*

A
9

A
10

▸ Les adjectifs **classifiants** suivent le nom qu'ils déterminent, sauf s'ils marquent le rang (adjectifs ordinaux).
> *Un parti fédéral, des cours facultatifs, une direction régionale, une recherche scientifique, un bâtiment municipal,* mais *la Première Avenue, la dernière semaine, le cinquième prix.*

• Les adjectifs classifiants qui marquent le rang précèdent le nom qu'ils déterminent. Ils sont formés du déterminant numéral auquel on ajoute la terminaison **ième** (à l'exception de **premier** et de **dernier**).
> *Les premières (1res) pages, les cinquièmes (5es) places.*

Abréviations courantes : premier **1er**, première **1re**, deuxième **2e**, troisième **3e**, quatrième **4e** et ainsi de suite **100e**, **500e**, **1 000e**. Philippe **Ier**, **1re** année, **6e** étage. Les autres manières d'abréger ne doivent pas être retenues (1ère, 2ème, 2ième, 2^è...).

ADJECTIF PARTICIPE

Certains adjectifs proviennent d'un verbe au participe passé ou au participe présent.
> *De la crème fouettée. Un regard fuyant. Une élève déterminée. Des carottes cuites.*

Ces adjectifs, nommés adjectifs participes, s'accordent en genre et en nombre avec le nom qu'ils accompagnent.

▭ Il ne faut pas confondre l'adjectif participe se terminant par *-ant* ou *-ent* et le participe présent. Alors que le participe présent, toujours invariable, exprime une action qui a lieu en même temps que l'action du verbe qu'il accompagne, l'adjectif participe traduit un état, une qualité ; il prend la marque du genre et du nombre et ne peut être suivi d'un complément de verbe ni d'un complément de phrase.

L'orthographe du participe présent d'un verbe diffère parfois de celle de l'adjectif participe qui en est issu :

PARTICIPE PRÉSENT	ADJECTIF PARTICIPE
adhérant	adhérent
communiquant	communicant
convainquant	convaincant
différant	différent
équivalant	équivalent
excellant	excellent
fatiguant	fatigant
intriguant	intrigant
naviguant	navigant
négligeant	négligent
précédant	précédent
provoquant	provocant
suffoquant	suffocant
zigzaguant	zigzagant

Négligeant leur rôle d'arbitres, ils ont pris parti pour nos adversaires. Ces arbitres négligents seront congédiés. Les articles vendus équivalant à plusieurs milliers, le chiffre d'affaires est excellent. Il faut acheter des quantités équivalentes à celles de l'an dernier.

VOIR TABLEAU ▸ PARTICIPE PRÉSENT.

ADRESSE

RÈGLES D'ÉCRITURE	EXEMPLES

1. DESTINATAIRE

- **Titre de civilité** au long, prénom et nom

  T Le titre de civilité (le plus souvent *Monsieur* ou *Madame*) s'écrit au long et le prénom est abrégé ou non.

Madame Laurence Dubois
Directrice des communications
Dubuffet et Lavigne

- **Fonction**, s'il y a lieu

- **Nom de l'entreprise, de l'organisme**, s'il y a lieu

Monsieur Philippe Larue
Chef de produit
Groupe Gamma

2. DESTINATION

- **Numéro et nom de la voie publique**

  T L'indication du numéro est suivie d'une virgule, du nom générique (*avenue, boulevard, chemin, côte, place, rue,* etc.) écrit en minuscules et enfin du nom spécifique de la voie publique. Si ce nom comporte plusieurs éléments, ils sont joints par des traits d'union.

37, avenue Claude-Champagne
55, place Cambray

NOMS GÉNÉRIQUES USUELS	ABRÉVIATIONS
avenue	**av.**
boulevard	**boul.**
chemin	**ch.**
route	**rte ou r^{te}**

- **Point cardinal**, s'il y a lieu

  T Le point cardinal (abrégé ou non) s'écrit avec une majuscule à la suite du nom spécifique de la voie publique.

630, boul. Laurentien Ouest ou O.

VOIR TABLEAU ▶ ODONYMES.

ABRÉVIATIONS DES POINTS CARDINAUX	
Est . . . . **E.**	Ouest . . **O.**
Nord. . . **N.**	Sud . . . . **S.**

- **Appartement, bureau**, s'il y a lieu

  T Le nom *appartement* s'abrège en *app.* (et non *apt.) et le nom *bureau* en *bur.* L'emploi du nom *suite en ce sens est un anglicisme.

234, rue Lajoie, app. 102
630, boul. Lebeau, bureau 500

- **Bureau de poste**, s'il y a lieu

  ⌕ Pour des raisons d'uniformisation, le nouveau *Guide canadien d'adressage* recommande d'utiliser le terme *case postale* (abrégé *C. P.*) de préférence à l'expression *boîte postale* (abrégée *B. P.*).

Case postale 6204, succursale Centre-ville
ou
C. P. 6204, succ. Centre-ville

A

12

- **Nom de la ville** et **de la province**, s'il y a lieu

  Il est recommandé d'écrire le nom de la province au long entre parenthèses. S'il est nécessaire d'abréger, on utilisera l'abréviation normalisée.

  ☞ L'Office de la langue française a normalisé le symbole **QC** (pour **Québec**) qui doit être réservé à certains usages techniques (tableaux, formulaires, envois massifs, etc.). Le symbole **QC** s'écrit sans parenthèses.

Montréal (Québec)
Ottawa (Ontario)

ABRÉVIATIONS NORMALISÉES DES PROVINCES
ET TERRITOIRES DU CANADA

Alberta	Alb.
Colombie-Britannique	C.-B.
Île-du-Prince-Édouard	Î.-P.-É.
Manitoba	Man.
Nouveau-Brunswick	N.-B.
Nouvelle-Écosse	N.-É.
Nunavut	Nt
Ontario	Ont.
Québec	Qc
Saskatchewan	Sask.
Terre-Neuve-et-Labrador	T.-N.-L.
Territoire du Yukon	Yn
Territoires du Nord-Ouest	T. N.-O.

- **Code postal**

  Mention obligatoire, le code postal doit figurer en majuscules après l'indication de la ville et de la province, s'il y a lieu. Dans la mesure du possible, le code postal suit la mention de la ville et de la province après un espacement équivalant à deux caractères. Sinon, il figure à la ligne suivante.

Montréal (Québec) H3T 1A3

Hudson (Québec) J0P 1J0

Sainte-Agathe-des-Monts (Québec) J2D 4G8

- **Nom du pays**

  Pour les lettres destinées à l'étranger, on écrit le nom du pays en majuscules à la dernière ligne de l'adresse. Au Québec, il est préférable d'écrire le nom du pays en français puisque cette indication sert au tri postal du pays de départ. Dans la mesure du possible, il importe de se conformer aux usages du pays de destination.

19, rue Bonaparte
75006 Paris
FRANCE

Time Magazine
541 North Fairbanks Court
Chicago
Illinois
ÉTATS-UNIS 60611

3. NATURE ET MODE D'ACHEMINEMENT

Les mentions relatives à la nature de l'envoi ainsi qu'au mode d'acheminement s'écrivent au **masculin singulier en majuscules**.

RECOMMANDÉ
PERSONNEL
CONFIDENTIEL

VOIR TABLEAU ► ENVELOPPE.

REMARQUE GÉNÉRALE : Ces règles d'écriture sont conformes au *Guide canadien d'adressage* de la Société canadienne des postes. Il importe de respecter l'usage français en ce qui a trait à l'emploi des majuscules et des minuscules, à l'emploi de la virgule et des abréviations ; c'est pourquoi il est déconseillé de noter l'adresse en majuscules non accentuées et sans ponctuation ainsi que le propose la Société canadienne des postes dans l'adresse qu'elle qualifie d'optimale.

ADVERBE

L'adverbe est un mot invariable qui se joint à un autre mot pour en modifier ou en préciser le sens.

L'adverbe peut ainsi modifier ou préciser :
	– un verbe	*Il dessine **bien**.*
	– un adjectif	*Une maison **trop** petite.*
	– un autre adverbe	*Elle chante **tellement** mal !*
	– un nom	*Un roi **vraiment** roi.*
	– un pronom	*C'est **bien** lui, mon ami.*
	– une phrase	***Généralement**, il arrive à l'heure.*
	– une préposition	*Il est arrivé **peu** après huit heures.*

Les adverbes peuvent exprimer :
	– la manière	*tendrement, férocement*
	– le lieu	*derrière, devant*
	– le temps	*demain, hier*
	– la quantité	*beaucoup, peu*
	– l'affirmation	*certainement, assurément*
	– la négation	*nullement, aucunement*
	– le doute	*peut-être, probablement*
	– l'interrogation	*où ? combien ? quand ? comment ?*

📏 L'adverbe composé ou locution adverbiale est formé de plusieurs mots et joue le même rôle que l'adverbe.

LES ADVERBES DE **MANIÈRE**

COMMENT ?

ainsi	comment	calmement
à loisir	d'aplomb	doucement
à part	exprès	gentiment
à tort	faux	gravement
à volonté	fort	méchamment
beau	gratis	prudemment
bien	juste	rapidement
bon	mal	sagement
cher	pêle-mêle...	la plupart des adverbes en **-ment**.

📏 Certains adjectifs comme ***bon, cher, faux, fort, jeune, juste...*** peuvent être employés adverbialement pour modifier le sens d'un verbe ; ils sont alors invariables. *Ces fleurs sentent bon, des vêtements qui coûtent cher et font jeune, elles chantent juste, ils courent vite.*

DANS QUEL ORDRE ?

après	premièrement	primo
auparavant	deuxièmement	secundo
avant	troisièmement	tertio
d'abord	quatrièmement	quarto
dernièrement	cinquièmement	quinto
de suite	sixièmement	sexto
ensuite	septièmement	septimo
successivement...	huitièmement...	octavo...

LES ADVERBES DE **LIEU**

OÙ ?

à droite	au-dessous	dessous	en dehors	loin
à gauche	au-dessus	dessus	en dessous	par-derrière
ailleurs	au-devant	devant	en dessus	par-devant
alentour	autour	en arrière	en haut	partout
au-dedans	dedans	en avant	ici	près
au-dehors	dehors	en bas	là	quelque part...
au-delà	derrière	en dedans	là-bas	

A

14

📏 Certains mots comme *autour, devant, derrière, dessous, dessus, près, au-devant*... ne sont des adverbes de lieu simples ou composés que s'ils modifient le sens du mot auquel ils se rapportent. *Elle joue derrière. Ils sont assis devant. Tourne à gauche.* S'ils sont suivis d'un complément, ils sont des prépositions. *Il y a un arbre derrière la maison. Ils jouent devant l'école. Prends le sentier à gauche de la maison.*

LES ADVERBES DE **TEMPS**

QUAND?				
antérieurement	bientôt	ensuite	postérieurement	tard
après	demain	hier	puis	tôt
aujourd'hui	dernièrement	jadis	soudain	toujours
auparavant	désormais	jamais	sous peu	tout à coup
autrefois	dorénavant	naguère	souvent	tout à l'heure
avant-hier	encore	parfois	tantôt	tout de suite...

PENDANT COMBIEN DE TEMPS? brièvement, longtemps...

DEPUIS COMBIEN DE TEMPS? depuis longtemps, depuis peu...

LES ADVERBES DE **QUANTITÉ** ET D'**INTENSITÉ**

COMBIEN?				
à demi	aussi... que	entièrement	peu	tant
à moitié	autant	le moins	plus	tellement
à peine	beaucoup	le plus	plus ou moins	tout
à peu près	bien	moins	plus... que	tout à fait
assez	comme	moins... que	presque	très
aussi	davantage	pas du tout	quasi	trop...

📏 1° Certains mots comme *aussi, comme*... peuvent être également des conjonctions. *J'arrivais comme* (conjonction) *il partait. Comme* (adverbe) *il est grand! Ces produits ne sont pas biodégradables, aussi* (conjonction) *vaut-il mieux ne pas les utiliser. Il est aussi* (adverbe) *gentil qu'elle.*
2° Les mots *autant, bien, tant, tellement*... immédiatement suivis de la conjonction *que* forment des *locutions conjonctives de subordination. Je ne le changerai pas tant qu'il fonctionnera.*

LES ADVERBES D'**AFFIRMATION**

absolument	certes	justement	si
à la vérité	d'accord	oui	sûr
après tout	effectivement	parfaitement	volontiers...
assurément	en vérité	pour sûr	
bien sûr	évidemment	précisément	
certainement	exactement	sans doute	

LES ADVERBES DE **NÉGATION**

aucunement	ne... guère	ne... plus	non
jamais	ne... jamais	ne... point	nullement
ne	ne... pas	ne... rien	pas du tout...

LES ADVERBES DE **DOUTE**

à peu près	environ	par hasard	probablement
apparemment	éventuellement	peut-être	sans doute...

LES ADVERBES D'**INTERROGATION**

combien?	est-ce que?	n'est-ce pas?	pourquoi?
comment?	et alors?	où?	quand?...

Bon nombre de mots anglais – empruntés principalement au cours du xixe siècle – sont passés dans l'usage français tout en conservant leur forme originale. Ces emprunts, qui appartiennent surtout à la langue des sports, des techniques et des transports, sont nécessaires parce que le français ne dispose pas d'équivalents pour ces mots.

En voici quelques exemples:

aluminium	cortisone	kilt	scout
auburn	cottage	laser	short
autocar	cow-boy	lock-out	sketch
bacon	crash	lunch	slogan
badminton	crawl	music-hall	smoking
bar	curling	nylon	snob
barman	cyclone	palace	soda
barracuda	drain	ping-pong	square
baseball	ferry	plaid	stand
basket-ball	film	poker	standard
bifteck	folklore	punch	steak
blazer	football	quota	stock
bluff	gang	radar	studio
bobsleigh	geyser	rade	tank
boomerang	gin	raglan	tartan
bridge	golf	raid	test
camping	hall	rail	tract
cardigan	handicap	rallye	tramway
cheddar	harmonica	record	transistor
clone	hockey	reporter	volley-ball
clown	jazz	revolver	wagon
club	jockey	rhum	water-polo
cocktail	jogging	sandwich	western
coroner	joker	scotch	whisky...

▶ **Orthographe**

Ces emprunts conservent le plus souvent leur graphie d'origine et s'écrivent sans accents; la plupart prennent un s au pluriel (*des crawls, des cocktails*), certains sont invariables (*des ping-pong, des manches raglan*), d'autres gardent ou non leur pluriel anglais (*des sandwiches, des whiskies*).

▶ **Un juste retour des choses**

Certains emprunts à l'anglais réintègrent leur langue d'origine puisqu'ils proviennent eux-mêmes du français.

Exemples:
antilope	de *antelope* «animal fabuleux»
budget	de *bougette* au sens de «petit sac»
flirt	de *fleureter* au sens de «conter fleurette»
gentleman	de *gentilhomme* au sens de «homme noble»
hockey	de *hoquet* au sens de «bâton crochu»
palace	de *palais* au sens de «résidence des rois»
stencil	de *estinceler* «parer de couleurs éclatantes»
tennis	de *tenez*, exclamation du joueur lançant la balle au jeu de paume
ticket	de *estiquette* «marque fixée à un pieu»
toast	de *tosté* au sens de «grillé»

VOIR TABLEAU ▶ ANGLICISMES.

ANGLICISMES

Les anglicismes sont des mots, des expressions, des sens, des constructions propres à la langue anglaise et qui sont empruntés par une autre langue.

On distingue principalement :

- l'**anglicisme lexical** ou **anglicisme formel** (emprunt d'un mot anglais ou d'une expression anglaise) ;
- l'**anglicisme sémantique** (emploi d'un mot français dans un sens anglais) ;
- l'**anglicisme syntaxique** (emploi d'une construction calquée sur celle de l'anglais).

ANGLICISME LEXICAL OU ANGLICISME FORMEL (EMPRUNT À L'ANGLAIS)

Emploi d'une unité lexicale originaire de l'anglais avec ou sans adaptation phonétique, graphique ou morphologique.

EMPRUNT UTILE

Emploi d'un mot, d'un terme anglais parce que le français ne dispose pas de mot pour désigner une notion.

Ex. : *baseball, coroner, golf, rail, scout, soccer, steak, stock, tennis.*

☞ Ces emprunts – souvent anciens – sont passés dans l'usage français. La langue des sports notamment comprend plusieurs de ces emprunts. Les linguistes Ferdinand Brunot et Charles Bruneau qualifient ces emplois d'**emprunts nécessaires.**

EMPRUNT INUTILE

Emploi d'un mot, d'un terme ou d'une expression emprunté directement à l'anglais, alors que le français dispose déjà de mots pour désigner ces notions.

☞ Les linguistes Ferdinand Brunot et Charles Bruneau qualifient ces emplois d'**emprunts de luxe.**

Ex. : *bumper pour **pare-chocs**,   *opener pour **ouvre-bouteille**,
*computer pour **ordinateur**,   *refill pour **recharge**,
*discount pour **rabais**,   *software pour **logiciel**.

ANGLICISME SÉMANTIQUE (FAUX AMI)

Emploi d'un mot français dans un sens qu'il ne possède pas, sous l'influence d'un mot anglais qui a une forme semblable.

Ex. : *accomplissement au sens de **exploit**,   *juridiction au sens de **compétence**,
*articulé au sens de **éloquent**,   *quitter au sens de **démissionner**,
*balance au sens de **solde**,   *sanctuaire au sens de **réserve (naturelle)**,
*batterie au sens de **pile**,   *voûte au sens de **chambre forte**.

ANGLICISME SYNTAXIQUE (CALQUE)

Traduction littérale d'une expression anglaise, transposition d'une construction de l'anglais.

Ex. : *à date, calque de « *up-to-date* » au lieu de *jusqu'à maintenant, à ce jour*,
*aller en grève, calque de « *to go on strike* » au lieu de *faire la grève*,
*hors d'ordre, calque de « *out of order* » au lieu de *en panne*,
*passé dû, calque de « *past due* » au lieu de *échu*,
*prendre pour acquis, calque de « *to take for granted* » au lieu de *tenir pour acquis*,
*prime de séparation, calque de « *severance pay* » au lieu de *indemnité de départ*,
*retourner un appel, calque de « *to return a call* » au lieu de *rappeler*,
*siéger sur un comité, calque de « *to sit on a board* » au lieu de *siéger à un comité*,
*temps supplémentaire, calque de « *overtime* » au lieu de *heures supplémentaires*.

VOIR TABLEAU ▸ ANGLAIS (EMPRUNTS À L').

ANIMAUX

Les animaux **domestiques** vivent à la maison, servent aux besoins de l'homme ou à son agrément, et sont nourris, logés et protégés par lui, tandis que les animaux **sauvages** vivent dans les forêts, les déserts, en liberté.

Les animaux **terrestres** vivent sur terre, les animaux **aquatiques**, dans l'eau et les **amphibies**, aussi bien sur terre que dans l'eau.

Les animaux **carnivores** se nourrissent de chair, les **herbivores**, d'herbe, les **frugivores**, de fruits ou de graines, les **granivores**, exclusivement de graines, les **insectivores**, d'insectes et les **omnivores**, à la fois de végétaux et d'animaux.

Les **ovipares** se reproduisent par des œufs, les **vivipares** mettent au monde des petits vivants.

LES NOMS ET LES BRUITS D'ANIMAUX

Le nom de l'animal désigne généralement et le mâle et la femelle.

Ainsi, on dira une *autruche mâle* pour la différencier de la femelle, *une couleuvre mâle*, ou *un gorille femelle* pour le distinguer du mâle, *une grenouille mâle* ou *femelle*.

Cependant, le vocabulaire des animaux qui nous sont plus familiers comporte parfois des désignations spécifiques du mâle, de la femelle, du petit, des cris ou des bruits, de l'accouplement ou de la mise bas.

MÂLE	FEMELLE	PETIT	BRUIT
abeille, faux bourdon	reine (mère), ouvrière	larve, nymphe	bourdonne
aigle (un)	aigle (une)	aiglon, aiglonne	glapit, trompette
alouette mâle	alouette femelle		turlute
âne	ânesse	ânon	brait
bouc	chèvre	chevreau, chevrette	bêle, chevrote
bœuf, taureau	vache, taure	veau, génisse	meugle, beugle
buffle	bufflonne	buffletin, bufflette	mugit, souffle
canard	cane	caneton	nasille
carpe mâle	carpe femelle	carpeau	elle est muette!
cerf	biche	faon, hère	brame
chameau	chamelle	chamelon	blatère
chat, matou	chatte	chaton	miaule, ronronne
cheval, étalon	jument	poulain, pouliche	hennit
chevreuil	chevrette	faon, chevrotin	brame
chien	chienne	chiot	aboie, jappe, hurle, grogne
chouette mâle	chouette femelle		(h)ulule
cigale mâle	cigale femelle		chante, stridule
cigogne mâle	cigogne femelle	cigogneau	craquette
cochon, porc, verrat	truie	goret, porcelet	grogne, grouine
coq	poule	poussin	chante (coq), glousse (poule)
corbeau mâle	corbeau femelle	corbillat	croasse
crocodile mâle	crocodile femelle		pleure, vagit
daim	daine	faon	brame
dindon	dinde	dindonneau	glougloute
éléphant	éléphante	éléphanteau	barrit
faisan	faisane	faisandeau	criaille
geai mâle	geai femelle		cajole
grenouille mâle	grenouille femelle	grenouillette, têtard	coasse

ANIMAUX | *SUITE* >

A

18

hibou mâle	hibou femelle		(h)ulule
hirondelle mâle	hirondelle femelle	hirondeau	gazouille, tridule, trisse
jars	oie	oison	criaille, jargonne
lapin	lapine	lapereau	clapit, glapit
lièvre	hase	levraut	vagit
lion	lionne	lionceau	rugit
loup	louve	louveteau	hurle
marmotte mâle	marmotte femelle		siffle
merle	merlette	merleau	flûte, siffle
moineau mâle	moineau femelle		pépie
mouton, bélier	brebis	agneau, agnelle, agnelet	bêle
ours	ourse	ourson	gronde, grogne
paon	paonne	paonneau	braille
perdrix mâle	perdrix femelle	perdreau	cacabe, glousse
perroquet mâle	perroquet femelle		parle, cause
perruche mâle	perruche femelle		jacasse, siffle
pie mâle	pie femelle		jacasse, jase
pigeon	pigeonne	pigeonneau	roucoule
pintade mâle	pintade femelle	pintadeau	cacabe, criaille
rat	rate	raton	chicote, couine
renard	renarde	renardeau	glapit
rhinocéros mâle	rhinocéros femelle		barète, barrit
rossignol mâle	rossignol femelle	rossignolet	chante, trille
sanglier	laie	marcassin	grumelle, grommelle
serpent mâle	serpent femelle	serpenteau	siffle
singe	guenon		crie, hurle
souris mâle	souris femelle	souriceau	chicote
tigre	tigresse		râle, feule
tourterelle mâle	tourterelle femelle	tourtereau	roucoule
zèbre mâle	zèbre femelle		hennit

▶ **Les animaux hybrides**

Certains animaux proviennent du croisement de deux races, de deux espèces différentes. *Le mulet, la mule proviennent d'une jument et d'un âne.*

▶ **Reproduction des animaux**

Pour se reproduire, *l'âne* **saillit**, *le bélier* **lutte**, *l'étalon et le taureau* **montent** ou **saillissent**, *le lapin, le lièvre* **bouquinent**, *l'oiseau mâle* **côche**, *les oiseaux* **s'apparient**, *le poisson* **fraye**...

La mise bas se nomme différemment selon les animaux : *la brebis* **agnelle**, *la biche et la chevrette* **faonnent**, *la chatte* **chatte**, *la chèvre* **chevrote**, *la chienne* **chienne**, *la jument* **pouline**, *la lapine* **lapine**, *la louve* **louvette**, *la truie* **cochonne**, *la vache* **vêle**...

ANOMALIES ORTHOGRAPHIQUES

Certains mots d'une même origine, d'une même famille ont des orthographes différentes.

Orthographes différentes

À titre d'exemples, voici quelques mots dont il faut se méfier :

affoler	et	folle
asepsie	et	aseptique
assonance	et	sonner
battu	et	courbatu
bonhomme	et	bonhomie[1]
boursoufler[1]	et	souffler
chariot[1]	et	charrette
combattant	et	combatif[1]
concourir	et	concurrence
consonne	et	consonance
donner	et	donation
exclu	et	inclus
hypothèse	et	hypoténuse
imbécile	et	imbécillité[1]
interpeller[1]	et	appeler
mamelle	et	mammifère
nommer	et	nomination
persifler[1]	et	siffler
pomme	et	pomiculteur
psychose	et	métempsycose
relais	et	délai
résonance	et	résonner
spacieux	et	spatial
tonnerre	et	détonation...

Variantes orthographiques

Plusieurs mots ont des **orthographes multiples**, appelées **variantes orthographiques**. Ces mots qui sont souvent empruntés à d'autres langues peuvent s'écrire de deux façons, parfois davantage. En voici quelques exemples :

acupuncture	ou	acuponcture
cacher	ou	kascher, casher, cascher
cari	ou	carry, curry
clé	ou	clef
cleptomane	ou	kleptomane
cuiller	ou	cuillère
gaieté	ou	(vx) gaîté
haschisch	ou	haschich, hachisch
hululement	ou	ululement
igloo	ou	iglou
kola	ou	cola
lis	ou	lys
paie	ou	paye
tsar	ou	tzar
tsigane	ou	tzigane
yack	ou	yak
yaourt	ou	yogourt, yoghourt

---

1. Les *Rectifications orthographiques* (1990) permettent d'harmoniser l'orthographe de ce mot avec celle de sa famille.

ANTONYMES

Les antonymes ou contraires sont des mots de même catégorie qui ont une signification opposée.

beauté............et..........laideur	(noms)	
chaud............et..........froid	(adjectifs)	
allumer............et..........éteindre	(verbes)	
rapidement..........et..........lentement	(adverbes)	

A
20

Voici quelques exemples d'antonymes :

ancien..........et.... moderne	force............et.... faiblesse	mou............et.... dur
antipathique...et.... sympathique	fort..............et.... faible	plein............et.... vide
avare............et.... généreux	grand............et.... petit	premier........et.... dernier
baisser..........et.... monter	haut............et.... bas	public..........et.... privé
bon..............et.... méchant	jeune............et.... vieux	rapide..........et.... lent
calmer..........et.... exciter	malheur........et.... bonheur	riche............et.... pauvre
clair..............et.... sombre	masculin........et.... féminin	rigide..........et.... flexible
court............et.... long	minimal........et.... maximal	sec..............et.... humide
difficilement...et.... facilement	monter........et.... descendre	visibilité........et.... invisibilité

☞ Ne pas confondre avec les mots suivants :

▶ **homonymes**, mots qui s'écrivent ou se prononcent de façon identique sans avoir la même signification :

air (expression)
air (mélange gazeux)
air (mélodie)
aire (surface)
ère (époque)
erre (vitesse acquise d'un navire)
hère (malheureux)
hère (jeune cerf)

▶ **paronymes**, mots qui présentent une ressemblance d'orthographe ou de prononciation sans avoir la même signification :

acception (sens d'un mot)
acceptation (accord)
allocation (somme d'argent)
allocution (discours bref)
notable (digne d'être noté)
notoire (qui est bien connu)

▶ **synonymes**, mots qui ont la même signification ou une signification très voisine :

affable, aimable
berner, duper
gravement, grièvement
riche, fortuné
sens, signification

VOIR TABLEAUX ▶ HOMONYMES. ▶ PARONYMES. ▶ SYNONYMES.

APOSTROPHE

Signe orthographique en forme de virgule qui se place en haut et à droite d'une lettre, l'apostrophe remplace la voyelle finale *(a, e, i)* qu'un mot perd devant un mot qui commence par une voyelle ou un *h* muet. Cette suppression de la voyelle finale, appelée *élision,* n'a pas lieu devant un mot commençant par un *h* aspiré.

> *D'abord, je prendrai l'orange, s'il vous plaît, puis le homard.*

🔲 Certains mots qui comportaient une apostrophe s'écrivent maintenant en un seul mot.
Entracte, entraide, mais *entr'apercevoir...*

Les mots qui peuvent s'élider sont :

le se		
la ne		
je de	— devant une voyelle ou un *h* muet. ***J*** *'aurai ce qui convient.*	
me que		
te ce		
jusque	— devant une voyelle. ***Jusqu*** *'au matin.*	
lorsque	— devant *il, elle, en, on, un, une, ainsi* seulement. ***Lorsqu*** *'elle est contente.*	
puisque	***Puisqu*** *'il est arrivé.* ***Quoiqu*** *'on ait prétendu certaines choses…*	
quoique		
presque	— devant *île* seulement. *Une* ***presqu*** *'île,* mais *un bâtiment* ***presque*** *achevé.*	
quelque	— devant *un, une* seulement. ***Quelqu*** *'un,* ***quelqu*** *'une.*	
si	— devant *il* seulement. ***S*** *'il fait beau.*	

VOIR TABLEAU ► **ÉLISION.**

APPEL DE NOTE

Signe noté dans un texte pour signaler qu'une note, un éclaircissement ou une référence bibliographique figure au bas de la page, à la fin du chapitre ou à la fin de l'ouvrage.

L'appel de note est indiqué par un chiffre, une lettre, un astérisque inscrit entre parenthèses ou non, généralement en exposant, après la mention faisant l'objet du renvoi.

Ex. : BOUCANE n. f. (Amérindianisme) Fumée. *Il y a de la boucane quand il y a un incendie*[1].
ÉPINGLETTE n. f. Bijou (général. porté par les femmes) muni d'une épingle, qui peut être orné d'une pierre précieuse. Vieilli *Épinglette de dame.* SYN. broche (auj. plus usuel)[2]. [...]

On s'en tiendra à une présentation uniforme des appels de note tout au long du texte. Si l'on a recours à l'astérisque, il est recommandé de ne pas effectuer plus de trois appels de note par page (*), (**), (***).

1. Gaston Dulong, *Dictionnaire des canadianismes*, Montréal, Larousse, 1989, p. 57.
2. *Dictionnaire historique du français québécois*, sous la direction de Claude Poirier, par l'équipe du *Trésor de la langue française au Québec,* Sainte-Foy, Presses de l'Université Laval, 1998, p. 257-258.

🔲 Dans la note, le prénom précède le nom de famille, contrairement à la bibliographie où le nom de famille est inscrit avant le prénom pour faciliter le classement alphabétique.

VOIR TABLEAU ► **RÉFÉRENCES BIBLIOGRAPHIQUES.**

EMPRUNTS À L'**ARABE**

La langue arabe a donné au français quelques centaines de mots :

- par emprunt direct (*couscous, fakir, haschisch, khôl, sofa*),
- par l'espagnol (*alcôve, guitare, sarabande*),
- par le portugais (*marabout, pastèque*),
- par l'italien (*artichaut, assassin, mosquée, nacre, sorbet*),
- par le provençal (*lime, luth, orange*),
- par le latin (*laque, nuque, raquette*),
- par le grec (*élixir*).

De nombreux emprunts à la langue arabe commencent par les lettres **al** (déterminant arabe signifiant « le, la »).

Emprunt	Signification du mot arabe d'origine
alcôve	« la grotte, la petite chambre »
alezan	« le cheval »
algarade	« l'attaque de nuit »
algèbre	« la réduction des calculs »
algorithme	d'après Al-Khawarizmi, grand mathématicien arabe

► **Orthographe**

Les mots empruntés à l'arabe sont généralement francisés ; ils s'écrivent avec des accents, s'il y a lieu, et prennent la marque du pluriel. *Des camaïeux, des émirs, des razzias.*

Voici quelques exemples de mots provenant de l'arabe :

abricot	cafard	girafe	mousson
alambic	caïd	goudron	musulman
alcalin	calife	guitare	nacre
alchimie	camaïeu	harem	nadir
alcool	camphre	hasard	nénuphar
alcôve	câpre	haschisch	nuque
alezan	caroube	henné	orange
algarade	carrousel	jarre	pastèque
algèbre	carvi	jasmin	raquette
algorithme	cheik	jujube	razzia
alkékenge	chiffre	khôl	récif
almanach	chimie	kif-kif	safran
ambre	coran	laque	salamalecs
amiral	coton	lilas	salsepareille
arak	couscous	lime	sarabande
arsenal	djellaba	luth	sirop
artichaut	douane	magasin	sofa
assassin	échec	marabout	sorbet
avanie	élixir	massepain	sucre
avarie	émir	matelas	sultan
azimut	épinard	matraque	taboulé
azur	estragon	méchoui	talisman
babouche	fakir	mesquin	tambour
baobab	fanfaron	minaret	tasse
bédouin	fez	moka	timbale
bled	gandoura	momie	zénith
burnous	gazelle	mosquée	zéro...

A
22

ATTRIBUT

L'attribut est un mot ou un groupe de mots exprimant une qualité, une manière d'être attribuée à un être ou à un objet par l'intermédiaire d'un verbe, le plus souvent, le verbe *être*. *Elle était émue quand on l'a nommée présidente.*

> ⊶ Fonction grammaticale exercée dans la plupart des cas par un adjectif ou un nom, l'attribut fait partie du groupe verbal.

Plusieurs verbes – **essentiellement** ou **occasionnellement attributifs** – peuvent jouer le même rôle :

appeler	demeurer	faire	savoir
choisir	devenir	juger	sembler
connaître	dire	paraître	trouver
croire	élire	proclamer	vivre
déclarer	estimer	rester	vouloir...

▸ **Attribut du sujet**

*La maison paraît **grande** lorsque les enfants sont **absents**. Étienne est devenu **neurologue** en 2005.*

*Ces chiens semblent **attachés** à Françoise : ce sont **les siens**. Elle restera **présidente**.*

> ⊡ L'attribut du sujet est un receveur d'accord : s'il est de forme variable, il s'accorde en genre et en nombre avec le sujet du verbe.

▸ **Attribut du complément du verbe**

*Je le crois **fou de toi**. Le directeur la trouve **compétente**. On la nomma **trésorière**.*

> ⊡ L'attribut du complément direct est un receveur d'accord : s'il est de forme variable, il **s'accorde en genre et en nombre avec le complément direct du verbe**.

▸ **L'attribut peut être**

Un adjectif ou **un groupe adjectival (groupe de l'adjectif)**.
*Cette maison est **accueillante**. Ces mères semblent **bien fières de leur enfant**.*

Un nom ou **un groupe nominal (groupe du nom)**.
*Les membres l'élurent **président**. Les framboises sont **des fruits succulents**.*

Un pronom.
*Cette bicyclette est **la tienne**. **Qui** es-tu ?*

Un adverbe ou **un groupe adverbial (groupe de l'adverbe)**.
*Elle est **chic**. Ce texte est **très bien**.*

Un groupe prépositionnel (groupe de la préposition).
*Mes amis sont **d'accord**. Les lilas sont **en fleurs**.*

Une phrase à verbe conjugué.
*Notre objectif est **que tous les étudiants maîtrisent bien cette matière**.*

Un participe ou **une phrase participiale**.
*Le jardin est **ombragé**. Ces personnes semblent **touchées**. Il est **décidé à partir**.*

Un infinitif ou **une phrase infinitive**.
*Partir, c'est **mourir un peu**.*

▸ **Place de l'attribut**

L'attribut se place généralement **après** le verbe qui le relie au mot qu'il qualifie. *La fleur est rouge.*

Il est parfois **avant** le verbe, notamment dans les interrogations, dans les phrases où le verbe est sous-entendu, lorsque l'auteur veut mettre l'accent sur l'attribut. *Quel est ton âge ? Heureux les insouciants ! Grande était sa joie.*

A

24

LES AUXILIAIRES DE CONJUGAISON

Verbes servant à la **formation des temps composés** pour la conjugaison des verbes.

⌨ Les auxiliaires de conjugaison sont *avoir* et *être*; ils n'ont pas de signification propre et marquent la personne, le nombre, le temps et le mode du verbe aux divers temps composés.

Auxiliaire *avoir*		
j'	**ai**	*aimé*
tu	**as**	*aimé*
elle	**a**	*aimé*
il	**a**	*aimé*
nous	**avons**	*aimé*
vous	**avez**	*aimé*
elles	**ont**	*aimé*
ils	**ont**	*aimé*

Auxiliaire *être*		
je	**suis**	*venu, ue*
tu	**es**	*venu, ue*
elle	**est**	*venue*
il	**est**	*venu*
nous	**sommes**	*venus, ues*
vous	**êtes**	*venus, ues*
elles	**sont**	*venues*
ils	**sont**	*venus*

⌨ Le mot *auxiliaire* signifie «aide».

👄 Les lettres *au* se prononcent *o* ouvert ou fermé.

FORMATION DES TEMPS COMPOSÉS AVEC L'AUXILIAIRE *AVOIR* ET LE PARTICIPE PASSÉ

Les verbes *avoir* et *être*. *J'ai eu froid, j'ai été malade.*

Tous les **verbes transitifs**. *Tu as lu des livres.*
  ↪ Les verbes transitifs directs ont un complément direct du verbe; les verbes transitifs indirects ont un complément indirect du verbe.

La plupart des **verbes intransitifs**. *Elle a voyagé.*
  ↪ Les verbes intransitifs s'emploient sans complément du verbe.

Les verbes essentiellement **impersonnels non pronominaux**. *Il a neigé.*
  📏 Les verbes impersonnels ne s'emploient qu'à la troisième personne du singulier avec le sujet impersonnel *il.*

FORMATION DES TEMPS COMPOSÉS AVEC L'AUXILIAIRE *ÊTRE* ET LE PARTICIPE PASSÉ

Certains verbes **intransitifs** et certains verbes **transitifs indirects**. *Il est arrivé depuis hier. Elles sont revenues.*

advenir	décéder	intervenir	partir	revenir
aller	devenir	mourir	redevenir	survenir
arriver	échoir	naître	rester	venir...

  ↪ Les verbes intransitifs sont employés sans complément du verbe.

Tous les verbes à la **forme pronominale**. *Elle s'est regardée. Nous nous sommes vues.*
  ↪ Les verbes pronominaux sont accompagnés d'un pronom personnel qui représente le sujet.

Tous les verbes à la **forme passive**. *Tu seras apprécié par tes amis.*
  ⌨ La forme passive exprime l'action à partir de l'objet qui la subit *(la pomme est mangée)*, alors que la forme active exprime l'action à partir du sujet qui la fait *(je mange la pomme).*

FORMATION DES TEMPS COMPOSÉS AVEC L'AUXILIAIRE *AVOIR* OU *ÊTRE* ET LE PARTICIPE PASSÉ

Certains verbes se conjuguent avec l'auxiliaire *avoir* pour exprimer une action et avec l'auxiliaire *être* pour exprimer l'état qui résulte de l'action. *Il **a** passé ses vacances ici. L'hiver **est** enfin passé.*

accoucher	crever	diminuer	enlaidir	pourrir
accourir	déborder	disparaître	entrer	rajeunir
apparaître	décamper	divorcer	expirer	rentrer
atterrir	décroître	échapper	grandir	retourner
augmenter	dégeler	échouer	grossir	sonner
baisser	dégénérer	éclater	maigrir	stationner
camper	déménager	éclore	monter	tourner
changer	demeurer	embellir	paraître	trépasser
chavirer	descendre	empirer	passer	vieillir...

LES SEMI-AUXILIAIRES

▸ **Les auxiliaires de temps (ou auxiliaires d'aspect)**

Les auxiliaires de temps sont des verbes construits avec un infinitif et jouant le rôle d'un auxiliaire pour situer **le moment de l'action** exprimée par le verbe à l'infinitif.

Certains auxiliaires de temps marquent l'étape du déroulement de l'action :

- **avant le déroulement** *(aller, être sur le point de, être en passe de…)*
  Le réveil va sonner. Tu étais sur le point de t'endormir. Elles sont en passe de réussir.
  ▭ La forme verbale traduit un futur proche.

- **au début du déroulement** *(commencer à, se mettre à…)*
  Il commence à pleuvoir. Il s'est mis à neiger.

- **en cours de déroulement** *(être en train de, être à…)*
  Les enfants sont en train de jouer. Ils sont à dessiner.

- **en fin de déroulement** *(achever de, finir de…)*
  Elle achève de manger. Ils finissent de dormir.

- **après le déroulement** *(avoir fini de, venir de…)*
  Les orateurs viennent de terminer leur discours. Vous avez fini de repeindre le salon.
  ▭ La forme verbale traduit un passé proche.

▸ **Les auxiliaires de modalité (ou auxiliaires modaux)**

Les auxiliaires de modalité sont des verbes construits avec l'infinitif et jouant le rôle d'un auxiliaire pour marquer **la possibilité** ou **l'obligation** *(pouvoir, devoir)*.
Ces adolescents peuvent fêter : ils ont réussi leurs examens. Ils doivent rentrer avant minuit.
▭ Ces verbes peuvent aussi exprimer **la probabilité**.
Selon nos calculs, le chiffre d'affaires peut atteindre un million. Il doit neiger ce soir.

▸ **Les auxiliaires factitifs**

Les auxiliaires factitifs sont des verbes construits avec un infinitif et jouant le rôle d'un auxiliaire pour indiquer **que le sujet fait faire l'action par autrui** *(faire et laisser)*.
Nos voisins ont fait construire une maison. Ils ont laissé les enfants dormir.

A

25

C'est la Charte de la langue française – sanctionnée le 26 août 1977 – qui a confié à l'Office de la langue française (OLF) la mission de recommander ou de normaliser certains termes par leur publication à la *Gazette officielle*. Le 1er octobre 2002, l'OLF est devenu l'Office québécois de la langue française (OQLF).

Les avis de l'organisme portent principalement sur des terminologies présentant un phénomène massif d'emprunt, sur des terminologies traditionnelles régionales qui entrent en conflit avec des terminologies françaises, sur des terminologies en voie d'élaboration.

En France, le gouvernement a également constitué des commissions de terminologie qui ont pour objet d'étudier le vocabulaire de certains domaines menacés par l'anglicisation et de formuler des recommandations officielles.

VOICI QUELQUES EXEMPLES D'AVIS :

▶ **Accentuation des majuscules**

Les majuscules sont notées avec accents, tréma et cédille lorsque les minuscules équivalentes en comportent.

▶ **Signalisation des issues de secours**

– *sortie,* équivalent français de *« exit »*

▶ **Signalisation routière**

– *halte routière,* équivalent français de *« rest area »*

▶ **Commerce**

– *dépanneur,* équivalent français de *« convenience store »*

– *centre commercial* (et non *centre d'achats), équivalent français de *« shopping center »*

▶ **Règles d'écriture**

Indication de l'heure selon la période de 24 heures. Ex. : *20 h 30 min* ou *20 h 30*

Symbole du dollar à la suite de la partie numérique. Ex. : *75 $, 50,25 $*

▶ **Informatique**

– *éditique,* équivalent français de *« desktop publishing »*

– *courriel,* équivalent français de *« electronic mail »*, *« e-mail »*

▶ **Publicité**

– *commanditaire,* équivalent français de *« sponsor »*

– *commandite,* équivalent français de *« sponsorship »*

▶ **Espèces marines québécoises**

– *saumon de l'Atlantique,* équivalent français de *« Atlantic salmon »* (appellation non retenue : saumon de Gaspé)

– *pétoncle,* équivalent français de *« scallop »* (appellation non retenue : coquille Saint-Jacques)

– *crevette nordique,* équivalent français de *« pink shrimp »* (appellations non retenues : crevette de Matane, crevette rose, crevette de Sept-Îles)

▶ **Mentions**

– *breveté,* équivalent français de *« patented »*

– *imprimé à, au, en,* équivalent français de *« printed in »*

– *fabriqué à, au, en,* équivalent français de *« made in »*

▶ **Éducation**

– *sanction des études* (et non *certification)

– *délivrance des diplômes* (et non *émission des diplômes)

– *droits de scolarité* (et non *frais de scolarité)

CHIFFRES ARABES

Les chiffres sont des caractères servant à écrire les nombres. *Nous employons généralement les **chiffres arabes**, mais nous recourons parfois aux **chiffres romains**.*

La numération arabe est composée de dix chiffres : **0, 1, 2, 3, 4, 5, 6, 7, 8, 9**.

T Les nombres s'écrivent par **tranches de trois chiffres** séparées entre elles par un espace (de droite à gauche pour les entiers, de gauche à droite pour les décimales). *1 865 234,626 125*
Si le nombre ne comprend que quatre chiffres, il peut s'écrire avec ou sans espace. *1 865 ou 1865*
Le **signe décimal** du système métrique est la **virgule**. *45,14 (et non plus *45.14)*

On recourt généralement aux chiffres arabes pour noter les nombres dans la langue courante ainsi que dans les textes techniques, scientifiques, financiers ou administratifs.

T Cependant, tout nombre qui commence une phrase doit être noté en toutes lettres. *Trente élèves ont réussi.* En fin de ligne, on veillera à ne pas séparer un nombre en chiffres du nom qu'il accompagne.

PRINCIPAUX EMPLOIS DES CHIFFRES ARABES

1. Quantité complexe.

Il y a 12 000 étudiants qui fréquentent l'École des HEC cette année, dont 3 608 étudiants étrangers.

T Dans un texte de style soutenu, on écrit généralement en toutes lettres les nombres de **0** à **9**.

2. Date, heure et **âge.**

Le 31 juillet 1996 à 11 h 30, Marie-Ève a eu 20 ans.

3. Numéros d'ordre.

Adresse. *Ils habitent 35, rue des Bouleaux.*
Numéro de loi, d'article, de règlement. *Projet de loi 40, article 2.*
Numéro de page, de paragraphe. *Voir p. 354, paragr. 4.*

4. Pourcentage et taux (%).

La note de passage est de 60 %. Un taux d'intérêt de 8,5 %.

T Le symbole % est séparé par un espace du nombre qu'il suit.

5. Nombre suivi d'un symbole d'unité de mesure.

Un poids de 15 kg, une longueur de 35 cm, une température de 25 °C.

T Le symbole de l'unité de mesure est séparé par un espace du nombre qu'il suit et il s'écrit sans point abréviatif.

6. Nombre suivi d'un symbole d'unité monétaire.

Le prix est de 100 $, 500 €, 250 £.

7. Fraction, échelle de carte.

Les 2/3 des élèves ou 66,66 % ont réussi. Une carte à l'échelle de 1/50 000.

T Les fractions décimales sont toujours composées en chiffres. Les unités ne se séparent pas des dixièmes. *Une distance de 15,5 km (et non *15 km 5).* Si le nombre est inférieur à **1**, la fraction décimale est précédée d'un **0** ; on ne laisse pas d'espace avant ni après la virgule décimale. *Un écart de 0,38 cm a été constaté.*

VOIR TABLEAUX ► **CHIFFRES ROMAINS.** ► **NOMBRES.** ► **SYMBOLE.**

CHIFFRES ROMAINS

Les chiffres romains sont notés à l'aide de sept lettres majuscules auxquelles correspondent des valeurs numériques.

I	V	X	L	C	D	M
1	5	10	50	100	500	1 000

☞ Comme les chiffres arabes, les chiffres romains s'écrivent de gauche à droite en commençant par les milliers, puis les centaines, les dizaines et les unités.

Les nombres sont constitués :

▸ **par addition** : en inscrivant les chiffres plus petits ou égaux à droite des chiffres plus grands.

XIII	CXX	MCL
10 + 3 = 13	100 + 10 + 10 = 120	1 000 + 100 + 50 = 1 150

▸ **par soustraction** : en inscrivant les chiffres plus petits à gauche des chiffres plus grands.

IV	XL	CMXCIX
-1 + 5 = 4	- 10 + 50 = 40	(-100 + 1000) + (-10 + 100) + (-1 + 10) = 999

▸ **par multiplication** : un trait horizontal au-dessus d'un chiffre romain le multiplie par 1 000.

$$\overline{V} = 5\ 000 \qquad \overline{X} = 10\ 000 \qquad \overline{M} = 1\ 000\ 000$$

☞ Le chiffre **I** ne peut être soustrait que de **V** ou de **X** ;
le chiffre **X** ne peut être soustrait que de **L** ou de **C** ;
le chiffre **C** ne peut être soustrait que de **D** ou de **M**.

On ne peut additionner plus de trois unités du même nombre, on recourt ensuite à la soustraction.

III,	IV	XXX,	XL
3,	4	30,	40

PRINCIPAUX EMPLOIS DES CHIFFRES ROMAINS

1. Noms de **siècles** et de **millénaires**. *Le XVIe siècle, le IIe millénaire.*

2. Noms de **souverains** et ordre des **dynasties**. *Louis XIV, IIIe dynastie.*

3. Noms d'**olympiades**, de **manifestations**. *Les XXIIes Jeux olympiques.*

4. Divisions d'un texte. *Tome IV, volume III, fascicule IX, avant-propos p. IV.*

5. Inscription de la **date sur un monument**, au **générique d'un film**. *MCMLXXXIX.*

☞ Contrairement aux chiffres arabes, les chiffres romains d'une colonne s'alignent verticalement à gauche.

VOIR TABLEAU ▸ CHIFFRES ARABES.

CHIFFRES ARABES	CHIFFRES ROMAINS	CHIFFRES ARABES	CHIFFRES ROMAINS	CHIFFRES ARABES	CHIFFRES ROMAINS
1	I	40	XL	700	DCC
2	II	50	L	800	DCCC
3	III	60	LX	900	CM
4	IV	70	LXX	1000	M
5	V	80	LXXX	1534	MDXXXIV
6	VI	90	XC	1642	MDCXLII
7	VII	100	C	1965	MCMLXV
8	VIII	200	CC	1987	MCMLXXXVII
9	IX	300	CCC	1990	MCMXC
10	X	400	CD	1998	MCMXCVIII
20	XX	500	D	1999	MCMXCIX
30	XXX	600	DC	2000	MM

COLLECTIF

Nom singulier ou locution désignant une réunion d'êtres ou de choses.

COLLECTIFS COURANTS

amas	classe	équipe	minorité	tas
armée	comité	foule	multitude	totalité
assemblée	cortège	groupe	nuée	tribu
bande	dizaine	lot	poignée	troupe
brassée	douzaine	majorité	quantité	troupeau...
centaine	ensemble	masse	série	

► **1.** Nom collectif **employé seul**

Si le sujet est un collectif employé sans complément, le verbe se met **au singulier**.
L'équipe gagna la partie.

► **2.** Nom collectif **suivi d'un complément au singulier**

Si le sujet est un collectif suivi d'un complément au singulier, le verbe se met **au singulier**.
La plupart du temps se passe à jouer dehors.

► **3.** Nom collectif **précédé d'un déterminant indéfini suivi d'un complément au pluriel**

Si le sujet est un collectif précédé d'un déterminant indéfini *(un, une)* et suivi d'un complément au pluriel, le verbe se met **au singulier** lorsque l'auteur veut insister sur l'ensemble, **au pluriel**, s'il veut insister sur le complément au pluriel (la pluralité).
Une majorité d'élèves a réussi ou *ont réussi l'examen.*

► **4.** Nom collectif **précédé d'un déterminant qui sert à la reprise de l'information, c'est-à-dire un déterminant défini, un déterminant possessif ou un déterminant démonstratif et suivi d'un complément au pluriel**

Si le sujet est un collectif précédé d'un déterminant défini *(le, la)*, d'un déterminant possessif *(mon, ma)* ou d'un déterminant démonstratif *(ce, cette)* et suivi d'un complément au pluriel, le verbe se met généralement **au singulier**.
La bande de copains est en excursion. Mon groupe d'amis raffole de cette musique.

► **5.** Locutions *un des, une moitié des, un grand nombre de, un certain nombre de, un petit nombre de... suivies d'un complément au pluriel*

Si le sujet est l'une de ces expressions, le verbe se met **au singulier** lorsque l'auteur veut insister sur l'ensemble, **au pluriel**, lorsqu'il veut insister sur le complément au pluriel (la pluralité).
Une moitié des pommes est tombée ou *sont tombées.*

► **6.** Locutions *assez (de), beaucoup (de), bien des, combien (de), la plupart (des), la totalité des, nombre (de), peu (de), quantité (de), tant (de), trop (de), infinité de... suivies d'un complément au pluriel*

Si le sujet est une expression qui exprime la quantité, l'accord du verbe se fait avec le complément **au pluriel** du nom ou du pronom.
La plupart des amis étaient là. Une infinité de roses sont cultivées dans ce jardin.

 ▱ Malgré la logique,
  – le verbe s'accorde **au singulier** après *plus d'un (plus d'un élève était absent)*;
  – le verbe s'accorde **au pluriel** après *moins de deux (moins de deux heures se sont écoulées avant son arrivée).*

► **7.** Termes *espèce, sorte, type*

Si le sujet est l'un de ces termes désignant l'espèce et qu'il est précédé de *un, une* et suivi d'un complément au pluriel, c'est avec celui-ci que se fait généralement l'accord. *Un nouveau type d'enquêtes ont été effectuées.* Si l'un de ces termes est précédé d'un déterminant défini *(le, la)*, d'un déterminant possessif *(mon, ma)* ou d'un déterminant démonstratif *(ce, cette)* et suivi d'un complément au pluriel, le verbe se met généralement au singulier. *Ce type de recherches est peu commun.*

COMPLÉMENT[1]

Le **complément** est un groupe de mots ou une phrase qui complète le sens d'un mot ou d'une phrase, en le précisant ou en ajoutant de l'information à son sujet.

COMPLÉMENT DE LA PHRASE

La **phrase** de base est constituée de son sujet et de son prédicat (ce qui est dit à propos du sujet), ces deux constituants étant obligatoires et fixes, et de son **complément de phrase**, ce constituant étant facultatif et mobile.

Cinq catégories grammaticales peuvent occuper la fonction de complément de phrase :

▸ **groupe de la préposition**
   *Je vais te le dire **à ce moment-là**. Il aime Julie **depuis ce jour**.*

▸ **groupe de l'adverbe**
   *Un accident est arrivé **hier**. Elle mangeait de la viande **autrefois**.*

▸ **groupe du nom**
   *Cet enfant rit **toute la journée**. Il a perdu son emploi **le mois dernier**.*

▸ **phrase à verbe conjugué**
   *Vous commencerez **quand vous serez prêt**.* (SUBORDONNÉE CIRCONSTANCIELLE)

▸ **phrase participiale**
   ***Le temps s'étant refroidi**, il apporte ses gants.* (SUBORDONNÉE CIRCONSTANCIELLE)

COMPLÉMENT DU VERBE

Un **groupe du verbe** est formé d'un verbe et, selon ce que commande l'emploi de ce verbe, d'aucun, d'un ou de plusieurs **compléments du verbe**.

Six catégories grammaticales peuvent faire partie du complément du verbe :

▸ **groupe du nom**
   *Il plantait **des arbres**.* (COMPLÉMENT DIRECT DU VERBE)
   *Le chat est **un mammifère**.* (ATTRIBUT DU SUJET)

▸ **groupe de la préposition**
   *Elle parle **à son père**.* (COMPLÉMENT INDIRECT DU VERBE)
   *Il semble **de la bonne sorte**.* (ATTRIBUT DU SUJET)

▸ **groupe de l'adverbe**
   *Elles iront **ailleurs**.* (COMPLÉMENT INDIRECT DU VERBE)
   *Ils paraissent **très bien**.* (ATTRIBUT DU SUJET)

▸ **groupe de l'adjectif**
   *Elle est **heureuse**.* (ATTRIBUT DU SUJET)
   *Il rend ses parents **heureux**.* (ATTRIBUT DU COMPLÉMENT DIRECT DU VERBE)

▸ **phrase infinitive**
   *Ils aiment **raconter des histoires drôles**.* (SUBORDONNÉE COMPLÉTIVE, COMPLÉMENT DIRECT DU VERBE)

▸ **phrase à verbe conjugué**
   *Il pense **que l'été est fini**.* (SUBORDONNÉE COMPLÉTIVE, COMPLÉMENT DIRECT DU VERBE)
   *Elle sait **quel est ton tarif pour les corrections**.* (SUBORDONNÉE COMPLÉTIVE, COMPLÉMENT DIRECT DU VERBE)

COMPLÉMENT | *SUITE* >

1. Conception du tableau : Annie Desnoyers.

La différence entre un **complément de phrase** et un **complément de verbe** est que le premier est facultatif et mobile, alors que le second est obligatoire selon le verbe utilisé et se place normalement après ce verbe.

Sujet de la phrase	Prédicat de la phrase	Complément de la phrase
		(facultatif et mobile)
Le verglas.................*a endommagé l'érablière* ....*en 1998.*		
Des agents secrets ....*ont attenté à la vie du roi*........*dans ce pays.*		

Le verglas a endommagé l'érablière. / En 1998, le verglas a endommagé l'érablière. / *Le verglas a endommagé en 1998. / *L'érablière, le verglas a endommagé en 1998.

Des agents secrets ont attenté à la vie du roi. / Dans ce pays, des agents secrets ont attenté à la vie du roi. / *Des agents secrets ont attenté dans ce pays. / *À la vie du roi, des agents secrets ont attenté dans ce pays.

☞ Les phrases précédées d'un astérisque sont agrammaticales.

COMPLÉMENT DU NOM (ET DU PRONOM)

Un **groupe du nom** est formé d'un nom commun et son déterminant ou d'un nom propre, puis facultativement, d'un ou de plusieurs **compléments du nom**. Les compléments du nom peuvent prendre deux sens : ils peuvent servir à déterminer de quelle réalité il est question (ils sont alors nécessaires à la phrase et ne sont pas encadrés par des virgules) ou ils peuvent servir seulement à donner une explication de plus sur la réalité dont on parle (ils sont alors facultatifs dans la phrase et sont encadrés par des virgules).

Cinq catégories grammaticales peuvent jouer le rôle de complément du nom :

- ▸ **groupe de l'adjectif**
  *ma grand-mère **paternelle***   *ma mère, **toujours généreuse**,*

- ▸ **groupe de la préposition**
  *les promenades **à vélo***   *ces promenades, **au clair de lune**,*

- ▸ **groupe du nom**
  *des tables **style bistro***   *la table, **un meuble indispensable**,*

- ▸ **phrase participiale**
  *la dame **portant un chapeau*** (SUBORDONNÉE RELATIVE)
  *une dame, **portant un chapeau**,* (SUBORDONNÉE RELATIVE)

- ▸ **phrase à verbe conjugué**
  *la dame **qui porte un chapeau*** (SUBORDONNÉE RELATIVE)
  *cette dame, **qui porte un chapeau**,* (SUBORDONNÉE RELATIVE)
  *le désir **qu'elle revienne vite*** (SUBORDONNÉE COMPLÉTIVE)

C

32

Dans le groupe du nom, un **pronom** peut aussi remplacer le nom puis, facultativement, être suivi d'un **complément du pronom**.

Deux catégories grammaticales peuvent jouer le rôle de complément du pronom :

► **groupe de la préposition**

celle de ma sœur   *aucun des deux*   *ceux de jadis*

► **phrase à verbe conjugué**

celle qui porte un grand chapeau blanc (SUBORDONNÉE RELATIVE)

COMPLÉMENT DE L'ADJECTIF

Un **groupe de l'adjectif** contient un adjectif et, facultativement, un **complément de l'adjectif**.

Deux catégories grammaticales peuvent remplir la fonction de complément de l'adjectif :

► **groupe de la préposition**

bonne en physique

► **phrase à verbe conjugué**

certains qu'elle réussira l'examen final (SUBORDONNÉE COMPLÉTIVE)

COMPLÉMENT DE LA PRÉPOSITION

Un **groupe de la préposition** est composé d'une préposition et, obligatoirement, d'un **complément de la préposition**.

Cinq catégories grammaticales peuvent jouer le rôle de complément de la préposition :

► **groupe du nom**.................*dans sa chambre*

► **groupe de la préposition**.....*de derrière la maison*

► **groupe de l'adverbe**..........*d'hier*

► **phrase infinitive**...............*pour te voir arriver le matin*

► **phrase participiale**............*en te regardant le matin*

COMPLÉMENT DE L'ADVERBE

Un **groupe de l'adverbe** contient un adverbe et, facultativement, un **complément de l'adverbe**.

Seul le groupe de la préposition peut jouer le rôle de complément de l'adverbe.

conformément à vos dispositions

VOIR TABLEAUX ► ADJECTIF. ► ADVERBE. ► GROUPE. ► NOM. ► PHRASE (ANALYSE GRAMMATICALE DE LA).
► PHRASE (FONCTIONS DE LA). ► PRÉPOSITION. ► PRONOM. ► VERBE.

CONCORDANCE DES TEMPS DANS LA PHRASE

Le temps du verbe principal ou verbe de la phrase autonome définit le mode et le temps du verbe subordonné selon que l'action de celui-ci a eu lieu AVANT (antériorité), a lieu PENDANT (simultanéité) ou aura lieu APRÈS (postériorité) celle du verbe principal.

TEMPS DU VERBE PRINCIPAL (PHRASE AUTONOME)	MOMENT DE L'ACTION DU VERBE SUBORDONNÉ	MODE ET TEMPS DU VERBE SUBORDONNÉ (PHRASE SUBORDONNÉE)	
▸ PRÉSENT		**INDICATIF**	
	AVANT	qu'il était là	(imparfait)
		qu'il a été là	(passé composé)
		qu'il fut malade	(passé simple)
Il pense		qu'il avait été malade	(plus-que-parfait)
	PENDANT	qu'il est là	(présent)
	APRÈS	qu'il sera là	(futur)
		SUBJONCTIF	
	AVANT	qu'elle ait été malade	(passé)
Elle redoute	PENDANT	qu'elle soit malade maintenant	(présent)
	APRÈS	qu'elle vienne en retard	(présent)
▸ PASSÉ		**INDICATIF**	
Elle pensait	AVANT	qu'il avait été là	(plus-que-parfait)
Elle a pensé	PENDANT	qu'il était là	(imparfait)
Elle pensa	APRÈS	qu'il serait là	(conditionnel présent)
Elle avait pensé			
		SUBJONCTIF	
	AVANT	qu'elle eût été malade	(plus-que-parfait)
Elle redoutait	PENDANT	qu'elle fût malade	(imparfait)
	APRÈS	qu'elle fût malade désormais	(imparfait)
▸ FUTUR		**INDICATIF**	
		qu'il a été là	(passé composé)
	AVANT	qu'il était là	(imparfait)
Ils diront		qu'il fut là	(passé simple)
Elles auront dit	PENDANT	qu'il est là	(présent)
	APRÈS	qu'il viendra	(futur)
		SUBJONCTIF	
	AVANT	qu'il ait été là	(passé)
Il doutera	PENDANT	qu'elle vienne	(présent)
	APRÈS	qu'elle soit là à temps	(présent)

CONCORDANCE DES TEMPS DANS LA PHRASE | *SUITE* >

C

34

TEMPS DU VERBE PRINCIPAL (PHRASE AUTONOME)	MOMENT DE L'ACTION DU VERBE SUBORDONNÉ	MODE ET TEMPS DU VERBE SUBORDONNÉ (PHRASE SUBORDONNÉE)
► CONDITIONNEL PRÉSENT		SUBJONCTIF
	AVANT	*qu'il eût été là* .... (plus-que-parfait)
Elle douterait	PENDANT	*qu'il soit là* .... (présent)
	APRÈS	*qu'il soit malade* .... (présent)
► CONDITIONNEL PASSÉ		SUBJONCTIF
	AVANT	*qu'elle eût été malade* .... (plus-que-parfait)
Il aurait douté	PENDANT	*qu'elle fût là* .... (imparfait)
	APRÈS	*qu'elle fût présente désormais* .... (imparfait)

L'emploi du subjonctif imparfait ou plus-que-parfait relève aujourd'hui de la langue écrite ou littéraire. Dans la langue orale, le subjonctif imparfait est généralement remplacé par le présent du subjonctif (*elle douterait que tu sois malade*); le subjonctif plus-que-parfait, par le subjonctif passé (*elle douterait que tu sois parti*).

VOIR TABLEAUX ► FUTUR. ► INDICATIF. ► PASSÉ (TEMPS DU). ► PRÉSENT. ► SUBJONCTIF.

CONCORDANCE DES TEMPS DANS LE TEXTE[1]

La **concordance des temps** des verbes entre plusieurs phrases autonomes relève de la grammaire du texte: elle concerne la cohérence textuelle.

La concordance des temps et des modes des verbes à l'intérieur d'une phrase autonome contenant au moins une phrase subordonnée relève de la grammaire de la phrase.

VOIR TABLEAU ► CONCORDANCE DES TEMPS DANS LA PHRASE.

La **concordance des temps dans le texte** est l'emploi des temps verbaux pour marquer:

- le temps principal du texte;
- les situations qui ont lieu AVANT (antériorité), PENDANT (simultanéité) et APRÈS (postériorité) ce temps principal.

TEXTE AU PRÉSENT (temps principal)

Les situations antérieures au temps principal du texte sont exprimées par un verbe conjugué à un temps du passé, les situations simultanées, par un verbe au présent, et les situations postérieures, par un verbe au futur.

*Ce soir, le ciel <u>brille</u> d'étoiles. Les enfants <u>sont</u> assis sur la galerie du chalet, blottis contre mamie Arlette, emmitouflés dans une couverture. Sur le quai, grand-papa Gilles <u>prépare</u> quelque chose de mystérieux. Le matin, il **a dit** aux enfants de s'attendre à une surprise le soir venu.*

Soudain, un grand bruit <u>éclate</u>! Une fusée lumineuse <u>grimpe</u> vers le ciel, puis <u>se change</u> en une merveilleuse explosion de couleurs.

*— «Bleu, vert, jaune, rose!», <u>crient</u> Amélie, Antoine, Catherine et mamie, ravis du feu d'artifice. Cette soirée **restera** gravée dans leur mémoire pour toujours.*

C

35

TEXTE AU PASSÉ (temps principal)

Les situations qui ont lieu avant ce temps principal sont exprimées par un verbe conjugué au plus-que-parfait. Les situations qui se déroulent en même temps que le temps principal sont exprimées par un verbe soit à l'imparfait dans le cas d'une description, soit au passé composé (ou au passé simple) s'il s'agit de relater un évènement. Les situations qui ont lieu après le temps principal du texte sont exprimées par un verbe au conditionnel présent.

> Ce soir-là, le ciel <u>brillait</u> d'étoiles. Les enfants <u>étaient</u> assis sur la galerie du chalet, blottis contre mamie Arlette, emmitouflés dans une couverture. Sur le quai, grand-papa Gilles <u>préparait</u> quelque chose de mystérieux. Le matin, il **avait dit** aux enfants de s'attendre à une surprise le soir venu.

> Soudain, un grand bruit a <u>éclaté</u> (ou <u>éclata</u>)! Une fusée lumineuse a <u>grimpé</u> (ou <u>grimpa</u>) vers le ciel, puis <u>s'est changée</u> (ou <u>se changea</u>) en une merveilleuse explosion de couleurs.

> — «Bleu, vert, jaune, rose!», ont <u>crié</u> (ou <u>crièrent</u>) Amélie, Antoine, Catherine et mamie, ravis du feu d'artifice. Cette soirée **resterait** gravée dans leur mémoire pour toujours.

TEXTE AU FUTUR (temps principal)

Les situations qui ont lieu avant ce temps principal sont exprimées par un verbe conjugué à un temps du passé ou au futur antérieur, les situations qui se déroulent en même temps sont exprimées par un verbe au présent ou au futur. Les situations qui ont lieu après le temps principal du texte sont exprimées par un verbe au futur.

> Ce soir, le ciel <u>brillera</u> d'étoiles. Les enfants <u>seront</u> assis sur la galerie du chalet, blottis contre mamie Arlette, emmitouflés dans une couverture. Sur le quai, grand-papa Gilles <u>préparera</u> quelque chose de mystérieux. L'après-midi, il **aura dit** aux enfants de s'attendre à une surprise le soir venu.

> Soudain, un grand bruit <u>éclatera</u>! Une fusée lumineuse <u>grimpera</u> vers le ciel, puis se <u>changera</u> en une merveilleuse explosion de couleurs.

> — «Bleu, vert, jaune, rose!», <u>crieront</u> Amélie, Antoine, Catherine et mamie, ravis du feu d'artifice. Cette soirée **restera** gravée dans leur mémoire pour toujours.

VOIR TABLEAUX ► PRÉSENT. ► PASSÉ (TEMPS DU). ► FUTUR.

📏 Afin de choisir le bon temps pour chaque verbe d'un texte, il faut accorder une attention particulière au temps principal de ce texte. Par exemple, si une narration est au passé et qu'un des évènements du récit est rapporté soudainement au présent, il y a alors une erreur de cohérence textuelle.

---

1. Conception du tableau : Annie Desnoyers.

CONJONCTION DE COORDINATION[1]

La **conjonction de coordination** ou **coordonnant** unit deux mots, deux groupes ou deux phrases subordonnées de même fonction.

> *Nous avons acheté des fruits **et** des légumes.*
>
> *Comme dessert, les élèves pourront choisir **soit** un fruit, **soit** un gâteau.*
>
> *Qu'il parte en voyage **ou** qu'il s'achète une auto m'importe peu.*

🖚 La conjonction de coordination est un type de connecteur. Les coordonnants peuvent être de forme simple ou composée (locution conjonctive de coordination). *Je m'achèterai des pommes **ou** des oranges. Ses études, **mais aussi** ses recherches, lui demandent beaucoup de temps.*

PRINCIPAUX COORDONNANTS SIMPLES OU COMPOSÉS

↶ Les coordonnants n'imposent pas de mode particulier pour le verbe s'ils unissent deux phrases subordonnées.

ALTERNATIVE	CONSÉQUENCE	LIAISON	RESTRICTION
ou	donc	comme	mais
ou au contraire	**EXPLICATION**	et	**SUITE**
ou bien	à savoir	mais aussi	puis
soit... soit	c'est-à-dire	même	**TRANSITION**
tantôt... tantôt	par exemple	ni	peut-être
	soit	puis	

CONNECTEURS TEXTUELS

Le nom *coordonnant* est parfois donné aussi à un autre type de connecteur, celui qui unit deux phrases autonomes. Il s'agit alors du connecteur textuel ou *organisateur textuel*, le connecteur qui exprime les liens logiques ou séquentiels entre les phrases ou les parties de texte.

> *À cette fin, cependant, par conséquent, d'abord, ensuite, etc.*

VOIR TABLEAUX ► CONJONCTION DE SUBORDINATION. ► CONNECTEUR.

1. En collaboration avec Annie Desnoyers.

CONJONCTION DE SUBORDINATION[1]

La **conjonction de subordination** unit une phrase subordonnée à une phrase autonome (ou matrice). *Nous ferons cette excursion si le temps le permet.*

⊷ Les conjonctions de subordination peuvent être de forme simple ou composée (locution conjonctive de subordination). *Les enfants jouaient dehors quand la pluie a commencé. À supposer qu'elle vienne, nous serons cinq. Il restera jusqu'à ce que le travail soit terminé.*

La **conjonction de subordination** et le pronom relatif jouent dans la phrase le rôle de **subordonnant**, c'est-à-dire de connecteur qui marque l'enchâssement d'une phrase dans une autre pour y remplir une fonction syntaxique.

> *Les mets que vous aimez tant sont là, tout chauds!*
> **que vous aimez tant** : phrase subordonnée complément du nom *mets*;
> **que** : subordonnant (pronom relatif)

> *La possibilité que tu sois présent me sourit.*
> **que tu sois présent** : phrase subordonnée complément du nom *possibilité*;
> **que** : subordonnant (conjonction de subordination)

> *Je voudrais que vous reveniez.*
> **que vous reveniez** : phrase subordonnée complément du verbe *voudrais*;
> **que** : subordonnant (conjonction de subordination)

VOIR TABLEAUX ▸ QUE, CONJONCTION DE SUBORDINATION. ▸ QUE, PRONOM. ▸ PRONOM.

PRINCIPALES CONJONCTIONS DE SUBORDINATION SIMPLES OU COMPOSÉES

↪ La conjonction de subordination définit le mode de la phrase subordonnée. Ainsi, la plupart de celles qui expriment la cause, la conséquence, la comparaison se construisent avec un verbe à un temps de l'indicatif (**i**), dont certains plus précisément au conditionnel (**c**); certaines conjonctions de subordination de concession, de but, de condition et de temps expriment une incertitude et imposent le mode subjonctif (**s**).

BUT
afin que . . . . (s)
de crainte que. . . . . (s)
de façon que . . . . (s)
de manière que . . . . (s)
de peur que . . . . (s)
de sorte que . . . . (s)
de telle sorte que . . . . . . (s)
pour que . . . . (s)
que. . . . . (s)

CAUSE
attendu que. . . . . (ic)
comme. . . . . (ic)
du fait que . . . . (ic)
étant donné que . . . . (ic)
parce que . . . . (ic)
puisque. . . . . (ic)
sous prétexte que . . . . . . (ic)
vu que. . . . . (ic)

COMPARAISON
autant que . . . . (ic)
ainsi que. . . . . (ic)
comme. . . . . (ic)
de même que . . . . (ic)
moins que. . . . . (ic)
plus que. . . . . (ic)

CONCESSION
alors que . . . . (ic)
bien que. . . . . (s)
en admettant que. . . . . . (s)
encore que . . . . (s)
en dépit du fait que. . . . . (s)
malgré que . . . . (s)
même si . . . . (i)
quand bien même . . . . . . (ic)
pendant que . . . . (ic)
quoique . . . . (s)
tandis que. . . . . (ic)

CONDITION
à condition que . . . . (s)
à moins que . . . . (s)
à supposer que. . . . . (s)
au cas où . . . . (c)
dans la mesure où. . . . . . (ic)
en admettant que. . . . . . (ic)
même si . . . . (i)
pourvu que. . . . . (s)
si. . . . . (i)
si ce n'est. . . . . (i)
si tant est que . . . . (s)

CONSÉQUENCE
à tel point que . . . . (ic)
au point que . . . . (ic)

de façon que . . . . (ic)
de manière que . . . . (ic)
de sorte que. . . . . (ic)
de telle façon que . . . . . . (ic)
de telle sorte que. . . . . . . (ic)
si bien que . . . . (ic)
tellement que . . . . (ic)

TEMPS
alors que . . . . (ic)
à mesure que. . . . . (ic)
après que. . . . . (ic)
au moment où . . . . (ic)
aussitôt que . . . . (ic)
avant que . . . . (s)
depuis que . . . . (ic)
dès que. . . . . (ic)
d'ici à ce que. . . . . (s)
en attendant que. . . . . . . (s)
en même temps que. . . . (ic)
jusqu'à ce que. . . . . (s)
lorsque . . . . (ic)
pendant que . . . . (ic)
quand . . . . (ic)
sitôt que . . . . (ic)
tandis que. . . . . (ic)
toutes les fois que . . . . . . (ic)
une fois que . . . . (ic)

VOIR TABLEAUX ▸ CONJONCTION DE COORDINATION. ▸ CONNECTEUR.

[1]. En collaboration avec Annie Desnoyers.

CONNECTEUR[1]

Le **connecteur** sert à agencer les idées exprimées dans les différentes parties d'un texte.

🖙 La notion de **connecteur** relève de la grammaire du texte ou cohérence textuelle. Le terme *connecteur* ne sert pas à nommer une catégorie ou classe grammaticale comme le font les mots *nom, adjectif, adverbe,* etc., mais plutôt à désigner une fonction.

Le connecteur unit des parties d'une même phrase

Si le connecteur unit deux mots, groupes ou phrases subordonnées de même fonction, il est alors un **coordonnant** ou **conjonction de coordination**.

VOIR TABLEAU ▸ CONJONCTION DE COORDINATION.

Le connecteur unit deux phrases, dont l'une est subordonnée à l'autre

Si le connecteur unit deux phrases, dont l'une est subordonnée à l'autre, il est alors un **subordonnant**. La fonction de subordonnant peut être remplie par des **pronoms relatifs** et des **conjonctions de subordination**.

VOIR TABLEAUX ▸ CONJONCTION DE SUBORDINATION. ▸ QUE, CONJONCTION DE SUBORDINATION. ▸ QUE, PRONOM. ▸ PRONOM.

Le connecteur unit des phrases autonomes

Si le connecteur unit deux phrases autonomes, il s'agit alors du **connecteur textuel** ou **organisateur textuel**. On peut distinguer:

▸ le **connecteur argumentatif** (ou **marqueur de relation**), qui sert à mettre en évidence un raisonnement. Il indique les relations logiques entre des phrases, plus précisément ce que la deuxième phrase exprime par rapport à la première (ex.: *à cette fin, cependant, car, malgré tout, par conséquent*);

▸ le **connecteur dans l'espace** (ou **connecteur spatial**). Le connecteur spatial indique le lieu, au sens propre (ex.: *en haut, à droite, devant*) ou figuré (ex.: *d'une part, d'autre part*), de ce qui est exprimé dans la phrase qui suit;

▸ le **connecteur dans le temps** (ou **connecteur temporel**). Le connecteur temporel indique le temps, la séquence ou l'ordre de ce qui est exprimé dans la phrase qui suit (ex.: *après, avant, en premier lieu, en dernier lieu*).

FORME SIMPLE OU COMPOSÉE

Les connecteurs peuvent être de **forme simple** (ex.: *car, donc, mais, or*) ou de **forme composée** (ex.: *c'est pourquoi, à l'opposé, en conséquence*).

CONNECTEURS ARGUMENTATIFS (OU MARQUEURS DE RELATION)

ADDITION	ALTERNATIVE	CAUSE
de plus	ou	car
en outre	ou au contraire	comme
et	ou bien	en effet…
par ailleurs	soit … soit	
puis…	tantôt … tantôt…	

CONNECTEUR | *SUITE* >

1. En collaboration avec Annie Desnoyers.

C

CONNECTEURS ARGUMENTATIFS (OU MARQUEURS DE RELATION) *SUITE*

CONCESSION
bien entendu
bien sûr
cependant
certes
du moins
du reste
en tous les cas
en tout état de cause
évidemment
incontestablement
mais
néanmoins
or
pourtant
sans doute
toutefois…

CONSÉQUENCE
à cet effet
à cette fin
ainsi

ainsi donc
alors
c'est pourquoi
de ce fait
dans ce but
donc
en conséquence
et
par conséquent
par voie de conséquence
pour cette raison
voilà pourquoi…

EXPLICATION
autrement dit
c'est pourquoi
d'ailleurs
de fait
de même
en effet
effectivement…

ILLUSTRATION
en particulier
entre autres
notamment
par exemple…

OPPOSITION
à l'inverse
à l'opposé
au contraire
cependant
d'autre part
d'un autre côté
en réalité
en revanche
mais
malgré tout
néanmoins
par contre
pourtant
toutefois…

Pour choisir le bon connecteur textuel ou marqueur de relation, il faut d'abord déterminer la relation logique entre deux phrases.

> *Elle a très mal dormi la nuit dernière. Elle est fatiguée aujourd'hui.*

La deuxième phrase exprime une **conséquence** de la première. Le bon marqueur de relation peut être, par exemple, *ainsi, donc* ou *pour cette raison.*

> *Elle a très mal dormi la nuit dernière.* **Ainsi/Donc/Pour cette raison,** *elle est fatiguée aujourd'hui.*

CONNECTEURS SPATIAUX

à droite	au nord	d'un côté	en dehors
à gauche	au sud	de l'autre côté	en dessous
au-dedans	au loin	d'une part	en dessus
au-dehors	dedans	d'autre part	ici
au-delà	dehors	en avant	là
au-dessous	devant	en arrière	partout…
au-dessus	derrière	en bas	
à l'est	dessous	en haut	
à l'ouest	dessus	en dedans	

> *Regardez sur mon bureau :* **à gauche,** *il y a une pile de dossiers,* **en dessous,** *vous trouverez votre enveloppe.*

CONNECTEURS TEMPORELS

alors	en premier lieu	et	secundo
après	en deuxième lieu	premièrement	tertio…
avant	en troisième lieu…	deuxièmement	puis
d'abord	en dernier lieu	troisièmement…	enfin
tout d'abord	ensuite	primo	finalement…

> *Ce fut une très mauvaise matinée :* **d'abord,** *le réveil n'a pas sonné ;* **ensuite,** *la pluie a trempé son habit neuf ;* **finalement,** *son patron lui a fait des reproches.*

VOIR TABLEAU ► CONCORDANCE DES TEMPS DANS LE TEXTE.

C

40

DATE

Dans la correspondance, l'**indication de la date** est généralement **alphanumérique** : elle est composée de lettres et de chiffres. S'il y a lieu, on écrit le **nom du lieu** suivi d'une virgule, et la **date** qui s'écrit toujours sans ponctuation finale.

> *Le 14 décembre 2009*
> *Outremont, le 14 décembre 2009*

⊤ On limite à certains emplois techniques (graphiques, tableaux, horaires, etc.) une notation strictement numérique telle que *2009-12-14*.

Il n'y a pas lieu d'écrire **le nom du jour de la semaine** de façon générale. Si ce renseignement est nécessaire, il n'est pas séparé de la date par une virgule.

> *Lundi 14 décembre 2009*

⊤ Dans le corps d'une lettre, d'un texte, on écrira : *le lundi 14 décembre 2009*.

NATURE DE L'ENVOI ET MODE D'ACHEMINEMENT

Les indications relatives à la nature de l'envoi et au mode d'acheminement (PAR MESSAGERIE, URGENT, PAR EXPRÈS, etc.) s'écrivent en majuscules et sont notées à gauche au début de la lettre.

S'il y a lieu, la mention *PERSONNEL* précise que la lettre est de nature personnelle et qu'elle doit être remise au destinataire sans que l'enveloppe ait été décachetée.

La mention *CONFIDENTIEL* signifie que l'écrit doit rester secret.

⊤ Ces mentions, qui sont toujours au masculin singulier, s'écrivent en majuscules soulignées.

> PERSONNEL   CONFIDENTIEL   PAR TÉLÉCOPIE   RECOMMANDÉ

VEDETTE

La vedette comprend :
- le **titre de civilité**, le plus souvent **Monsieur** ou **Madame**,
- le **prénom** (abrégé ou non) et le **nom du destinataire**,
- le **titre de fonction** et la **désignation de l'unité administrative**,
- le **nom de l'entreprise** ou de l'**organisme**, s'il y a lieu,
- l'**adresse** au long.

> *Madame Laurence Dubois*
> *Directrice des communications*
> *Dubuffet et Lavigne*
> *630, boul. René-Lévesque O.*
> *Montréal (Québec) H3B 1S6*

> *Monsieur Philippe Larue*
> *Chef de produit*
> *Groupe Gamma*
> *329, rue de la Commune Ouest, bureau 300*
> *Montréal (Québec) H2Y 2E1*

VOIR TABLEAU ▶ ADRESSE.

⊤ 1° La vedette s'écrit sans ponctuation en fin de ligne.

2° En français, le titre de *docteur* est réservé aux médecins, aux dentistes et aux vétérinaires ; celui de *maître*, aux avocats ou aux notaires.

3° Les titres honorifiques et les grades universitaires ne doivent pas figurer immédiatement à la suite du nom dans la vedette. *Madame Hélène Fougère* (et non **Madame Hélène Fougère, architecte*).

4° Il n'est pas dans l'usage d'indiquer le titre professionnel des ministres et des députés ni de faire précéder leur nom de l'adjectif **Honorable* ; on écrit *Madame* ou *Monsieur,* tout simplement.

CORRESPONDANCE | *SUITE* >

OBJET

L'objet exprime de façon concise (une ligne) le contenu de la lettre.

⊶ Cette mention est facultative, mais elle est recommandée. On la note en caractères gras ou on la souligne.

> **Objet** (et non *sujet) : **Lancement d'un nouveau produit**

APPEL

L'appel est la formule de salutation qui précède le corps de la lettre. Les formules d'appel les plus courantes sont les titres de civilité *Madame* ou *Monsieur*. L'appel s'écrit au long avec une majuscule initiale et il est suivi d'une virgule.

⊶ Le titre de *Mademoiselle* est de moins en moins utilisé, sauf si la lettre est destinée à une très jeune fille ou à une personne qui préfère ce titre.

> Madame,
> Monsieur,

Le *titre professionnel* du destinataire peut éventuellement remplacer le titre de civilité ou s'y joindre ; il s'écrit avec une majuscule initiale.

> Docteur,
> Maître,
> Madame la Présidente,
> Monsieur le Directeur,

T Contrairement à l'usage anglais, l'adjectif *cher* doit être réservé aux correspondants que l'on connaît bien. Le patronyme ne fait pas partie de l'appel.

> Monsieur,
> (et non *Cher Monsieur Laforêt)

T Lorsqu'on ne connaît pas le nom du destinataire, on utilise la formule d'appel *Mesdames, Messieurs,* sur deux lignes.

> Mesdames,
> Messieurs,
> (et non *À qui de droit)

Dans le tableau qui suit, **x** est mis pour le nom et **z**, pour les autres mentions.

TITRE	VEDETTE	APPEL
abbé	Monsieur l'Abbé x	Monsieur l'Abbé, ou Mon Père,
ambassadeur	Son Excellence Monsieur x Ambassadeur de z	Monsieur l'Ambassadeur, ou (Votre) Excellence,
ambassadrice	Son Excellence Madame x Ambassadrice de z	Madame l'Ambassadrice, ou (Votre) Excellence,
avocat avocate	Maître x Maître x	Maître, Maître,
bâtonnier bâtonnière	Monsieur le Bâtonnier x Madame la Bâtonnière x	Monsieur le Bâtonnier, Madame la Bâtonnière,
cardinal	Son Éminence le Cardinal x ou Monsieur le Cardinal x	Monsieur le Cardinal, ou (Votre) Éminence,
consul consule	Monsieur x Consul de z Madame x Consule de z	Monsieur le Consul, Madame la Consule,

C

42

TITRE	VEDETTE	APPEL
curé	Monsieur le Curé x ou Monsieur le Curé de z	Monsieur le Curé, ou Mon Père,
député	Monsieur x Député de z	Monsieur le Député,
députée	Madame x Députée de z	Madame la Députée,
évêque	Son Excellence Monseigneur x Évêque ou Archevêque de z	Monseigneur, ou Excellence, ou Mon Père,
juge	Madame la Juge x Monsieur le Juge x	Madame la Juge, Monsieur le Juge,
madame	Madame x	Madame,
maire (mairesse) maire	Madame la Maire (Mairesse) x Monsieur le Maire x	Madame la Maire (Mairesse), Monsieur le Maire,
médecin	Docteur x Docteure x	Docteur, Docteure,
ministre	Madame x Ministre de z Monsieur x Ministre de z	Madame la Ministre, Monsieur le Ministre,
monsieur	Monsieur x	Monsieur,
notaire	Maître x	Maître,
pasteur	Monsieur le Pasteur x	Monsieur le Pasteur,
père	Révérend Père x	Révérend Père,
premier ministre première ministre	Monsieur x Premier Ministre de z Madame x Première Ministre de z	Monsieur le Premier Ministre, Madame la Première Ministre,
professeure professeur	Madame x Professeure Monsieur x Professeur	Madame, Monsieur,
rabbin	Monsieur le Rabbin x	Monsieur le Rabbin,
religieuse	Révérende Mère x ou Révérende Sœur x	Révérende Mère, ou Ma Mère, ou Ma Sœur,
sénateur sénatrice	Monsieur x Sénateur Madame x Sénatrice	Monsieur le Sénateur, Madame la Sénatrice,
vicaire	Monsieur le Vicaire x	Monsieur le Vicaire,

Si l'on s'adresse à un couple ou à plusieurs personnes, on peut s'inspirer des exemples suivants :

mesdames	Mesdames x et x	Mesdames,
messieurs	Messieurs x et x	Messieurs,
madame et monsieur	Madame et Monsieur x ou Madame x et Monsieur x (si les noms diffèrent)	Madame et Monsieur,
monsieur et madame	Monsieur et Madame x ou Monsieur x et Madame x (si les noms diffèrent)	Monsieur et Madame,
la ministre et monsieur	Madame la Ministre et Monsieur x	Madame la Ministre et Monsieur,
le député et madame	Monsieur le Député et Madame x	Monsieur le Député et Madame,

T La mention de l'appel est reprise de façon identique dans la salutation.

EXEMPLES DE FORMULES USUELLES :

INTRODUCTION[1]

▶ **Accusés de réception**
- *J'ai pris connaissance de…*
- *Nous avons pris bonne note de…*
- *Nous accusons réception de…*
  - *… votre lettre et…*
  - *… votre demande et…*
  - *… votre offre et…*
  - *… votre commande et…*
- *J'ai bien reçu votre…*
  - *… documentation…*
  - *… aimable invitation…*
  - *… lettre…*
    - *… et je vous en remercie.*
- *À votre demande,…*
  - *… je vous transmets…*

▶ **Communications diverses**
- *J'ai le plaisir de* (et non *il me fait plaisir de)
  - *… l'honneur de vous informer…*
    - *… vous aviser…*
    - *… vous faire part de…*
    - *… vous faire connaître…*
- *Permettez-moi*
  - *… de vous féliciter de…*
  - *… de vous exprimer notre reconnaissance*
    - *… notre chagrin…*
    - *… nos regrets…*

▶ **Regrets**
- *Nous regrettons de…*
- *Je suis au regret de…*
- *Nous avons le regret de…*
- *C'est avec regret que nous devons…*
  - *… vous informer que…*
  - *… vous faire part…*
- *Il m'est malheureusement impossible…*
- *Il nous est malheureusement impossible…*

- *… de retenir votre offre, votre candidature…*
- *… de donner suite à votre demande…*
- *… d'accepter votre proposition…*

▶ **Réponses**
- *À la suite de* (et non *suite à)…
  - *… notre conversation téléphonique,*
  - *… notre rencontre de…,*
  - *… notre entretien,*
    - *… je vous confirme…*
    - *… je vous transmets…*
- *En réponse à*
  - *… votre lettre du…,*
  - *… votre demande,*
  - *… votre offre du…,*
    - *… je désire vous informer…*
    - *… je vous confirme…*

CONCLUSION

▶ **Confirmations, réponses demandées**
- *Veuillez nous confirmer…*
- *Nous souhaiterions que vous confirmiez*
  - *… votre accord…*
  - *… votre acceptation…*
- *Nous vous saurions gré de confirmer*
  - *… votre présence…*
- *Nous vous serions reconnaissants*
  - *… de nous transmettre…*

▶ **Décisions favorables souhaitées**
- *Nous espérons que notre proposition vous…*
  - *… conviendra.*
  - *… agréera.*
- *Dans l'attente d'une réponse favorable, …*
- *Dans l'espoir que vous recevrez favorablement…*
  - *… notre offre…*
  - *… notre demande…*
- *En espérant que vous retiendrez…*
  - *… ma candidature…*

C

43

---

1. On consultera le *Guide de la communication écrite* de Marie Malo, publié en 1996 par Québec Amérique,
   p. 137-142, pour ses nombreux exemples de formules usuelles d'introduction, de conclusion et de salutation.

C

44

▸ **Excuses**

• *Il y a eu erreur de notre part et nous regrettons vivement les inconvénients que cela a pu vous causer.*

• *Nous comptons sur votre compréhension et vous assurons que cette erreur ne se reproduira plus.*

• *Soyez assuré...*

    ... que nous corrigerons ce problème dès que possible.

    ... que nous apporterons un correctif dans les plus brefs délais.

• *Nous vous transmettons nos excuses pour...*

▸ **Invitations à communiquer**

• *Je demeure...*

• *Nous demeurons...*

• *Je me tiens...*

• *Nous nous tenons...*

    ... à votre (entière) disposition

      ... pour tout renseignement complémentaire...

• *N'hésitez pas à communiquer avec nous en composant le...*

• *Pour de plus amples renseignements, vous pouvez vous adresser à...*

▸ **Regrets**

• *Je regrette de...*

• *Nous regrettons de...*

    ... ne pas être en mesure de...

    ... ne pouvoir...

      ... donner suite à...

      ... accéder à...

      ... accepter...

        ... votre demande...

        ... votre proposition...

        ... votre offre...

• *Il nous est malheureusement impossible d'accepter votre invitation...*

▸ **Remerciements**

• *Je tiens à...*

• *Nous tenons à...*

    ... vous remercier de...

    ... vous remercier pour...

    ... vous exprimer...

    ... vous témoigner...

    ... ma gratitude...

    ... toute notre gratitude...

    ... notre vive reconnaissance...

• *Nous vous remercions du chaleureux accueil que vous nous avez réservé...*

SALUTATION

La formule de salutation est composée de trois éléments :

▸ **1. Une forme verbale**

Agréez...

Recevez...

Veuillez agréer...

Veuillez recevoir...

Je vous prie d'agréer...

    ... de recevoir...

▸ **2. La répétition de l'appel**

..., Madame, Monsieur, ...

..., cher collègue, ...

..., Madame la Présidente, ...

▸ **3. Une formule de courtoisie**

(formules officielles et protocolaires)

... l'expression de mes sentiments respectueux.

... l'expression de mes sentiments les plus respectueux.

... l'assurance de ma considération distinguée.

... l'assurance de mes sentiments les plus distingués.

... l'assurance de ma haute considération.

... l'assurance de ma très haute considération.

(formules courantes)

... mes salutations distinguées.

... mes salutations cordiales.

... mes meilleures salutations.

... l'expression de mes meilleurs sentiments.

... l'expression de mes sentiments les meilleurs.

... l'expression de mes sentiments distingués.

Le nom *salutations* s'emploie directement après la formule verbale et l'appel *(Veuillez agréer, Monsieur, mes salutations distinguées)*, alors que les noms *sentiment* ou *considération* s'emploient avec les termes *l'expression de* ou *l'assurance de (Je vous prie d'agréer, Madame, l'expression de mes sentiments respectueux)*.

FORME VERBALE	APPEL	FORMULE DE COURTOISIE
Je vous prie d'agréer,	*Monsieur,*	*mes salutations les meilleures.*
Veuillez recevoir,	*cher collègue,*	*mes salutations distinguées.*
Nous vous prions d'agréer,	*Madame la Présidente,*	*l'assurance de notre haute considération.*

Dans la correspondance personnelle, on peut recourir à une salutation plus simple :

Recevez,	*cher ami,*	*l'expression de mes sentiments les meilleurs.*
Je vous prie d'agréer,	*chère collègue,*	*l'expression de mes sentiments très cordiaux.*
Reçois,	*chère Florence,*	*mes salutations les plus amicales.*

Plus familièrement, on emploiera les formules suivantes :

Amitiés,	*Bien cordialement,*	*Meilleurs souvenirs,*
Toutes mes amitiés,	*Salutations cordiales,*	*Affectueux souvenirs,*

🖅 Les formules « *Sincèrement vôtre », « *Bien vôtre », « *Bien à vous » sont à éviter.

↳ Pour une construction juste de la salutation, il importe de ne faire intervenir qu'un seul sujet. Si la formule commence par un membre de phrase qui concerne l'auteur ou les auteurs de la lettre, le verbe principal de la salutation doit être à la première personne du singulier ou du pluriel, selon le cas. *Espérant que ce projet vous conviendra,* **je vous prie** *de recevoir, Madame, mes salutations distinguées. Nous souhaitons que ces renseignements vous soient utiles et* **vous prions** *d'agréer, Monsieur, l'assurance de nos sentiments respectueux.*

SIGNATURE

La signature s'inscrit à gauche ou à droite, selon la disposition, à quelques interlignes sous la formule de salutation.

1. Si le ou la signataire est **titulaire d'un poste de direction**, l'indication du titre précède généralement la signature.

La directrice de l'administration,

[signature]

Lorraine Dubois

2. Si le ou la signataire **partage sa fonction** avec d'autres personnes, l'indication du titre s'écrit au-dessous de la signature, à la suite du nom dont il est séparé par une virgule. Dans les autres cas, la fonction ou la profession vient après la signature.

[signature]

Pierre Giroux, ingénieur

[signature]

Colette Tremblay,
adjointe administrative

🇹 La signature manuscrite s'inscrit au-dessus du nom dactylographié.

VOIR TABLEAUX ▸ ADRESSE. ▸ ENVELOPPE. ▸ LETTRE TYPE.

ADJECTIFS DE **COULEUR**

▸ **1. Les adjectifs de couleur simples** s'accordent en genre et en nombre :

alezan	brun	glauque	noir	roux
beige	châtain	gris	pers	vermeil
blanc	cramoisi	incarnat	pourpre	vert
bleu	écarlate	jaune	rose	violet…
blond	fauve	mauve	rouge	

Ex. : *des robes mauves, des jupes violettes, des foulards bleus.*

▸ **2. Les adjectifs dérivant d'adjectifs ou de noms de couleur** s'accordent en genre et en nombre :

basané	mordoré	rosé	verdoyant
blanchâtre	noiraud	rougeaud	violacé…
cuivré	olivâtre	rouquin	
doré	orangé	rubicond	

Ex. : *des ciels orangés, des teints olivâtres, des fillettes rouquines.*

▸ **3. Les adjectifs composés** (avec un autre adjectif ou un nom) sont invariables :

blanc cassé	bleu turquoise	gorge-de-pigeon	terre de Sienne
bleu foncé	bleu-vert	gris acier	vert amande
bleu horizon	caca d'oie	gris perle	vert-de-gris
bleu marine	café au lait	jaune maïs	vert olive…
bleu nuit	cuisse-de-nymphe	noir de jais	
bleu roi	feuille-morte	rouge tomate	

Ex. : *des écharpes gris perle, une nappe bleu nuit.*

🔲 On emploie le trait d'union lorsque deux adjectifs de couleur simples sont juxtaposés. *Des yeux bleu-vert.* Les adjectifs de couleur juxtaposés ou coordonnés pour qualifier un seul nom sont également invariables. *Des gants bleu et vert.*

▸ **4. Les noms simples ou composés employés comme adjectifs** pour désigner une couleur sont invariables :

abricot	bruyère	cuivre	marine	réséda
absinthe	cachou	cyclamen	marron	rouille
acajou	café	ébène	mastic	rubis
acier	canari	émeraude	moutarde	safran
agate	cannelle	épinard	nacre	saphir
amadou	caramel	fraise	noisette	saumon
amarante	carmin	framboise	ocre	sépia
ambre	carotte	fuchsia	olive	serin
améthyste	cassis	garance	or	soufre
anthracite	céladon	grenat	orange	souris
ardoise	cerise	groseille	paille	tabac
argent	chamois	havane	pastel	tango
aubergine	champagne	indigo	pastèque	thé
auburn	chocolat	ivoire	pêche	tilleul
aurore	citron	jade	perle	tomate
avocat	clémentine	jonquille	pervenche	topaze
azur	cognac	kaki	pétrole	turquoise
bistre	coquelicot	lavande	pie	vermillon…
bordeaux	corail	lilas	pistache	
brique	crème	magenta	platine	
bronze	crevette	marengo	prune	

Ex. : *des tapis ardoise, une ombrelle kaki.*

COURRIEL[1]

Le nom *courriel* – contraction du terme *courrier électronique* – désigne aussi bien le mode de transmission d'un message par l'intermédiaire d'un réseau informatique que le message ainsi transmis.

⌖ D'origine québécoise, le néologisme *courriel* a fait l'objet d'un avis de recommandation de l'Office québécois de la langue française en 1997.

Instantanée, économique et efficace, cette forme de correspondance sans frontières est devenue essentielle, notamment au travail. Si le style familier de la conversation peut être adopté dans les courriels échangés entre amis et parents, il n'est pas de mise dans un contexte professionnel. Étant donné que le courriel constitue un écrit, souvent archivé, on veillera à y respecter l'orthographe comme la syntaxe, ainsi que le protocole épistolaire et les règles d'étiquette relatives à Internet.

Le courriel se construit comme une lettre ; il comprend :

– une **formule d'appel** (ex. : *Madame, Monsieur, Bonjour, Cher collègue…*) ;

– le **corps du message** ;

– une **salutation simplifiée** (ex. : *Cordialement, Meilleures salutations, Salutations cordiales, Salutations distinguées…*).

COURRIELS TYPES

Exp. :	mcouston@commissionscolaire.qc.ca
Dest. :	tous@commissionscolaire.qc.ca

Objet : **Écriture de l'indicatif régional**

Madame,
Monsieur,

Vous savez déjà que nous devons maintenant obligatoirement composer l'indicatif régional pour faire un appel, et ce, aussi bien à l'intérieur d'une même ville qu'entre régions plus éloignées. Par conséquent, les parenthèses qui encadraient l'indicatif régional n'ont plus leur raison d'être, étant donné que la composition à dix chiffres n'est plus facultative.

Voici donc la façon dont nous notons désormais les numéros de téléphone :
• 450 278-8000 pour un appel local ;
• 1 888 278-8000 pour un interurbain.

Pour de plus amples renseignements, je vous invite à consulter la *Banque de dépannage linguistique* de l'Office québécois de la langue française au www.oqlf.gouv.qc.ca.

Salutations cordiales,
Michèle Couston

Direction administrative
Tél. : 450 278-8000, poste 3838
mcouston@commissionscolaire.qc.ca

COURRIEL | *SUITE* >

1. Conception du tableau : Karine Pouliot.

C
48

Exp. :	diego.rodriguez@hotmail.com
Dest. :	estelle.fournier@cegep.ca
Cc :	meg;zhe;christopher;jezabel

| Objet : | **Remise du travail** |

| Pièce jointe : | Documentaire.doc |

Bonjour,

Comme vous nous l'avez demandé en classe la semaine dernière, je vous transmets par courriel le travail de notre équipe. Dans le fichier joint, vous trouverez donc le projet de documentaire élaboré et rédigé par Mégane M., Zhe Z., Christopher T., Jezabel S. et moi-même.

Je profite de l'occasion pour vous demander si l'on aura le droit de consulter le recueil de notes du cours lors de l'examen final. Une réponse avant la fin de la semaine me serait bien utile.

Bonne lecture!

Diego Rodriguez
Étudiant au programme Cinéma et communication
Cours : Écriture pour les médias

PETIT VOCABULAIRE DU COURRIER ÉLECTRONIQUE

Copie conforme
Abréviation : Cc
Champ à remplir pour transmettre, à titre d'information seulement, une copie du courriel à un autre destinataire que le destinataire principal.

Copie conforme invisible
Abréviation : Cci
Champ à remplir pour transmettre de façon confidentielle une copie du courriel à un autre destinataire que le destinataire principal.

Courriel
Mode de transmission d'un message par l'intermédiaire d'un réseau informatique; par extension, le message ainsi transmis. *Envoyer un courriel* (et non **e-mail* ou **mail*).

Fichier joint
Fichier comportant du texte, une ou des images ou du son et qui est transmis en même temps qu'un message. *Ce courriel comprend un rapport en fichier joint* (et non **fichier attaché* ou **attachement*). SYN. pièce jointe.

Objet
Résumé du contenu du message
- L'objet est souvent constitué d'un nom suivi d'un complément. Il commence par une majuscule et ne se termine pas par un point.

FORMES FAUTIVES
*attachement. Anglicisme pour *fichier joint, pièce jointe*.
*e-mail. Anglicisme pour *courriel, courrier électronique*.
*fichier attaché. Anglicisme pour *fichier joint, pièce jointe*.
*mail. Anglicisme pour *courriel, courrier électronique*.
* sujet. Anglicisme pour *objet*.

CURRICULUM VITÆ

Document qui résume la formation, les aptitudes, l'expérience professionnelle et les principales réalisations d'un candidat ou d'une candidate à un poste, à une bourse, à une subvention, etc.

☞ Cette locution empruntée au latin depuis un siècle est une métaphore employée par Cicéron signifiant « course de la vie »; elle est construite à partir du nom latin *curriculum,* qui désigne un champ où se tiennent des courses de chars romains.

OBJECTIF DU CURRICULUM VITÆ

Démonstration de la compétence d'un candidat ou d'une candidate et de son aptitude à occuper le poste proposé, à recevoir la bourse, la subvention offerte.

MOT D'ORDRE : NE DITES QUE L'ESSENTIEL, DITES-LE BIEN ET DITES-LE BRIÈVEMENT

QUALITÉS RECHERCHÉES

▸ **Esprit de synthèse**
Choix des éléments de la formation, de l'expérience les plus importants et les plus pertinents.

▸ **Structure logique**
Organisation claire et hiérarchisée des renseignements utiles.

▸ **Mise en valeur**
Présentation avantageuse, mais exacte, des réalisations pertinentes.

▸ **Rigueur et concision**
Exactitude des renseignements, précision et sobriété (trois pages au maximum).

▸ **Clarté et lisibilité**
Regroupement par thèmes, disposition aérée et équilibrée.

▸ **Expression juste et efficace**
Orthographe, grammaire et vocabulaire irréprochables, style de niveau correct ou recherché.

▸ **Présentation soignée et classique**
Disposition aérée sur une seule colonne, au recto seulement des feuilles.

▸ **Description des responsabilités**[1]
Il est recommandé d'employer des verbes d'action pour décrire et expliciter les responsabilités d'une fonction.

Exemples :

Mettre à jour...	Organiser...	– Analyser les demandes de financement.
Superviser...	Transmettre...	– Assurer le suivi des décisions du conseil.
Conseiller...	Assurer le suivi...	– Gérer le service après-vente.
Promouvoir...	Commander...	– Coordonner le travail des représentants.
Corriger...	Livrer...	– Veiller au respect de l'échéancier.
Analyser...	Gérer...	– Vérifier les comptes clients.

▸ **Description des réalisations**[1]
Il est recommandé d'employer des noms abstraits pour faire état des réalisations liées à une fonction.
Exemples :

Création de...	Développement de...	– Augmentation de 10 % du chiffre d'affaires.
Mise à jour de...	Mention d'honneur pour...	– Hausse du nombre des clients de 8 %.
Implantation de...	Coordination de...	– Réduction marquée des coûts d'entreposage.
Publication de...	Réduction de...	– Réorganisation du service de la comptabilité.
Gestion de...	Représentation de...	– Conception d'un système informatisé.
Augmentation de...	Amélioration de...	– Élaboration d'un manuel de procédés administratifs.
Accroissement de...	Perfectionnement de...	– Respect des budgets et des échéanciers prévus.

☞ Dans une énumération, il faut s'en tenir à des mots de même catégorie grammaticale : des verbes ou des noms, mais non des verbes et des noms dans la même liste.

---

1. D'après Marie Malo, *Guide de la communication écrite*, Montréal, Québec Amérique, 1996, p. 70.

C

50

[EXEMPLE DE CURRICULUM VITÆ CHRONOLOGIQUE[1]]

Jessica Laforêt
123, rue du Boisé
Trois-Rivières (Québec) G9A 2A2
Téléphone : 819 377-0777
laforetj@riv.ca

Biologiste cumulant plusieurs années d'expérience en milieux naturels et en laboratoire, souhaitant mettre ses compétences à profit dans une entreprise internationale active dans le domaine de la protection de l'environnement.

Expérience professionnelle

Janvier 2005 à mai 2009   **Université du Québec à Trois-Rivières**
Assistante en laboratoire
Préparation et analyse d'échantillons de sols contaminés ; compilation et traitement de données ; rédaction de rapports techniques.

Juillet 2002 à août 2004   **Réserves fauniques du Québec**
Technicienne du milieu naturel
Identification et classement des espèces fauniques ; évaluation de l'abondance des espèces ; mise en place de solutions d'aménagement en milieux naturels ; rédaction de rapports techniques.

Juin à août 1999, 2000 et 2001   **Service des loisirs, Ville de Terrebonne**
Animatrice
Élaboration et planification d'activités en sciences de la nature ; animation d'ateliers pour les enfants de 9 à 12 ans.

Compétences techniques et linguistiques

Connaissance des logiciels Microsoft Office, Adobe, Autocad et Mapinfo.

Excellente maîtrise du français et de l'anglais oral et écrit ; bonne compréhension de l'espagnol écrit et oral et maîtrise fonctionnelle de l'espagnol parlé.

Formation

2004 à 2007   **Baccalauréat en sciences biologiques et écologiques**
                Université du Québec à Trois-Rivières
Participation à un programme d'échanges avec l'Institut des technologies et des études supérieures de Monterrey, au Mexique (septembre à décembre 2006).

1999 à 2002   **Techniques de bioécologie**
                Cégep Saint-Laurent
Stage d'inventaire de la faune en milieu naturel en Abitibi-Témiscamingue (mai 2001).

1. Conception des curriculums vitæ : Karine Pouliot.

[EXEMPLE DE CURRICULUM VITÆ PAR COMPÉTENCES]

ALAIN COURBON
Concepteur et gestionnaire de sites Web
4567, rue Jean-Paul-Perrault
Sherbrooke (Québec) G9A 2A2
Téléphone : 819 564-4444 (bureau)
819 566-6216 (cellulaire)
acourbon@webinfo.ca

Champs de compétence

Conception et gestion de sites Web
- Design de sites Internet (ergonomie, aspect visuel, convivialité) ;
- Conception de sites Internet statiques et dynamiques (ex. : www.collegedescantons.qc.ca) ;
- Développement et gestion d'une base de données MySQL et d'une interface Web, le tout en PHP ;
- Création d'interfaces graphiques avec Flash CS3.

Administration, gestion et programmation
- Recensement de différents systèmes informatiques en vue d'inventaire ;
- Conception et programmation d'un système de gestion des produits renouvelables pour une meilleure gestion des stocks.

Animation d'ateliers (auprès d'élèves du primaire et du secondaire)
- Formation à la connexion/déconnexion sur un réseau protégé ainsi qu'aux notions de sécurité informatique ;
- Formation en initiation informatique (Word et Excel).

Principales réalisations

- Conception et gestion du site Web du Collège des Cantons, à Sherbrooke ;
- Conception et programmation d'un logiciel de gestion informatique des stocks ;
- Conception et animation d'ateliers en informatique.

Expérience professionnelle

2005 à aujourd'hui **Collège des Cantons, Sherbrooke**
Spécialiste des technologies éducatives

2003 à 2005 **Collège des Cantons, Sherbrooke**
Concepteur et gestionnaire du site Web

2003 à 2004 **Projeux, Magog**
Programmeur et concepteur du site Web

Formation

2005 **Formation professionnelle en Flash CS3, en PHP et MySQL**
Institut Grafficanet, Sherbrooke

2003 **Techniques de l'informatique (informatique de gestion)**
Cégep de Sherbrooke

C

51

C

[EXEMPLE DE CURRICULUM VITÆ MIXTE]

Vincente Sarracosa
200, rue Dante
Montréal (Québec) H2S 1K1

Téléphone : 514 271-2177 (cellulaire)
Courriel : vincente.sarracosa@cma.ca
Langues : français, anglais, italien

Objectif de carrière

Poste de vérificateur qui me permettrait de mettre à profit mes compétences dans l'élaboration de procédures de vérification conformes aux meilleures pratiques et dans la gestion d'équipes de comptables.

Résumé de carrière

Comptable membre de l'Ordre des CA depuis 2006, j'ai acquis de solides compétences dans la vérification d'états financiers et la gestion de risques. Au fil de mes expériences, j'ai également développé des aptitudes à évaluer les occasions de réduire les coûts et à recommander les mesures les plus appropriées. Par ailleurs, je suis doté d'habiletés dans la gestion d'équipe et dans les communications en français, comme en anglais et en italien. Il va sans dire que je suis apte à travailler efficacement sous pression et que je possède un bon sens des priorités.

Sommaire des réalisations

- Planification et supervision de la vérification annuelle des états financiers d'une entreprise ;
- Contribution à une croissance des revenus de 60 % sur une période de 12 mois grâce à une meilleure gestion des coûts ;
- Établissement, maintien et amélioration des relations avec les clients, investisseurs, vérificateurs, avocats et courtiers ;
- Participation à l'implantation de systèmes informatiques.

Expérience professionnelle

Vérificateur adjoint   *Lucie Gonthier et fils, cabinet d'experts comptables, Laval*
2005 à aujourd'hui
- Produire et interpréter les états financiers mensuels et annuels, les rapports trimestriels, les dossiers de vérification et les déclarations fiscales ;
- Assurer le suivi du rendement selon les prévisions et interpréter les écarts ;
- Analyser mensuellement les écarts budgétaires et en assurer le suivi ;
- Assurer le respect des procédures en matière de gestion de risques et de pratiques comptables ;
- Rédiger et maintenir à jour les dossiers et rapports financiers.

Analyste comptable   *Pharmacosciences, Montréal*
2004 à 2005
- Veiller au maintien des systèmes de contrôles internes en matière de revenus et de dépenses ;
- Analyser et rédiger différents rapports : réduction des coûts, coûts des produits fabriqués en sous-traitance et en usine, coûts des inventaires et écarts budgétaires ;
- Saisir les occasions de réduire les coûts et recommander les mesures appropriées ;
- Participer à la préparation des états financiers ;
- Participer à l'implantation d'un système informatique.

Coordonnateur en comptabilité   *BLOC, entrepreneur en construction industrielle, Montréal*
2002-2004
- Analyser et présenter différents rapports : inventaire des matières premières, variances budgétaires, réduction de coûts, réduction d'énergie, etc. ;
- Participer au processus budgétaire ;
- Participer à l'implantation d'un système informatique.

Formation

2006	D.E.S.S. en comptabilité publique	**HEC Montréal**
2005	B.A.A. (cheminement CA)	**HEC Montréal**

[**EXEMPLE DE CURRICULUM VITÆ DE STYLE CLASSIQUE**]

ARNAUD LEFORESTIER
453, avenue de la Brunante
Outremont (Québec) H3T 1T3

Téléphone : 514 788-0987
Courriel : leforesa@ere.umont.ca
Langues : français, anglais

FORMATION

2000-2005	Résidence en neurologie – Université McGill, Montréal
1996-2000	Doctorat en médecine – Université McGill, Montréal
1993-1996	Baccalauréat spécialisé en biochimie – Université de Montréal
1991-1993	Diplôme d'études collégiales – Collège Jean-de-Brébeuf
1986-1991	Diplôme d'études secondaires – Collège Jean-de-Brébeuf

ORDRES PROFESSIONNELS

Fellow du Collège royal des médecins et chirurgiens du Canada (FRCPC), Neurologie, 2005
Membre du Collège des médecins du Québec, 2005

BOURSES, PRIX ET SUBVENTIONS

Subventions de recherche à titre de clinicien-chercheur des IRSC (2008-2011)
Subventions du Fonds de la recherche en santé du Québec (2005-2008)
Prix de recherche du Collège royal des médecins et chirurgiens du Canada (2005)
Bourse d'excellence de la Fondation Birks (1995)
Bourse d'excellence du Canada (1993-1994-1995)
Bourse d'excellence de la fondation Rose-Daoust-Duquette (1994)

EXPÉRIENCE PROFESSIONNELLE ET RECHERCHE

2005 -	Postdoctorat en neuroscience à la University of California (San Francisco)
2003	Postdoctorat en neuroscience à l'Institut neurologique de Montréal
1995	Stage d'été au laboratoire de recherche sur les lipides et l'athérosclérose de l'IRCM
1994	Stage d'été au laboratoire de neuroendocrinologie de l'hôpital Notre-Dame
1993	Stage d'été à temps plein au laboratoire de génie biomédical de l'IRCM

RÉALISATIONS

1991-1996	Promotion des sciences au collège Jean-de-Brébeuf
	Juge au concours scientifique annuel du collège Jean-de-Brébeuf
	Membre fondateur d'un club scientifique au collégial
1992	Médaille d'or, catégorie « sciences de la vie », Expo-Sciences pancanadienne
	Projet d'innovation scientifique « Cholestérol en excès : une solution ? »
1990	1er prix de l'Expo-Sciences de Montréal
	Projet d'expérimentation scientifique : « Déplacement linéaire par magnétisme »
	Médaille de l'ACFAS

LOISIRS

Sports : cyclisme, badminton, plongée sous-marine, ski de fond.
Voyages, lecture, cinéma, musique, photographie.

RÉFÉRENCES SUR DEMANDE

DATE

▸ **Des chiffres et des lettres**

On indique généralement la date à l'aide de lettres et de chiffres; on peut écrire la date avec ou sans l'article défini **le**.

Le 27 janvier 2009 ou *27 janvier 2009*

⑴ La date n'est jamais suivie d'un point final; les noms de jours, de mois s'écrivent avec une minuscule initiale.

▸ **Indication du jour de la semaine**

De façon générale, il n'y a pas lieu d'écrire le nom du jour de la semaine. Si ce renseignement est nécessaire, il n'y a pas de virgule entre le jour de la semaine et le jour du mois exprimé en chiffres (le quantième).

Lundi 14 décembre 2009

⑴ Dans le corps d'un texte, d'une lettre, on écrira *le lundi 14 décembre 2009*. L'année est notée au long à l'aide de quatre chiffres. *2009* (et non **09*)

▸ **Indication du lieu**

Dans certains documents juridiques, officiels, etc., on doit indiquer le lieu avec la date; la mention du lieu est alors suivie d'une virgule.

Montréal, le 27 janvier 2009

▸ **Des lettres seulement**

Dans certains documents de registre soutenu, la date est composée en toutes lettres.

Le vingt-sept janvier deux mille neuf

▸ **Des chiffres seulement**

L'usage de l'indication uniquement en chiffres de la date doit être limité aux usages techniques et à la présentation en tableau. Cette notation procède par ordre décroissant: (année, mois, jour) 2009 01 27 ou 2009-01-27 ou 20090127.

VOIR TABLEAUX ▸ **CORRESPONDANCE.** ▸ **LETTRE TYPE.**

DEMI

▸ **DEMI-**, préf.

Élément préfixé indiquant la moitié d'un tout, un degré intermédiaire, un état incomplet. *Une demi-journée, des produits demi-cuits.*

⑴ L'élément *demi-* est joint à un nom, à un adjectif au moyen d'un trait d'union.

📜 *Demi* + nom. L'élément *demi-* est invariable. Seul le nom se met au pluriel. *Des demi-heures. Des demi-mesures.*

📜 *Demi* + adjectif. L'élément *demi-* est invariable. Seul l'adjectif s'accorde en genre et en nombre avec le nom auquel il se rapporte. *Des bouteilles demi-vides. Des corps demi-nus.*

👆 L'élément *semi-*, qui a la même signification que *demi-*, est de registre plus technique. Il est également invariable et se joint à un nom ou à un adjectif au moyen d'un trait d'union. *Des semi-conducteurs. Des pierres semi-précieuses.*

▸ **Locutions**

– *À demi*. À moitié, en partie, loc. adv. *Un verre à demi-plein. Des données à demi-compilées.*

📜 *À demi* + nom. L'élément *demi-* est invariable et s'écrit avec un trait d'union devant le nom. *Ces articles sont à demi-prix.*

📜 *À demi* + adjectif. L'élément *demi-* est invariable et s'écrit sans trait d'union devant l'adjectif. *Une bouteille à demi vide.*

– *Et demi*, loc. adj. Et la moitié (de l'unité exprimée par le nom qui précède). *Gabriel a six mois et demi. Une douzaine et demie de roses.*

📜 L'adjectif *demi* est invariable en nombre; il s'accorde uniquement en genre avec le nom auquel il se rapporte. *Trois kilomètres et demi. Deux heures et demie. Midi ou minuit et demi.*

▸ **NOM MASCULIN**

1. Moitié d'une unité. *Un demi et un demi font un.*
2. Verre de bière. *Nous prendrons un demi, svp.*

▸ **NOM FÉMININ**

1. Demi-heure. *L'horloge sonne aux heures et aux demies.*
2. Demi-bouteille. *Auriez-vous une demie d'un petit vin blanc bien frais?*

DÉTERMINANT

Le déterminant est un mot qui est placé devant un nom commun pour déterminer d'une façon précise ou imprécise l'être ou l'objet dont on parle.

📖 Le déterminant est un receveur d'accord : il s'accorde en genre et en nombre avec le nom qu'il détermine.
↪ Le déterminant précède nécessairement le nom pour former un groupe nominal.

On distingue généralement deux types de déterminants.

▶ Les **DÉTERMINANTS RÉFÉRENTS**, qui renvoient à une information connue, ou présumée connue, et qui servent à la reprise de l'information. Les déterminants référents comprennent les déterminants définis, démonstratifs, possessifs, interrogatifs, exclamatifs et relatifs.

> ▶ **Le déterminant défini** (de forme simple ou contractée)
> *La maison de François, **le** plateau de fromages. **Au** coin de la rue, la lecture **du** Devoir.*
> ▶ **Le déterminant démonstratif**
> ***Cette** chanson, **ce** courriel, **ces** adolescents.*
> ▶ **Le déterminant possessif**
> ***Sa** bicyclette, **ton** ordinateur, **mes** jouets.*
> ▶ **Le déterminant interrogatif**
> ***Quelle** matière préférez-vous ?*
> ▶ **Le déterminant exclamatif**
> ***Quelle** affaire ! **Quels** joyeux lurons !*
> ▶ **Le déterminant relatif**
> *Une somme de 10 $, **laquelle** somme vous sera remboursée.*

▶ Les **DÉTERMINANTS NON RÉFÉRENTS** ou **QUANTIFIANTS**, qui renvoient à une information non connue ou qui donnent une information sur la quantité. Les déterminants non référents ou quantifiants sont les déterminants indéfinis, partitifs, numéraux et négatifs.

> ▶ **Le déterminant indéfini**
> ***Un** petit chien, **des** framboises succulentes. **Chaque** élève dispose d'un ordinateur. **Plusieurs** tableaux. **Quelques** sports. **Certains** oiseaux.*
> ▶ **Le déterminant partitif**
> ***Du** jus de pomme, **de la** farine.*
> ▶ **Le déterminant numéral**
> ***Dix** grenouilles, **cinq** merles.*
> ▶ **Le déterminant négatif**
> ***Nulle** infraction n'a été commise.*

▶ **Le déterminant défini**
Le déterminant défini se place devant le nom d'**un être** ou d'**un objet connu, dont on a déjà parlé.**
🔖 Le déterminant défini individualise le nom qu'il accompagne.

FORME SIMPLE

Le (devant un nom masculin singulier). *Le chat de sa fille, le homard de la Gaspésie.*
La (devant un nom féminin singulier). *La tortue de Julien, la halte routière.*
L' (devant une voyelle ou un *h* muet). *L'avion, l'école, l'habit, l'heure, l'habile chirurgien.*
🔖 On dit alors qu'il s'agit d'un déterminant élidé.
Les (devant un nom masculin ou féminin pluriel). *Les livres de la bibliothèque, les oranges sont vertes.*

FORME CONTRACTÉE ou DÉTERMINANT PRÉPOSITIONNEL

Au (combinaison de *à* et de *le* devant un nom masculin singulier). *Au printemps, au début de la journée.*
Du (combinaison de *de* et de *le* devant un nom masculin singulier). *Je parle du soleil.*
Aux (combinaison de *à* et de *les* devant un nom masculin ou féminin pluriel). *J'explique aux garçons et aux filles…*
Des (combinaison de *de* et de *les* devant un nom masculin ou féminin pluriel). *Les adresses des cousines.*
↪ Le déterminant prépositionnel introduit un groupe de la préposition.

D

56

▶ **Le déterminant démonstratif**

Le déterminant démonstratif détermine le nom en montrant l'être ou l'objet désigné par ce nom.
Il s'accorde en genre et en nombre avec le nom déterminé :

- au masculin singulier   *ce, cet*   *Ce livre, cet ouvrage, cet homme.*

☞ On emploie *ce* devant un mot commençant par une consonne ou un *h* aspiré, **cet** devant un mot commençant par une voyelle ou un *h* muet.

- au féminin singulier   *cette*   *Cette fleur.*
- au pluriel   *ces*   *Ces garçons et ces filles.*

Le déterminant démonstratif est parfois renforcé par **ci** ou **là** joint au nom par un trait d'union.
Alors que **ci** indique la proximité, **là** suggère l'éloignement. *Cette étude-ci* (démonstratif prochain), *cette maison-là* (démonstratif lointain).

☞ Certains déterminants démonstratifs sont vieillis et ne se trouvent plus que dans la langue juridique : **ledit, ladite, lesdits, lesdites, audit, à ladite, auxdits, auxdites, dudit, de ladite, desdits, desdites, susdit, susdite, susdits, susdites.**

▶ **Le déterminant possessif**

Le déterminant possessif détermine le nom en indiquant le « possesseur » de l'être, de l'objet désigné.

On observe que le déterminant possessif est loin de toujours exprimer la possession réelle. En effet, il n'établit souvent qu'une simple relation de chose à personne, qu'un rapport de dépendance, de familiarité, d'affinité, de proximité, etc. *Mon avion, ton hôtel, sa ville, nos invités, vos étudiants, leurs amis.*

– Il s'accorde en genre et en nombre avec le nom déterminé. *Ta voiture, son ordinateur, nos livres.*

– Il s'accorde en personne avec le nom désignant le possesseur :

un seul possesseur : *mon, ton, son fils,*   plusieurs possesseurs : *notre, votre, leur fils ou fille*
ma, ta, sa fille   *nos, vos, leurs fils ou filles*
mes, tes, ses fils ou filles

FORMES DU DÉTERMINANT POSSESSIF

UN SEUL POSSESSEUR	SINGULIER		PLURIEL
	MASCULIN	FÉMININ	
Première personne	*mon*	*ma*	*mes*
Deuxième personne	*ton*	*ta*	*tes*
Troisième personne	*son*	*sa*	*ses*

PLUSIEURS POSSESSEURS	SINGULIER	PLURIEL
Première personne	*notre*	*nos*
Deuxième personne	*votre*	*vos*
Troisième personne	*leur*	*leurs*

Devant un nom féminin commençant par une voyelle ou un *h* muet, c'est la forme masculine du déterminant qui est employée pour des raisons d'euphonie. *Mon amie, ton échelle, son histoire.*

▶ Le déterminant interrogatif

Le déterminant interrogatif indique que l'on s'interroge sur l'identité de l'être ou de l'objet déterminé. Le déterminant interrogatif s'accorde en genre et en nombre avec le nom déterminé.

	GENRE	NOMBRE	DÉTERMINANT INTERROGATIF
Quel	masculin	singulier	*Quel livre?*
Quelle	féminin	singulier	*Quelle personne?*
Quels	masculin	pluriel	*Quels ballons?*
Quelles	féminin	pluriel	*Quelles bicyclettes?*

▶ Le déterminant exclamatif

Le déterminant exclamatif sert à traduire l'étonnement, l'admiration que l'on éprouve devant l'être ou l'objet déterminé. Le déterminant exclamatif s'accorde en genre et en nombre avec le nom déterminé.

	GENRE	NOMBRE	DÉTERMINANT EXCLAMATIF
Quel	masculin	singulier	*Quel succès!*
Quelle	féminin	singulier	*Quelle maison!*
Quels	masculin	pluriel	*Quels amis!*
Quelles	féminin	pluriel	*Quelles vacances!*

▶ Le déterminant relatif

Le déterminant relatif se place devant un nom pour indiquer que l'on rattache à un antécédent la phrase subordonnée qu'il introduit.

SINGULIER		PLURIEL	
MASCULIN	FÉMININ	MASCULIN	FÉMININ
lequel	laquelle	lesquels	lesquelles
duquel	de laquelle	desquels	desquelles
auquel	à laquelle	auxquels	auxquelles

Il a reconnu vous devoir la somme de 300 $, **laquelle** *somme vous sera remboursée sous peu.*

☞ Les déterminants relatifs sont d'emploi peu courant en dehors de la langue juridique ou administrative.

▶ Le déterminant indéfini

Le déterminant indéfini se place devant le nom désignant **un être** ou **un objet indéterminé** ou encore **inconnu dans le texte.**

☞ Le déterminant indéfini ne nous renseigne pas sur l'identité de la personne ou de la chose désignée par le nom qu'il précède. Il exprime une idée de quantité, une qualité indéterminée, une idée de ressemblance ou de différence.

Un (devant un nom masculin singulier). *Un garçon, un hanneton.*
Une (devant un nom féminin singulier). *Une fille, une hallebarde.*
Des (devant un nom masculin ou féminin pluriel). *Des enfants.*

☞ *De* remplace *des* quand le nom pluriel est précédé d'un adjectif commençant par une consonne. *De belles vallées, de grands arbres.*

☞ *D'* remplace *des* quand le nom pluriel est précédé d'un adjectif commençant par une voyelle ou un *h* muet. *D'éclatantes victoires, d'horribles complots.*

On classe également dans les déterminants indéfinis les mots suivants : *autre, certains, certaines, chaque, différents, différentes, divers, diverses, force* (+ nom au pluriel), *maint(s), mainte(s), même, plusieurs, quelconque, quelque, tel, telle, tout, toute, tous, toutes…*

D

57

D

58

▸ **Le déterminant partitif**

Le déterminant partitif ou déterminant non comptable se place devant le nom **de choses** qui **ne peuvent se compter** quand ces dernières sont **indéterminées** ou encore **inconnues dans le texte.**

🖎 Le déterminant partitif indique une quantité indéterminée de ce qui est désigné par le nom.

▭ Le déterminant partitif ne s'accorde qu'en genre avec le nom qu'il détermine.

Du (devant un nom masculin singulier). *Je bois du lait, elle coupe du houx.*

De la (devant un nom féminin singulier). *Je mange de la confiture, de la haine se lisait dans son regard.*

De l' (devant un nom masculin ou féminin singulier commençant par une voyelle ou un *h* muet). *Je mange de l'agneau, j'avale de l'eau, elle verse de l'huile.*

Des (devant un nom masculin ou féminin pluriel). *Des épinards, des fiançailles.*

▸ **Le déterminant numéral**

Le déterminant indique le nombre précis des êtres ou des objets dont on parle ou précise l'ordre de ces êtres, de ces objets.

Certains déterminants numéraux sont **simples.**
   Sept pommes, douze oranges, mille raisins.

Certains déterminants numéraux sont **composés.**
   Trente-deux (30 + 2). *Trente-deux élèves.*
   Quatre-vingts (4 x 20). *Quatre-vingts arbres.*
   Trois cents (3 x 100). *Trois cents oiseaux.*

🖎 Selon la règle traditionnelle, dans les déterminants numéraux composés, le trait d'union s'emploie seulement entre les éléments qui sont l'un et l'autre inférieurs à *cent* et quand ces éléments ne sont pas joints par la conjonction *et. Trente-huit, quatre-vingt-quatre, vingt et un, cent dix, deux cent trente-deux.* Toutefois, *Les Rectifications de l'orthographe* (1990) admettent l'emploi du trait d'union dans les déterminants numéraux formant un nombre complexe, qu'il soit inférieur ou supérieur à *cent*, qu'ils soient joints par la conjonction *et* ou non. *Cent-trente-deux, deux-cent-soixante-et-onze.*

ACCORD

Les déterminants numéraux sont invariables, à l'exception de :

– **Un**, qui peut se mettre au féminin.
   Vingt et une écolières.

   VOIR TABLEAU ▸ **UN.**

– **Vingt** et **cent**, qui prennent la marque du pluriel s'ils sont multipliés par un nombre et s'ils ne sont pas suivis d'un autre déterminant numéral.
   Six cents crayons, trois cent vingt règles, quatre-vingts feuilles, quatre-vingt-huit stylos.

▸ **Le déterminant négatif**

Le déterminant négatif indique une quantité nulle, c'est-à-dire que le nombre d'êtres ou d'objets désignés par le nom égale zéro.
   Nous n'avons recueilli aucun don. Nulle trace de ce produit n'a été décelée. Pas une élève ne manquait à l'appel.

↪ Les déterminants négatifs doivent toujours être accompagnés de *ne, ne … jamais* ou *ne … plus.* Cependant, on ne peut employer les adverbes *pas* ou *point* avec *aucun, aucune* et *nul, nulle.*

SINGULIER	PLURIEL
aucun, aucune	*aucuns, aucunes*
nul, nulle	*nuls, nulles*
pas un, pas une	

DISCOURS RAPPORTÉ[1]

Le **discours rapporté** est l'insertion dans un texte des propos tenus par une autre personne que celle qui a écrit ce texte.

DISCOURS RAPPORTÉ DIRECT

Le discours rapporté direct relève de la grammaire du texte: les propos sont rapportés textuellement à titre de citation et s'insèrent entre les phrases du texte. Dans le discours rapporté direct, les mots qui servent à faire des références au monde extérieur (*je, tu, ici, là-bas, hier, demain*, etc.) sont en relation avec une situation de communication différente de celle du texte. Ils font référence à la réalité dans laquelle les propos ont été tenus.

> *La semaine dernière, Hugo m'a annoncé: «**J'ai** décidé **hier soir** de **retourner** vivre auprès de **vous**, **ma** vie **ici** ne **me** satis**fait** plus.»*

À TITRE D'EXEMPLES

On peut utiliser une citation dans une argumentation pour donner de la crédibilité à ce qui est avancé.

> *Les adultes québécois de moins de 50 ans sont plus sereins que les autres quant à la langue d'ici. La linguiste Chantal Bouchard (2002, page 9) **explique**: «Ceux qui étaient adultes ou adolescents dans les années 1950 ou 1960 restent profondément marqués par la crise identitaire et la forte insécurité linguistique de cette époque.»*

On peut recourir à une citation dans un reportage pour rendre une description plus vivante.

> *Marie-Claude est une rêveuse pragmatique. «Je voulais lancer mon atelier de robes de soirée, **dit-elle**, mais je ne voulais pas participer à la surproduction mondiale. J'ai donc décidé de créer de véritables robes de rêve à partir de tissus recyclés seulement.»*

Principales caractéristiques du discours rapporté direct

- **verbe introducteur de discours suivi du deux-points**

  a annoncé: *explique:*

- **phrase incise** à l'intérieur ou à la suite du discours rapporté (inversion verbe et sujet, virgules pour encadrer ou isoler l'incise)

  , dit-elle,   *, a déclaré la députée.*

- **guillemets** pour encadrer le discours rapporté

  a annoncé: «...»   *explique: «...»*   *«..., dit-elle, ...»*   *«...», a déclaré la députée.*

- **ponctuation à la fin du discours rapporté** selon le type de la phrase citée

  demande: «Pourquoi y allez-vous?»   *veut savoir: «Y allez-vous?»*

- **indices de temps et de lieu différents** de la réalité du texte

  hier soir, auprès de vous, ici

  ☞ Dans toute citation, les points de suspension entre crochets indiquent qu'un extrait du discours n'a pas été rapporté.

  > *Marie-Claude est une rêveuse. «Je voulais lancer mon atelier de robes de soirée, dit-elle, [...] créer de véritables robes de rêve.»*

VOIR TABLEAUX ▸ GUILLEMETS. ▸ MAJUSCULES ET MINUSCULES. ▸ PONCTUATION.

DISCOURS RAPPORTÉ | SUITE >

1. Conception du tableau: Annie Desnoyers.

D

DISCOURS RAPPORTÉ INDIRECT

Le discours rapporté indirect relève de la grammaire de la phrase : les propos rapportés sont intégrés syntaxiquement dans les phrases du texte. Dans le discours rapporté indirect, les mots qui servent à faire des références au monde extérieur (*je, tu, ici, là-bas, hier, demain,* etc.) sont adaptés à la situation de communication du texte.

> *La semaine dernière, Hugo m'a annoncé qu'**il avait** décidé **la veille** de **revenir** vivre auprès de **nous**, que **sa** vie **là-bas** ne **le** satis**faisait** plus.*

Dans une argumentation, pour donner de la crédibilité à ce qui est avancé, les paroles d'un autre auteur ou chercheur peuvent être rapportées indirectement, c'est-à-dire dans ses propres mots plutôt que textuellement.

> *Les adultes québécois de moins de 50 ans sont plus sereins que les autres quant à la langue d'ici. La linguiste Chantal Bouchard (2002, page 9) **explique que** ceux qui ont vécu leur jeunesse durant les années 1950 ou 1960 sont encore marqués par l'insécurité linguistique de ce temps.*

Principales caractéristiques du discours rapporté indirect

* **verbe introducteur de discours suivi de la phrase subordonnée**

> *Hugo a annoncé [que…], [que…].*   *La linguiste explique [que…].*

* **temps de verbe du discours rapporté** (verbe subordonné) **selon le temps du verbe introducteur** (verbe principal)

> *Hugo a annoncé [qu'il avait décidé la veille de revenir vivre auprès de nous].*

> ☞ Le verbe principal est au passé, l'action du verbe subordonné se déroule AVANT celle du verbe principal : le verbe se conjugue au plus-que-parfait.

> *Hugo a annoncé [que sa vie là-bas ne le satisfaisait plus].*

> ☞ Le verbe principal est au passé, l'action du verbe subordonné se déroule PENDANT celle du verbe principal : le verbe se conjugue à l'imparfait.

> *La linguiste explique [que ceux qui ont vécu leur jeunesse en 1950 sont encore marqués par l'insécurité linguistique].*

> ☞ Le verbe principal est au présent, l'action du verbe subordonné se déroule PENDANT celle du verbe principal : le verbe se conjugue au présent.

* **indices de temps et de lieu adaptés à la situation de communication du texte**

> *la veille, auprès de nous, là-bas*

* **ponctuation à la fin du discours rapporté selon le type de la phrase autonome** ou matrice dans laquelle la subordonnée est intégrée (ponctuation de la phrase déclarative si interrogation indirecte)

> *demande pourquoi vous y allez.*   *veut savoir si vous y allez.*

VOIR TABLEAUX ► CONCORDANCE DES TEMPS DANS LA PHRASE. ► PHRASE (TYPES ET FORMES DE LA).

DIVISION DES MOTS

La division des mots en fin de ligne doit être évitée autant que possible. Si elle est nécessaire, la coupure des mots se marque par un court tiret, appelé trait d'union, et respecte des règles définies.

1. LA DIVISION DES SYLLABES

On coupe un mot entre les syllabes qui le composent.

▸ **Une consonne entre deux voyelles**

On coupe après la première voyelle.

| oui | Cho / colat ou choco / lat. |

▸ **Deux voyelles**

On coupe après la deuxième voyelle.

| oui | Initia / lement, abrévia / tion. |

> T 1° On coupe après la dernière voyelle lorsque le groupe de voyelles se réduit à un seul son (ai, au, eau, æ, eu, œu, ou, etc.). *Nécessai / rement, heureu / sement.*
>
> 2° Le mot se divise entre les voyelles seulement lorsque la première voyelle fait partie d'un élément qui a servi à la formation d'un mot (rétro / actif, extra / ordinaire). Dans le doute, on évitera de diviser des voyelles.

▸ **Deux consonnes**

On coupe entre les consonnes.

| oui | Éper / dument, fendil / lement. |

> T Les groupes ch, ph, gn, th sont inséparables. *Ache / miner, ryth / mer.* En début de syllabe, certains groupes de consonnes (bl, cl, fl, gl, pl, br, cr, dr, fr, gr, pr, tr, vr) sont inséparables. *Dé / plorer, in / croyable.*

▸ **Trois ou quatre consonnes**

On coupe après la première consonne.

| oui | Désassem / bler, illus / tration. |

2. LA DIVISION DES MOTS COMPOSÉS

▸ **Mots composés sans trait d'union**

On peut diviser entre deux mots non reliés par un trait d'union.

| oui | Château / fort. |

> T On ne met pas de trait d'union dans ce cas.

▸ **Mots composés comportant un trait d'union**

On peut diviser à ce trait d'union.

| oui | Demi- / heure. |

> T Il est parfois difficile de distinguer entre les traits d'union du mot composé et ceux de la division des mots en fin de ligne.

3. LES DIVISIONS INTERDITES

▸ **Abréviations et sigles**

Ne jamais diviser une abréviation ou un sigle.

| non | *O / NU. |

▸ **Apostrophes**

On ne coupe jamais à l'apostrophe.

| non | *L' / école. |

▸ **Initiales et patronymes**

Ne pas séparer du nom le prénom abrégé.

| non | *J. / Picard. |

D

62

- ▸ **Titres de civilité, titres honorifiques et patronymes**
  Ne pas séparer le titre du nom auquel il s'applique.

  non | *Dr / Laroche.

- ▸ **Nombres en chiffres arabes ou romains**
  Ne pas diviser les nombres écrits en chiffres (par contre, les nombres écrits en toutes lettres sont divisibles).

  non | *153 / 537, *XX / IV.

- ▸ **Nom déterminé par un nombre**
  Ne pas séparer un nombre du nom qui le suit ou le précède.

  non | *Art. / 2, *Louis / XIV.

- ▸ **Pourcentage**
  Ne pas séparer un nombre du symbole du pourcentage.

  non | *75 / %.

- ▸ **Points cardinaux**
  Ne pas séparer l'abréviation du point cardinal du groupe qu'il détermine.

  non | *Par 52° de latitude / N.

- ▸ **Date**
  Ne pas séparer le quantième et le mois ou le mois et l'année.

  non | *7 / mai 1998 ou * 7 mai / 1998.

- ▸ **Symboles des unités de mesure**
  Ne pas séparer le symbole du nombre qui le précède.

  non | *12 / h, *14 / F, *25 / kg.

- ▸ **Symboles chimiques, mathématiques, etc.**
  Ces symboles sont indivisibles.

  non | *3 / + 2 = 5

- ▸ **Lettres *x* et *y***
  Ne pas diviser avant ni après les lettres *x* ou *y* placées entre deux voyelles.

  non | *Ve / xation, *apitoy / er.

  🇹 1° Si ces lettres sont suivies d'une consonne, la division est permise après le *x* ou le *y*. *Ex / ténuant, bicy / clette.*

  2° Si la lettre *x* correspond au son «z», la coupure est tolérée. *Deu / xième.*

- ▸ **Etc.**
  Ne pas séparer l'abréviation *etc.* du mot qui la précède.

  non | *Vert, jaune, / etc.

- ▸ **Syllabe finale muette**
  On ne reporte pas à la ligne suivante une syllabe finale comprenant une voyelle muette.

  non | *Cou / dre, *définiti / ve.

- ▸ **Mots d'une seule syllabe**
  Ces mots sont indivisibles.

  non | *Pi / ed.

- ▸ **Mots en fin de page**
  On ne peut couper un mot lors d'un changement de page.

  🇹 Dans la mesure du possible, on prendra soin de ne pas renvoyer en début de ligne des syllabes muettes ou de moins de trois lettres. *Directri / ce, *validi / té.*

  🇹 Dans certains ouvrages, notamment dans le cas où le texte est composé sur deux colonnes ou plus, il n'est pas toujours possible de respecter cette règle.

DOUBLETS

Le français, comme plusieurs autres langues, provient du latin. Il est intéressant d'observer qu'un même mot latin a donné parfois deux mots français, différents par la forme et le sens : on appelle ces mots des **doublets**.

Ainsi, les noms **parole** et **parabole** viennent du mot latin « *parabola* ». Le premier a subi l'évolution phonétique normale (formation populaire), tandis que le second a été emprunté directement au latin plus tard par l'Église (formation savante) pour nommer la parole du Christ.

Il est intéressant de constater que le mot **design,** que nous avons emprunté à l'anglais (qui l'avait lui-même emprunté au français plus tôt), est un doublet du mot **dessin** et que ces deux mots proviennent du verbe latin « *designare* ».

Voici quelques exemples de doublets :

MOT FRANÇAIS (FORME POPULAIRE)	MOT LATIN	MOT FRANÇAIS (FORME SAVANTE)
aigre	*acer*	âcre
évier	*aquarium*	aquarium
écouter	*auscultare*	ausculter
chaîne	*catena*	cadenas
chaire	*cathedra*	cathédrale
chose	*causa*	cause
cheville	*clavicula*	clavicule
cailler	*coagulare*	coaguler
cueillette	*collecta*	collecte
combler	*cumulare*	cumuler
dessiner	*designare*	désigner
frêle	*fragilis*	fragile
hôtel	*hospitalis*	hôpital
entier	*integer*	intègre
livrer	*liberare*	libérer
mâcher	*masticare*	mastiquer
métier	*ministerium*	ministère
nager	*navigare*	naviguer
œuvrer	*operare*	opérer
œuf	*ovum*	ovule
parole	*parabola*	parabole
poison	*potio*	potion
porche	*porticus*	portique
recouvrer	*recuperare*	récupérer
raide	*rigidus*	rigide
serment	*sacramentum*	sacrement
sûreté	*securitas*	sécurité
sevrer	*separare*	séparer
sembler	*simulare*	simuler
étroit	*strictus*	strict
soupçon	*suspicio*	suspicion
vœu	*votum*	vote

L'élision est le remplacement d'une voyelle finale *(a, e, i)* par une apostrophe devant un mot commençant par une voyelle ou un *h* muet. Devant un *h* aspiré cependant, il n'y a pas d'élision.

> *L'arbre, l'hôpital,* mais *le homard.*

E

▶ **Les mots qui peuvent s'élider sont :**

le	se		
la	ne	— devant une voyelle ou un *h* muet	*L'école, l'araignée, l'habitation, l'honneur.* *Il s'est endormi. Elle s'habille. Je n'irai pas.* *J'aurai ce qui convient. J'habite ici. M'aimes-tu ?*
je	de		*Qu'arrive-t-il ? J'essaie d'y aller.*
me	que		*C'était hier. Je t'invite. Tu t'habitues.*
te	ce		

jusque	— devant une voyelle. *Jusqu'au matin.*

lorsque	devant *il, ils, elle, elles, en, on, un, une, ainsi* seulement.
puisque	*Lorsqu'elle est contente,* mais *lorsque Étienne est là.* *Puisqu'il est arrivé,* mais *puisque Ariane est partie.*
quoique	*Quoiqu'on ait prétendu certaines choses…,* mais *quoique André soit d'accord.*

presque	— devant *île* seulement. *Une presqu'île,* mais *un bâtiment presque achevé.*
quelque	— devant *un, une* seulement. *Quelqu'un, quelqu'une.*
si	— devant *il* seulement. *S'il fait beau.*

▶ **Élisions interdites**

• Devant les déterminants numéraux *huit, onze, un.*

> *Une quantité de huit grammes. Des colis de onze kilos, de un kilo.*

> ▢ On ne fait pas l'élision devant :
>
> – le nom masculin *un.* *La famille habitait le un de la rue des Érables. Il n'y a pas de un dans le nombre 679.*
>
> – le nom féminin *une.* *Publier une nouvelle à la une.*
>
> – le déterminant numéral *un, une,* quand on veut insister sur la mesure ou la quantité. *Un poids de un gramme, de une tonne. « Des enfants de un à douze ans »* (LITTRÉ).
>
> Cependant, l'élision se fait devant :
>
> – le déterminant indéfini *un, une. D'un océan à l'autre.*
>
> – le pronom indéfini *un, une. L'une et l'autre seront des nôtres. Plus d'un voyageur est passé ici.*

• Devant *oui.*

> *Les millions de oui.*

• Devant les mots d'origine étrangère commençant par un *y.*

> *Le yogourt, le yacht.*

> ▢ L'élision doit se faire avec les noms propres selon les mêmes règles qu'avec les noms communs. *Le film d'Étienne,* mais *la ville de Halifax.*

VOIR TABLEAU ▶ APOSTROPHE.

EN, PRÉPOSITION

La préposition *en* marque un rapport de **lieu**, de **temps**, une notion de **forme**, de **matière**, de **manière**. Elle s'emploie devant un nom, un groupe nominal qui n'est pas accompagné d'un déterminant ou devant un pronom. Elle peut aussi être suivie d'un participe présent qui exprime la simultanéité ou la manière (gérondif).

> *Ils voyagent en avion. Les enfants sont en retard. Un décolleté en pointe, un manteau en laine. L'avion a atterri en douceur. Elles sont entrées en chantant.*

> ↝ Devant un nom précédé d'un déterminant, on emploiera plutôt la préposition *dans*. *Ils sont allés **dans** la ville d'Oka. Mettre les mains **dans** ses poches. Dépose le livre **dans** cette boîte.*

EN + GROUPE DU NOM

▸ Rapport de lieu

La préposition indique le **lieu où l'on est**, le **lieu où l'on va**.
> *Les étudiants sont en classe. Ils iront en ville.*

EN + NOM GÉOGRAPHIQUE	
	– **Nom féminin de pays**, de région. *En France, en Gaspésie.*
	– **Nom masculin de pays** commençant par une **voyelle**. *En Équateur.*
	↝ Devant un **nom masculin de pays**, d'État commençant par une **consonne**, on emploiera plutôt l'article contracté *au. Au Québec.*
	– **Nom féminin de grande île.** *En Martinique.*
	↝ Devant un **nom féminin de petite île** ou devant un **nom masculin d'île**, on emploiera plutôt *à. À Cuba.*
	↝ Devant un **nom de ville**, on emploiera la préposition *à. À Trois-Rivières.*

▸ Rapport de temps

La préposition marque un **intervalle de temps**, une **date**. Elle a le sens de *durant, pendant*.
> *En été, il fait bon vivre à la campagne. Ils ont construit la maison en quelques mois. En 1996, on a célébré son vingtième anniversaire.*

▸ Notion de forme, de matière, de manière

La préposition sert à marquer l'**état**, la **forme**, la **matière**, la **manière**.
> *Il est en attente. Des cheveux en brosse. Pedro parle en espagnol. Des gants en laine.*

EN + MATIÈRE	
	Une colonne en marbre, de marbre, une sculpture en bois, de bois.
	↝ Il est possible d'utiliser les prépositions *en* ou *de* pour introduire le complément de **matière**. Toutefois, au sens figuré, on emploiera surtout la préposition *de. Une volonté de fer.*

EN + SINGULIER OU PLURIEL	
	Un lilas en fleur ou en fleurs, un texte en anglais, une maison en flammes.
	▭ Il n'y a pas de règle particulière pour le nombre du nom précédé de *en*. C'est le sens qui le dictera.

EN + PHRASE PARTICIPIALE

Gérondif

La préposition suivie du participe présent constitue le gérondif qui exprime la simultanéité, une circonstance de cause, de temps, de manière.
> *En skiant, elle s'est fracturé la jambe. Il écrit en lisant ses phrases à voix haute.*

La préposition sert à former des locutions prépositives, conjonctives ou adverbiales.

Locutions prépositives ou prépositions composées	Locutions conjonctives de subordination ou subordonnants composés	Locutions adverbiales ou adverbes composés
en cas de	en admettant que	en bas
en comparaison de	en attendant que	en dedans
en deçà de	en même temps que	en définitive

▭ Les locutions formées avec *en* s'écrivent sans trait d'union.

VOIR TABLEAU ▸ EN, PRONOM.

PRONOM PERSONNEL DE LA TROISIÈME PERSONNE

Le pronom *en* peut remplacer *de* + groupe nominal, complément du verbe ou complément du nom.

- Le pronom *en* représente une chose, une idée, parfois un animal et signifie *de cela, de lui, d'elle, d'elles, d'eux.*

  *Cette escapade, nous **en** parlerons longtemps. Ce projet est emballant, ils **en** parlent constamment.*

- Le pronom *en* représente des noms de choses, d'idées et remplace le possessif.

  *Les touristes aiment les forêts et les lacs ; ils **en** apprécient le calme et la beauté.*

- Le pronom *en* représente des noms d'animaux.

  *Ton cheval est magnifique ; j'**en** admire la couleur, ou encore j'admire sa couleur.*

  Ꮼ L'emploi du pronom *en* est recommandé, mais on observe également l'emploi du possessif.

- Le pronom *en* représente parfois des personnes lorsqu'il est complément d'un pronom numéral ou d'un pronom indéfini et dans la langue littéraire.

  *A-t-il des collègues compétents ? Il **en** a plusieurs.*

  Ꮼ Dans la langue courante, on emploie alors les adjectifs possessifs *son, sa, ses. Il admire cette amie et apprécie son courage.*

▸ **Impératif + *en***

Le pronom *en* employé avec un pronom personnel se place après ce pronom.

*Des livres, écris-nous-**en** plusieurs. Souvenez-vous-**en**.*

Ꮼ Le pronom *en* est joint au pronom personnel par un trait d'union, sauf lorsque le pronom est élidé. *Souviens-t'**en**.* Si le pronom *en* suit un verbe à la deuxième personne du singulier de l'impératif qui se termine par un *e,* ce verbe prend un *s* euphonique. *Respectes-**en** les conditions.*

▸ **Accord du participe passé avec *en***

La plupart des auteurs recommandent l'invariabilité du participe passé employé avec l'auxiliaire *avoir* précédé du pronom *en*.

*Il a dessiné plus d'immeubles qu'il n'**en** a construit. Ce sont des fleurs carnivores, **en** aviez-vous déjà vu ?*

▨ On remarque cependant un usage très indécis où l'on accorde parfois le participe passé avec le nom représenté par *en*. « Mais les fleurs, il n'**en** avait jamais vues. » (Marcel Proust, cité par Grevisse.) Pour simplifier la question, il semble préférable d'omettre le pronom si celui-ci n'est pas indispensable au sens de la phrase ou de choisir l'invariabilité du participe passé.

VOIR TABLEAU ▸ EN, PRÉPOSITION.

ÉNUMÉRATION

LES ÉLÉMENTS D'UNE ÉNUMÉRATION

▸ **Présentation horizontale**

Les chiffres romains sont composés des caractères suivants : I, V, X, L, C, D, M.
Ⓣ On met une virgule entre chaque élément de l'énumération et un point à la fin.

▸ **Présentation verticale**

Cet ouvrage traite des difficultés du français :

1. orthographe;	ou	*1– orthographe;*	ou	*1) orthographe;*
2. grammaire;		*2– grammaire ;*		*2) grammaire;*
3. conjugaison.		*3– conjugaison.*		*3) conjugaison.*

Ⓣ Les éléments sont suivis d'un point-virgule à l'exception du dernier élément qui est suivi d'un point.
Il est également possible de présenter les éléments de l'énumération sans ponctuation. En ce cas, on écrira généralement avec une majuscule initiale chacun des éléments de l'énumération.

Types de difficultés

1. Orthographe	ou	*A. Orthographe*	ou	• *Orthographe*
2. Grammaire		*B. Grammaire*		• *Grammaire*
3. Conjugaison		*C. Conjugaison*		• *Conjugaison*

LES PARTIES D'UN TEXTE

En vue de découper un texte ou de mettre l'accent sur le nombre ou l'ordre des éléments, on a recours à divers jalons énumératifs : des lettres, des chiffres ou d'autres signes (tiret, point, etc.).

Ⓣ Une règle est importante : quel que soit le type de jalon retenu, il importe de respecter tout au long du document le même ordre, la même gradation de repères énumératifs.

JALONS COURAMMENT UTILISÉS
– les lettres minuscules *a), b), c)* ;
– les lettres majuscules *A., B., C.* ;
– les chiffres arabes *1., 2., 3.* ;
– les chiffres romains *I, II, III* ;
– les adjectifs ordinaux du latin sous leur forme abrégée *1°, 2°, 3°* ;
– la numérotation décimale *1., 1.1., 1.1.1., 1.2., 1.3., 2., 2.1.*

Pour une **énumération simple**, on utilise un seul signe énumératif : le tiret, les majuscules, les adjectifs numéraux latins, par exemple.

Pour une **énumération double**, on a recours à deux types de signes; pour une **énumération triple**, à trois types, ainsi de suite.

Simple	Double	Triple	Quadruple	Complexe
a)	a)	A.	I–	1.
b)	1°	1°	A.	1.1.
c)	2°	a)	1°	1.1.1.
d)	3°	b)	a)	1.1.2.
e)	b)	2°	b)	1.2.
f)	1°	B.	2°	1.2.1.
g)	2°	1°	B.	1.2.2.
h)	3°	a)	II–	1.3.
i)	c)	b)	A.	2.

Ⓣ Si l'on recourt à la numération décimale, il est préférable de se limiter à trois niveaux de subdivision (avec un maximum de dix sous-classes), afin de ne pas trop alourdir la structuration.

ENVELOPPE

Gabriel Girard
Groupe Alpha
4077, rue Saint-Hubert
Montréal (Québec) H2L 4A7

| 1 |

| 2 |

RECOMMANDÉ

| 3 |

Madame Delphine Déplanche
Directrice de la recherche
Société Amarante
775, chemin des Vieux-Moulins
L'Acadie (Québec) J0J 1H0

| 4 |

| 5 |

NORMES DE LA SOCIÉTÉ CANADIENNE DES POSTES

1. Adresse de l'expéditeur ou de l'expéditrice.
2. Espace réservé aux timbres.
3. Les mentions PERSONNEL, CONFIDENTIEL, RECOMMANDÉ (toujours au masculin singulier) s'écrivent en lettres majuscules dans cet espace et sont soulignées.
4. Adresse du ou de la destinataire. Selon la longueur de l'adresse, celle-ci peut chevaucher les sections 3 et 4. Le code postal figure en dernière place, à la suite du nom de la ville et de la province. En cas de manque d'espace, le code postal s'écrit sur la ligne suivante, mais il doit absolument apparaître dans cette section.
5. Espace réservé au code du tri mécanique de la Société canadienne des postes.

ADRESSE

On peut lire dans le *Guide canadien d'adressage* que : « la Société canadienne des postes encourage tous les expéditeurs à respecter les souhaits de leurs clients en ce qui concerne la présentation des envois. Le *Guide* satisfait aux exigences des langues française et anglaise, car on y accepte l'utilisation d'accents, de majuscules et de minuscules, ainsi que l'écriture en toutes lettres des éléments de l'adresse et les signes de ponctuation*. »

L'adresse doit respecter l'usage français en ce qui a trait à la ponctuation (emploi de la virgule entre le numéro de l'adresse et le générique du nom de rue), à l'emploi des majuscules et des minuscules, à l'accentuation des mots et aux abréviations.

☞ Il est à noter qu'aucun tarif préférentiel ne peut être refusé sous prétexte que l'expéditeur ou l'expéditrice privilégie l'adresse courante qui respecte l'usage français, ainsi que le rappelle *Le français au bureau* : « les adresses ainsi rédigées donnent droit à tous les tarifs préférentiels consentis aux grands usagers postaux et sont utilisables par tous les services postaux*. »

---

* Noëlle Guilloton et Hélène Cajolet-Laganière, *Le français au bureau*, 6ᵉ éd., coll. « Guides de l'Office de la langue française », Québec, Les Publications du Québec, 2005, p. 48-49.

ENVELOPPE | SUITE >

E

ORDRE DES ÉLÉMENTS DE L'ADRESSE

Les éléments d'une adresse vont du particulier au général.

▸ **Nom du** ou **de la destinataire.** **1**

  – Titre de civilité
  – Prénom
  – Nom

▸ **Titre** et **nom de l'unité administrative**, s'il y a lieu. **2**

▸ **Nom de l'entreprise** ou de l'organisme, s'il y a lieu. **3**

▸ **Adresse.**

  – Numéro et nom de la voie publique **4**
    ⌁ L'indication du numéro n'est suivie d'une virgule, du
    nom générique (*avenue, boulevard, chemin, côte,*
    place, rue, etc.) écrit en minuscules et, enfin, du nom
    spécifique de la voie publique.

  – Appartement, étage, bureau, s'il y a lieu **5**
    ⌁ En cas de manque d'espace, la mention de l'étage, du
    bureau ou de l'appartement s'écrit sur la ligne qui
    précède l'adresse.

  – Bureau de poste, s'il y a lieu **6**

  – Nom de la ville **7**

  – Nom de la province, s'il y a lieu **8**
    ⌁ Au Canada, le nom de la province s'écrit entre
    parenthèses.

  – Code postal **9**
    ⌁ En cas de manque d'espace, le code postal s'écrit sur
    la ligne suivante.

  – Nom du pays, s'il y a lieu **10**
    ⌁ La mention du nom de pays s'écrit en majuscules sur
    la ligne qui suit le code postal.

VOIR TABLEAU ▸ ADRESSE.

Madame Laurence Dubois **1**
Directrice des communications **2**
Dubuffet et Lavigne **3**
630, boul. René-Lévesque O., 5ᵉ étage **4** **5**
    ou
Madame Laurence Dubois **1**
Directrice des communications **2**
Dubuffet et Lavigne **3**
5ᵉ étage **5**
630, boul. René-Lévesque Ouest **4**

Montréal (Québec) H3B 1S6 **7** **8** **9**
    ou
Montréal (Québec) **7** **8**
H3B 1S6 **9**

Madame Hélène Lessard **1**
Direction des finances **2**
C. P. 6204, succ. Centre-ville **6**
Montréal (Québec) H3C 3T4 **7** **8** **9**

Monsieur Antoine Lebel **1**
Service après-vente **2**
Portes et fenêtres V. Q. **3**
860, rue de l'Église **4**
Sainte-Agathe-des-Monts (Québec) **7** **8**
J2D 4G8 **9**

Mrs. Bev Darnell
Jefferies Silversmiths Ltd.
1026 Fort St.
Victoria (Colombie-Britannique) V8V 3K4
CANADA **10**

COURRIER POUR L'ÉTRANGER

Pour les envois à destination de l'étranger, il est préférable
d'inscrire le nom du pays en majuscules. Dans la mesure du
possible, il importe de se conformer aux usages du pays de
destination. Cependant, le nom du pays doit être noté dans la
langue du pays de départ, c'est-à-dire du lieu où s'effectue le
tri postal.

ABSENCE DE PONCTUATION FINALE DANS L'ADRESSE

On ne met ni point ni virgule pour les fins de ligne des adresses
et des mentions qui figurent sur l'enveloppe.

Monsieur Michel Delage
17, rue de Phalsbourg, 3ᵉ étage
75017 Paris
FRANCE

Time Magazine
541 North Fairbanks Court
Chicago
Illinois
États-Unis 60611

ESPACEMENTS

SIGNES DE PONCTUATION	AVANT		APRÈS	EXEMPLES
LE POINT	0 espace	.	1 espace	*Les vacances commenceront le 23 juin. J'ai hâte.*
LA VIRGULE	0 espace	,	1 espace	*Voici des pommes, des poires et des oranges.*
LE POINT-VIRGULE	0 espace	;	1 espace	*Léa adore la lecture; elle dévore les romans.*
LE DEUX-POINTS	1 espace	:	1 espace	*Liste des articles à apporter : cahier, crayons et règles.*
LE POINT D'INTERROGATION	0 espace	?	1 espace	*Est-ce que tu viens jouer avec nous? Oui.*
LE POINT D'EXCLAMATION	0 espace	!	1 espace	*Vive les vacances! Au diable les pénitences!*
LES POINTS DE SUSPENSION	0 espace	...	1 espace	*Elle a dit qu'elle viendrait... Je l'attends.*

SIGNES TYPOGRAPHIQUES	AVANT		APRÈS	EXEMPLES
LE TRAIT D'UNION	0 espace	-	0 espace	*Un lance-pierres et vingt-trois billes.*
LE TIRET	1 espace	—	1 espace	*Le béluga – un mammifère marin – est le favori des visiteurs.*
LA PARENTHÈSE OUVRANTE	1 espace	(	0 espace	*Elle est née lors des Jeux olympiques de Montréal*
LA PARENTHÈSE FERMANTE	0 espace	)	1 espace	*(1976) et se nomme Nadia.*
LE CROCHET OUVRANT	1 espace	[	0 espace	*On note entre crochets* [krɔʃɛ] *l'alphabet phonétique.*
LE CROCHET FERMANT	0 espace	]	1 espace	
LE GUILLEMET OUVRANT	1 espace	«	1 espace	*Il lui a répondu : « Ce fut un plaisir » et elle a souri.*
LE GUILLEMET FERMANT	1 espace	»	1 espace	
LA BARRE OBLIQUE	0 espace	/	0 espace	*Elle roule à 40 km/h.*
L'ASTÉRISQUE	0 espace	*	1 espace	*Le béluga* est un mammifère.* ** Le béluga est aussi appelé baleine blanche.*
FRACTION DÉCIMALE (VIRGULE DÉCIMALE)	0 espace	,	0 espace	*15,25 unités.*
DEGRÉ	0 espace 1 espace	°	1 espace 0 espace	*On règle le chauffage à 20°.* *Il fait 20 °C. (Si l'échelle de mesure est donnée.)*
SYMBOLE DU DOLLAR	1 espace	$	1 espace	*Cet article coûte 15 $.*
POUR CENT	1 espace	%	1 espace	*Ils ont eu 81% de moyenne.*

T Le tableau des espacements s'applique aux documents produits par dactylographie ou traitement de texte. Dans l'édition, on recourt aux espacements plus détaillés prescrits par les codes typographiques.

VOIR TABLEAU ▶ PONCTUATION.

La famille de mots est un ensemble comprenant un mot de base, à partir duquel on a créé d'autres mots par l'ajout de préfixes ou de suffixes, ou par la formation de mots composés.

☞ Les mots faisant partie d'une même famille sont unis par la forme et par le sens.

EXEMPLES	MOT DE BASE	MOTS DÉRIVÉS (préfixes, suffixes)	MOTS COMPOSÉS
Famille d'un verbe	*casser*	*cassable, incassable, cassant, cassation, casse, cassé, casseur, cassure*	*casse-cou, casse-noix, casse-pied, casse-noisette, casse-tête*
Famille d'un adjectif	*vert*	*verdâtre, verdissant, verdoyant, verdeur, verdure, verdoiement, verdir, reverdir, verdoyer*	*bleu-vert, vert-de-gris, vert pomme, vert olive*
Famille d'un nom	*main*	*manuel (adj.), manette, manutention, manuscrit, manière, manucure, manœuvre, manier*	*main-d'œuvre, mainmise, baise-main, essuie-main, sous-main*

VOIR TABLEAUX ▶ NOMS COMPOSÉS. ▶ PRÉFIXE. ▶ SUFFIXE.

Le **suffixe** peut modifier :

• la catégorie grammaticale

manuel (adjectif), *manette* (nom), *manier* (verbe)

• la connotation

vert (neutre), *verdâtre* (péjoratif, donne un sens négatif), *verdoyant* (mélioratif, donne un sens positif)

• la terminaison ou flexion

cassant (masculin), *cassante* (féminin) ;
cassé (singulier), *cassés* (pluriel) ;
casser (infinitif), *cassera* (futur), *casserait* (conditionnel, 3e personne du singulier),
casserions (conditionnel, 1re personne du pluriel)…

Le changement de catégorie grammaticale produit par les différents suffixes possibles dans une famille de mots est un procédé important de reprise de l'information.

*Le jury **a jugé** l'accusé le mois dernier. Ce **jugement** a été très controversé.*
*Le dernier rapport **descriptif** à ce sujet a été déposé hier. La nouvelle **description** a plu à tous.*

☞ Certaines familles de mots présentent des lacunes ; pour combler ces vides, il faut utiliser un mot de forme différente, mais lié par le sens. *Dormir* et *sommeil* ; *aveugle* et *cécité*.

VOIR TABLEAU ▶ REPRISE DE L'INFORMATION.

Le **préfixe** modifie le sens :

a- + -phone	= « sans voix »
allo- + -phone	= « qui parle une autre langue »
franco- + -phone	= « qui parle le français »
télé- + -phone	= « voix entendue à distance »
archéo- + -logie	= « étude des choses anciennes »
cardio- + -logie	= « étude du cœur et de ses affections »
myco- + -logie	= « étude des champignons »
géo- + -logie	= « science de la Terre »

1. Conception du tableau : Annie Desnoyers.

FÉMINISATION DES TITRES

Depuis l'accès des femmes à de nouvelles fonctions et devant le désir de celles-ci de voir leurs désignations refléter cette nouvelle réalité, il est recommandé d'utiliser les formes féminines des titres de fonctions.
(Avis de recommandation, Office de la langue française, *Gazette officielle du Québec*, 28 juillet 1979)

Cette féminisation peut se faire :

▸ **Soit à l'aide du féminin courant.**

Avocate, directrice, technicienne.

▸ **Soit à l'aide du terme épicène marqué par un déterminant féminin.**

Une journaliste, une architecte, une astronome, une ministre.

☞ L'adjectif *épicène* se dit d'un mot qui conserve la même forme au masculin et au féminin.

▸ **Soit par la création spontanée d'une forme féminine qui respecte les règles du français.**

Policière, chirurgienne, banquière, navigatrice, professeure.

LISTE DE TITRES ET DE FONCTIONS

académicien académicienne	adjudant adjudante	ambulancier ambulancière	archéologue archéologue	assureur assureure ou assureuse
accessoiriste accessoiriste	administrateur administratrice	amiral amirale	architecte architecte	astrologue astrologue
accompagnateur accompagnatrice	agent agente	analyste analyste	archiviste archiviste	astronaute astronaute
accordeur accordeuse	agent de bord agente de bord	anatomiste anatomiste	armateur armatrice	astronome astronome
accoucheur accoucheuse	agent de change agente de change	anesthésiste anesthésiste	armurier armurière	astrophysicien astrophysicienne
acériculteur acéricultrice	agent de voyages agente de voyages	animateur animatrice	arpenteur arpenteuse	athlète athlète
acheteur acheteuse	agent immobilier agente immobilière	annonceur annonceure ou annonceuse	artificier artificière	attaché attachée
acousticien acousticienne	agriculteur agricultrice	anthropologue anthropologue	artilleur artilleuse	audiologiste audiologiste
acquéreur acquéresse	agronome agronome	antiquaire antiquaire	artisan artisane	auditeur auditrice
acteur actrice	aiguilleur aiguilleuse	apiculteur apicultrice	artiste artiste	auteur auteure
actuaire actuaire	ajusteur ajusteuse	appariteur apparitrice	aspirant aspirante	auteur-compositeur auteure-compositrice
acupuncteur ou acuponcteur acupunctrice ou acuponctrice	aléseur aléseuse	apprenti apprentie	assembleur assembleuse	auxiliaire auxiliaire
adaptateur adaptatrice	amareyeur amareyeuse	arbitre arbitre	assistant assistante	aviateur aviatrice
adjoint adjointe	ambassadeur ambassadrice	arboriculteur arboricultrice	associé associée	aviculteur avicultrice

FÉMINISATION DES TITRES | SUITE >

F

73

avocat avocate	brasseur brasseuse	cartographe cartographe	chronométreur chronométreuse	concierge concierge
bagagiste bagagiste	brigadier brigadière	cartomancien cartomancienne	cinéaste cinéaste	conciliateur conciliatrice
bailleur bailleresse	briqueteur-maçon briqueteuse-maçonne	cascadeur cascadeuse	clinicien clinicienne	concepteur conceptrice
balayeur balayeuse	briquetier briquetière	cavalier cavalière	clown clown	conducteur conductrice
banquier banquière	brocanteur brocanteuse	chancelier chancelière	coauteur coauteure	conférencier conférencière
barman barmaid	brodeur brodeuse	chansonnier chansonnière	cocher cochère	confiseur confiseuse
barreur barreuse	bruiteur bruiteuse	chanteur chanteuse	codirecteur codirectrice	conseiller conseillère
bâtonnier bâtonnière	buandier buandière	chapelier chapelière	coiffeur coiffeuse	conseiller juridique conseillère juridique
berger bergère	bûcheron bûcheronne	charcutier charcutière	collaborateur collaboratrice	conservateur conservatrice
bibliothécaire bibliothécaire	bureauticien bureauticienne	chargé (de projet, de cours)	colleur colleuse	consommateur consommatrice
bijoutier bijoutière	câbleur câbleuse	chargée (de projet, de cours)	colonel colonelle	constructeur constructrice
bimbelotier bimbelotière	cadreur cadreuse	charpentier charpentière	colporteur colporteuse	consul consule
biochimiste biochimiste	caissier caissière	chaudronnier chaudronnière	comédien comédienne	consultant consultante
biologiste biologiste	cambiste cambiste	chauffeur chauffeuse	commandant commandante	conteur conteuse
biophysicien biophysicienne	camelot camelot	chef chef	commandeur commandeure	contractuel contractuelle
blanchisseur blanchisseuse	camionneur camionneuse	cheminot cheminote	commanditaire commanditaire	contre-amiral contre-amirale
blogueur blogueuse	capitaine capitaine	chercheur chercheuse	commentateur commentatrice	contremaître contremaître ou contremaîtresse
bonnetier bonnetière	caporal caporale	chevalier chevalière	commerçant commerçante	contrôleur contrôleuse
botaniste botaniste	cardeur cardeuse	chimiste chimiste	commis commis	coordonnateur ou coordinateur
bottier bottière	cardiologue cardiologue	chiromancien chiromancienne	commissaire commissaire	coordonnatrice ou coordinatrice
boucher bouchère	carillonneur carillonneuse	chiropraticien chiropraticienne	communicateur communicatrice	cordonnier cordonnière
boulanger boulangère	cariste cariste	chirurgien chirurgienne	compétiteur compétitrice	coroner coroner
boulanger-pâtissier boulangère-pâtissière	carnetier carnetière	chocolatier chocolatière	compositeur compositrice	correcteur correctrice
boxeur boxeuse	carreleur carreleuse	chorégraphe chorégraphe	comptable agréé comptable agréée	correcteur-réviseur correctrice-réviseuse ou réviseure
brancardier brancardière	carrossier carrossière	chroniqueur chroniqueuse	concessionnaire concessionnaire	correspondancier correspondancière

F

74

correspondant correspondante	découvreur découvreuse	dompteur dompteuse	enseignant enseignante	ferrailleur ferrailleuse
costumier costumière	dégustateur dégustatrice	douanier douanière	ensemblier ensemblière	ferronnier ferronnière
coureur coureuse	délégué déléguée	doubleur doubleuse	entraîneur entraîneuse	figurant figurante
courriériste courriériste	démarcheur démarcheuse	doyen doyenne	entreposeur entreposeuse	financier financière
coursier coursière	déménageur déménageuse	dramaturge dramaturge	entrepreneur entrepreneure	fiscaliste fiscaliste
courtier courtière	démographe démographe	draveur draveuse	épicier épicière	fleuriste fleuriste
couturier couturière	démonstrateur démonstratrice	dresseur dresseuse	espion espionne	fonctionnaire fonctionnaire
couvreur couvreuse	dentiste dentiste	ébéniste ébéniste	esthéticien esthéticienne	fondé de pouvoir fondée de pouvoir
créateur d'entreprise créatrice d'entreprise	denturologiste denturologiste	éboueur éboueuse	estimateur estimatrice	fondeur fondeuse
créatif créative	dépanneur dépanneuse	éclairagiste éclairagiste	étalagiste étalagiste	forgeron forgeronne
crémier crémière	député députée	écologiste écologiste	éthicien éthicienne	formateur formatrice
crêpier crêpière	dessinateur dessinatrice	écrivain écrivaine	évaluateur évaluatrice	fossoyeur fossoyeuse
critique critique	détaillant détaillante	écuyer écuyère	examinateur examinatrice	fournisseur fournisseuse
croupier croupière	détecteur détectrice	éditeur éditrice	excavateur excavatrice	franchisé franchisée
cueilleur cueilleuse	détective détective	éducateur éducatrice	expéditeur expéditrice	franchiseur franchiseuse
cuisinier cuisinière	diacre diaconesse	élagueur élagueuse	expert experte	fripier fripière
cultivateur cultivatrice	didacticien didacticienne	électricien électricienne	expert-comptable experte-comptable	fromager fromagère
curateur curatrice	diététicien diététicienne	électronicien électronicienne	expert-conseil experte-conseil	galeriste galeriste
cybernéticien cybernéticienne	diététiste diététiste	éleveur éleveuse	exploitant exploitante	gantier gantière
cytologiste cytologiste	diplomate diplomate	emballeur emballeuse	exportateur exportatrice	garagiste garagiste
danseur danseuse	dirigeant dirigeante	embaumeur embaumeuse	exposant exposante	garde garde
débardeur débardeuse	directeur directrice	encadreur encadreuse	fabricant fabricante	garde forestier garde forestière
débosseleur débosseleuse	directeur d'école directrice d'école	encanteur encanteuse	facteur factrice	gardeur gardeuse
décideur décideuse	docteur docteure	enlumineur enlumineuse	ferblantier ferblantière	gardien gardienne
décorateur décoratrice	documentaliste documentaliste	enquêteur enquêteuse ou enquêtrice	fermier fermière	gendarme gendarme

général
générale

homme d'affaires
femme d'affaires

installateur
installatrice

laveur
laveuse

majordome
majordome

généticien
généticienne

homme d'équipage
femme d'équipage

instituteur
institutrice

lecteur
lectrice

mandataire
mandataire

géographe
géographe

homme de ménage
femme de ménage

intendant
intendante

lexicographe
lexicographe

mannequin
mannequin

géologue
géologue

horloger
horlogère

interne
interne

libraire
libraire

manœuvre
manœuvre

géomètre
géomètre

horticulteur
horticultrice

interprète
interprète

lieutenant
lieutenante

manutentionnaire
manutentionnaire

géophysicien
géophysicienne

hôtelier
hôtelière

intervenant
intervenante

lieutenant-colonel
lieutenante-colonelle

maquettiste
maquettiste

gérant
gérante

huissier
huissière

inventeur
inventrice

lieutenant-
  gouverneur

maquilleur
maquilleuse

gestionnaire
gestionnaire

humoriste
humoriste

investisseur
investisseuse

lieutenante-
  gouverneure

maraîcher
maraîchère

golfeur
golfeuse

hygiéniste
hygiéniste

jardinier
jardinière

linguiste
linguiste

marchand
marchande

goûteur
goûteuse

hypnotiseur
hypnotiseuse

jardinier d'enfants
jardinière d'enfants

liquidateur
liquidatrice

maréchal
maréchale

gouverneur
gouverneure

illustrateur
illustratrice

joaillier ou
  joailler

livreur
livreuse

marin
marin

grainetier
grainetière

imitateur
imitatrice

joaillière ou
  joaillère

logisticien
logisticienne

marguillier ou
  marguiller
marguillière ou
  marguillère

grammairien
grammairienne

importateur
importatrice

jockey
jockey

lunetier
lunetière

marinier
marinière

graphiste
graphiste

imprésario
imprésario

jointoyeur
jointoyeuse

luthier
luthière

graveur
graveuse

improvisateur
improvisatrice

jongleur
jongleuse

lutteur
lutteuse

marionnettiste
marionnettiste

greffier
greffière

indicateur
indicatrice

joueur
joueuse

machiniste
machiniste

masseur
masseuse

grutier
grutière

industriel
industrielle

journaliste
journaliste

maçon
maçonne

matelot
matelot

guichetier
guichetière

infirmier
infirmière

juge
juge

magasinier
magasinière

mathématicien
mathématicienne

guide
guide

infographiste
infographiste

juré
jurée

magicien
magicienne

mécanicien
mécanicienne

gynécologue
gynécologue

informateur
informatrice

juriste
juriste

magistrat
magistrate

médecin
médecin

habilleur
habilleuse

informaticien
informaticienne

kiosquier
kiosquière

maïeuticien
sage-femme

médiateur
médiatrice

haut-commissaire
haute-commissaire

ingénieur
ingénieure

laborantin
laborantine

maire
mairesse

meneur
meneuse

héliciculteur
hélicicultrice

ingénieur-conseil
ingénieure-conseil

laitier
laitière

maître d'hôtel
maître d'hôtel

menuisier
menuisière

historien
historienne

inséminateur
inséminatrice

lamineur
lamineuse

maître d'œuvre
maître d'œuvre

messager
messagère

hockeyeur
hockeyeuse

inspecteur
inspectrice

langagier
langagière

maître de l'ouvrage
maître de l'ouvrage

métallurgiste
métallurgiste

F

75

F

76

météorologue météorologue	nutritionniste nutritionniste	palefrenier palefrenière	planteur planteuse	premier ministre première ministre
metteur en scène metteure ou metteuse en scène	observateur observatrice	parachutiste parachutiste	plasticien plasticienne	préparateur préparatrice
meunier meunière	obstétricien obstétricienne	parfumeur parfumeuse	plâtrier plâtrière	préposé préposée
militaire militaire	œnologue œnologue	parolier parolière	plombier plombière	présentateur présentatrice
mineur mineuse	officiel officielle	pasteur pasteure	plongeur plongeuse	président présidente
ministre ministre	officier officière	pâtissier pâtissière	podiatre podiatre	prestidigitateur prestidigitatrice
modèle modèle	oiselier oiselière	patronnier patronnière	podologue podologue	prêteur prêteuse
modiste modiste	oléiculteur oléicultrice	patrouilleur patrouilleuse	poète poète	prieur prieure
moniteur monitrice	omnipraticien omnipraticienne	paysagiste paysagiste	poinçonneur poinçonneuse	procureur procureure
monteur monteuse	oncologue oncologue	pêcheur pêcheuse	poissonnier poissonnière	producteur productrice
motard motarde	opérateur opératrice	peintre peintre	policier policière	professeur professeure
mouleur mouleuse	ophtalmologiste ophtalmologiste	percussionniste percussionniste	politicologue politicologue	programmateur programmatrice

musicien
musicienne
	opticien
	opticienne
		perruquier
		perruquière
			pomiculteur ou
			  pomoculteur
			pomicultrice ou
			  pomocultrice
				programmeur
				programmeuse

musicologue musicologue	optométriste optométriste	peseur peseuse	pompier pompière	projeteur projeteuse
mytiliculteur mytilicultrice	orateur oratrice	pharmacien pharmacienne	pompiste pompiste	promoteur promotrice
narrateur narratrice	orchestrateur orchestratrice	philosophe philosophe	porteur porteuse	prospecteur prospectrice
naturaliste naturaliste	orfèvre orfèvre	phonéticien phonéticienne	portier portière	protecteur protectrice
navigateur navigatrice	organisateur organisatrice	photographe photographe	poseur poseuse	proviseur proviseure
négociant négociante	orienteur orienteuse	physicien physicienne	postier postière	psychanalyste psychanalyste
négociateur négociatrice	ostréiculteur ostréicultrice	pianiste pianiste	potier potière	psychiatre psychiatre
nettoyeur nettoyeuse	oto-rhino- laryngologiste	pigiste pigiste	pourvoyeur pourvoyeuse	psychologue psychologue
neurochirurgien neurochirurgienne	oto-rhino- laryngologiste	pilote pilote	praticien praticienne	publicitaire publicitaire
neurologue neurologue	outilleur outilleuse	pisciculteur piscicultrice	prédicateur prédicatrice	puériculteur puéricultrice
notaire notaire	ouvreur ouvreuse	placeur placeuse	préfet préfète	pupitreur pupitreuse
	ouvrier ouvrière	planificateur planificatrice		pyrotechnicien pyrotechnicienne

qualiticien
qualiticienne

quincaillier ou
   quincailler
quincaillière ou
   quincaillère

radiologiste
radiologiste

radiologue
radiologue

ramoneur
ramoneuse

rappeur
rappeuse

réalisateur
réalisatrice

reboiseur
reboiseuse

réceptionniste
réceptionniste

recherchiste
recherchiste

recruteur
recruteuse

recteur
rectrice

rédacteur
rédactrice

relieur
relieuse

régisseur
régisseuse

registraire
registraire

régleur
régleuse

rembourreur
rembourreuse

réparateur
réparatrice

répartiteur
répartitrice

repasseur
repasseuse

répétiteur
répétitrice

repreneur
repreneuse

représentant
représentante

responsable
responsable

restaurateur
restauratrice

retoucheur
retoucheuse

revendeur
revendeuse

réviseur
réviseuse ou
   réviseure

romancier
romancière

routeur
routeuse

routier
routière

sableur
sableuse

sacristain
sacristaine ou
   sacristine

saucier
saucière

scaphandrier
scaphandrière

scénariste
scénariste

scientifique
scientifique

scripteur
scriptrice

scrutateur
scrutatrice

sculpteur
sculpteure ou
   sculptrice

secouriste
secouriste

secrétaire
secrétaire

secrétaire général
secrétaire générale

sémanticien
sémanticienne

sémioticien
sémioticienne

sénateur
sénatrice

sergent
sergente

sériciculteur
séricicultrice

serriste
serriste

serrurier
serrurière

serveur
serveuse

shampouineur ou
   shampooineur
shampouineuse ou
   shampooineuse

soigneur
soigneuse

soldat
soldate

sommelier
sommelière

sondeur
sondeuse

soudeur
soudeuse

souffleur
souffleuse

sous-ministre
sous-ministre

standardiste
standardiste

statisticien
statisticienne

stylicien
stylicienne

styliste
styliste

substitut
substitute

superviseur
superviseur ou
   superviseure

suppléant
suppléante

surveillant
surveillante

sylviculteur
sylvicultrice

tanneur
tanneuse

tapissier
tapissière

technicien
technicienne

teinturier
teinturière

téléphoniste
téléphoniste

télétravailleur
télétravailleuse

télévendeur
télévendeuse

tenancier
tenancière

teneur de livres
teneuse de livres

terminologue
terminologue

terrassier
terrassière

théologien
théologienne

thérapeute
thérapeute

tisserand
tisserande

tôlier
tôlière

topographe
topographe

torero ou
   toréro
torera ou
   toréra

torréfacteur
torréfactrice

tourneur
tourneuse

traceur
traceuse

traducteur
traductrice

tragédien
tragédienne

traiteur
traiteuse

trappeur
trappeuse

travailleur
travailleuse

travailleur social
travailleuse sociale

trésorier
trésorière

trieur
trieuse

tronçonneur
tronçonneuse

truqueur
truqueuse

tuteur
tutrice

tuyauteur
tuyauteuse

typographe
typographe

urbaniste
urbaniste

urgentiste
urgentiste

urgentologue
urgentologue

urologue
urologue

veilleur
veilleuse

vendangeur
vendangeuse

vendeur
vendeuse

vérificateur
vérificatrice

vétérinaire
vétérinaire

vice-consul
vice-consule

vice-président
vice-présidente

vidéaste
vidéaste

vigneron
vigneronne

viticulteur
viticultrice

vitrier
vitrière

voiturier
voiturière

volcanologue
volcanologue

voyagiste
voyagiste

vulgarisateur
vulgarisatrice

webmestre
webmestre

zootechnicien
zootechnicienne...

F

Mode d'expression de la réalité ou des idées à l'aide d'images (sens figuré) plutôt qu'avec les mots courants ou les expresssions habituelles de la langue (sens propre).

Pour la fermeture des piscines l'été prochain, le maire a évité de se mouiller.

☞ Dans cette phrase, le verbe *se mouiller* a la signification suivante : le maire n'a pas cherché à se protéger de la pluie, de l'eau **(sens propre)**, mais plutôt il n'a pas voulu donner son avis, se compromettre **(sens figuré)**.

▸ **Quelques exemples :** *Être dans la lune* (pour « être distrait »).
Mettre un copain en boîte (pour « se moquer de lui »).
⚓ *Accrocher ses patins* (pour « cesser ses activités »).
Verser des larmes de crocodile (pour « faire semblant de pleurer »).
Être suspendu aux lèvres de quelqu'un (pour « écouter attentivement »).

Les emplois figurés frappent l'imagination, ils sont expressifs, vivants, colorés et ils permettent de communiquer un message de façon très efficace. Les poètes, les écrivains, les auteurs de textes et de chansons privilégient les **emplois figurés** appelés aussi **figures de style**. Ces auteurs enrichissent constamment la langue en créant de nouveaux sens figurés.

Quand Félix Leclerc chante : « Moi, mes souliers ont beaucoup voyagé... », c'est une image qu'il emploie pour dire qu'il a parcouru de grandes distances à pied, une image qui reste dans notre mémoire.

IL Y A PLUSIEURS TYPES D'EMPLOIS FIGURÉS :

▸ **La comparaison**   Rapprochement entre des êtres, des idées, des objets.
Ce cheval est rapide comme l'éclair. Un enfant blond comme les blés.
Elle s'élança telle une gazelle. Ainsi qu'un jeune chien, il gambadait.
↪ La comparaison est introduite par **comme, ainsi que, de même que...**

▸ **La métaphore**   Remplacement d'un sens premier par un sens imagé, comparaison sous-entendue.
Être sur la corde raide (pour « être en danger »).
Mettre la main à la pâte (pour « participer, travailler soi-même à quelque chose »).
↪ La métaphore (ou comparaison sous-entendue) n'est pas introduite par **comme, ainsi que, de même que...**

▸ **L'hyperbole** ou **exagération**   Emploi volontaire d'un mot qui a un sens très fort pour frapper l'imagination.
Je meurs de faim (pour « j'ai une grande faim »).
Merci mille fois (pour « merci beaucoup »).
Pleurer toutes les larmes de son corps (pour « avoir beaucoup de chagrin »).

▸ **La litote** ou **atténuation**   Emploi volontaire d'un mot, d'une expression dont le sens est faible pour dire plus.
Elle n'est pas bête (pour « elle est intelligente, astucieuse »).
Je ne le déteste pas (pour « il me plaît »).

▸ **L'euphémisme**   Adoucissement d'un mot trop brutal, d'une expression trop cruelle.
Ton chien est au paradis (pour « il est mort »).
Les aînés (pour « les personnes âgées »).

▸ **L'allégorie**   Personnification de choses abstraites.
Le bonhomme hiver a déposé son blanc manteau.

▸ **La synecdoque**   Expression de la partie pour le tout.
Être sans toit (pour « être sans maison »).
Expression de l'espèce pour le genre.
Les mortels (pour « les hommes »).
Expression du singulier pour le pluriel.
Le cultivateur (pour « les cultivateurs »).

▸ **La métonymie**   Expression du contenant pour le contenu.
Mange ton assiette (pour « mange ton repas »).
Expression de la cause pour l'effet.
Il est né sous une bonne étoile (pour « il réussit bien »).
Expression de l'effet pour la cause.
Boire la mort (pour « boire une potion mortelle »).

FUTUR

AXE DU TEMPS

PASSÉ	PRÉSENT	FUTUR
AUTREFOIS, ON VOYAGEAIT EN BATEAU.	**AUJOURD'HUI,** ON SE DÉPLACE EN AVION.	**DEMAIN,** ON CIRCULERA EN NAVETTE SPATIALE.

F

79

▸ **Le FUTUR exprime un fait qui aura lieu plus tard, une action à venir, par rapport au présent.**
*Nous **serons** en vacances à la fin de juin. Il **arrivera** demain.*

Ce temps traduit également :

– une **vérité générale.** *Il y **aura** toujours des gagnants et des perdants.*
– un **fait probable.** *L'été **sera** ensoleillé, je crois.*
– un **ordre poli.** *Tu **voudras** bien m'expliquer ce retard.*
   ▱ Dans cet emploi, le futur correspond à un impératif exprimé de façon moins autoritaire.
– un **présent atténué.** *Tu **comprendras** que je ne peux lui faire confiance.*
– un **conseil,** une **recommandation.** *Vous **prendrez** ce médicament après chaque repas.*
– un **futur dans une narration au passé.** *La bataille des Plaines d'Abraham entraîna la chute de Québec en 1759 : ce **sera** la fin de la Nouvelle-France.*
   ▱ On qualifie cet emploi de **futur historique.**

▸ **Le FUTUR ANTÉRIEUR exprime un fait qui doit précéder un fait futur.**
*Quand vous **aurez fini** vos devoirs, vous pourrez jouer dehors.*

Ce temps traduit également :

– un **fait futur inévitable.** *Je suis sûr qu'il **aura** vite **réuni** les provisions nécessaires à l'expédition.*
– un **fait passé hypothétique.** *Nos amis ne sont pas encore là, ils se **seront** encore **attardés** à la piscine.*

VOIR TABLEAU ▸ CONCORDANCE DES TEMPS DANS LA PHRASE.

▸ AUXILIAIRE DE TEMPS (ou D'ASPECT)

Aller + infinitif ou phrase infinitive. *Martine va arriver en retard si elle rate son autobus.*
   ▱ En fonction d'auxiliaire exprimant le **futur proche,** le verbe s'emploie au présent de l'indicatif et il est suivi d'un infinitif. Pour exprimer le **futur dans le passé,** le verbe s'emploie à l'imparfait de l'indicatif et il est suivi d'un infinitif. *Martine a promis qu'elle allait réussir son examen.*

Devoir + infinitif ou phrase infinitive. *Max doit téléphoner d'une minute à l'autre.*
   ▱ En fonction d'auxiliaire exprimant le **futur proche,** le verbe s'emploie au présent de l'indicatif et il est suivi d'un infinitif. Pour exprimer le **futur dans le passé,** le verbe s'emploie à l'imparfait de l'indicatif et il est suivi d'un infinitif. *Max, distrait comme toujours, a perdu ses gants : cela devait arriver.*

Être sur le point de + infinitif ou phrase infinitive. *Ils sont sur le point de partir.*
   ▱ En fonction d'auxiliaire exprimant le **futur proche,** le verbe s'emploie au présent de l'indicatif et il est suivi d'un infinitif. Pour exprimer le **futur dans le passé,** le verbe s'emploie à l'imparfait de l'indicatif et il est suivi d'un infinitif. *J'étais sur le point de partir quand le téléphone a sonné.*

▸ PRÉSENT DE L'INDICATIF

Présent + adverbe ou locution adverbiale (adverbe simple ou composé) de temps. *Attends-moi, j'arrive bientôt. Elle rentre demain.*
   ▱ La dimension future est indiquée à l'aide de l'adverbe ou de la locution adverbiale de temps qui accompagne le verbe au présent.

Si + présent (dans une subordonnée conditionnelle). *Si tu préviens ta copine, elle ne s'inquiétera pas inutilement. Si vous plantez un arbre tous les jours, vous reboiserez ce domaine.*
   ▱ Dans une subordonnée conditionnelle dont la phrase autonome (ou matrice) est au futur, on emploie un verbe au présent de l'indicatif pour exprimer une action future.

GENRE

Le genre des mots est l'une des grandes difficultés de la langue française, comme d'ailleurs de toutes les autres langues où cette distinction existe, notamment le grec, qui ajoute le neutre au masculin et au féminin.

Spontanément, on a tendance à croire qu'il existe une relation entre le genre du mot et le sexe de l'être désigné. Cela n'est vrai que pour les êtres humains, les êtres mythologiques et certains animaux.

LE GENRE DES NOMS D'ÊTRES ANIMÉS

▶ **1. Relation entre le genre du mot et le sexe de l'être désigné**

Dans de nombreux cas, le masculin correspond effectivement à un être mâle et le féminin, à un être femelle, lorsque les noms désignent :

- Les **êtres humains** ou les **êtres mythologiques.** *Homme/femme, garçon/fille, dieu/déesse.*
- Des **liens familiaux.** *Mari/femme, père/mère, fils/fille, frère/sœur, cousin/cousine, oncle/tante.*
- Des **désignations de métiers, de fonctions.** *Directeur/directrice, épicier/épicière, romancier/romancière.*
  VOIR TABLEAU ▶ FÉMINISATION DES TITRES.
- Des *animaux domestiques. Cheval/jument, bouc/chèvre, canard/cane, bœuf/vache, coq/poule, chat/chatte.*
- Du **gibier traditionnel.** *Cerf/biche, renard/renarde, ours/ourse, sanglier/laie, faisan/faisane.*
  VOIR TABLEAU ▶ ANIMAUX.

▶ **2. Sexe non différencié**

La langue ne fait pas toujours la distinction entre les sexes, même lorsque celle-ci existe dans les faits :

- Soit parce que le masculin est utilisé comme une ***appellation générale.*** *Les hommes sont mortels.*
- Soit parce que la notion de sexe est ***indifférente aux propos tenus.*** *Ce cheval court vite.*
- Soit parce que les êtres ne sont pas considérés comme appariés, en raison de leur **petitesse,** de leur **caractère exotique** ou **fabuleux.** *La mouche, le lynx, la panthère, le vautour.*
- Soit parce qu'on considère comme **sans sexe** certains êtres qui, en fait, ont un sexe. *La rose, le jasmin, la truite, le requin, la baleine.*

▶ **3. Genre non marqué**

Parfois, le nom – dit épicène – peut être tour à tour masculin et féminin selon qu'il désigne un être mâle ou un être femelle. *Un ou une architecte, un ou une enfant, un ou une propriétaire.*

▶ **4. Absence de relation entre le genre du mot et le sexe de l'être désigné**

Une sentinelle, une canaille, un témoin, un prédécesseur.

LE GENRE DES NOMS D'ÊTRES INANIMÉS

Dans la très grande majorité des cas, l'attribution du genre est sans motivation précise. *Une chaise, un fauteuil, un canapé, une causeuse.*

Dans de rares cas, la différence de genre correspond à une **distinction de sens.** Ne pas confondre :

un pendule, balancier .... et .... *une pendule,* appareil qui indique l'heure

un tour, mouvement circulaire .... et .... *une tour,* construction en hauteur

un mémoire, écrit, thèse .... et .... *une mémoire,* fonction biologique qui conserve le souvenir du passé

GENRE | SUITE >

LES ACCORDS

En fonction du genre et du nombre du nom auquel ils se rapportent, le déterminant et l'adjectif s'accordent au masculin ou au féminin, au singulier ou au pluriel :

– Accord du **déterminant**. *Le pont, la balle, les billes, un crayon, une règle, son chapeau, cette fleur.*

– Accord de l'**adjectif**. *Un beau gâteau, une belle tarte, de beaux enfants, un bon biscuit, une bonne pomme.*

Si l'on fait généralement les accords de façon instinctive, quelques noms sont cause d'hésitation, notamment :

– Les mots commençant par une **voyelle** ou un *h* muet, parce que les déterminants sont alors neutralisés. *L'escalier* (nom masculin), *l'horloge* (nom féminin), *son avion* (nom masculin), *son amie* (nom féminin), *son histoire* (nom féminin).

– Les mots se terminant par un *e* muet. *Un pétale, un globule, un incendie, un pétoncle.*

EXEMPLES DE NOMS DONT LE GENRE EST DIFFICILE À RETENIR

▸ **Noms masculins**

abaque	aromate	éclair	haltère	oreiller
accident	arpège	effluve	hémicycle	orteil
agrume	ascenseur	embâcle	hémisphère	ovule
air	asphalte	emblème	hôpital	ozone
ambre	astérisque	en-tête	incendie	pénates
amiante	augure	entracte	insigne	pétale
ampère	autobus	épisode	interstice	pétoncle
antidote	autographe	équinoxe	ivoire	poulpe
antre	automne	escalier	jade	tentacule
apanage	avion	esclandre	jute	termite
apogée	caméo	étage	météore	testicule
appendice	chrysanthème	évangile	narcisse	tubercule
après-guerre	décombres	granule	nimbe	ulcère
armistice	écho	habit	obélisque	vivres...

▸ **Noms féminins**

abscisse	arabesque	écritoire	hélicoptère	oriflamme
acné	argile	enclume	heure	orthographe
acoustique	armoire	épice	horloge	ouïe
aire	atmosphère	épitaphe	immondice	primeur
alcôve	autoroute	épithète	molécule	réglisse
algèbre	avant-scène	épître	moustiquaire	spore
améthyste	azalée	ère	nacre	stalactite
amibe	câpre	erreur	oasis	stalagmite
ancre	cuticule	étape	omoplate	strate
anicroche	débâcle	fibre de verre	once	ténèbres
apostrophe	ébène	gélule	opinion	topaze
appendicite	échappatoire	hélice	orbite	urticaire...

▸ **Noms à double genre**

aigle	enseigne	manche	office	physique
amour	espace	mémoire	orge	poste
couple	geste	météorite	orgue	relâche
crêpe	gîte	mode	parallèle	solde
délice	hymne	œuvre	pendule	voile...

LE GENRE ET LE NOMBRE DES SIGLES

Les sigles prennent généralement le genre et le nombre du premier nom abrégé.
La LNH (La Ligue nationale de hockey).
La SRC (La Société Radio-Canada).

Les sigles de langue étrangère prennent le genre et le nombre qu'aurait eus, en français, le générique de la dénomination.
La BBC (British Broadcasting Corporation) (société, féminin singulier).
Les USA (United States of America) (États, masculin pluriel).

NOMS **GÉOGRAPHIQUES**

Les noms géographiques sont des **noms de lieux** (appelés également **toponymes**) qui désignent des pays, des villes, des régions, des cours d'eau, des montagnes, etc., ainsi que des **noms de voies de communication** (nommés également **odonymes**).

1. Nom géographique employé seul
Le nom propre géographique prend une majuscule.
Le Québec, le Saint-Laurent, La Malbaie, les Laurentides.

2. Nom géographique constitué d'un nom commun accompagné par un nom propre ou par un adjectif
Le nom commun – **nom générique** – s'écrit avec une minuscule (lac, rivière, mont, baie, mer, océan, etc.), tandis que le nom propre ou l'adjectif – **élément distinctif** – prend la majuscule.
Le cap Diamant, les montagnes Rocheuses, l'anse de Vaudreuil, l'océan Atlantique, le golfe Persique, la rivière Saint-François, la chute Montmorency, les îles de la Madeleine.

3. Nom géographique composé
Le nom est accompagné d'un adjectif ou d'un déterminant numéral nécessaire à l'identification, qui précède souvent le nom.
Terre-Neuve, le Proche-Orient, la Grande-Bretagne, Trois-Rivières, les Pays-Bas, la Nouvelle-Angleterre, les Grands Lacs.

T Les deux mots s'écrivent avec une majuscule et sont souvent liés par un trait d'union.

4. Nom des habitants d'un lieu (gentilé)
Le nom des habitants d'un lieu (continent, pays, région, ville, village, etc.), appelé également *gentilé,* s'écrit avec une majuscule.
Un Québécois, une Montréalaise, des Trifluviens.

T Les adjectifs dérivés de gentilés s'écrivent avec une minuscule. *Une coutume beauceronne. Une recette gaspésienne.*

VOIR TABLEAU ▸ PEUPLES (NOMS DE).

5. Nom géographique étranger
Dans les cas où le nom géographique n'a pas d'équivalent français, la graphie d'origine est respectée.
New York, San Diego, Los Angeles, Rhode Island, Cape Cod, Detroit.

Les noms des habitants d'un lieu et les adjectifs dérivés de noms étrangers sont écrits à la française avec accents et traits d'union, s'il y a lieu. *Les New-Yorkais.*

6. Surnom géographique
Les expressions désignant certaines régions, certaines villes s'écrivent avec une majuscule au nom et à l'adjectif qui précède.
Le Nouveau Monde, les Grands Lacs, les Prairies.

Si l'adjectif suit, il garde la minuscule.
La Ville éternelle, la Péninsule gaspésienne, le Bouclier canadien.

7. Toponyme administratif
Le toponyme administratif désigne un espace délimité par l'homme.
Le parc des Laurentides, Outremont, Les Méchins, l'autoroute Transcanadienne.

T L'élément distinctif du toponyme administratif s'écrit avec des traits d'union lorsqu'il est constitué de plusieurs mots. *La rue Saint-Jean-Baptiste, le chemin de la Côte-Sainte-Catherine, Port-au-Persil.*

8. Odonyme (nom de voie de communication)
Les noms génériques des odonymes (avenue, boulevard, place, rue, etc.) s'écrivent en minuscules et sont suivis de l'élément distinctif simple ou composé qui s'écrit avec une ou des majuscules, selon le cas.
Le boulevard René-Lévesque, le chemin Saint-Louis, la place d'Armes, la rue du Manoir.

T L'élément distinctif de l'odonyme s'écrit avec des traits d'union lorsqu'il est constitué de plusieurs mots.

VOIR TABLEAU ▸ ODONYMES.

GRADES ET DIPLÔMES UNIVERSITAIRES

DÉSIGNATIONS

Dans le corps d'un texte, les désignations de grades et de diplômes universitaires s'écrivent au long et en minuscules. *Elle a terminé son doctorat en physique. Il est titulaire d'une maîtrise en histoire.*

Ⓣ La préposition **ès** qui résulte de la contraction de **en** et de **les,** est suivie d'un pluriel. *Un doctorat ès lettres.*

ABRÉVIATIONS

Les abréviations des grades et des diplômes se composent ainsi :

► **le grade**

Le nom désignant le grade s'abrège par le retranchement des lettres à l'exception de l'initiale qui s'écrit en majuscule et qui est suivie du point abréviatif :

– *baccalauréat* ...... B.
– *licence* .... L.
– *maîtrise* .... M.
– *doctorat* .... D. ou Ph. D.

► **la discipline**

Le nom désignant la discipline ou la spécialité s'abrège par le retranchement des lettres finales (après une consonne) ; la première lettre s'écrit en majuscule, la dernière lettre de l'abréviation est généralement suivie du point abréviatif. *Architecture, Arch. Urbanisme, Urb.*

Ⓣ Font exception à ces règles certaines abréviations consacrées par l'usage et qui proviennent du latin, *Ph. D., LL. D., LL. M., LL. L.,* ou de l'anglais, *M.B.A.*

ABRÉVIATIONS DES GRADES UNIVERSITAIRES

B.A. ....baccalauréat ès arts
B.A.A. ....baccalauréat en administration des affaires
B. Arch. ....baccalauréat en architecture
B.A.V. ....baccalauréat en arts visuels
B. Éd. ....baccalauréat en éducation
B. Mus. ....baccalauréat en musique
B. Pharm. ....baccalauréat en pharmacie
B. Ps. ....baccalauréat en psychologie
B. Sc. ....baccalauréat ès sciences
B. Sc. A. ....baccalauréat ès sciences appliquées
B. Sc. inf. ....baccalauréat en sciences infirmières
B. Sc. (nutrition) ....baccalauréat ès sciences (nutrition)
B. Sc. pol. ....baccalauréat en sciences politiques
B. Sc. soc. ....baccalauréat en sciences sociales
B. Serv. soc. ....baccalauréat en service social
B. Th. ....baccalauréat en théologie
B. Urb. ....baccalauréat en urbanisme
D.C.L. ....doctorat en droit civil
D. Éd. ....doctorat en éducation
D. ès L. ....doctorat ès lettres
D.M.D. ....doctorat en médecine dentaire

G

84

D. Mus. ....doctorat en musique
D.M.V. ....doctorat en médecine vétérinaire
D. Sc. ....doctorat ès sciences
D.U. ....doctorat de l'Université
J.C.B. ....baccalauréat en droit canonique
J.C.D. ....doctorat en droit canonique
L. ès L. ....licence ès lettres
LL. B. ....baccalauréat en droit
LL. D. ....doctorat en droit *(Legum Doctor)*
LL. L. ....licence en droit *(Legum Licentiatus)*
LL. M. ....maîtrise en droit *(Legum Magister)*
L. Ph. ....licence en philosophie
L. Pharm. ....licence en pharmacie
L. Th. ....licence en théologie
M.A. ....maîtrise ès arts
M.A.P. ....maîtrise en administration publique
M. A. Ps. ....maîtrise ès arts en psychologie
M.A. (théologie) ....maîtrise ès arts en théologie
M.B.A. ....maîtrise en administration des affaires *(Master of Business Administration)*
M.D. ....doctorat en médecine *(Medicinæ Doctor)*
M. Éd. ....maîtrise en éducation
M. Ing. ....maîtrise en ingénierie
M. Mus. ....maîtrise en musique
M. Sc. ....maîtrise ès sciences
M. Sc. A. ....maîtrise ès sciences appliquées
M. Sc. (biologie) ....maîtrise ès sciences (biologie)
M. Sc. (gestion) ....maîtrise ès sciences (gestion)
M. Th. ....maîtrise en théologie
Ph. D. ....doctorat *(Philosophiæ Doctor)*
Ph. D. (linguistique) ....doctorat en linguistique
Ph. D. (biochimie) ....doctorat en biochimie

ABRÉVIATIONS DES DIPLÔMES ET DES CERTIFICATS

D.E.C. ....diplôme d'études collégiales
D.E.S. ....diplôme d'études secondaires
D.E.S.S. ....diplôme d'études supérieures spécialisées
D.M.V.P. ....diplôme de médecine vétérinaire préventive
D.P.H. ....diplôme de pharmacie d'hôpital
D.S.A. ....diplôme en sciences administratives
C.A.E.S.L.S. ....certificat d'aptitude à l'enseignement spécialisé d'une langue seconde
C.A.P.E.M. ....certificat d'aptitude pédagogique à l'enseignement musical
C.A.P.E.S. ....certificat d'aptitude pédagogique à l'enseignement secondaire
C.E.C. ....certificat pour l'enseignement collégial
C.E.C.P. ....certificat pour l'enseignement collégial professionnel
C.E.E. ....certificat pour l'enseignement au cours élémentaire
C.E.S. ....certificat pour l'enseignement au cours secondaire
C.E.S.P. ....certificat pour l'enseignement secondaire professionnel
C.P.E.C.P. ....certificat de pédagogie pour l'enseignement collégial professionnel

Un grand nombre de mots français proviennent de la langue grecque ancienne. Ce sont des mots de formation savante qui appartiennent surtout à la langue technique, scientifique, médicale ou religieuse.

Suivent quelques exemples de mots français d'origine grecque :

amnésie	baptême	diocèse	heuristique	neurologie	syntagme
anatomie	batracien	diphtérie	hygiène	œsophage	syntaxe
anecdote	bibliothèque	éphémère	iota	olympique	système
anthropologie	botanique	épisode	kaléidoscope	orthopédie	télépathie
apocalypse	cathode	érotique	larynx	philanthropie	téléphone
apoplexie	catholicisme	grammaire	lexicologie	phonétique	typographie
archevêque	dactylographie	gramme	lexique	rhétorique	xénophobie
ascèse	démocratie	graphie	méthode	rhizome	xylophone
asphyxie	diaphane	gynécologie	mètre	sténographie	zoologie...

Certains mots ont été empruntés au grec par l'intermédiaire du latin :

antidote	ermite	hippodrome	mécanique	pyramide	trigonométrie
architecte	esthétique	hyperbole	nécromancie	rhésus	typique
arthrite	flegme	iris	orchidée	rhinocéros	tyran
basilique	géométrie	logique	pédagogie	rhumatisme	utopie
catéchisme	gymnase	logistique	périple	salamandre	zéphyr
catastrophe	harmonique	magie	péritoine	synchronisme	zizanie
dialectique	hermaphrodite	mandragore	philologie	taxer	zodiaque
épitaphe	hiéroglyphe	méandre	philosophie	tigre	zone...

Aujourd'hui, ce sont plutôt les **racines grecques** qui servent à créer les nouveaux mots, les **néologismes** :

Préfixes	Sens	Exemples	Suffixes	Sens	Exemples
aéro-	air	*aérodynamique*	-archie	pouvoir	*monarchie*
anthropo-	homme	*anthropologie*	-céphale	tête	*encéphale*
anti-	contre	*antibiotique*	-gène	qui crée	*tératogène*
auto-	soi-même	*automatique*	-gyne	femme	*androgyne*
chrono-	temps	*chronomètre*	-graphe	écriture	*géographe*
démo-	peuple	*démographie*	-logie	science	*biologie*
kilo-	mille	*kilogramme*	-pathie	sentiment	*sympathie*
micro-	petit	*microscope*	-phage	manger	*anthropophage*
patho-	maladie	*pathologie*	-phile	ami	*bibliophile*
télé-	au loin	*télématique*	-phobe	crainte	*xénophobie*
xéno-	étranger	*xénophobie*	-scope	observer	*microscope*

VOIR TABLEAU ▶ NÉOLOGISME.

GROUPE[1]

Un **groupe de mots** est un ensemble de mots organisés autour d'un noyau et pouvant jouer le même rôle syntaxique que ce dernier. Comme les éléments autres que le noyau sont facultatifs (sauf pour le groupe de la préposition), il arrive parfois qu'un groupe ne contienne qu'un seul mot, son noyau. Dans la phrase, il y a cinq catégories de groupes de mots possibles :

- le groupe du nom;
- le groupe du verbe;
- le groupe de l'adjectif;
- le groupe de la préposition;
- le groupe de l'adverbe.

LES CINQ GROUPES DE LA GRAMMAIRE DE LA PHRASE

GROUPE DU NOM

Le **groupe du nom** est formé d'un nom commun et son déterminant ou d'un nom propre puis, facultativement, d'un complément du nom. Un pronom peut aussi remplacer le nom puis, facultativement, être suivi d'un complément du pronom.

	GROUPE DU NOM		
Fonctions syntaxiques	Déterminant	Noyau (nom/pronom)	Complément du nom / du pronom (facultatif)
Exemples	les	promenades Louise celles aucune	à vélo de mon amie

Le groupe du nom peut remplir les fonctions de sujet de la phrase, de complément de la phrase, de complément du nom, de complément du verbe et de complément de la préposition.

Sujet de la phrase	*Les promenades à vélo* sont relaxantes.
Complément de la phrase	Il a perdu son emploi *le mois dernier*.
Complément du nom	la table, *un meuble indispensable* / des tissus *couleur orange*
Complément du verbe	Il plantait *des arbres*.
Complément de la préposition	dans *sa chambre récemment peinte*

GROUPE DU VERBE

Le **groupe du verbe** est formé d'un verbe conjugué et, selon ce que commande l'emploi de ce verbe, d'aucun, d'un ou de plusieurs compléments du verbe.

	GROUPE DU VERBE	
Fonctions syntaxiques	Noyau (verbe)	Complément du verbe (selon le verbe utilisé)
Exemples	dort aime parle va met est rend	les biscuits à son père dans sa chambre un dessin dans son sac heureux ses parents heureux

La seule fonction possible du groupe du verbe est d'être le prédicat de la phrase, et ce prédicat est d'une seule catégorie possible, le groupe du verbe.

GROUPE DE L'ADJECTIF

Le **groupe de l'adjectif** contient un adjectif et, facultativement, un complément de l'adjectif.

	GROUPE DE L'ADJECTIF	
Fonctions syntaxiques	Noyau (adjectif)	Complément de l'adjectif (facultatif)
Exemples	conforme bonne calme	à vos dispositions en mathématiques

GROUPE | *SUITE* >

1. Conception du tableau : Annie Desnoyers.

Le groupe de l'adjectif peut occuper la fonction de complément dans le groupe du nom et dans le groupe du verbe.

Dans le groupe du nom	*ma grand-mère* **paternelle**
	ma mère, **toujours généreuse,**
Dans le groupe du verbe	*Ma grand-mère a été* **heureuse.**
	(Attribut du sujet)
	Les enfants rendent cet enseignant **heureux.**
	(Attribut du complément direct du verbe)

GROUPE DE LA PRÉPOSITION

Le **groupe de la préposition** est composé d'une préposition et, obligatoirement, d'un complément de la préposition.

Fonctions syntaxiques	GROUPE DE LA PRÉPOSITION	
	Noyau (préposition)	**Complément de la préposition** (obligatoire)
Exemples	*dans*	*sa chambre*
	d'	*hier*
	pour	*te voir arriver*

Le groupe de la préposition peut remplir les fonctions de complément de la phrase, de complément du nom, de complément du verbe, de complément de l'adjectif, de complément de la préposition et de complément de l'adverbe.

Complément de la phrase	*Je vais te le dire* **à ce moment-là.**
Complément du nom	*les promenades* **à vélo**
Complément du verbe	*compter* **sur ses amis**
Complément de l'adjectif	*fou* **de la vie**
Complément de la préposition	*de* **derrière la maison**
Complément de l'adverbe	*conformément* **aux lois provinciales**

GROUPE DE L'ADVERBE

Le **groupe de l'adverbe** contient un adverbe et, facultativement, un complément de l'adverbe.

Fonctions syntaxiques	GROUPE DE L'ADVERBE	
	Noyau (adverbe)	**Complément de l'adverbe** (facultatif)
Exemples	*conformément*	*à vos dispositions*
	toujours	

Le groupe de l'adverbe peut occuper deux fonctions syntaxiques : complément de la phrase ou modificateur.

Complément de la phrase	*Hier, les deux garçons faisaient route en silence.*
Modificateur	
• modificateur dans le **groupe du verbe**	*nage* **rapidement** / *parle* **bien**
• modificateur dans le **groupe du nom**	**quelque** *trente maisons* / **même** *ses cousines*
• modificateur dans le **groupe de l'adjectif**	**très** *rapide* / **peu** *probable*
• modificateur dans le **groupe de la préposition**	**juste** *devant la porte* / **longtemps** *après son arrivée*
• modificateur dans le **groupe de l'adverbe**	**excessivement** *mal* / **très** *bien*

☞ Le modificateur est un groupe de mots facultatif, le plus souvent un groupe de l'adverbe, qui modifie le sens premier d'un autre mot en exprimant un degré, une qualité, une manière, une insistance. Il peut être inclus dans chacun des cinq groupes de mots de la grammaire de la phrase.

VOIR TABLEAUX ▶ ADJECTIF. ▶ ADVERBE. ▶ COMPLÉMENT. ▶ NOM. ▶ PHRASE (ANALYSE GRAMMATICALE DE LA).
▶ PRÉPOSITION. ▶ PRONOM. ▶ VERBE.

GUILLEMETS

Les guillemets sont de petits chevrons doubles (« ») qui se placent au commencement *(guillemet ouvrant)* et à la fin *(guillemet fermant)* d'une citation, d'un dialogue, d'un mot, d'une expression ou d'un groupe de mots que l'auteur désire isoler.

☞ Les guillemets se présentent en français sous la forme de petits chevrons doubles (« »), et en anglais, sous la forme d'une double apostrophe (" ").

DISCOURS RAPPORTÉ DIRECT

Lorsqu'on redit mot à mot les paroles ou les écrits d'une ou de plusieurs personnes, on emploie le guillemet ouvrant à la suite du deux-points et le guillemet fermant à la fin des mots cités. *Martin m'a demandé : « Veux-tu un cornet de crème glacée à la tire d'érable ? »*

Ⓣ Les phrases incises telles que *dit-il, répondit-elle* se mettent entre virgules, sans répétition de guillemets. « En fait, me confia-t-il, je veux réussir, et c'est bien légitime. »

CITATION

Les guillemets encadrent les citations : ils en indiquent le début et la fin. *La Charte de la langue française édicte : « 1.– Le français est la langue officielle du Québec. »*

Ⓣ Si la citation porte sur plusieurs alinéas, on met un guillemet ouvrant au début de chaque alinéa et on termine la citation par un guillemet fermant.

« *Langue distinctive d'un peuple majoritairement francophone, la langue française permet au peuple québécois d'exprimer son identité.*
« *L'Assemblée nationale reconnaît la volonté des Québécois d'assurer la qualité et le rayonnement de la langue française.* » Préambule de la **Charte de la langue française.**

Si la citation comporte plus de trois lignes, elle est généralement disposée en retrait et composée à interligne simple. Dans ce cas, on n'emploie pas de guillemets.

Ⓣ Dans la bande dessinée, les bulles jouent le rôle des guillemets.

DIALOGUE

On met des guillemets au début et à la fin des dialogues. Un changement d'interlocuteur est signalé par l'alinéa précédé d'un tiret.

Le jardinier constata :
   « *Les roses sont superbes cette année.*
   – Vraiment, je suis de votre avis : elles sont superbes.
   – Désirez-vous que j'ajoute une nouvelle variété de pivoines ? »

MISE EN VALEUR

On utilise les guillemets pour isoler un mot, une expression :

- dont on veut parler explicitement. *Le nom* « *trait d'union* » *s'écrit sans trait d'union.*
- qui constitue un emprunt à une autre langue. *Ce commentaire n'est pas très* « *politically correct* ».
- qui est de niveau familier. *Les élèves de cette école ont trouvé* « *pas pire* » *cette exposition.*
- qui marque une distance, un sens particulier donné à un mot. *Elle a effectué une mise en scène* « *intéressante* ».
- qui donne la signification d'un mot, d'une expression. *La locution* a giorno *signifie* « *brillamment éclairé* ».

GUILLEMETS ANGLAIS (" ")

Les guillemets anglais en double apostrophe sont utilisés à l'intérieur d'une citation déjà guillemetée. *Elle m'a dit : « Paul m'a rapporté que votre jardin est "magnifique". »*

Symboles du système international d'unités (SI) :

> heure .... **h**
>
> minute .... **min**
>
> seconde .... **s**

▸ La **notation de l'heure** réunit les indications des unités par ordre décroissant, sans virgule, mais avec un espace de part et d'autre de chaque symbole.

> *C'est à 12 h 35 min 40 s qu'il est arrivé.*

▸ Les **symboles** des unités de mesure n'ont pas de point abréviatif, ne prennent pas la marque du pluriel et ne doivent pas être divisés en fin de ligne.

> *La cérémonie commencera à 16 h 30* (et non à 16 **hres 30*).

▸ Conformément à la norme 9990-911 du Bureau de normalisation du Québec, l'heure doit être indiquée selon la **période de 24 heures.**

> *Le musée est ouvert de 10 h à 18 h tous les jours.*

▸ Cependant, la langue courante, ou la conversation, s'en tient le plus souvent à la **période de 12 heures** avec l'indication du matin, de l'après-midi ou du soir.

> *Le musée ferme à 6 heures du soir.*

▸ L'heure doit être indiquée de **façon uniforme.**

– Si le nom d'une unité est écrit au long, les autres noms devront être notés en toutes lettres.

> *14 heures 8 minutes* (et non **14 heures 8 min*).

– Si le nom de la première unité est abrégé, celui de la seconde unité sera également abrégé ou omis.

> *Je vous verrai à 18 h 25 min* (ou *18 h 25*) *demain.*

▸ Les abréviations **a.m.* et **p.m.*, qui proviennent du latin « *ante meridiem* » qui signifie « avant-midi » et « *post meridiem* » qui signifie « après-midi », ne sont utilisées qu'en anglais. En français, on écrira *17 h* (langue officielle) ou *5 h du soir* (langue courante), mais si l'on doit abréger, on ne retiendra que les 24 divisions du jour.

> *15 h* (et non **3 h pm*).

> ⊤ 1° La fraction horaire n'étant pas décimale, il n'y a pas lieu d'ajouter un zéro devant les unités.
> *1 h 5* (et non **1 h 05*).

> 2° L'utilisation du **deux-points (:),** recommandée par l'Organisation internationale de normalisation (ISO) pour désigner les soixantièmes, doit être limitée aux usages techniques et à la présentation en tableau.
> *20 h 15 min 30 s (20:15:30).*

> 3° Pour exprimer la vitesse, on recourt à l'expression *à l'heure* qui s'abrège */h* (s'écrit sans point).
> *Il roule à 60 **km/h** en moyenne.*

H MUET

H

90

La lettre **h** est dite **muette** lorsqu'elle n'empêche pas l'élision de la voyelle précédente ou la liaison entre deux mots. *L'hôpital : le h du mot hôpital est muet.* C'est donc un signe purement orthographique qui, le plus souvent, constitue un simple rappel de l'étymologie.

habile	hégémonie	herbage	hexagonal	hôpital	humain
habileté	hélas !	herbe	hibiscus	horaire	humanité
habit	hélicoptère	herbivore	hiératique	horizon	humeur
habitat	héliport	hercule	hilarité	horoscope	humidité
habitude	hématome	hérédité	hippocampe	horreur	humilité
haleine	hémicycle	hérésie	hiver	hospice	humour
hallucination	hémiplégie	hermine	homéopathie	hôte	hurluberlu
halogène	hémistiche	héroïsme	homicide	hôtel	hyacinthe
haltère	hémorragie	herpès	homogène	huile	hydratant
hebdomadaire	hennin	heure	honnêteté	huissier	hydraulique...
hécatombe	hépatique	hévéa	honoraire	huître	

H ASPIRÉ

La lettre **h** est dite **aspirée** quand elle empêche l'élision de la voyelle qui la précède ou la liaison entre deux mots. *Le haricot : le h du mot haricot est aspiré.*

Seuls certains mots, surtout d'origine germanique ou anglo-saxonne, ont le **h** aspiré pour initiale :

ha !	hampe	harnais	havane	hiéroglyphe	houleux
hache	hamster	haro	havre	hisser	houppe
haché	hanche	harpe	havresac	HLM	houppelande
hacher	hand-ball	harpie	hayon	ho !	houppette
hachette	handicap	harpiste	hé !	hobereau	hourra !
hachure	handicapé	harpon	heaume	hochement	houspiller
hachurer	handicaper	harponner	hein !	hocher	housse
hagard	hangar	hasard	héler	hochet	houx
haie	hanneton	hasarder	henné	hockey	hublot
haillon	hanter	hasardeux	hennir	hockeyeur	huche
haine	hantise	haschisch	hennissement	holà	huée
haineux	happer	hase	hep !	homard	huer
haïr	hara-kiri	hâte	hère	honnir	huis clos
haïssable	harangue	hâter	hérisser	honte[1]	huit
halage	haras	hâtif	hérisson	honteux	huitième
hâle	harassant	hâtivement	hernie	hop !	hululement
haler	harasser	hauban	héron	hoquet	hululer
hâler	harcèlement	haubert	héros[1]	hors	hum !
haletant	harceler	hausse	herse	hors-bord	humer
haleter	harde	haussement	hêtre	hors-d'œuvre	hune
hall	hardi	hausser	heu !	hors-jeu	huppe
halle	hardiesse	haut	heurt	hors-la-loi	huppé
hallebarde	hardiment	hautain	heurter	hot dog	hurlement
halo	harem	hautbois	hi !	hotte	hurler
halte	hareng	haut-de-forme	hibou	hou !	huron
halte-garderie	harfang	haute-fidélité	hic	houblon	hussard
hamac	hargneux	hauteur	hideux	houille	hutte...
hamburger	haricot	haut-le-cœur	hiérarchie	houle	
hameau	harnacher	haut-parleur	hiérarchique	houlette	

1. Les noms **héros, honte** ne comportent pas un véritable **h** aspiré ; c'est par euphonie qu'on ne fait pas de liaison ou d'élision devant ces mots. *Les héros* (s'entendrait les « zéros »). Par contre, le nom féminin **héroïne** a un **h** muet. *L'héroïne.*

HOMONYMES

Les **homonymes** sont des mots qui s'écrivent ou se prononcent de façon identique, sans avoir la même signification :

air	mélange gazeux	*cou*	partie du corps
air	mélodie	*coud*	du verbe *coudre*
air	expression	*coup*	choc brutal
aire	surface	*coût*	somme que coûte une chose
ère	époque		
erre	vitesse acquise d'un navire	*maire*	personne élue à la direction d'une municipalité
hère	jeune cerf		
hère	malheureux	*mer*	vaste étendue d'eau salée
		mère	femme qui a donné naissance à un ou à plusieurs enfants
ancre	pièce servant à retenir un navire		
encre	liquide utilisé pour écrire		

Dans les **homonymes**, on peut distinguer :

- les **homographes**, qui ont une orthographe identique, souvent la même prononciation, mais une signification différente :

bas	peu élevé	*prêt*	dont la préparation est terminée
bas	vêtement qui couvre la jambe	*prêt*	somme prêtée
bis	très brun	*sur*	qui a un goût acide
bis	une seconde fois	*sur*	au sommet de
noyer	arbre	*verre*	substance transparente
noyer	périr par noyade	*verre*	récipient pour boire

- les **homophones**, qui ont une prononciation identique, mais une orthographe et une signification différentes :

amande	fruit de l'amandier	*champ*	étendue de terre
amende	somme d'argent à payer	*chant*	chanson
basilic	herbe aromatique	*chaîne*	lien
basilique	église	*chêne*	arbre
censé	supposé	*filtre*	dispositif servant à filtrer
sensé	raisonnable	*philtre*	boisson magique
chair	substance	*mante*	cape
chaire	tribune	*menthe*	herbe potagère, bonbon
chère	nourriture	*pain*	aliment
cher	coûteux	*pin*	conifère

C'est le contexte qui permet de situer le terme et de préciser son orthographe; la tâche n'est pas toujours facile, car le français est une des langues qui comportent le plus d'homonymes.

⊄ Ne pas confondre avec les noms suivants :

- **antonymes**, mots qui ont une signification contraire :

  devant, derrière; froid, chaud; doux, rugueux; haut, bas; petit, grand; faible, fort; actif, passif

- **paronymes**, mots qui présentent une ressemblance d'orthographe ou de prononciation sans avoir la même signification :

  vénéneux, qui contient une substance toxique   **acception**, sens d'un mot
  venimeux, qui contient du venin   **acceptation**, accord

- **synonymes**, mots qui ont la même signification ou une signification très voisine :

  gravement, grièvement; clé anglaise, clé à molette; imprenable, inexpugnable; duper, berner

VOIR TABLEAUX ▸ ANTONYMES. ▸ PARONYMES. ▸ SYNONYMES.

IMPÉRATIF

L'impératif est le mode du commandement (ordre ou défense), du conseil, de l'invitation, du souhait ou du désir.

VALEURS DE L'IMPÉRATIF

L'IMPÉRATIF exprime :

– **un ordre**
Présentez-vous demain au bureau de la direction. Viens faire tes devoirs.

⌨ On peut recourir à l'infinitif ou au conditionnel pour atténuer le ton autoritaire du mode impératif. *Prière de transmettre la réponse par courrier électronique. Il faudrait me remettre vos travaux avant le 15 novembre.* On peut aussi employer le verbe **vouloir** à l'impératif pour donner un ton plus poli. *Veuillez vous présenter à 9 h au bureau 234.*

– **une défense**
Ne buvez pas de cette eau : elle n'est pas potable. Ne sois pas injuste.

– **un conseil**
Reposez-vous un peu : vous travaillez trop. Ne te fais pas de souci pour si peu.

– **une invitation**
Venez manger à la maison, ce sera à la bonne franquette !

– **un souhait ou un désir**
Passez de bonnes vacances ! Amuse-toi bien avec tes copains.

CONSTRUCTION SYNTAXIQUE DU VERBE À L'IMPÉRATIF

Absence de sujet

Le verbe à l'impératif s'emploie sans sujet. C'est la désinence verbale qui nous indique que le locuteur s'adresse à un ou à des interlocuteurs (2e personne du singulier ou du pluriel) ou s'il s'associe à son ou à ses interlocuteurs (1re personne du pluriel).

Verbe à l'impératif suivi de pronoms :

– **verbe à l'impératif + pronom personnel**
complément direct du verbe. *Regarde-toi.*
complément indirect du verbe. *Raconte-lui.*
↪ Le verbe à l'impératif se joint par un trait d'union au pronom personnel complément direct ou indirect qui le suit.

– **verbe à l'impératif + deux pronoms personnels.** *Dis-le-moi.*
↪ Si le verbe à l'impératif est suivi de deux pronoms, le pronom complément direct s'écrit avant le pronom complément indirect et deux traits d'union sont alors nécessaires.

– **verbe à l'impératif + pronoms en et y.** *Donnes-en, entres-y, cueilles-en, découvres-y.*
↪ Devant les pronoms **en** et **y** non suivis d'un infinitif, les verbes du premier groupe (en **er**) s'écrivent avec un **s** euphonique à la deuxième personne du singulier et se joignent aux pronoms **en** et **y** par un trait d'union. C'est également le cas pour certains verbes en **ir** comme *cueillir* et sa famille (*accueillir, recueillir*); *assaillir, défaillir, tressaillir; couvrir* et sa famille (*découvrir, recouvrir, redécouvrir*), *offrir, ouvrir* et sa famille (*entrouvrir, rentrouvrir, rouvrir*), *souffrir.* Suivis de l'infinitif, à l'exception du verbe **laisser**, les verbes en **er** ne prennent pas de **s** euphonique devant les pronoms **en** et **y** et ne se joignent pas à eux par un trait d'union. *Ose en parler à tes amis, daigne y voir de la générosité,* mais *laisses-en circuler quelques exemplaires.*

VOIR TABLEAU ▶ **TRAIT D'UNION.**

IMPÉRATIF | *SUITE* >

TROIS PERSONNES SEULEMENT

Le mode impératif ne comporte que trois personnes.

▸ **Deuxième personne du singulier.** *Aime ton prochain. Connais-toi mieux.*

    ▭ À l'impératif, il n'y a pas de **s** final pour les verbes en **er**, contrairement au présent de l'indicatif *(tu aimes)* ou au présent du subjonctif *(que tu aimes). Aime. Chante.*

▸ **Première personne du pluriel.** *Aimons-nous les uns les autres.*

▸ **Deuxième personne du pluriel.** *Aimez la nature, respectez-la.*

DEUX TEMPS À VALEUR DE FUTUR PROCHE OU LOINTAIN

Le mode impératif ne comprend que deux temps qui se situent dans un avenir plus ou moins rapproché.

▸ **Le présent.** *Reviens vite. Écrivons-nous dans une décennie.*

    ▭ L'impératif présent a une valeur de futur proche ou lointain.

▸ **Le passé.** *Sois revenu avant la nuit.*

    ▭ L'impératif passé a une valeur de futur qui doit être achevé avant un évènement.

I

93

EXEMPLES DE FORMES À L'IMPÉRATIF PRÉSENT

ACQUÉRIR	acquiers, acquérons, acquérez	FINIR	finis, finissons, finissez
AIMER	aime, aimons, aimez	HAÏR	hais, haïssons, haïssez
ALLER	va, allons, allez	LEVER	lève, levons, levez
APPELER	appelle, appelons, appelez	OUVRIR	ouvre, ouvrons, ouvrez
AVANCER	avance, avançons, avancez	PAYER	paie / paye, payons, payez
AVOIR	aie, ayons, ayez	POSSÉDER	possède, possédons, possédez
CHANGER	change, changeons, changez	PROTÉGER	protège, protégeons, protégez
CONGELER	congèle, congelons, congelez	SORTIR	sors, sortons, sortez
CRÉER	crée, créons, créez	TRESSAILLIR	tressaille, tressaillons, tressaillez
CUEILLIR	cueille, cueillons, cueillez	VENIR	viens, venons, venez
EMPLOYER	emploie, employons, employez	VÊTIR	vêts, vêtons, vêtez
ENVOYER	envoie, envoyons, envoyez	VIVRE	vis, vivons, vivez
ÊTRE	sois, soyons, soyez	...	
ÉTUDIER	étudie, étudions, étudiez		

DÉTERMINANT **INDÉFINI**

Le déterminant indéfini se place devant le nom d'un être ou d'un objet indéterminé ou encore inconnu dans le texte. Il ne nous renseigne pas sur l'identité de cet être ou de cet objet, mais exprime une idée de quantité, une qualité indéterminée, une idée de ressemblance ou de différence.

Principaux déterminants indéfinis

aucun, aucune	différents, différentes	même	quelque
autre	divers, diverses	nul, nulle	tel, telle
certain, certaine	force	plusieurs	tous, toutes
chaque	maints, maintes	quelconque	un, une, des...

Locutions indéfinies ou déterminants composés

assez de	le plus possible de	n'importe quel,	peu de	trop de
autant de	l'un et l'autre des	quelle	plus d'un, d'une	un peu de...
beaucoup de	n'importe lequel,	nombre de	quantité de	
bien de, des	laquelle des	pas un, une des	tant de	

▭ Les locutions comprenant **de** ou **des** marquent une idée de quantité et sont toujours suivies d'un verbe au pluriel. *Beaucoup de personnes ont applaudi.*

LE DÉTERMINANT INDÉFINI EXPRIME

▸ **UNE IDÉE DE QUANTITÉ**

0	Une quantité nulle, **zéro**	*aucun, aucune, aucuns*	*Martin n'a reçu **aucun** appel. **Aucuns** ciseaux ne feront l'affaire.*
		nul, nulle, nuls	***Nul** chien n'a été aperçu. **Nuls** frais ne seront exigés.*
		pas un, pas une	***Pas une** maison n'apparaissait à l'horizon.*

↷ Ces adjectifs indéfinis doivent toujours être accompagnés de *ne, ne... jamais* ou *ne... plus.* Cependant, on ne peut employer les adverbes *pas* ou *point.*

=1	Une quantité **égale à un**	*chaque*	***Chaque** élève a un crayon et un cahier.*
		quelque	*Elle a **quelque** peine à lui faire confiance.*
		un certain, une certaine	*Après avoir lu **un certain** temps, elle a dormi.*
		un, une	***Une** écolière a traversé la cour.*

+1	Une quantité indéfinie **supérieure à un**	*certains, certaines*	***Certains** jouets seront offerts.*
		des	***Des** chevaux gambadaient dans le champ.*
		différents, différentes	***Différentes** personnes étaient présentes.*
		divers, diverses	***Diverses** épreuves auront lieu.*
		quelques	*J'ai vu **quelques** enfants.*
		maints, maintes	*Tu l'as rencontré **maintes** fois.*

▭ Lorsque la quantité indéfinie est supérieure à *un,* l'adjectif indéfini est obligatoirement au pluriel.

tout	Une quantité **totale**	*tous, toutes*	*J'ai essayé **tous** les patins.*
			VOIR TABLEAU ▸ TOUT (ACCORD DE).

▸ **UNE QUALITÉ INDÉTERMINÉE**	*n'importe quel, lequel, laquelle, lesquels, lesquelles*	***N'importe quelle** personne peut entrer.*
	quelconque, quelconques	*Il a acheté un ballon **quelconque**.*
	tel, telle, tels, telles	*Si tu ajoutes **telle** quantité de sucre, ce sera délicieux.*
		VOIR TABLEAU ▸ TEL.

▭ La signification et la catégorie grammaticale du mot *quelconque* varient selon qu'il précède ou suit le nom. Placé avant le nom, le déterminant indéfini *quelconque* désigne une réalité de façon imprécise. *Une quelconque description.* Placé après le nom, l'adjectif *quelconque* a le sens de « ordinaire, médiocre ». *Un film très quelconque.*

▸ **UNE IDÉE DE RESSEMBLANCE**	*même*	*Ils ont vu le **même** film et ont mangé les **mêmes** fruits.*
▸ **UNE IDÉE DE DIFFÉRENCE**	*autre, autres*	*Je te verrai un **autre** jour.*

INDICATIF

Mode du réel, des faits certains, l'indicatif permet de situer une action dans le temps par rapport à l'instant présent.

AXE DU TEMPS

PASSÉ	PRÉSENT	FUTUR
AUTREFOIS, ON VOYAGEAIT EN BATEAU.	**AUJOURD'HUI**, ON SE DÉPLACE EN AVION.	**DEMAIN**, ON CIRCULERA EN NAVETTE SPATIALE.

L'indicatif est le mode le plus souvent utilisé ; il comprend un temps pour le **présent**, cinq temps pour le **passé**, deux temps pour le **futur** et deux temps pour le **conditionnel**.

LE PRÉSENT

▸ Ce temps exprime un **fait présent, actuel**. *Youpi ! Aujourd'hui, il fait beau et on a congé. Il commence à neiger : est-il prudent de s'aventurer sur la route ?*

▸ Le présent traduit également :

– **une vérité éternelle, générale.** *Deux et deux font quatre. Le ciel est bleu. Le moi est haïssable.* (Pascal) *Je pense, donc je suis.* (Descartes)

– **un fait habituel.** *Les enfants partent tous les matins à 7 h 30 : les cours commencent à 8 h 30.*

– **un fait historique.** *Maisonneuve fonde Montréal en 1642. C'est l'ordonnance de Villers-Cotterêts – signée en 1539 par François Ier – qui fait du français la langue officielle de la France.*

– **un passé récent.** *La partie de tennis se termine à l'instant.*

– **un futur proche.** *Attends-moi, j'arrive dans quelques minutes.*

LE PASSÉ

▸ **L'imparfait** exprime :

– **un fait habituel dans le passé.** *Autrefois, on s'éclairait à la chandelle. À cette époque, il était d'usage de transmettre des invitations par écrit. Tous les jours, le laitier nous livrait lait, beurre et œufs.*

– **un fait non achevé, secondaire, par rapport à un évènement achevé, principal.** *Il pleuvait quand nous sommes arrivés à Gaspé.*

– **une description de personne, de lieu, de chose dans le passé.** *Son grand-père s'intéressait à tout. La maison des étés de mon enfance avait des volets bleus.*

– **un fait hypothétique dans une subordonnée conditionnelle alors que le verbe de la phrase principale** ou **autonome est au conditionnel présent.** *Si j'avais su, je ne serais pas venu.*

▸ Le **passé simple** traduit :

– **un fait qui s'est produit il y a longtemps (passé lointain) et qui est complètement achevé.** *Le Vésuve entra en éruption en 79 après Jésus-Christ et ensevelit la ville de Pompéi.*

Le passé simple est le temps du récit historique : il décrit des actions coupées du présent. Il s'emploie surtout dans la langue écrite, car la langue orale lui préfère le passé composé.

▸ Le **passé composé** décrit :

– **un fait achevé,** qui a eu lieu avant le moment où l'on parle. *Ils ont bien travaillé et ils ont fini leur rapport à temps.*

– **un fait passé** à un moment déterminé qui demeure **en contact avec le présent.** *Mes grands-parents ont fait un potager et ont récolté de beaux légumes…*

À la différence du passé simple, le passé composé traduit un fait passé dont les conséquences sont actuelles, dont le résultat est encore présent.

I

96

    – **une vérité générale, un fait d'expérience** qui remonte au passé, mais qui est **toujours vrai.** *Les Beaucerons ont toujours eu l'esprit d'initiative.*

▶ Le **passé antérieur** traduit :

    – **un fait passé** qui s'est produit immédiatement **avant un autre fait passé.** *Quand ils eurent terminé, ils partirent.*

▶ Le **plus-que-parfait** exprime :

    – **un fait entièrement achevé** lors d'un autre fait passé. *Nous avions terminé nos exercices quand la cloche a sonné.*

LE FUTUR

▶ Le **futur simple** exprime un fait qui aura lieu dans l'avenir. *Nous finirons bientôt. Marie-Ève aura vingt ans l'été prochain.*

Il exprime également :

    – **une vérité générale.** *Il y aura toujours des gagnants et des perdants.*

    – **une probabilité.** *L'automne sera beau, je crois.*

    – **un futur dans le passé.** *Vous assisterez, dans les mois qui suivront, à la victoire de notre équipe.*

    – **un impératif.** *Vous voudrez bien m'expliquer cette erreur.*

    – **un présent atténué par politesse.** *Tu comprendras que je ne pouvais te révéler ce secret.*

▶ Le **futur antérieur** traduit un fait qui devra en précéder un autre dans l'avenir.

    Quand il aura terminé, il prendra des vacances.

Il peut également marquer :

    – **un fait futur inévitable.** *Je ne suis pas inquiète, il aura conquis son auditoire en quelques minutes.*

    – **un fait passé hypothétique.** *Il ne s'est pas présenté, il se sera rendu à notre ancienne adresse.*

LE CONDITIONNEL[1]

Dans une phrase autonome (ou matrice), le conditionnel peut marquer :

    – **un vœu, un désir** (conditionnel présent). *J'aimerais revenir un jour.*

    – **un regret** (conditionnel passé). *Qu'elle aurait aimé rester là-bas !*

    – **une demande** (conditionnel présent). *Pourrais-je avoir un verre d'eau, s'il vous plaît ?*

    – **un ordre poli** (conditionnel présent). *Vous devriez ranger vos documents.*

    – **un fait soumis à une condition :** (conditionnel présent) *Si j'étudiais, je réussirais mieux.*
                               (conditionnel passé) *Si tu avais su, tu ne serais pas venu.*

       ▭ Une phrase subordonnée à l'imparfait introduite par *si* indique à quelle condition peut se réaliser l'action exprimée par le verbe de la phrase autonome (ou matrice) au conditionnel.

Dans une phrase subordonnée, le conditionnel marque :

    – **le futur dans le passé.** *Je croyais qu'ils seraient présents.*

   ✧ Lorsque la conjonction *si* introduit une condition, une hypothèse, elle est suivie de l'imparfait. *Si j'avais su, je ne serais pas venue.* Par contre, lorsque la conjonction *si* introduit une interrogation indirecte, elle est suivie du conditionnel. *Cet architecte se demandait si sa proposition serait bien reçue.*

VOIR TABLEAUX ▶ CONCORDANCE DES TEMPS DANS LA PHRASE. ▶ FUTUR. ▶ PASSÉ (TEMPS DU). ▶ PRÉSENT.

---

1. Dans la nouvelle grammaire, le conditionnel, longtemps considéré comme un mode, devient un nouveau temps de l'indicatif, qui s'apparente au futur, un futur hypothétique.

INFINITIF

Le mode infinitif exprime une idée d'action ou d'état sans indication de personne ni de nombre, c'est un **mode impersonnel.** L'infinitif s'emploie tantôt comme un **verbe,** tantôt comme un **nom.**

VERBE

▸ Dans une **phrase infinitive autonome,** le mode infinitif exprime :

– Un **ordre,** un **conseil.** *Ne pas exposer à l'humidité.*
  ▭ Dans ce contexte, l'infinitif a valeur d'impératif. Sur les formulaires, dans l'affichage, on préférera le mode infinitif au mode impératif, qui est plus autoritaire, moins poli.

– Une **narration.** *Et les invités d'applaudir.*
  ↻ L'infinitif est précédé de *de.*

– Une **question.** *Où aller ?*
  ▭ L'infinitif interrogatif exprime un dilemme, une réflexion à voix haute, en quelque sorte.

– Une **exclamation.** *Abandonner la partie, jamais !*
  ▭ L'infinitif exclamatif traduit un sentiment avec intensité.

▸ Dans une **phrase infinitive subordonnée,** l'infinitif présent exprime :

– Un **futur** après certains verbes (*devoir, espérer, promettre, souhaiter,* etc.). *J'espère réussir* (que je réussirai).

– Un **passé,** et ce, quel que soit le temps du verbe de la phrase autonome :
  • *Je pense avoir atteint mon objectif* (... que j'ai atteint...).
  • *Je pensais avoir atteint mon objectif* (... que j'avais atteint...).
  • *J'espère avoir atteint mon objectif en décembre* (... que j'aurai atteint...).
  • *J'espérais avoir atteint mon objectif en décembre* (... que j'aurais atteint...).

L'infinitif peut remplir les fonctions suivantes :

– **Sujet de la phrase.**............................*Lire des romans* me plaît.
– **Attribut du sujet.**.........................*Partir, c'est mourir un peu.*
– **Complément direct du verbe.**........*Tu aimes courir. Il aime chanter, danser* et puis *rire.*
  ▭ On peut employer plusieurs phrases infinitives à la suite.
– **Complément de la préposition.**......*Le temps de jouer. Apte à réussir. Préparez-vous à partir. Avant de partir,* préviens-moi.

Dans la conjugaison avec un auxiliaire, selon le sens de cet auxiliaire de temps, l'infinitif présent prend une valeur :

– De **présent.** *Les enfants sont en train de jouer.*
– De **passé.** *Elle vient de nager.*
– De **futur.** *Il va dormir.*

NOM

Certains infinitifs s'emploient à l'occasion comme des noms : *le rire, le savoir-faire, le baiser, le déjeuner, le devoir, le sourire, le souvenir.*

  ▭ Quand ce sont des noms, ils prennent la marque du pluriel s'ils sont simples ; s'ils sont composés, ils sont invariables. *Des rires, des savoir-vivre.*

VOIR TABLEAUX ▸ COMPLÉMENT. ▸ PHRASE (ANALYSE GRAMMATICALE DE LA). ▸ PHRASE (FONCTIONS DE LA).

L'interjection est un mot, un groupe de mots qui exprime une réaction émotive de la personne qui parle (surprise, peur, joie, chagrin, etc.). Les multiples exclamations, tous les jurons imaginables rendent la création des interjections toujours vivante.

▶ Les interjections peuvent être :

– Des **noms.** *Ciel! Courage! Dame! Flûte! Miracle! Silence!*

– Des **verbes.** *Allez! Suffit! Tenez! Tiens! Voyons! Va!*

– Des **adverbes.** *Arrière! Assez! Bien! Debout! Enfin! Hélas! Non! Vite!*

– Des **adjectifs.** *Bon! Chic! Las! Mince! Parfait!*

– Des **jurons.** *Diable! Mamma mia! Zut!*

– Des **cris.** *Aïe! Bis! Chut! Hourra! Hue! Olé!*

– Des **onomatopées.** *Brrr! Crac! Hon! Hum! Pssit!*

– Des **locutions.** *À la bonne heure! Au feu! Au secours! Par exemple! D'accord!*

▭ On nomme *locution interjective* l'exclamation formée de plusieurs mots. *Mystère et boule de gomme!*

T Les *interjections* et les *locutions interjectives* sont suivies du point d'exclamation et s'écrivent générale-ment avec une majuscule initiale.

QUELQUES INTERJECTIONS ET LOCUTIONS INTERJECTIVES

Adieu!	Dame!	Hourra!	Parfait!
Ah!	Debout!	Hue!	Pas possible!
Aïe!	Diable!	Hum!	Patience!
Ainsi soit-il!	Dieu!	Jamais!	Pitié!
À la bonne heure!	Dommage!	Juste ciel!	Pssit!
Allez!	Eh!	Là!	Quoi!
Allô!	Eh bien!	Ma foi!	Quoi donc!
Allons!	Eh bien soit!	Malheur!	Salut!
Arrière!	En avant!	Mamma mia!	Silence!
Assez!	Enfin!	Merci!	Soit!
Attention!	Est-ce Dieu possible!	Mince!	Stop!
Au feu!	Euh!	Minute!	Suffit!
Au secours!	Flûte!	Miracle!	Tant mieux!
Bah!	Gare!	Mon Dieu!	Tant pis!
Bien!	Grâce!	N'importe!	Tenez!
Bis!	Ha!	Nom d'un chien!	Tiens!
Bon!	Ha! ha!	Non!	Tonnerre!
Bon Dieu!	Halte!	Ô...!	Tout beau!
Bonté divine!	Hé!	Oh!	Tout doux!
Bravo!	Hé quoi!	Oh là là!	Très bien!
Brrr!	Hein!	Ohé!	Va!
Ça alors!	Hélas!	Oh! hisse!	Vite!
Chic!	Heu!	Olé!	Vive...!
Chut!	Ho!	Ouf!	Voilà!
Ciel!	Ho! ho!	Oui!	Voyons!
Courage!	Holà!	Ouste!	Zut!
Crac!	Hop!	Pan!	
D'accord!	Hou!	Par exemple!	

PRONOM **INTERROGATIF**

Pronom employé pour introduire une phrase interrogative directe ou indirecte. *Qui frappe à la porte? Dis-moi **qui** viendra. **Que** demandez-vous?*

FORMES SIMPLES

qui? (pour les personnes)

que? quoi? (pour les choses)

FORMES COMPOSÉES

	MASCULIN SINGULIER	FÉMININ SINGULIER	MASCULIN PLURIEL	FÉMININ PLURIEL
– avec *le*	lequel?	laquelle?	lesquels?	lesquelles?
– avec *à + le*	auquel?	à laquelle?	auxquels?	auxquelles?
– avec *de + le*	duquel?	de laquelle?	desquels?	desquelles?

FONCTIONS DU PRONOM INTERROGATIF

▸ **Sujet.** *Qui vient dîner ce soir? Sais-tu **qui** a découvert le Canada?*

▸ **Attribut.** *Dis-moi **qui** elle est. **Que** devient ce projet?*

▸ **Complément direct du verbe.** *Dis-moi **qui** tu as vu. **Que** voulez-vous?*

▸ **Complément indirect du verbe.** *À **qui** voulez-vous parler? À **quoi** pensez-vous? Sur **qui** comptes-tu? En **quoi** cela consiste-t-il?*

▸ **Complément du nom.** *À **qui** as-tu emprunté ces livres?*

▸ **Complément de l'adjectif.** *De **quoi** êtes-vous si inquiète?*

▸ **Complément de la phrase.** *Avec **quoi** écrivez-vous?*

VOIR TABLEAUX ▸ ADVERBE. ▸ DÉTERMINANT. ▸ PRONOM.

DÉTERMINANT **INTERROGATIF ET DÉTERMINANT EXCLAMATIF**

DÉTERMINANT INTERROGATIF

Déterminant indiquant que l'on s'interroge sur l'identité de l'être ou de l'objet déterminé.

▭ Le déterminant interrogatif s'accorde en genre et en nombre avec le nom déterminé.

DÉTERMINANT EXCLAMATIF

Déterminant qui sert à traduire l'étonnement, l'admiration que l'on éprouve devant l'être ou l'objet déterminé.

▭ Le déterminant exclamatif s'accorde en genre et en nombre avec le nom déterminé.

	GENRE	NOMBRE	DÉTERMINANT INTERROGATIF	DÉTERMINANT EXCLAMATIF
Quel	masculin	singulier	*Quel livre?*	*Quel succès!*
Quelle	féminin	singulier	*Quelle personne?*	*Quelle maison!*
Quels	masculin	pluriel	*Quels ballons?*	*Quels amis!*
Quelles	féminin	pluriel	*Quelles bicyclettes?*	*Quelles vacances!*

VOIR TABLEAU ▸ DÉTERMINANT.

De nombreux mots d'origine italienne se sont intégrés au français; ils proviennent surtout des domaines de la musique, de l'art et de la cuisine.

I

100

▶ **Orthographe**

La plupart des emprunts à l'italien sont maintenant francisés; ils s'écrivent avec des accents, s'il y a lieu, et prennent la marque du pluriel. *Des scénarios, des trémolos, des opéras.*

▭ Certains auteurs recommandent l'invariabilité des mots pluriels italiens tels que *gnocchi, macaroni, ravioli, spaghetti...* Il apparaît plus pratique de considérer que ces mots sont maintenant francisés, et donc variables. *Des spaghettis, des macaronis, des raviolis.*

▶ **Musique**

Certains mots italiens qui font partie du vocabulaire musical demeurent invariables lorsqu'ils désignent des mouvements, des nuances; ils sont alors employés adverbialement et s'écrivent sans accent. *Jouer allegro, andante...* Lorsqu'ils désignent des pièces de musique, ces mots sont alors des noms qui s'écrivent avec des accents, s'il y a lieu, et prennent la marque du pluriel. *Des allégros, des andantes, des adagios.*

▶ **Quelques emprunts à l'italien**

Emprunt	Signification du mot italien d'origine	Emprunt	Signification du mot italien d'origine
bravo..........	« beau, excellent »	malaria........	« mauvais air »
brio...........	« vivacité »	opéra..........	« œuvre »
brocoli........	« pousses de chou »	pergola........	« tonnelle »
casino	« maison de jeux »	pierrot.........	de Pedrolino, personnage de la commedia dell'arte
crescendo	« en croissant »		
dilettante......	« celui qui s'adonne à un art par plaisir »	polichinelle....	de Pulcinella, personnage de farces de Naples
diva...........	« divine »	salami	« viande salée »
farniente	« ne rien faire »	scénario	« décor »
fiasco..........	« échec »	sépia..........	« seiche »
incognito......	« inconnu »	tombola.......	« culbute »
loto...........	« sort, lot »		

▶ **Quelques exemples de mots provenant de l'italien**

agrume	banque	calepin	cortège	fugue	nonce	soldat
air	banqueroute	calque	courtisan	fumerole	numéro	solfège
ambassade	banquet	cambiste	crédit	galbe	pantalon	sonate
antichambre	barcarolle	campanile	crinoline	gélatine	partisan	sourdine
appartement	bataillon	canaille	dégrader	gondole	pastel	soutane
aquarelle	bicoque	cannelure	disgrâce	gouache	perruque	store
arcade	bilan	canon	dôme	grandiose	piédestal	tarentelle
arpège	bisbille	cantate	duo	granit	pistache	tarentule
artisan	biscotte	cantine	entrechat	grotesque	politesse	ténor
babiole	bizarre	caprice	escapade	improviste	radis	trafic
bagatelle	bosquet	capucin	escarpin	incarnat	rafale	trille
bagne	botte (escrime)	carnaval	escorte	incartade	reflet	vasque
baguette	bouffon	cartouche	esquisse	lagune	régate	vedette
balcon	bravade	cavalcade	façade	lampion	ristourne	vermicelle
baldaquin	bravoure	cavalerie	faillite	lavande	ritournelle	veste
ballerine	brigade	citadelle	fanal	lettrine	salon	violoncelle
bambin	brigand	concert	fantassin	macaron	saltimbanque	virtuose
banderole	burlesque	confetti	fioriture	manège	semoule	volte-face
bandit	cabriole	contrebande	fortin	maquette	sérénade	voltiger

L'italique, caractère typographique légèrement incliné vers la droite, permet d'attirer l'attention du lecteur sur un mot, un titre, une citation, une dénomination.

T Dans un texte manuscrit ou dactylographié destiné à l'impression, on souligne d'un trait les mots qui doivent être composés en italique.

I

101

SE COMPOSENT EN ITALIQUE

▸ **Titres d'œuvres** (livres, tableaux, journaux, revues, etc.)

Le mot initial du titre s'écrit avec une majuscule.

> Martine a beaucoup aimé *Les grands sapins ne meurent pas*. Le journal *Le Devoir*.
> Connais-tu la chanson *J'aurais voulu être un artiste* de Luc Plamondon?

▸ **Enseignes commerciales**

Citées intégralement, les inscriptions d'enseignes se composent en *italique*; abrégées, elles seront composées en **romain**.

> S'arrêter à l'*Auberge du Cheval blanc*. Manger au Cheval blanc.

▸ **Noms de véhicules** (bateaux, avions, trains, engins spatiaux, etc.)

Les noms propres de véhicules se composent en *italique*. Ces noms propres s'écrivent avec une capitale initiale au nom spécifique et à l'adjectif qui précède le nom.

> Il a pris le *Concorde*. Le lanceur de satellites *Ariane* est européen.

▸ **Notes de musique**

Les huit notes de musique se composent en *italique*. Les indications qui peuvent accompagner les notes sont en **romain.**

Une étude en *si* bémol.

> T Lorsqu'il s'agit d'un titre d'œuvre (qui est donc déjà en italique), la note reste en italique.
> *Toccata et fugue en ré mineur* de Bach.

▸ **Citations, mots en langue étrangère**

Les locutions latines, les citations, les mots, les expressions qui appartiennent à une langue étrangère sont composés en *italique.*

> Une déduction *a posteriori*. C'est un véritable *one man show*.

▸ **Mise en valeur**

On utilise l'italique pour isoler un mot, une expression:

• dont on veut parler explicitement;

> La locution *a priori* signifie «d'après ce qui est avant».

• qui est de niveau familier;

> Ces données ont été citées tout *croche*.

• qui marque une distance, un sens particulier donné à un mot.

> Ces comptables ont établi des états financiers bien *créatifs*.

▸ **Devises**

Les devises sont toujours composées en *italique.*

> *Je me souviens. A mari usque ad mare.*

▸ **Avis, indications au lecteur**

Si le texte (avant-propos, dédicace, etc.) n'excède pas 20 pages, il peut être composé en *italique*. On utilise l'*italique* pour attirer l'attention du lecteur à qui l'on s'adresse directement.

> *La suite au prochain numéro.*

L

ADVERBE

▸ **L'adverbe marque :**

• **un lieu éloigné.** *Es-tu allé là ?*

    🖙 Dans cet emploi, *là* est en opposition à l'adverbe *ici* qui marque la proximité. Dans les faits, les deux adverbes sont souvent confondus. *Berthe, je ne suis là pour personne.*

• **un point d'arrêt.** *Restons-en là. Je ne croyais pas qu'on allait en venir là.*

    📏 Pour désigner un objet éloigné de la personne qui parle, l'adverbe *là* se joint par un trait d'union au nom qui le précède si celui-ci est précédé d'un déterminant démonstratif. *Ce livre-là, cette raquette-là.* Il se joint également par un trait d'union au **pronom démonstratif (celui-là, celle-là, ceux-là, celles-là)** à certains adverbes **(jusque-là, là-bas, là-dedans, là-dessous, là-haut)** pour former des composés.

▸ **Locutions adverbiales (ou adverbes composés)**

– **Çà et là, par-ci, par-là.** Par endroits. *Des fleurs sauvages poussent çà et là.*

    📏 L'expression **çà et là** s'écrit sans traits d'union, mais **par-ci, par-là** s'écrit avec des traits d'union.

– **De là.** De ce lieu-là, pour cette raison. *C'est de là qu'ils sont partis. Les premiers résultats étaient prometteurs ; de là, mon étonnement d'apprendre l'interruption des recherches.*

– **D'ici là.** Entre ce moment et un autre moment postérieur. *J'attendrai votre retour, mais d'ici là donnez-moi de vos nouvelles.*

    📏 Cette expression s'écrit sans trait d'union.

– **Jusque-là.** Jusqu'à ce point. *La falaise est à 2 km d'ici, marcherez-vous jusque-là ?*

– **Là-bas.** Plus loin. *Ils habitent là-bas, dans la vallée.*

– **Par là.** Par ce lieu, par ce moyen. *Passons par là, ce sera plus court.*

    📏 Cette expression s'écrit sans trait d'union.

INTERJECTION

Là ! L'interjection s'emploie, généralement redoublée, pour apaiser, consoler. *Là, là ! Tout s'arrangera.*

▸ **Locutions interjectives (ou interjections composées)**

– **Eh là !** Interpellation. *Eh là ! Venez m'aider, s'il vous plaît.*

– **Halte-là !** Ordre de s'arrêter. *Halte-là !, leur cria le douanier.*

– **Oh là là !** Exclamation qui marque l'étonnement, l'admiration. *Oh là là, quel beau jardin !*

Langue des anciens Romains, le latin constitue l'origine du français et de plusieurs autres langues. La plupart des mots français issus du latin ont subi l'évolution phonétique normale **(formation populaire)** et sont devenus des mots intégrés au français. Ainsi le mot latin « *caballus* » est devenu *cheval* en français. Des emprunts faits par les érudits des xive, xve et xvie siècles ont conservé une **forme française voisine du latin (formation savante)**, par exemple, le mot *parabole* qui vient du latin « *parabola* ». Le même mot latin a donné par l'évolution phonétique normale le mot *parole* **(formation populaire)**.

L

103

D'autres mots empruntés au latin ont conservé leur **forme latine.** En voici quelques exemples :

MOTS LATINS VARIABLES

Singulier latin	Pluriel latin
addendum............	addenda
desideratum..........	desiderata
erratum................	errata
maximum	maxima
minimum..............	minima
stimulus	stimuli...

🕮 Certains mots gardent le pluriel latin et s'écrivent sans accent.

MOTS LATINS FRANCISÉS

agenda	intérim
album	médium
alibi	mémento
alinéa	mémorandum
alléluia	pensum
atrium	quatuor
angélus	quorum
bénédicité	quota
consortium	recto
décorum	référendum
déficit	sanatorium
duplicata	solarium
fac-similé	spécimen
folio	ultimatum
forum	verso...

🕮 Certains mots empruntés au latin ont été francisés par leur usage fréquent.
Ces mots prennent la marque du pluriel et s'écrivent avec des accents s'il y a lieu. *Des médias électroniques.*

MOTS LATINS INVARIABLES

credo	nimbus	requiem
cumulus	nota	statu quo
ex-voto	nota bene	tumulus
minus habens	pater	vade-mecum
miserere	post-scriptum	veto...

🕮 Certains mots empruntés au latin restent invariables : ces mots s'écrivent sans accent, malgré leur prononciation.

LOCUTIONS LATINES

Locution	Signification
a contrario..................	par l'argument des contraires
ad patres	dans l'autre monde
ad valorem	selon la valeur
ad vitam æternam	pour toujours
a fortiori....................	à plus forte raison
a posteriori	fondé sur des faits
a priori......................	non fondé sur des faits
de facto.....................	de fait
de visu......................	après l'avoir vu
et cætera	et les autres
ex æquo	au même rang
ex cathedra.................	avec un ton doctoral
extra-muros	à l'extérieur des murs
grosso modo................	en gros
in extenso	intégralement
in extremis..................	au tout dernier moment
intra-muros.................	à l'intérieur des murs
ipso facto...................	immédiatement
manu militari...............	par la force
modus vivendi..............	entente
nec plus ultra...............	ce qu'il y a de mieux
sine die	sans jour fixé
sine qua non	condition essentielle
vice versa...................	inversement

🕮 Ces locutions s'écrivent sans accent.

🕮 La tendance actuelle est de franciser les noms *maximum, minimum* en les écrivant au pluriel avec un *s.* Comme adjectifs, ils sont remplacés par *maximal, ale, aux, ales* et *minimal, ale, aux, ales.*

T En typographie soignée, les mots étrangers sont composés en italique. Dans des textes déjà en italique, la notation se fait en romain. Pour les textes manuscrits, on utilisera les guillemets.

VOIR TABLEAU ▶ DOUBLETS.

LE, LA, LES, DÉTERMINANTS DÉFINIS

Déterminants qui se placent devant le nom d'un être ou d'un objet connu, dont on a déjà parlé.

> 🔲 Le déterminant défini individualise le nom qui l'accompagne. *La pomme que j'ai mangée était délicieuse.* Il s'agit précisément d'une pomme en particulier, celle qui a été mangée. S'il s'agissait de n'importe quelle pomme, on emploierait le déterminant indéfini. *Achète-moi une pomme.*

FORMES SIMPLES			EXEMPLES
MASCULIN	FÉMININ	NOMBRE	
le	la	singulier	*Le chien de Martin, la robe de Laurence,*
les	les	pluriel	*les amis de la classe.*

FORMES CONTRACTÉES AVEC *DE*			
MASCULIN	FÉMININ	NOMBRE	
du (de le)	de la	singulier	*Les outils du maçon, les dons de la fée,*
des (de les)	des (de les)	pluriel	*les noms des parents.*

FORMES CONTRACTÉES AVEC *À*			
MASCULIN	FÉMININ	NOMBRE	
au (à le)	à la	singulier	*Nous irons au centre des loisirs, à la*
aux (à les)	aux (à les)	pluriel	*patinoire ou aux divers parcs de la ville.*

▸ Élision et liaison

Les déterminants définis *le* et *la* s'élident devant un mot commençant par une voyelle ou un *h* muet. *L'école, l'hommage,* mais *le homard.*

> 🔲 Cette élision ne se fait pas devant les adjectifs numéraux. *Le onze du mois, le huit de cœur, le un de la rue des Érables.*

La liaison du déterminant *les* avec le mot qui suit se fait si ce mot commence par une voyelle ou un *h* muet. *Les enfants (lézenfants), les hommes (lézommes),* mais *les haches (léaches).*

▸ Omission

On ne répète pas le déterminant si deux adjectifs se rapportent au même nom. *La tendre et belle enfant.*
On peut omettre le déterminant dans certaines énumérations. *Orthographe, grammaire, typographie feront l'objet de tableaux.*

Les déterminants sont omis dans certaines expressions figées. *Des faits et gestes, sur mer et sur terre, blanc comme neige, avoir carte blanche...*

▸ Répétition

Le déterminant est répété devant les noms joints par les conjonctions de coordination *et, ou. Les fruits et les légumes.*

▸ Devant un superlatif

Quand la comparaison est établie entre des êtres ou des objets différents, le déterminant défini s'accorde en genre et en nombre avec le nom auquel il se rapporte. *Cette amie est la plus gentille de toutes ces personnes.*

Quand la comparaison porte sur des états distincts du même être ou du même objet, le déterminant défini est neutre et invariable. *C'est le matin qu'elle est le plus en forme* (en forme au plus haut degré).

▸ À la place du possessif

Le déterminant défini s'emploie quand le nom employé sans adjectif désigne une partie du corps ou une faculté de l'esprit. *Il a mal à la tête. Elle s'est fracturé la jambe.*

> ↪ Attention, dans ces cas, on n'emploie pas le déterminant possessif. *Il s'est cassé le bras* (et non *son bras).

VOIR TABLEAU ▸ LE, LA, LES, PRONOMS PERSONNELS.

Les pronoms *le, la, les* remplacent un nom de personne ou de chose déjà exprimé. *Quand Étienne sera de retour, préviens-le de notre arrivée prochaine. Ce film est excellent, je te le conseille.*

Les pronoms *le, la, les* accompagnent toujours un verbe *(je les aime)* à titre de **complément direct** ou d'**attribut du sujet,** tandis que les déterminants définis *le, la, les* accompagnent toujours un nom *(les personnes que j'aime).*

COMPLÉMENT DIRECT

Les pronoms personnels *le, la, les* s'emploient avec les verbes transitifs directs (on pose la question *qui ? que ? quoi ?* pour trouver le complément direct du verbe). Ces verbes se conjuguent avec l'auxiliaire *avoir.*

Tu le regardes. Cette pomme, tu la mangeras à la récréation. Vous les avez lus pendant les vacances : ce sont de bons livres.

    ▭ Pour les verbes transitifs indirects (on pose la question *à qui ?*), ce sont les pronoms *lui* et *leur* qui sont employés. *Tu lui as parlé, tu leur as parlé* (à qui ?).

ATTRIBUT DU SUJET

Les pronoms personnels *le, la, les* sont attributs du sujet lorsqu'ils sont employés avec les verbes qui se conjuguent avec l'auxiliaire **être**. *Un champion, il le deviendra après beaucoup d'efforts.*

    ▭ Dans l'usage courant, on a tendance à employer le pronom personnel *le* même si l'antécédent est féminin ou pluriel. *La présidente de l'entreprise, je ne le serai pas.* En français soutenu, le pronom s'accorde en genre et en nombre avec le sujet accompagné d'un déterminant défini ou du démonstratif. *La présidente de l'entreprise, je ne la serai pas. Ces fous de la vitesse, ils ne les sont plus.*

FORME

Les pronoms *le, la* s'élident devant un verbe commençant par une voyelle ou un *h* muet. *Je l'aime, tu l'honores.*

▸ **Place du pronom**

Il se place généralement **avant** le verbe. *Ce vélo, je le veux.*

Si le verbe est à l'impératif dans une construction affirmative, le pronom se place **après** le verbe auquel il est joint par un trait d'union. *Admirez-le.*

Par contre, dans une construction négative, le pronom se place **avant** le verbe. *Ne l'admirez pas.*

Si le verbe comporte plusieurs pronoms compléments, le complément direct se place **avant** le complément indirect et se joint au verbe et au complément indirect par des traits d'union. *Donne-le-moi.*

VOIR TABLEAU ▸ LE, LA, LES, DÉTERMINANTS DÉFINIS.

MULTI
DICTIONNAIRE
DE LA LANGUE FRANÇAISE

Montréal, le 14 septembre 2008 ◄— LIEU ET DATE

VEDETTE ——►   Monsieur Jacques Fortin
Président
Les Éditions Québec Amérique
329, rue de la Commune Ouest
Montréal (Québec) H2Y 2E1

RÉFÉRENCES ——►   V/Réf. : MDD-MEV 1987/QA

Objet : Le *Multidictionnaire* fête ses 20 ans!   ◄— OBJET

APPEL ——►   Cher Monsieur,

INTRODUCTION ——►   Il y a maintenant 20 ans qu'a été lancée la première édition du
Multidictionnaire. Au fil des années, la diffusion de cet ouvrage n'a
cessé d'augmenter, ainsi qu'en témoigne le tirage qui dépasse
aujourd'hui les 750 000 exemplaires, toutes éditions confondues.

CORPS ——►   Le texte de la cinquième édition est enfin prêt. Vous constaterez
que cette nouvelle édition comporte de multiples ajouts : plusieurs
centaines de nouveaux mots issus notamment des sciences et des
techniques et qui viennent enrichir la langue générale, des notes
grammaticales explicitant l'accord du participe passé de tous les
verbes pronominaux, des notes syntaxiques précisant le choix de
la préposition, des notes typographiques plus détaillées, davantage
de formes fautives répertoriées avec indication des formes correctes.

CONCLUSION ——►   De nouveaux tableaux ou des tableaux plus étoffés intègrent
l'ensemble des notions essentielles définies dans les programmes
de français du ministère de l'Éducation. Enfin, les *Rectifications
orthographiques* font l'objet d'une synthèse, et les formes rectifiées
figurent à la fin des articles de chaque mot concerné.

SALUTATION ——►   Dans l'espoir que cette cinquième édition sera bien accueillie, je
vous prie d'agréer, cher Monsieur, mes salutations distinguées.

M Ede Villers

◄— SIGNATURE

Marie-Éva de Villers   ◄— NOM

PIÈCE JOINTE ——►   p. j. Commentaires généraux
COPIE ——►   c. c. M. Jean-Claude Corbeil
CONFORME

VOIR TABLEAUX ► **ADRESSE.** ► **CORRESPONDANCE.** ► **ENVELOPPE.**

LIAISON

La liaison est l'action de prononcer la consonne finale d'un mot placé devant un mot commençant par une voyelle ou un *h* muet.

 👂 On ne prononce pas la consonne finale d'un mot précédant un mot commençant par un *h* aspiré. *Les homards* (et non les *(z) homards*).

▸ **En liaison :**

- Les lettres *s* et *x* se prononcent *z*. *Les (z) iris. Dix (z) oranges.*
- La lettre *d* se prononce *t*. *Un grand (t) homme.*
- La lettre *g* se prononce *g* dans la langue courante. *Un long (g) hiver.*
- La lettre *g* se prononce *k* dans certains emplois figés. *Suer sang (k) et eau. Qu'un sang (k) impur.* (La Marseillaise)
- La lettre *f* se prononce *v*. *Du vif (v) argent.*

LA LIAISON SE FAIT TOUJOURS

- Entre le déterminant et le nom. *Les (z) ours. Deux (z) oasis.*
- Entre l'adjectif et le nom. *Les bons (z) amis. Ton petit (t) ami.*
- Entre le pronom (sujet ou complément) et le verbe. *Nous (z) aimons. Je vous (z) aime.*
- Entre les auxiliaires *avoir* et *être* et le participe passé des formes verbales composées. *Elles ont (t) été aimées.*
- Entre le verbe et le nom ou l'adjectif attribut. *Ces lieux sont (t) agréables.*
- Entre la préposition et son complément. *Dès (z) aujourd'hui. Sans (z) aucun doute.*
- Entre l'adverbe et le mot qu'il modifie. *Ils sont plus (z) aimables, très (z) adroits.*
- Dans la plupart des locutions, des mots composés. *Petit (t) à petit. Tout (t) à coup.*

LA LIAISON SE FAIT PARFOIS

- Entre le nom et son complément. *Les professeurs (z) en voyage.*
- Entre le nom et l'adjectif. *Les fillettes (z) adorables.*
- Entre le nom sujet et le verbe. *Les fillettes (z) ont joué.*
- Entre le verbe et son complément. *Ils allèrent (t) au bois.*

LA LIAISON NE SE FAIT JAMAIS

- Devant un nom commençant par un *h* aspiré. *Les / handicapés.*

  VOIR TABLEAU ▸ H MUET ET H ASPIRÉ.

- Après la conjonction de coordination *et* : *un bateau et / un avion.*
- Entre un nom singulier se terminant par une consonne muette et l'adjectif qui le suit. *Un projet / intéressant.*

  ⌐ Par contre, la liaison se fait entre l'adjectif qui précède le nom et le nom. *Un mauvais (z) usage.*

- Après un signe de ponctuation. *Voici des fruits, / une assiette.*
- Devant un déterminant numéral et un adjectif ordinal : *un, onze, onzième, huit, huitième. Les / onze ans de Fanny.*
- Devant les mots étrangers commençant par *y*. *Des / yaourts.*

LOCUTIONS

Ensemble de mots formant une expression figée et correspondant à un mot unique.

📖 La locution n'a qu'une seule fonction grammaticale pour l'ensemble des mots qui la constituent.

LOCUTION VERBALE (ou verbe composé)

La **locution verbale** joue le rôle d'un verbe. Elle est composée :

– D'un verbe et d'un nom employé sans déterminant. *Nous **avons besoin** de toi. Ces bijoux de fantaisie **font illusion**. Avoir affaire. Avoir confiance. Avoir envie. Avoir faim. Avoir mal. Avoir peur. Avoir sommeil. Crier famine. Donner cours. Donner lieu. Entendre raison. Faire défaut. Faire face. Faire illusion. Faire pitié. Faire semblant. Lier conversation. Perdre patience. Porter bonheur. Prendre garde. Savoir gré.*

– D'un verbe et d'un adjectif. *Je t'ai remboursé, nous **sommes quittes**. Elles **sont portées** à faire confiance. À **dire vrai**.*

– De deux verbes. ***Envoie-les paître**! **Laisse faire**, il est inutile de discuter. On nous a **fait croire** qu'il serait là.*

– D'un verbe, d'une préposition et d'un nom. *Nous **avons à cœur** de réussir. On ne peut **passer sous silence** un tel geste. Être d'accord.*

📖 À l'exception du verbe, les éléments composant une locution verbale sont généralement invariables. *Les enfants **ont raison** : ils doivent **faire attention** à cet accord.*

LOCUTION ADVERBIALE (ou adverbe composé)

La **locution adverbiale** a valeur d'adverbe. ***Tout à coup**, ils entendirent un grand bruit. À bride abattue, à dessein, à l'endroit, en bas, en clair.*

LOCUTION ADJECTIVE (ou adjectif composé)

La **locution adjective** joue le rôle d'un adjectif. *Des chercheurs **de talent**. Ils ont acheté des tableaux **de prix**. Bon marché, de rebut, de rechange, sans rival.*

LOCUTION NOMINALE (ou nom composé)

La **locution nominale** ou **nom composé** joue le rôle d'un nom. *Des **pommes de terre** frites, un **arc-en-ciel** magnifique. Hôtel de ville, robe de chambre, ruban à mesurer.*

VOIR TABLEAU ► NOMS COMPOSÉS.

LOCUTION PRONOMINALE (ou pronom composé)

La **locution pronominale** a valeur de pronom. *J'aime **les uns et les autres**. **Ceux-là** ne nous ont rien dit. N'importe lequel, ni l'un ni l'autre.*

LOCUTION PRÉPOSITIVE (ou préposition composée)

La **locution prépositive** a valeur de préposition. *Je serai là **jusqu'à** 9 h. Il est **en haut de** l'escalier. À destination de, en cas de, sous l'angle de, sous l'influence de.*

LOCUTION CONJONCTIVE (ou conjonction composée)

La **locution conjonctive** joue le rôle d'une conjonction de coordination ou de subordination. *Retiens-le **jusqu'à ce que** j'arrive **afin que** je puisse lui parler. Bien que, dans le cas où.*

LOCUTION INTERJECTIVE (ou interjection composée)

La **locution interjective** a valeur d'interjection. ***Oh là là**, quel bel arbre! Allons donc! Beau dommage! De grâce! Eh bien! Tant mieux!*

LOCUTION DÉTERMINATIVE (ou déterminant composé)

La **locution déterminative** a valeur de déterminant. *J'ai mangé **trop de** sucreries la semaine dernière. Peu de, le même, tous les.*

Groupe de mots toujours employés ensemble qui ont un sens global différent des sens de chacun des mots qui le composent.

Main courante....................................	Partie supérieure d'une rampe d'escalier.
Pied de nez.	Grimace.
Coup de tête.....................................	Décision impulsive.
Faire l'affaire....................................	Convenir.
Tirer d'affaire...................................	Aider, secourir.

✄ On dit que ces locutions sont figées parce qu'on ne peut remplacer un mot par un autre dans ces expressions : on emploie toujours les mêmes mots. Ainsi, dans les locutions qui suivent on ne peut remplacer le nom **sac** par un synonyme comme **cartable, serviette, sac à main.**

▸ **Exemples avec le mot** *sac* :

Mettre dans le même sac.........................	Considérer sur le même pied.
Prendre quelqu'un la main dans le sac.	Le prendre en train de commettre un délit.
Vider son sac.....................................	Dire la vérité, sans rien dissimuler.

▸ **Autres exemples :**

Accrocher ses patins.	⚜ Prendre sa retraite.
Appeler un chat un chat.........................	Appeler les choses par leur nom.
Avoir voix au chapitre...........................	Avoir droit de parole.
Cogner des clous.	⚜ Somnoler.
Contre vents et marées.........................	Malgré tous les obstacles.
Couper les cheveux en quatre...................	Être trop subtil.
Donner sa langue au chat.......................	Abandonner, capituler.
Envoyer paître quelqu'un........................	(FAM.) L'envoyer promener.
Être pieds et poings liés........................	Être réduit à l'inaction.
Il y a anguille sous roche.	Il y a une chose cachée que l'on soupçonne.
Le jeu n'en vaut pas la chandelle................	C'est une chose qui n'en vaut pas la peine.
Mettre les points sur les i.	Expliquer clairement quelque chose.
Monter sur ses grands chevaux.................	Se mettre en colère.
Montrer patte blanche.	Se faire reconnaître pour entrer quelque part.
Parler à tort et à travers.........................	Dire n'importe quoi.
Prendre la poudre d'escampette................	S'enfuir.
Renvoyer aux calendes grecques.	Renvoyer à une date qui n'arrivera jamais.
Reprendre du poil de la bête.	Réagir, reprendre le dessus.
Tirer à la courte paille...........................	Tirer au sort.
Tirer sa révérence.	Partir.
Voir le jour.	(LITT.) Venir au monde.

110

La majuscule sert à mettre en évidence les *noms propres*.

EMPLOI DE LA MAJUSCULE POUR SIGNALER UN NOM PROPRE

▸ Le nom de **Dieu.**

Dieu, Notre-Seigneur, le Père éternel.

▸ Les noms de **personnes** (noms de famille, prénoms, surnoms).

Félix Leclerc. Jean-Baptiste Poquelin, dit Molière.
T La particule nobiliaire s'écrit avec une minuscule. *Alfred de Vigny.*

▸ Les noms de **peuples.**

Les Québécois, les Belges, les Suisses et les Français.
T Employés comme adjectifs, ces mots s'écrivent avec une minuscule. *Le drapeau québécois.* Attention, les noms d'adeptes de religions, de partis politiques, d'écoles artistiques, d'ordres religieux s'écrivent également avec une minuscule, contrairement aux noms de peuples. *Les chrétiens, les libéraux, les impressionnistes, les jésuites.*

VOIR TABLEAU ▸ PEUPLES (NOMS DE).

▸ Les noms de **dieux païens.** *Hermès, Aphrodite, Neptune.*

▸ Les noms d'**astres** (étoiles, planètes, constellations, comètes) et les signes du zodiaque.

Le Soleil, Saturne, le Sagittaire.

▸ Les noms de **points cardinaux** utilisés dans des noms géographiques, des odonymes.

*L'Amérique du **Sud.** Boulevard René-Lévesque **Ouest.** Le pôle **Nord.***

▸ Les **noms géographiques.**

Le Québec, Montréal, le Saint-Laurent.

VOIR TABLEAU ▸ GÉOGRAPHIQUES (NOMS).

▸ Les noms de **rues,** les noms de **places,** de **monuments.**

– Ces noms s'écrivent avec une majuscule au mot caractéristique et une minuscule au mot générique (rue, avenue, boulevard, jardin...).

*La rue **Notre-Dame,** la statue de la **Liberté.***

– Quand la désignation spécifique est composée de plusieurs éléments, ceux-ci sont reliés par des traits d'union.

*Elle habite avenue **Antonine-Maillet,** rue **Saint-Jean-Baptiste,** le square du **Vert-Galant.***

▸ Les noms d'**établissements d'enseignement** (écoles, collèges, instituts...), de **musées,** de **bibliothèques.**

– Les génériques suivis d'un adjectif s'écrivent avec une majuscule.

*L'**École** polytechnique. La **Bibliothèque** nationale.*

– Les génériques suivis d'un nom propre s'écrivent avec une minuscule.

*Le **collège** Jean-de-Brébeuf. L'**école** Saint-Germain. L'**institut** Armand-Frappier.*

▸ Les noms d'**organismes** publics ou privés, de **sociétés,** d'**institutions.** On emploie généralement la majuscule au premier nom de ces diverses dénominations.

*L'**Assemblée** nationale, l'**Office** québécois de la langue française, le **Centre** national de la recherche scientifique.*

T Pour les noms de ministères, la règle diffère ; en effet, c'est le nom du domaine d'activité spécifique qui s'écrit avec une majuscule, tandis que le nom *ministère* et les adjectifs de la désignation s'écrivent avec des minuscules. *Le ministère de la Culture et des Communications, le ministère de l'Éducation.*

► Les noms d'**évènements historiques.** Seuls le mot caractéristique de la désignation et l'adjectif qui le précède s'écrivent avec une majuscule, alors que le générique s'écrit avec une minuscule.

La bataille des Plaines d'Abraham, la Renaissance, le Moyen Âge.

► Les noms de **fêtes** religieuses et nationales s'écrivent avec une majuscule au mot caractéristique et à l'adjectif qui le précède.

Le jour de l'An, le Nouvel An, le jour des Rois, le Mardi gras, le mercredi des Cendres, le Vendredi saint, Pâques, la Saint-Jean-Baptiste, la fête du Travail, la Toussaint, Noël.

► Les titres d'**ouvrages**, d'**œuvres d'art**, les noms de **journaux**, de **périodiques** prennent une majuscule au premier nom et éventuellement à l'adjectif et au déterminant qui le précèdent.

Le Visuel, *les* Lettres de mon moulin, Le Petit Prince.

M

111

EMPLOI DE LA MAJUSCULE POUR SIGNALER LE DÉBUT D'UNE PHRASE

► **Au premier mot d'une phrase.**

La rencontre aura lieu le 29 mars. D'ici là, précisons nos projets.

► **Après les points d'interrogation, d'exclamation, de suspension** quand ces points terminent effectivement la phrase.

Serez-vous présent ? Veuillez communiquer avec nous…

► **Après un deux-points introduisant :**

– une **citation.** *Et celui-ci de répondre : « L'art d'aimer, je connais. »*

– une **énumération** où les jalons énumératifs sont une lettre ou un numéro de classification suivi d'un point *(1., 2., A., B.),* un numéro d'ordre *(1°, 2°). 1. Introduction 2. Hypothèses…*

EMPLOI DE LA MINUSCULE

► Les **titres** et **dignités.**

L'empereur, le roi, le président, le premier ministre.

► Les noms de **religions.**

Le christianisme, le bouddhisme, le protestantisme, le judaïsme, l'islam.

► Les noms des **mois**, des **jours** de la semaine.

Le mois de mars ; lundi, mardi.

► Les noms de **pays**, ou de **régions, donnés aux produits** qui en sont originaires.

Un champagne, un cheddar, un hollande, un médoc, un oka.

► Les noms de **langues.**

Le français, l'anglais et l'espagnol.

► Les génériques des **noms géographiques**, des **noms de rues**, des **désignations administratives.**

Montagne, lac, océan, mont, avenue, rue, école, collège.

MILLE, DÉTERMINANT NUMÉRAL ET NOM MASCULIN – 1 000

- **Déterminant numéral invariable.** Dix fois cent. *Ils ont recueilli trois **mille** dons.*
- **Nom masculin invariable.** Le nombre mille. *Elle a dessiné des **mille** en chiffres dorés.*
  - ⌨ ***Mille**, déterminant numéral ou nom, est toujours invariable.*
    - T Dans la composition des nombres, le déterminant numéral *mille* n'est pas lié par un trait d'union au chiffre qui le précède ni à celui qui le suit. *Six **mille** deux cent trente-deux.* Par contre, les *Rectifications orthographiques* (1990) admettent l'emploi du trait d'union : « on peut lier par un trait d'union les numéraux formant un nombre complexe, inférieur ou supérieur à cent ».
  - ⌐- Ne pas confondre avec le nom masculin *mille,* mesure de distance valant 1,6 km. *Il a parcouru 15 milles.*
- **Expression numérique.** 1 000 ou 10^3 (notation scientifique).
  - Son symbole est **k** et le préfixe qui multiplie une unité par mille est *kilo-*. *Coût : 18 kilodollars* ou *18 k$*.
    - T L'emploi du préfixe **k** doit être réservé aux tableaux et aux documents techniques où la place est très restreinte. Il n'y a pas d'espace entre le préfixe et le symbole de l'unité monétaire.
- **Écriture des sommes d'argent**
  - Généralement, on utilise l'expression numérique et on remplace le nom de l'unité monétaire par son symbole. Le symbole suit l'expression numérique et en est séparé par un espace. *Cette voiture coûte 18 000 $.*
    - T Si le nombre est écrit en toutes lettres, le symbole de l'unité monétaire ne peut être utilisé, il faut alors écrire le nom de l'unité monétaire au long. *Le prix est de dix-huit **mille** dollars.*

VOIR TABLEAU ▸ SYMBOLES DES UNITÉS MONÉTAIRES.

MILLION, NOM MASCULIN – 1 000 000

- **Nom masculin.** Comme le mot **milliard**, le mot **million** est un nom et il prend donc la marque du pluriel. *Le total est de dix **millions** deux cent vingt mille.*
- **Expression numérique.** 1 000 000 ou 10^6 (notation scientifique).
  - Son symbole est **M** et le préfixe qui multiplie une unité par un million est *méga-*. *Coût : 30 mégadollars* ou *30 M$*.
    - T L'emploi du préfixe **M** doit être réservé aux tableaux et aux documents techniques où la place est très restreinte. Il n'y a pas d'espace entre le préfixe et le symbole de l'unité monétaire.
- **Écriture des sommes d'argent**
  - La somme de 30 000 000 $ peut être notée également 30 millions de dollars parce que le mot *million* n'est pas un déterminant numéral, mais un nom. Si le déterminant numéral et le mot *million* sont écrits en toutes lettres, le nom de l'unité monétaire doit être écrit au long. *Trente **millions** de dollars.*
    - T Le symbole de l'unité monétaire suit l'expression numérique et en est séparé par un espacement.

EN RÉSUMÉ : 30 000 000 $ ou 30 **millions** de dollars ou trente **millions** de dollars.

MILLIARD, NOM MASCULIN – 1 000 000 000

- **Nom masculin.** Comme le mot **million**, le mot **milliard** est un nom et il prend donc la marque du pluriel. *Le total s'élève à trois **milliards**, le nombre est de sept **milliards** cinq cent trente-sept mille.*
- **Expression numérique.** 1 000 000 000 ou 10^9 (notation scientifique).
  - Son symbole est **G** et le préfixe qui multiplie une unité par un milliard est *giga-*. *Coût : 45 gigadollars* ou *45 G$*.
    - T L'emploi du préfixe **G** doit être réservé aux tableaux et aux documents techniques où la place est très restreinte. Il n'y a pas d'espace entre le préfixe et le symbole de l'unité monétaire.
- **Écriture des sommes d'argent**
  - La somme de 45 000 000 000 $ peut être notée également 45 milliards de dollars parce que le mot *milliard* n'est pas un déterminant numéral, mais un nom. Si le déterminant numéral et le mot *milliard* sont écrits en toutes lettres, le nom de l'unité monétaire doit être écrit au long. *Quarante-cinq **milliards** de dollars.*
    - T Le symbole de l'unité monétaire suit l'expression numérique et en est séparé par un espacement.

EN RÉSUMÉ : 45 000 000 000 $ ou 45 **milliards** de dollars ou quarante-cinq **milliards** de dollars.
  - ⌨ Les déterminants numéraux *vingt* et *cent* prennent la marque du pluriel s'ils sont multipliés par un nombre et ne sont pas suivis d'un autre déterminant numéral. Les mots *million* et *milliard* étant des noms, on écrira donc : *Quatre-vingts **millions** d'euros. Trois cents **milliards** d'euros.*
  - ⌨ La marque du pluriel ne s'inscrit qu'à compter de deux unités. *La somme s'élève à 1,5 **million** de dollars, à 1,5 **milliard** de dollars.*

MULTIPLES ET SOUS-MULTIPLES DÉCIMAUX

Les **multiples** et les **sous-multiples** sont formés à l'aide de préfixes qui se joignent sans espace aux unités de mesure.

▸ **Exemples de multiples :**

Le nom *kilogramme* désigne un millier de grammes (1 gramme x 1000).

Le nom *mégawatt* désigne un million de watts (1 watt x 1 000 000).

▸ **Exemples de sous-multiples :**

Le nom *centimètre* désigne un centième de mètre (1 mètre ÷ 100).

Le nom *nanoseconde* désigne un milliardième de seconde (1 seconde ÷ 1 000 000 000).

Les **symboles** de ces préfixes se joignent de la même façon aux symboles des unités de mesure.

Exemples : *3 kg, 1 MW, 2 cm, 4 mg* (sans points).

T̄ Les symboles ne prennent pas la marque du pluriel et s'écrivent sans point abréviatif.

MULTIPLES

PRÉFIXE	SENS	SYMBOLE	NOTATION SCIENTIFIQUE	EXEMPLE
exa- x	1 000 000 000 000 000 000	E	10^{18}	*exaseconde*
péta- x	1 000 000 000 000 000	P	10^{15}	*pétaseconde*
téra- x	1 000 000 000 000	T	10^{12}	*térawatt*
giga- x	1 000 000 000	G	10^{9}	*gigahertz*
méga- x	1 000 000	M	10^{6}	*mégajoule*
kilo- x	1 000	k	10^{3}	*kilogramme*
hecto- x	100	h	10^{2}	*hectolitre*
déca- x	10	da	10^{1}	*décamètre*

SOUS-MULTIPLES

PRÉFIXE	SENS	SYMBOLE	NOTATION SCIENTIFIQUE	EXEMPLE
déci- x	0,1	d	10^{-1}	*décilitre*
centi- x	0,01	c	10^{-2}	*centimètre*
milli- x	0,001	m	10^{-3}	*milligramme*
micro- x	0,000 001	μ	10^{-6}	*microampère*
nano- x	0,000 000 001	n	10^{-9}	*nanoseconde*
pico- x	0,000 000 000 001	p	10^{-12}	*picofarad*
femto- x	0,000 000 000 000 001	f	10^{-15}	*femtogramme*
atto- x	0,000 000 000 000 000 001	a	10^{-18}	*attoseconde*

N

114

Adverbe qui se place devant un verbe pour marquer la négation et qui est généralement accompagné d'un adverbe, d'un pronom ou d'un déterminant qui a également un sens négatif *(pas, plus, jamais, aucun, personne, rien...)*. Elle *ne* part *pas*, il *ne* joue *plus* à la balle, les enfants *n*'ont *rien* mangé.

    L'adverbe *ne* s'élide devant une voyelle ou un *h* muet. Elle *n*'aime pas les tomates, il *n*'habite plus là. Dans la langue parlée ou familière, on omet parfois l'adverbe de négation *ne*. Dans la langue écrite courante ou soutenue, l'emploi de l'adverbe *ne* s'impose.

▸ **Négations composées**

  – *Ne... aucun.* N'y a-t-il *aucun* problème à procéder ainsi?

  – *Ne... jamais.* Martine *ne* critique *jamais* ses amis.

  – *Ne... nul.* Nous *n*'avons *nul* besoin de lui.

  – *Ne... nullement.* Elle *ne* s'est *nullement* inquiétée.

  – *Ne... pas.* Les enfants *ne* jouent *pas* dehors, car il pleut.

  – *Ne... personne.* Nous *n*'avons vu *personne* dans la forêt.

  – *Ne... plus.* André *ne* fume *plus*. Depuis quand *ne* fume-t-il *plus*?

  – *Ne... point.* Il *ne* dort *point* et rêve à sa belle amie.

      Cette négation composée est littéraire ou vieillie.

  – *Ne... rien.* Sandra *n*'a *rien* acheté, elle a été très raisonnable.

▸ **Négation simple**

Ne, employé seul

– Dans certains proverbes, dans certaines expressions toutes faites. Qui *ne* dit mot consent. Qu'à cela *ne* tienne.

– Avec les verbes *savoir, cesser, oser, pouvoir, avoir,* suivis de *que* interrogatif et d'un infinitif ou d'une phrase infinitive. Il *ne* sait *que* dire. Elle *n*'a *que* faire de ses conseils.

Une phrase qui contient une négation simple ou une négation composée est une **PHRASE NÉGATIVE.**

VOIR TABLEAU ▸ PHRASE (TYPES ET FORMES DE LA).

▸ **Le *ne* explétif**

Il ne faut pas confondre l'adverbe de négation avec le *ne* explétif qui ne joue aucun rôle grammatical et qui peut souvent être supprimé sans compromettre le sens de la phrase. Il n'est pas utilisé dans la langue courante ; on ne le retrouve que dans les textes de niveau soutenu.

Emplois du *ne* explétif

– Après les verbes exprimant le doute, la crainte, la négation : *avoir peur, craindre, douter, empêcher, éviter, mettre en doute, nier, prendre garde, redouter.*

    À la forme affirmative, on emploie *ne* lorsqu'on redoute de voir se produire un évènement. Je crains qu'il *ne* pleuve. Si l'on redoute qu'un évènement ne se produise pas, on emploie *ne... pas*. Je crains qu'elle *ne* puisse *pas* arriver à temps. À la forme négative, on n'emploie pas le *ne* explétif. Je *ne* crains *pas* qu'il vienne.

– Après les expressions comparatives : *autre que, autrement que, meilleur que, mieux que, moins que, pire que, plus que...* Il est plus âgé que tu *ne* l'es.

– Après les expressions : *de crainte que, de peur que, à moins que...* Nous viendrons à moins qu'il *ne* neige.

$\mathbb{N}$

NI, CONJONCTION DE COORDINATION (OU COORDONNANT)

Conjonction de coordination à valeur négative, elle est l'équivalent de la conjonction *et* de la phrase affirmative et sert à lier des adjectifs, des noms, des pronoms ou des phrases.

- La conjonction marque l'**union entre deux éléments** de même fonction dans une **phrase négative**.
  *Il n'est pas aimable **ni** même poli. Elles ont fait du ski sans bonnet **ni** gants. Elle ne chante **ni** ne danse.*

- La conjonction **joint** plusieurs mots **sujets** ou **compléments** d'un **verbe à la forme négative**.
  ***Ni** les filles **ni** les garçons ne sont d'accord. Il n'aime **ni** les navets **ni** les carottes.*

↝ La construction *ni... ni...* s'emploie avec la négation simple *ne*.

▸ **Locution**

– *Ni l'un ni l'autre,* locution pronominale indéfinie (ou pronom composé). Aucun des deux. *Ni l'un ni l'autre ne viendra.*

🔲 L'accord du verbe peut se faire au singulier ou au pluriel. *Ni l'un ni l'autre n'est arrivé* ou *ne sont arrivés*. Si le verbe précède le pronom composé, il s'écrit obligatoirement au pluriel parce qu'il s'accorde avec son sujet, selon la règle habituelle.
Ils ne sont arrivés ni l'un ni l'autre.

Ⓣ On ne met généralement pas de virgule entre les éléments de la négation.

NON, ADVERBE DE NÉGATION

▸ **Emplois**

Dans une **réponse négative**. *Serez-vous présent ? **Non**.*

Au début d'une **phrase négative**. ***Non**, je ne pourrai être là.*

Avec un groupe du **nom**. *C'est une pomme que j'aimerais, **non** une poire.*

Avec un **adjectif**, un **participe**. *Des produits **non** conformes aux normes.*

Avec un **pronom**. *Vous êtes invités, mais **non** eux.*

Avec un **infinitif** ou **une phrase infinitive**. *Ils veulent manger et **non** boire.*

Comme **préfixe** d'un nom. *La **non**-ingérence.*

🔲 Les noms composés avec l'élément *non* s'écrivent avec un trait d'union.

▸ **Locutions**

– ***Non plus.*** Pas davantage. *Tu n'as pas aimé ce film. Moi **non plus**.*

– ***Non seulement... mais (encore).*** *Il est **non seulement** habile **mais** très expérimenté.*

NON, NOM MASCULIN INVARIABLE

Expression du refus. *Opposer un **non**.*

N

116

Mot nouveau ou sens nouveau accordé à un mot existant.

🞂 Généralement, on crée un néologisme quand la langue ne dispose pas déjà d'un mot pour nommer une réalité nouvelle. La néologie illustre la créativité d'une langue qui invente un mot pour nommer une nouveauté plutôt que d'emprunter un terme à une autre langue.

▸ **Exemples de néologismes**

BALADODIFFUSION n. f.
(INFORM.) Mode de diffusion qui permet aux internautes d'automatiser le téléchargement de contenus radiophoniques, audio ou vidéo, destinés à être transférés sur un baladeur numérique pour une écoute ou un visionnement ultérieurs (GDT).

🞂 Le terme *baladodiffusion* a été proposé en 2004 par l'Office québécois de la langue française sur le modèle de *radiodiffusion, télédiffusion* pour traduire les termes *podcasting, *iPodcasting.

COURRIEL n. m.
1. Courrier dont l'acheminement se fait exclusivement par l'utilisation de systèmes électroniques reliés entre eux. (Recomm. off.) *Un fichier envoyé par courriel* (et non *e-mail).
2. Message transmis par courrier électronique. *Tu as reçu plusieurs courriels* (et non *mails).

DELTISTE n. m. et f.
Adepte du vol libre en deltaplane. *Deux pas d'élan, et le deltiste disparaît en contrebas, avant de réapparaître : rapide, l'engin file conquérir l'air des cimes, pour quelques minutes de plaisir, de solitude et de liberté totale.*

DOCUFICTION n. m.
Documentaire basé sur des faits irréels ayant pour but de produire, par l'étonnement, des effets divertissants (GDT). *Le téléfilm frôle parfois le docufiction, s'offrant des incursions dans le réel.*

ÉCOCITOYENNETÉ n. f.
Comportement individuel ou collectif responsable à l'égard de l'environnement. *Des écologistes assurent un enseignement centré sur la nature afin de semer les germes de l'écocitoyenneté de demain.*

▸ **Formation de néologismes à l'aide de racines grecques ou latines**

Les néologismes scientifiques sont souvent créés à l'aide de préfixes, de suffixes d'origine grecque ou latine dont le sens est connu. Ainsi, dans le domaine médical, le néologisme *cardiostimulateur*, qui désigne une prothèse destinée à provoquer la contraction du cœur, est composé de *cardio-*, élément du grec signifiant «cœur», et du nom *stimulateur*, dérivé de *stimuler* du latin *stimulare* «aiguillonner, stimuler». Ce néologisme présente le double avantage d'éviter un emprunt au terme anglais *pacemaker* et d'être plus concis que le terme *stimulateur cardiaque*, employé comme synonyme.

VOIR TABLEAUX ▸ PRÉFIXE. ▸ SUFFIXE.

▸ **Formation de néologismes par dérivation**

PRÉFIXATION
• **Préfixe** + radical
  – Préfixe *co-* «avec» + radical *parentalité* = *coparentalité* «exercice conjoint des responsabilités des parents à l'égard de l'enfant».
  – Préfixe *cyclo-* «cercle» + radical *tourisme* = *cyclotourisme* «tourisme à bicyclette».
  – Préfixe *multi-* signifiant «plusieurs» + radical *culturel* = *multiculturel* «où coexistent plusieurs cultures».

  🞂 La préfixation modifie le sens du mot.

SUFFIXATION
• Radical + **suffixe**
  – *Cervol(ant)* + suffixe *-iste* servant à la formation d'un nom, d'un adjectif = *cervoliste* «amateur de cerf-volants».
  – *Compost* + suffixe *-able* «être susceptible de» = *compostable* «qui peut être composté, décomposé».
  – *Convivial* + suffixe *-iser* servant à la formation d'un verbe = *convivialiser* «rendre convivial».
  – *Kayak* engendre *kayakisme ;*
  – *Logistique* engendre *logisticien, logisticienne ;*
  – *Pilule* engendre *pilulier.*

▸ **Formation de néologismes par composition**

• Juxtaposition de mots pour composer un nouveau terme.

Commerce équitable, développement durable, empreinte écologique, réchauffement climatique.

N

117

🖙 Les éléments peuvent être soudés (*clavardage*, télescopage des noms *clavier* et *bavardage*), joints par un trait d'union *(copier-coller)* ou disjoints *(bâtiment vert)*.

▸ **Formation de néologismes à l'aide d'acronymes ou de sigles**

Certains néologismes proviennent des initiales de plusieurs mots juxtaposés qui composent un terme, une désignation.

• Le terme *FAQ* est l'acronyme de *foire aux questions*.

• Le nom *ONG* est le sigle de la désignation *organisation non gouvernementale*.

• Le québécisme *cégep* est l'acronyme de **collège d'enseignement général et professionnel**.

🖙 Ce terme a été créé en 1965.

• Le nom *sida* est l'acronyme de **syndrome d'immuno-déficience acquise**.

🖙 Ce terme a été créé en 1982.

VOIR TABLEAU ▸ NOMS COMPOSÉS.

▸ **Autres exemples de néologismes**

AGROCHIMIE n. f.
Ensemble des produits de l'industrie chimique destinés à l'agriculture (fertilisants, pesticides, etc.).

AGRO-INDUSTRIE n. f.
Ensemble des industries qui concernent l'agriculture (agrochimie, agroalimentaire, etc.).

ANGIOGRAPHIE n. f.
(MÉD.) Radiographie des vaisseaux. *L'angiographie permet notamment de détecter des sténoses artérielles.*

ANTIVIRUS adj. et n. m.
ADJECTIF
Un logiciel antivirus.
NOM MASCULIN
(INFORM.) Logiciel de sécurité qui procède, automatiquement ou sur demande, à l'analyse des fichiers et de la mémoire d'un ordinateur, soit pour empêcher toute introduction parasite, soit pour détecter et éradiquer tout virus dans un système informatique. (Recomm. off.) *Des antivirus efficaces.*

AUTOGREFFE n. f.
(MÉD.) Greffe faite à l'aide d'un greffon qui provient du sujet lui-même. SYN. greffe autologue.

BIODIVERSITÉ n. f.
Diversité des espèces vivantes d'un milieu. *Il importe de préserver la biodiversité végétale et animale.*

BIOÉTHIQUE adj. et n. f.
ADJECTIF
Qui concerne l'éthique de la médecine et de la recherche médicale. *Des questions bioéthiques.*
NOM FÉMININ
Discipline qui étudie les problèmes moraux posés par la médecine et la recherche médicale. *Le clonage soulève de graves problèmes de bioéthique.*

CANYONING n. m.
Sport combinant la descente d'un cours d'eau au fond d'une gorge profonde et l'escalade des parois abruptes qui l'enserrent. *Étienne a fait du canyoning dans les gorges du Verdon.*

CLAVARDAGE n. m.
(INFORM.) Activité permettant à un internaute d'avoir une conversation écrite interactive et en temps réel avec d'autres internautes, par clavier interposé (GDT). *Des sessions de clavardage* (et non de *chat). SYN. bavardage.

CLIC interj. et n. m.
INTERJECTION
Onomatopée indiquant le claquement sec d'un déclic. *Clic! le classeur est verrouillé!*
🅣 L'interjection est toujours suivie d'un point d'exclamation qui est souvent repris à la fin de la phrase. Si la phrase exclamative n'est pas complète, le mot qui suit le point d'exclamation s'écrit avec une minuscule initiale.
NOM MASCULIN
(INFORM.) Pression exercée avec le doigt sur la souris d'un ordinateur en vue de sélectionner une fonction, un élément.
LOCUTION
– *Clic droit.* (INFORM.) Pression exercée brièvement une fois sur la partie droite de la souris. *Dans certains logiciels, le clic droit permet d'ouvrir un menu contextuel.*

DÉBOGAGE n. m.
(INFORM.) Recherche et élimination des erreurs d'un logiciel ou d'un matériel. *Le débogage d'un nouveau progiciel de gestion de la production.*

NOM

Mot servant à nommer une entité (personne, animal, chose).

Accompagnés d'un déterminant, tous les mots de la langue peuvent devenir des noms si leur fonction est de désigner une entité:

- Un nom commun........ *Une pêche.*
- Un nom propre........... *Un camembert.*
- Un verbe .... *Le baiser.*
- Un adjectif .... *Le beau.*
- Un pronom .... *Le moi.*

- Un adverbe ....*Les alentours.*
- Une préposition.......*Le pour et le contre.*
- Une conjonction.......*Des si et des mais.*
- Un acronyme..........*Un laser.*
- Une expression........*Un maître à penser.*

Le nom est le noyau du groupe nominal; il est un donneur d'accord, c'est-à-dire que son genre et son nombre vont déterminer l'accord d'autres mots de la phrase tels le déterminant, l'adjectif, le verbe et son participe passé.

FONCTIONS DU GROUPE NOMINAL

- Sujet de la phrase. *Le chien jappe.*
- Attribut du sujet. *Elle est ministre.*
- Attribut du complément du verbe. *On a nommé mon frère président.*
- Complément direct du verbe. *Il mange le gâteau.*
- Complément de la préposition. *Annie pense à ses vacances.*
- Complément du nom. *Le style Renaissance.*
- Complément de la phrase. *Les enfants seront de retour ce soir.*

GENRE DU NOM

- Le **masculin**. *Un bûcheron, un chien, un tracteur, le courage.*
- Le **féminin**. *Une avocate, une lionne, une voiture, la candeur.*
  - Certains noms ont un double genre qui correspond à une distinction de sens. *Un pendule* «balancier», *une pendule* «appareil qui indique l'heure». *Un tour* «mouvement circulaire», *une tour* «construction en hauteur».

VOIR TABLEAU ► GENRE.

NOMBRE DU NOM

- Le nombre des noms est la propriété d'indiquer l'unicité ou la pluralité.
  - Le nom au **singulier** désigne un seul être, un seul objet. *Un adolescent, une rose, un patin à lame.*
  - Le nom au **pluriel** désigne plusieurs êtres ou plusieurs objets. *Des touristes, des lilas, des groupes, un patin à roulettes.*
  - Certains noms ont un double nombre qui correspond à une distinction de sens. *Une vacance* «état d'un poste sans titulaire», *des vacances* «période de congé». *Un échec* «insuccès», *les échecs* «jeu».

VOIR TABLEAU ► PLURIEL DES NOMS.

FORME DU NOM

Noms simples et noms composés

- Les **noms simples** sont formés d'un seul mot. *Feuille, boulevard.*
- Les **noms composés** sont formés de plusieurs mots. *Rouge-gorge, arc-en-ciel, hôtel de ville.*

VOIR TABLEAU ► NOMS COMPOSÉS.

ESPÈCES DE NOMS

1. Noms communs et noms propres

- Les **noms communs** désignent une personne, un animal, une chose concrète ou abstraite qui appartient à une espèce. *Un jardinier, un chat, un arbre, la tendresse.*
- Les **noms propres** ne peuvent désigner qu'un seul être, qu'un seul groupe d'êtres, qu'un seul objet ; ils s'écrivent toujours avec une majuscule initiale, car ils rendent individuel l'être ou l'objet qu'ils nomment. *Fanny, le Pacifique.*

Les noms propres comprennent :

- – Les **noms de personnes** (prénom, nom de famille, surnom). *Étienne, Laforêt, le pirate Maboule, Molière* (surnom de Jean-Baptiste Poquelin).
- – Les **noms de peuples.** *Les Québécois et les Français parlent français. La cuisine italienne.*
  - T Les noms de peuples s'écrivent avec une majuscule, mais les adjectifs correspondants et les noms qui désignent une langue s'écrivent avec une minuscule.
- – Les **noms géographiques ou historiques.** *Le Canada, le mont Tremblant, la Renaissance.*
  - VOIR TABLEAU ► GÉOGRAPHIQUES (NOMS).
- – Les **noms d'astres** *et de constellations.* *Le Soleil, Mercure, la Grande Ourse.*
- – Les **noms d'œuvres.** *À la recherche du temps perdu* (Marcel Proust), *La Dolce Vita* (Fellini), *La Montagne Sainte-Victoire* (Paul Cézanne), *Starmania* (Luc Plamondon).
- – Les **dénominations.** *L'avenue des Érables, l'École des HEC, le ministère de la Culture, le collège Brébeuf.*

VOIR TABLEAU ► MAJUSCULES ET MINUSCULES.

2. Noms d'êtres animés et noms d'êtres non animés

- Les **noms d'êtres animés** désignent des personnes et des animaux.
  Architecte, agriculteur/agricultrice, Jean-Baptiste, hirondelle.
- Les **noms d'êtres non animés** désignent des choses.
  Maison, prairie, tempête, soleil, espoir.

3. Noms abstraits et noms concrets

- Les **noms abstraits** désignent des qualités, des états, des actions, des propriétés.
  Franchise, ébullition, détermination, recherche, élasticité.
- Les **noms concrets** désignent des choses, des êtres réels que l'on peut percevoir par les sens.
  Fougère, abeille, bicyclette, route, école.

4. Noms comptables et noms non comptables

- Les **noms comptables** désignent des êtres ou des choses que l'on peut compter.
  Tableau, banc, projet, fourmi, ordinateur.
- Les **noms non comptables** désignent des choses que l'on ne peut pas compter.
  Admiration, folie, eau, sel, atmosphère.

5. Noms individuels et noms collectifs

- Les **noms individuels** sont propres à un être, à un objet, mais ils peuvent se mettre au pluriel.
  Un enfant, une table, des chats.
- Les **noms collectifs** désignent un ensemble d'êtres ou d'objets.
  Foule, groupe, multitude.
  - Après un collectif précédé d'un déterminant indéfini (*un, une*) et suivi d'un complément au pluriel, le verbe se met au singulier ou au pluriel suivant l'intention de l'auteur, qui veut insister sur l'ensemble ou la pluralité. *Une majorité d'élèves a (ou ont) réussi l'examen.*

VOIR TABLEAU ► COLLECTIF.

N

120

➤ **En chiffres**

Dans la langue courante ainsi que dans les textes techniques, scientifiques, financiers ou administratifs, on recourt généralement aux chiffres arabes pour noter les nombres.

La fête aura lieu à 15 h 30. La distance entre Montréal et Québec est de 253 km.

VOIR TABLEAUX ➤ CHIFFRES ARABES. ➤ CHIFFRES ROMAINS.

➤ **En lettres**

Cependant, dans les textes de nature poétique ou littéraire, dans certains documents à portée juridique où l'on désire éviter toute fraude ou toute modification, les nombres s'écrivent parfois en lettres.

Ex. : Sur un chèque, la somme d'argent est écrite :

– en chiffres arabes suivis du symbole de l'unité monétaire. *25 $.*

– puis en toutes lettres. *Vingt-cinq dollars.*

➤ **Principaux cas d'emploi des nombres en lettres**

• Les nombres exprimant une **durée** : âge, nombre d'années, de mois, de jours, d'heures, de minutes, de secondes.

   La traversée est de sept heures. Il a quinze ans et demi.

• Les **fractions d'heure** suivant les mots **midi** ou **minuit**.

   Midi et quart, midi quarante-cinq, minuit et demi.

   T Si l'heure est notée en chiffres, les fractions d'heure ne peuvent être écrites en lettres. *Il viendra à 12 h 45.*

• Les **nombres de un à neuf** inclusivement.

   La collection comprenait sept ouvrages en 1995.

   T À compter de 10, on écrit généralement les nombres en chiffres. *La collection comporte 13 titres.* Si la même phrase réunit un nombre inférieur à 10 et le nombre 10 ou un nombre supérieur à 10, il est d'usage en typographie de noter les deux nombres en chiffres. *En 1995, la collection totalisait 7 publications et elle en compte 20 en 2002.*

• **En début de phrase**, le nombre s'écrit toujours en lettres.

   Quatorze chercheurs ont recueilli des données dans huit pays.

• Les expressions numérales des **actes juridiques, notariés**.

   Pour la somme de vingt-cinq mille dollars (25 000 $).

   T Dans les documents à portée juridique, les nombres sont d'abord écrits en toutes lettres, puis notés en chiffres, entre parenthèses. En dehors du contexte juridique, on évitera de recourir à ce procédé.

• Les nombres employés comme **noms**.

   Miser sur le neuf de cœur, voyager en première, manger les trois quarts d'une tarte, passer un mauvais quart d'heure.

• Les nombres qui font partie de **noms composés**.

   Le boulevard des Quatre-Bourgeois, la ville de Trois-Rivières, un deux-mâts, un deux-points.

➤ **Accord des déterminants numéraux**

• Les **déterminants numéraux** déterminent les êtres ou les choses par leur NOMBRE.

   Ces déterminants sont invariables, à l'exception de :

   – **un,** qui peut se mettre au féminin.

      Trente et une pommes.

   – **vingt** et **cent,** qui prennent la marque du pluriel s'ils sont multipliés par un nombre et s'ils ne sont pas suivis d'un autre adjectif numéral.

      Quatre-vingts, trois cents, quatre-vingt-huit, trois cent deux, cent vingt.

   ⊞ Alors que le mot *mille* est un déterminant numéral invariable, les mots *millier, million, milliard, billion, trillion...* sont des noms qui, tout à fait normalement, prennent la marque du pluriel. *Des milliers de personnes, trois millions, deux milliards.*

NOMBRES | SUITE >

• Les **adjectifs ordinaux** déterminent les êtres ou les choses par leur ORDRE.

Les adjectifs ordinaux sont formés du déterminant numéral auquel on ajoute la terminaison *ième* (à l'exception de *premier* et de *dernier*) ; ils prennent tous la marque du pluriel.

Les troisièmes pages, les quinzièmes places, les dernières notes.

T Pour les abréviations des ordinaux, VOIR TABLEAU ▸ NUMÉRAL ET ADJECTIF ORDINAL (DÉTERMINANT).

▸ **Avec ou sans trait d'union**

Dans les déterminants numéraux, selon la règle classique, le trait d'union s'emploie seulement entre les éléments qui sont l'un et l'autre inférieurs à cent, sauf s'ils sont joints par la conjonction *et*.

Dix-sept, trente-cinq, quatre-vingt-quatre, vingt et un, cent dix, deux cent trente-deux.

⇥ Selon les *Rectifications orthographiques* (1990), « on peut lier par un trait d'union les numéraux formant un nombre complexe, inférieur ou supérieur à *cent* ».

▸ **Les nombres en toutes lettres**

un 1	vingt-neuf 29	quatre-vingt-un 81
deux 2	trente 30	quatre-vingt-deux 82
trois 3	trente et un 31	...
quatre 4	trente-deux 32	quatre-vingt-dix 90
cinq 5	...	quatre-vingt-onze 91
six 6	quarante 40	...
sept 7	quarante et un 41	quatre-vingt-dix-sept 97
huit 8	quarante-deux 42	quatre-vingt-dix-huit 98
neuf 9	...	quatre-vingt-dix-neuf 99
dix 10	cinquante 50	cent 100
onze 11	cinquante et un 51	cent un 101
douze 12	cinquante-deux 52	cent deux 102
treize 13	...	...
quatorze 14	soixante 60	cent vingt 120
quinze 15	soixante et un 61	...
seize 16	soixante-deux 62	deux cents 200
dix-sept 17	...	deux cent un 201
dix-huit 18	soixante-dix 70	...
dix-neuf 19	soixante et onze 71	neuf cent quatre-vingt-dix-neuf 999
vingt 20	soixante-douze 72	mille 1 000
vingt et un 21	soixante-treize 73	mille un 1 001
vingt-deux 22	soixante-quatorze 74	...
vingt-trois 23	soixante-quinze 75	dix mille 10 000
vingt-quatre 24	soixante-seize 76	dix mille un 10 001
vingt-cinq 25	soixante-dix-sept 77	...
vingt-six 26	soixante-dix-huit 78	cent mille 100 000
vingt-sept 27	soixante-dix-neuf 79	deux millions 2 000 000
vingt-huit 28	quatre-vingts 80	trois milliards 3 000 000 000

▸ **Les fractions**

Une fraction est composée d'un numérateur et d'un dénominateur. Le numérateur est un déterminant numéral qui suit la règle d'accord de ces adjectifs, tandis que le dénominateur est un nom qui prend donc la marque du pluriel.

Nous avons terminé les quatre cinquièmes de ce travail.

*Dans la fraction **huit trente-cinquièmes (8/35)**, le **numérateur** est 8, le **dénominateur**, 35.*

T On ne met pas de trait d'union entre le numérateur et le dénominateur ; en revanche, le numérateur ou le dénominateur s'écrivent avec un trait d'union, s'il y a lieu.

Vingt-huit millièmes (28/1000).

Trente cinquante-septièmes (30/57).

ÉCRITURE DES GRANDS NOMBRES

CHIFFRES	LETTRES	NOTATION SCIEN-TIFIQUE	EXEMPLES
1 000	mille	10^3	*Cette maison vaut trois cent cinquante **mille** dollars.*
1 000 000	un million	10^6	*L'immeuble est évalué à trois **millions** de dollars.*
1 000 000 000	un milliard	10^9	*Ce gouvernement dépense près de trois **milliards** de dollars par année.*
1 000 000 000 000	un billion	10^{12}	*Une année-lumière représente une distance d'environ dix **billions** de kilomètres.*
1 000 000 000 000 000 000	un trillion	10^{18}	*Le volume du Soleil est d'environ un **trillion** et demi de kilomètres cubes.*
1 000 000 000 000 000 000 000 000	un quatrillion ou un quadrillion	10^{24}	*Le Sahara compte sûrement plusieurs **quatrillions** de grains de sable.*
1 000 000 000 000 000 000 000 000 000 000	un quintillion	10^{30}	*Un **quintillion** de particules.*

► **Représentation chiffrée de quatre quintillions**

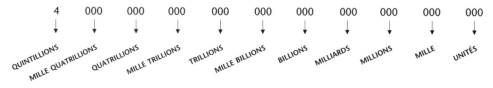

4   000   000   000   000   000   000   000   000   000   000

QUINTILLIONS · MILLE QUATRILLIONS · QUATRILLIONS · MILLE TRILLIONS · TRILLIONS · MILLE BILLIONS · BILLIONS · MILLIARDS · MILLIONS · MILLE · UNITÉS

☞ Ne pas confondre le nom français *billion* qui représente un million de millions ou un millier de milliards (10^{12}) avec le nom américain « *billion* » employé aux États-Unis ainsi qu'au Canada anglais et dont l'équivalent français est *milliard* (10^9), ni le nom français *trillion* qui représente un billion de millions (10^{18}), avec le nom américain « *trillion* » qui égale un billion de mille (10^{12}).

Système international	Système américain
DONNÉES DE BASE : MILLION 10^6	DONNÉES DE BASE : MILLE 10^3
un million . . . . .un **million** 10^6	un million. . . . . mille mille 10^6
un milliard . . . . .mille **millions** 10^9	un billion. . . . . .un million de milliers 10^9
un billion. . . . . .un million de **millions** 10^{12}	un trillion . . . . .un billion de milliers 10^{12}
un trillion. . . . . .un billion de **millions** 10^{18}	un quatrillion . . . . . . .un trillion de milliers 10^{15}
un quatrillion. . . . . . . .un trillion de **millions** 10^{24}	

☞ Les noms français *milliard, billion, trillion, quatrillion...* du Système international sont des multiples de *million* (10^6), tandis que les noms *million, billion, trillion, quatrillion...* du système américain sont des multiples de *mille* (10^3).

VOIR TABLEAUX ► MULTIPLES ET SOUS-MULTIPLES DÉCIMAUX. ► SYMBOLE. ► SYMBOLES DES UNITÉS MONÉTAIRES.

NOMS COMPOSÉS

Les noms composés sont des mots formés de plusieurs éléments qui, ensemble, ont une nouvelle signification.

MODE DE FORMATION

– Association de plusieurs mots. *Taille-crayon, va-et-vient, pomme de terre.*
– Juxtaposition de mots simples et de préfixes. *Antigel, micro-ordinateur.*

ORTHOGRAPHE

1. En un seul mot. *Paratonnerre, bonheur, madame, motoneige.*
2. Sans trait d'union. *Robe de chambre, chemin de fer.*
3. Avec un ou des traits d'union. *Savoir-faire, garde-chasse, arc-en-ciel.*

ÉLÉMENTS COMPOSANTS

▸ **Nom + nom.** *Oiseau-mouche, papier pelure, porte-fenêtre, wagon-restaurant.*
▸ **Nom + adjectif.** *Amour-propre, château fort, chaise longue.*
▸ **Adjectif + nom.** *Grand-père, premier ministre, rond-point.*
▸ **Nom + préposition + nom.** *Arc-en-ciel, chef-d'œuvre, hôtel de ville.*
▸ **Nom + préposition + infinitif.** *Poêle à frire, salle à manger, album à colorier.*
▸ **Préposition + nom.** *En-tête, pourboire, survêtement.*
▸ **Adverbe + nom.** *Avant-garde, arrière-pensée, bien-être.*
▸ **Déterminant numéral + nom.** *Deux-chevaux, trois-mâts.*
▸ **Verbe + nom.** *Aide-mémoire, passeport, taille-crayon, tire-bouchon.*
▸ **Verbe + verbe.** *Savoir-vivre, laissez-passer, va-et-vient.*
▸ **Verbe + adverbe.** *Couche-tard, passe-partout.*
▸ **Phrase.** Un *je-ne-sais-quoi,* le *qu'en-dira-t-on,* un *cessez-le-feu.*

LE PLURIEL DES NOMS COMPOSÉS

1. Noms composés **écrits en un seul mot.** Ils prennent la marque du pluriel comme les mots simples.
    Des paratonnerres, des passeports.
    🔲 Font exception les noms **bonhomme, madame, mademoiselle, monsieur, gentilhomme** qui font au pluriel **bonshommes, mesdames, mesdemoiselles, messieurs, gentilshommes.**

2. Noms composés **de deux noms.** Ils prennent généralement la marque du pluriel aux deux éléments.
    Des aides-comptables, des portes-fenêtres, des oiseaux-mouches.

3. Noms composés **d'un nom et d'un groupe prépositionnel.** Le premier nom seulement prend la marque du pluriel.
    Des chefs-d'œuvre, des poêles à frire, des arcs-en-ciel.

4. Noms composés **d'un nom et d'un adjectif.** Ils prennent tous deux la marque du pluriel.
    Des premiers ministres, des hauts-fonds, des amours-propres, des châteaux forts.

5. Noms composés **d'un nom et d'un mot invariable** (préposition ou adverbe). Le nom seulement prend la marque du pluriel.
    Des en-têtes, des contre-coups, des avant-gardes, des sans-abris.

NOMS COMPOSÉS | SUITE >

N

124

6. Noms composés **d'un verbe et de son complément.** Le verbe reste invariable et le nom complément prend la marque du pluriel ou non, selon le sens.

Un porte-bagage, des porte-bagages, un tire-bouchon, des tire-bouchons, un taille-crayon, des taille-crayons.

▭ Les *Rectifications orthographiques* (1990) font abstraction du sens et proposent la règle suivante : « les noms composés d'un verbe et d'un nom suivent la règle des mots simples et prennent la marque du pluriel seulement quand ils sont au pluriel. Cette marque est portée sur le second élément. Exemples : *un pèse-lettre, des pèse-lettres ; un cure-dent, des cure-dents ; un perce-neige, des perce-neiges ; un abat-jour, des abat-jours.* »

▭ Selon la règle traditionnelle, le verbe reste invariable et le nom complément prend la marque du pluriel ou non, selon le sens. *Un aide-mémoire, des aide-mémoire.* Les deux types d'accord sont admis.

7. Noms composés avec le mot *garde-*.

– S'il est un nom, le mot *garde-* prend la marque du pluriel. *Des gardes-pêche, des gardes-chasse.*
– S'il est un verbe, le mot *garde-* reste invariable. *Des garde-boue, des garde-fous.*

8. Noms composés **de deux verbes, de phrases.** Ces noms sont invariables.

Des savoir-faire, des laissez-passer, des va-et-vient, des je-ne-sais-quoi, des qu'en-dira-t-on.

CERTAINS NOMS COMPOSÉS ONT UN DOUBLE PLURIEL, DONT :

ABAISSE-LANGUE n. m. (pl. *abaisse-langue* ou *abaisse-langues*)

ABAT-VENT n. m. (pl. *abat-vent* ou *abat-vents*)

ACCROCHE-CŒUR n. m. (pl. *accroche-cœur* ou *accroche-cœurs*)

AMUSE-GUEULE n. m. (pl. *amuse-gueule* ou *amuse-gueules*)

BRISE-JET n. m. (pl. *brise-jet* ou *brise-jets*)

BRÛLE-GUEULE n. m. (pl. *brûle-gueule* ou *brûle-gueules*)

CACHE-CŒUR n. m. (pl. *cache-cœur* ou *cache-cœurs*)

CACHE-COL n. m. (pl. *cache-col* ou *cache-cols*)

CACHE-ENTRÉE n. m. (pl. *cache-entrée* ou *cache-entrées*)

CACHE-FLAMME n. m. (pl. *cache-flamme* ou *cache-flammes*)

CACHE-PRISE n. m. (pl. *cache-prise* ou *cache-prises*)

CASSE-TÊTE n. m. (pl. *casse-tête* ou *casse-têtes*)

COUPE-GORGE n. m. (pl. *coupe-gorge* ou *coupe-gorges*)

COUPE-PAPIER n. m. (pl. *coupe-papier* ou *coupe-papiers*)

COUPE-VENT n. m. (pl. *coupe-vent* ou *coupe-vents*)

CRÈVE-CŒUR n. m. (pl. *crève-cœur* ou *crève-cœurs*)

GARDE-FEU n. m. (pl. *garde-feu* ou *garde-feux*)

PERCE-NEIGE n. m. ou f. (pl. *perce-neige* ou *perce-neiges*)

RINCE-BOUCHE n. m. (pl. *rince-bouche* ou *rince-bouches*)

STATION-SERVICE n. f. (pl. *stations-service* ou *stations-services*)

TROUBLE-FÊTE n. m. et f. (pl. *trouble-fête* ou *trouble-fêtes*)

DÉTERMINANT **NUMÉRAL ET ADJECTIF ORDINAL**

DÉTERMINANT NUMÉRAL

Le déterminant numéral indique le nombre précis des êtres ou des objets dont on parle ou précise l'ordre de ces êtres, de ces objets.

▸ Certains déterminants numéraux sont **simples**.

Sept, douze, mille.

▸ Certains déterminants numéraux sont **composés**.

Trente-deux (30 + 2). Quatre-vingts (4 x 20). Trois cents (3 x 100).

⊤ Dans les déterminants numéraux composés, selon la règle classique, le trait d'union s'emploie seulement entre les éléments qui sont l'un et l'autre inférieurs à cent et quand ces éléments ne sont pas joints par la conjonction *et. Trente-huit, quatre-vingt-quatre, vingt et un, cent dix, deux cent trente-deux.* Selon les *Rectifications orthographiques* (1990), « on peut lier par un trait d'union les numéraux formant un nombre complexe, inférieur ou supérieur à *cent*».

▸ Les **déterminants numéraux** sont **invariables**, à l'exception de :

– *Un,* qui peut se mettre au féminin.

Vingt et une écolières.

VOIR TABLEAU ▸ UN.

– *Vingt* et *cent,* qui prennent la marque du pluriel s'ils sont multipliés par un nombre et s'ils ne sont pas suivis d'un autre déterminant numéral.

Six cents crayons, trois cent vingt règles, quatre-vingts feuilles, quatre-vingt-huit stylos.

▸ **Le déterminant numéral et les fractions**

Une fraction est composée d'un numérateur et d'un dénominateur. Le numérateur est un déterminant numéral qui suit la règle d'accord de ces adjectifs, tandis que le dénominateur est un nom qui prend la marque du pluriel.

Les quatre cinquièmes (4/5). Les vingt-huit millièmes (28/1000). Les trente cinquante-septièmes (30/57).

ADJECTIF ORDINAL

L'adjectif ordinal classe les êtres ou les choses par leur ordre : il indique le rang dans une série.

Les adjectifs ordinaux sont des adjectifs classifiants qui prennent le genre et le nombre du nom qu'ils accompagnent. Ils sont formés du déterminant numéral auquel on ajoute la terminaison *ième* (à l'exception de *premier* et de *dernier*).

Les troisièmes (3es) pages, les huitièmes (8es) pages, mais *les premières (1res) pages.*

▥ Les adjectifs ordinaux et les abréviations des adjectifs ordinaux prennent la marque du pluriel.
Les trentièmes Jeux olympiques, les 30es Jeux olympiques.

☞ Pour la formation de l'adjectif ordinal, les déterminants numéraux qui se terminent par un *e* muet perdent cette lettre finale (*quatrième, onzième, trentième*) ; on ajoute un *u* à la fin de *cinq* (*cinquième*) et le *f* de *neuf* est remplacé par un *v* (*neuvième*).

▸ **Abréviations courantes**

Premier **1er**, première **1re**, deuxième **2e**, troisième **3e**, quatrième **4e** et ainsi de suite **100e, 500e, 1 000e**. Philippe **Ier, 1re** année, **6e** étage.

☞ Les autres manières d'abréger ne doivent pas être retenues (*1ère, *2ème, *2ième, *2è...).

VOIR TABLEAUX ▸ ADJECTIF. ▸ NOMBRES.

ODONYMES

Les odonymes sont des noms de voies de communication (appelés également noms de rues). *Le chemin de la Côte-Sainte-Catherine, l'avenue Antonine-Maillet, la place d'Armes, le boulevard René-Lévesque.*

Les odonymes sont composés :

1. D'UN **NOM GÉNÉRIQUE**

autoroute	cours	place	route
avenue	échangeur	pont	rue
boulevard	impasse	pont-tunnel	ruelle
carré	mail	promenade	square
chemin	montée	quai	tunnel
côte	passage	rang	viaduc...

2. D'UN **ÉLÉMENT DISTINCTIF** SIMPLE OU COMPOSÉ

autoroute des Laurentides	impasse Saint-Denis	quai de l'Horloge
avenue de la Brunante	montée de Liesse	rang du Petit-Lac
boulevard du Mont-Royal	passage Paul-Émile-Borduas	route Marie-Victorin
carré Saint-Louis	place Jacques-Cartier	rue Lajoie
cours Le Royer	pont Champlain	ruelle Saint-Christophe
chemin Queen-Mary	pont-tunnel Louis-Hippolyte-	square Victoria
côte de la Fabrique	La Fontaine	tunnel Lachine
échangeur Turcot	promenade Sussex	

▸ **Règles d'écriture des odonymes**

1. Les noms génériques des odonymes s'écrivent en minuscules et au long, de préférence. *L'**avenue** du Parc, la **côte** du Beaver Hall, le **chemin** Don-Quichotte, la **rue** de la Montagne.*

Par contre, les noms génériques de rues caractérisés par un adjectif ordinal s'écrivent généralement avec une majuscule initiale. *La 18ᵉ Avenue, le 7ᵉ Rang, la 3ᵉ Rue.*

T S'il est nécessaire d'abréger, les abréviations des noms génériques usuels sont : *av.* (avenue), *boul.* (boulevard), *ch.* (chemin), *pl.* (place), *rte* (route).

2. Les éléments distinctifs des odonymes s'écrivent avec des majuscules initiales ; lorsqu'ils sont constitués de plusieurs mots, ceux-ci sont liés par des traits d'union. *La rue **Vincent-d'Indy**, le chemin de la **Côte-des-Neiges**, l'avenue du **Parc-La Fontaine**.*

T Il est à noter que la préposition *de,* les déterminants définis *le, la,* les déterminants définis contractés *des, du* s'écrivent en minuscules et qu'ils ne sont liés ni au nom générique ni à l'élément distinctif par des traits d'union. Par contre, les particules nobiliaires et les articles qui composent des patronymes servant d'éléments distinctifs s'écrivent avec une majuscule initiale. *L'avenue Le Corbusier, l'avenue De Lorimier, la rue De La Chevrotière.*

3. Le point cardinal qui fait partie d'un odonyme s'écrit de préférence au long, avec une majuscule, à la suite de l'élément distinctif de l'odonyme et sans trait d'union. *Des bureaux situés rue Laurier Est et rue Sherbrooke Ouest.*

T S'il est nécessaire d'abréger, les abréviations des points cardinaux sont : E. (Est), N. (Nord), O. (Ouest), S. (Sud).

OU, CONJONCTION

La conjonction de coordination (coordonnant) *ou* lie des mots ou des phrases de même catégorie.
*Porter du vert **ou** du bleu. Nous irons à la campagne **ou** nous partirons en voyage.*

EMPLOIS

La conjonction (coordonnant) *ou,* qui peut être remplacée par la locution conjonctive (coordonnant composé) *ou bien,* pour la distinguer du pronom relatif ou de l'adverbe *où,* marque :

1. **Une alternative.**

   *Le froid **ou** la chaleur. Il aimerait poursuivre ses études **ou** acquérir un peu d'expérience.*

2. **Un nombre approximatif.**

   *Vingt-huit **ou** trente étudiants,* c'est-à-dire environ une trentaine d'étudiants.

3. **Une opposition entre deux phrases.**

   ***Ou** vous acceptez, **ou** vous cédez votre place.*

   ↬ Dans une phrase négative, la conjonction *ou* est remplacée par *ni. Elle ne lui a pas parlé ni écrit.*

ACCORD DU VERBE

▸ **Deux sujets au singulier.** Le verbe se met au pluriel ou au singulier suivant l'intention de l'auteur qui désire marquer la coordination ou l'absence de coordination.

*La surprise **ou** le plaisir illumina ou illuminèrent son visage.*

   ↬ Si la conjonction est précédée d'une virgule, le verbe se met au singulier, car la phrase exprime une absence de coordination : un élément ou un autre, non les deux. *L'inquiétude, **ou** le découragement, lui fit abandonner la recherche.*

▸ **Un sujet au singulier + un sujet au pluriel.** Le verbe se met au pluriel.

*Un chien **ou** des chats s'ajouteront à la famille.*

▸ **Un sujet au singulier + un synonyme.** Le verbe se met au singulier.

*L'outarde **ou** bernache du Canada est une oie sauvage qui niche dans l'extrême Nord.*

   ↬ Le synonyme s'emploie sans déterminant.

ACCORD DE L'ADJECTIF

▸ L'adjectif qui se rapporte à deux noms coordonnés par *ou* se met au masculin pluriel si les noms sont de genres différents.

*Du coton **ou** de la toile bleus.*

▸ L'adjectif qui se rapporte à un seul des deux noms coordonnés par *ou* s'accorde en genre et en nombre avec ce nom.

*Il achètera un gigot **ou** des viandes marinées.*

↬ **Et/ou :** à l'exception de contextes très particuliers, de nature technique ou scientifique, où il apparaît nécessaire de marquer consécutivement la coordination ou l'absence de coordination de façon très brève et explicite, l'emploi de la locution *et/ou* est inutile, la conjonction *ou* exprimant parfaitement ces nuances. À cet égard, l'accord du verbe avec des sujets coordonnés par *ou* est significatif, le pluriel marquant la coordination, le singulier, l'absence de coordination. Ainsi, dans l'énoncé *Marie **ou** Benoît sont admissibles,* ils sont l'un et l'autre admissibles. Si l'on juge que l'énoncé n'est pas suffisamment explicite, on pourra recourir à une autre construction. *Les étudiants peuvent choisir les civilisations grecque **ou** latine **ou** les deux à la fois.*

VOIR TABLEAU ▸ **OÙ,** ADVERBE ET PRONOM.

ADVERBE

L'adverbe marque le **lieu.** Là. *Nous irons où il fait plus chaud.*

🔲 L'adverbe ne s'emploie que pour des choses ; pour les personnes, on emploie *dont*. Construit sans antécédent, le mot *où* est un **adverbe.** Avec un antécédent, il est un **pronom.**

Locutions

– *D'où ?* D'un lieu. *Nous savons d'où il vient.*

🔁 En ce sens, l'adverbe précédé de la préposition *de* marque la provenance.

– *D'où ?* De là. *Nous la croyions en Europe : d'où notre surprise de la retrouver ici.*

🔁 En ce sens, l'adverbe précédé de la préposition *de* marque la conséquence.

– *Je ne sais où.* Dans un lieu inconnu. *Ils sont je ne sais où : nous sommes sans nouvelles d'eux.*

– *N'importe où.* En n'importe quel lieu. *Elles dormiront n'importe où, à la belle étoile, s'il le faut.*

– *Où que,* loc. conj. de concession. En quelque lieu que. *D'où que vous m'appeliez, nous pourrons vous retrouver. Où que vous soyez, je vous rejoindrai.*

↪ Cette locution est suivie du subjonctif.

ADVERBE INTERROGATIF

▶ **Phrase autonome interrogative**

En quel lieu ? *Où êtes-vous ? Où vas-tu ? D'où m'appelez-vous ? Par où passerez-vous ?*

↪ L'adverbe interrogatif s'emploie en début de phrase interrogative pour s'informer sur le lieu où l'on est, où l'on va.

▶ **Phrase subordonnée**

L'adverbe interrogatif introduit une phrase subordonnée comme complément direct d'un verbe qui pose une question ou qui énonce un jugement sur un lieu, une provenance. *Je me demande où elle va et d'où elle vient. Explique-moi où tu comptes aller.*

PRONOM RELATIF

Quand il est précédé d'un antécédent, *où* est un pronom relatif employé avec les êtres inanimés au sens de *lequel, laquelle.*

1. Le pronom marque le **lieu** où l'on est, où l'on va, etc. Dans lequel, au propre et au figuré.
   Le pays où il passe ses vacances. Le coin de campagne où il fait bon vivre. Dans ce parti politique, où il y a de la place pour toutes les tendances, on privilégie l'action.

   ↪ Le pronom peut se construire avec les prépositions *de, par, jusque*. *La ville d'où elle vient est bien pittoresque. La région par où vous êtes passé. Le lieu jusqu'où vous irez.*

2. Le pronom marque le temps d'un **évènement.** Pendant lequel.
   C'était à une époque où l'on avait le temps de respirer, de profiter de la vie. Le jour où je l'ai rencontré. Les cambrioleurs ont commis leur méfait au moment où la lune était voilée par des nuages.

3. Le pronom marque l'**état.**
   Dans l'état où il se trouve, ce malade ne peut rentrer chez lui. Dans l'inquiétude où elle se trouvait, l'adolescente se réfugia auprès de cette famille.

Locutions

– *Au cas où, dans le cas où, pour le cas où,* loc. conj. À supposer que. *Au cas où il pleuvrait, le pique-nique serait reporté.*

   ↪ Ces locutions conjonctives de subordination (ou subordonnants) sont généralement suivies de l'indicatif, le plus souvent au conditionnel.

– *Au moment où,* loc. conj. Quand. *Nous aviserons au moment où ce sera nécessaire.*

– *Du train* ou *au train où vont les choses.* À ce rythme. *Du train où vont les choses, nous ne finirons pas à temps.*

– *Là où.* Au lieu dans lequel. *Là où tu iras, j'irai.*

VOIR TABLEAU ▶ OU, CONJONCTION.

PARENTHÈSES

Les parenthèses sont le double signe de ponctuation (parenthèse ouvrante et parenthèse fermante) qui signale un élément explicatif intercalé dans une phrase.

Mettre un exemple entre parenthèses. Ouvrir, fermer une parenthèse.

T 1° Dans un passage déjà entre parenthèses, on emploie des crochets.

2° Dans un index alphabétique, une liste, les parenthèses indiquent une inversion destinée à faciliter le classement d'un mot, d'une expression. Ainsi, *géographiques (noms)* doit se lire *noms géographiques.*

3° Les parenthèses signifient également une possibilité de double lecture. *Exemple : antichoc(s).* L'adjectif peut s'écrire **antichoc** ou **antichocs.**

ESPACEMENTS

Il y a une espace avant la parenthèse ouvrante et une espace après la parenthèse fermante. Par contre, on ne laisse pas d'espace après la parenthèse ouvrante ni avant la parenthèse fermante.
*L'expression **tenir pour acquis** (du verbe **acquérir**) signifie...*

T Si la parenthèse fermante est suivie d'un signe de ponctuation, il n'y a pas d'espace avant ce signe, à l'exception du deux-points. *Il vient de Nicolet (Québec). Et voici ce qu'a répondu la journaliste (interprétée par Andrée Lachapelle) : « Est-ce possible ? »*

VOIR TABLEAU ► ESPACEMENTS.

EMPLOIS

► **Citation.** *« Je vous entends demain parler de liberté. »* (Gilles Vigneault)

► **Date.** *L'Exposition universelle de Montréal (1967) a été un énorme succès.*

► **Donnée.** *Ce disque rigide (20 mégaoctets) est très fiable.*

► **Exemple.** *Les ongulés (ex. : éléphant, rhinocéros) sont des mammifères.*

► **Explication.** *L'ornithorynque (mammifère monotrème) est ovipare.*

► **Formule.** *L'eau (H_2O) est un composé d'oxygène et d'hydrogène.*

► **Mention.** *Louis XIV (le Roi-Soleil).*

► **Renvoi.** *Les règles de la ponctuation* (VOIR TABLEAU ► PONCTUATION).

► **Sigle, abréviation.** *L'Organisation de l'aviation civile internationale (OACI).*

PARONYMES

Mots qui se ressemblent, mais qui n'ont pas la même signification.

accident ...... évènement malheureux
incident .... évènement secondaire imprévisible

affectif .... qui concerne les sentiments
effectif .... qui existe réellement

agoniser ...... être sur le point de mourir
agonir .... accabler

allocation .... somme d'argent
allocution .... discours bref

amnésie .... perte de la mémoire
amnistie ...... annulation d'infractions

arborer .... porter ostensiblement
abhorrer ...... exécrer

collision .... choc de deux corps
collusion ...... entente secrète

confirmer ..... rendre certain
infirmer .... remettre en question

décade .... période de dix jours
décennie ...... période de dix ans

effiler .... défaire fil à fil
affiler .... aiguiser un instrument tranchant

émigrant ...... personne qui quitte son pays pour aller vivre à l'étranger
immigrant .... personne entrant dans un pays étranger pour s'y établir

éminent .... remarquable
imminent ..... qui est tout près d'arriver

éruption ...... jaillissement soudain et brutal
irruption ...... entrée soudaine de personnes dans un lieu

évoquer .... rappeler
invoquer ...... faire appel à

intégralité .... caractère de ce qui est entier
intégrité ...... probité

justesse .... précision, exactitude
justice .... équité, impartialité

lacune .... déficience
lagune .... étendue d'eau salée séparée de la mer

littéraire ...... qui concerne la littérature
littéral .... conforme au texte

notable .... digne d'être noté
notoire .... qui est bien connu

original .... inédit
originaire ..... qui vient d'un lieu

perpétrer ...... commettre (un délit, un crime)
perpétuer ..... faire durer

prodige .... personne extraordinaire
prodigue ...... personne dépensière à l'excès

vénéneux ..... qui contient une substance toxique, en parlant des végétaux
venimeux ..... qui contient du venin, en parlant d'un animal

☞ Ne pas confondre avec les noms suivants :

– **antonymes,** mots qui ont une signification contraire :

    devant .... *derrière*
    en avant .... *en arrière*
    provisoire .... *permanent*
    définitif .... *passager*

– **homonymes,** mots qui s'écrivent ou se prononcent de façon identique sans avoir la même signification :

    air, mélange gazeux
    air, mélodie
    air, expression
    aire, surface
    ère, époque
    hère, malheureux
    hère, jeune cerf

– **synonymes,** mots qui ont la même signification ou une signification très voisine :

    gravement ..... *grièvement*

VOIR TABLEAUX ► ANTONYMES. ► HOMONYMES. ► SYNONYMES.

PARTICIPE PASSÉ

Le participe passé est un receveur d'accord : selon le cas, il s'accorde en genre et en nombre avec le nom qu'il complète, avec le sujet du verbe ou avec le complément direct du verbe.

ACCORD DU PARTICIPE PASSÉ

▶ **1. Participe passé employé seul**
ACCORD AVEC LE NOM AUQUEL IL SE RAPPORTE

Employé sans auxiliaire, le participe passé est un adjectif : il s'accorde en genre et en nombre **avec le nom auquel il se rapporte.**

> Un garçon **encouragé**. Une élève **décidée**. Des spectateurs **éblouis**.

> ⬚ Si le participe passé se rapporte à des noms de genres différents, il se met au masculin pluriel.
> *Des adolescentes et des adolescents motivés.*

▶ **2. Participe passé employé avec l'auxiliaire *être* ou avec les verbes attributifs**
ACCORD AVEC LE SUJET DU VERBE

Employé avec l'auxiliaire *être*, le participe passé s'accorde en genre et en nombre *avec le sujet du verbe.*

> La maison **est aménagée** avec goût. Les enfants **sont emballés** par ce jeu.

> ⬚ Si le verbe a des sujets de genres différents, le participe passé se met au masculin pluriel. *Julie et Nicolas sont ravis d'être invités.*

Employé avec les verbes attributifs (ou verbes d'état) *(être, demeurer, devenir, paraître, rester, sembler...)*, le participe passé est attribut du sujet : il s'accorde en genre et en nombre **avec le sujet du verbe.**

> Ils **semblent fatigués**. Elles **demeurent charmées** par cette mélodie.

> Les élèves **paraissent captivés** par ce film.

▶ **3. Participe passé employé avec l'auxiliaire *avoir***
ACCORD AVEC LE CDV QUI PRÉCÈDE LE VERBE

Employé avec l'auxiliaire *avoir*, le participe passé s'accorde en genre et en nombre **avec le complément direct du verbe si ce dernier précède le verbe.**

> La pomme (CDV) que j'**ai mangée**.

> Les amis (CDV) que j'**ai rencontrés**, mais j'**ai rencontré** mes amis (CDV).

> ⬚ Pour trouver le CDV, on pose la question *qui ?* ou *quoi ?* après le verbe. J'ai mangé *quoi ? Que*, mis pour *pomme*. J'ai rencontré *qui ? Que*, mis pour *amis*.

• Si le complément direct **précède le verbe** : accord du participe passé.

• Si le complément direct **suit le verbe** : participe passé invariable.

> J'**ai mangé** une pomme et j'**ai rencontré** des amis.

> J'ai mangé *quoi ? Une pomme.* J'ai rencontré *qui ? Des amis.*

• Si le verbe n'a **pas de complément direct**, le **participe passé reste invariable**.

– *Martine et Vincent **ont parlé** à leurs amis.* Martine et Vincent ont parlé *à qui ?* Le verbe a seulement un complément indirect : le participe passé reste invariable.

– *Les travaux de construction **ont débuté**.* Il n'y a pas de complément du verbe : le participe passé reste invariable.

> *Les explosions qu'il y a eu. Les gouttes qu'il a plu ont mouillé la nappe.*

– Le participe passé des verbes impersonnels est toujours invariable.

CAS PARTICULIERS

3.1 Participe passé employé avec l'auxiliaire *avoir* et suivi d'une phrase infinitive

ACCORD AVEC LE COMPLÉMENT DIRECT QUI PRÉCÈDE LE VERBE ET EST SUJET DE LA PHRASE INFINITIVE

Le participe passé suivi d'une phrase infinitive s'accorde en genre et en nombre avec le complément direct qui précède le verbe si ce complément est le sujet de la phrase infinitive.

Les oiseaux que j'ai entendus chanter.   *J'ai entendu les oiseaux en train de chanter.*

J'ai entendu *qui*? *Que,* mis pour *oiseaux.*

On peut reformuler la phrase pour vérifier si la phrase infinitive a bien pour sujet le complément direct du verbe conjugué en employant la locution *en train de* suivie de l'infinitif. Ce sont les oiseaux qui font l'action de chanter et le complément direct *que,* mis pour *oiseaux,* précède le verbe : il y a donc accord du participe passé.

Par contre, il n'y a pas d'accord si la phrase infinitive n'a pas pour sujet le complément direct du verbe conjugué. *Les personnes que j'ai envoyé chercher sont arrivées.*

Ce ne sont pas les personnes qui font l'action de chercher : il n'y a donc pas accord du participe passé.

3.2 Participe passé du verbe *faire* et du verbe *laisser* suivi d'un infinitif

ABSENCE D'ACCORD

Elle les a laissé dormir. Les personnes que la direction a fait travailler.

🕮 Selon les *Rectifications orthographiques* (1990), le participe passé du verbe *laisser* suivi d'un infinitif est invariable dans tous les cas, même quand il est employé avec l'auxiliaire *avoir* et même quand l'objet [complément direct] est placé avant le verbe. Exemples : *Elle s'est laissé mourir* (comme déjà *elle s'est fait maigrir*) ; *je les ai laissé partir* (comme déjà *je les ai fait partir*). »

3.3 Participe passé précédé d'un collectif accompagné d'un complément au pluriel

ACCORD AU CHOIX

Le participe passé s'accorde avec le collectif singulier *(classe, foule, groupe, multitude…)* précédé d'un déterminant indéfini *(un, une)* ou avec le complément au pluriel, suivant l'intention de l'auteur qui veut insister sur l'ensemble ou sur la pluralité.

Un groupe de touristes que le festival a attiré a envahi les rues de la ville.

ou

Un groupe de touristes que le festival a attirés ont envahi les rues de la ville.

VOIR TABLEAU ► COLLECTIF.

3.4 Participe passé se rapportant aux pronoms *en* ou *le*

ABSENCE D'ACCORD

Le participe passé qui a pour complément direct le pronom *en* ou le pronom neutre *le, l'* lorsqu'il est élidé, reste invariable.

J'ai cueilli des framboises et j'en ai mangé. La distance à parcourir est plus grande que je ne l'avais cru.

🕮 1° Si le pronom *en* est précédé d'un adverbe de quantité *(autant, beaucoup, combien, moins, plus…),* le participe passé peut s'accorder en genre et en nombre avec le nom qui précède ou rester invariable. *Des limonades, combien j'en ai bues* ou *bu !*

2° Certains auteurs préconisent l'accord si le nom et l'adverbe précèdent le pronom *en* et l'absence d'accord si l'adverbe le suit. *Des pommes, combien j'en ai mangées ! Des framboises, j'en ai beaucoup mangé !*

3.5 Participe passé des verbes pronominaux

VOIR TABLEAU ► PRONOMINAUX.

PARTICIPE PRÉSENT

Le participe présent exprime une action qui a lieu **en même temps** que l'action du verbe de la phrase autonome (ou matrice). Il marque un rapport de simultanéité avec le verbe principal.

En jouant dehors, les enfants ont admiré le beau coucher de soleil.

↪ La phrase participiale peut être remplacée par une phrase subordonnée relative. *Les enfants qui jouaient dehors ont admiré le beau coucher de soleil.*

FORME

Le participe présent se termine toujours par **-ant**. *Aimant, dormant, marchant, voyant.* Le participe présent des verbes du deuxième groupe [VOIR MODÈLE – FINIR] se termine par **-issant**. *Finissant, bâtissant, polissant, remplissant.*

ACCORD

Le participe présent est **invariable**.

☞ Autrefois, le participe présent était variable. En 1679, l'Académie française décidait qu'il serait dorénavant invariable.

CONSTRUCTION

Le verbe de la phrase autonome (ou matrice) et le participe présent, s'il n'a pas son sujet propre, doivent avoir le même sujet.

↪ Il est fautif d'employer un participe présent sans sujet propre qui ne se rapporte pas au sujet du verbe de la phrase autonome (ou matrice) qu'il accompagne.

Exemple de construction fautive : *Affichant des prix trop élevés, les clients de ce commerce préfèrent acheter ailleurs.

Explication : Le sujet de la phrase autonome (ou matrice) est le nom *clients*, alors que le participe présent se rapporte à *commerce*. Il faudrait plutôt écrire : *Affichant des prix trop élevés, ce commerce a été déserté par ses clients* ou *Les clients préfèrent acheter ailleurs parce que ce commerce affiche des prix trop élevés.*

PARTICIPE PRÉSENT ET ADJECTIF PARTICIPE

L'adjectif participe joue le rôle d'un complément ou d'un attribut : il exprime **une manière d'être**. Contrairement au participe présent, qui est invariable, l'adjectif participe s'accorde en genre et en nombre avec le nom ou le pronom qu'il complète. *Des livres passionnants, des résultats excellents.*

▦ Attention, de nombreux adjectifs participes ont des orthographes différentes de celles du participe présent du verbe de la même famille.

EXEMPLES DE DIFFÉRENCES ORTHOGRAPHIQUES

PARTICIPE PRÉSENT	ADJECTIF PARTICIPE
adhérant	adhérent
communiquant	communicant
convainquant	convaincant
différant	différent
équivalant	équivalent
excellant	excellent
fatiguant	fatigant
intriguant	intrigant
naviguant	navigant
négligeant	négligent
précédant	précédent
provoquant	provocant
somnolant	somnolent
suffoquant	suffocant
zigzaguant	zigzagant

AXE DU TEMPS

PASSÉ	PRÉSENT	FUTUR
AUTREFOIS, ON VOYAGEAIT EN BATEAU.	**AUJOURD'HUI**, ON SE DÉPLACE EN AVION.	**DEMAIN**, ON CIRCULERA EN NAVETTE SPATIALE.

P

134

Les cinq temps du passé indiquent qu'une action a eu lieu, qu'un état a existé à un moment qui a précédé l'instant présent.

1. L'IMPARFAIT EXPRIME

– Un **fait** habituel **dans le passé.** *Autrefois, on s'éclairait à la chandelle.*

– Un fait **non achevé**, secondaire, par rapport à un évènement achevé, principal. *Il pleuvait quand nous sommes arrivés à Gaspé.*

– Une **description de personne, de lieu, de chose** dans le **passé.** *La maison des étés de mon enfance avait des volets bleus.*

– Une **condition** pour qu'un fait hypothétique se réalise si la condition de la subordonnée est remplie. *Si j'économisais, je pourrais m'acheter un vélo.*

↪ Le verbe de la phrase principale ou autonome est au conditionnel présent et la proposition subordonnée conditionnelle est introduite par la conjonction *si*.

2. LE PASSÉ SIMPLE EXPRIME

– Un **fait passé** qui s'est produit il y a longtemps (passé lointain) en un **temps précis** et qui est **complètement achevé**, sans continuité avec le présent. *C'est à l'automne qu'il vint nous rendre visite.*

↪ Le passé simple décrit **des actions coupées du présent** qui ont un début et une fin **(fait ponctuel)**, alors que le passé composé traduit un fait passé dont les conséquences sont actuelles, dont le résultat est encore présent. Il s'emploie presque essentiellement à l'écrit. Dans la langue parlée, le passé simple est peu employé et relève plutôt de la langue littéraire en raison de ses terminaisons difficiles. Oralement, et même à l'écrit, ce temps est remplacé plutôt par le passé composé.

– Un **fait historique.** *Madeleine de Verchères se battit courageusement contre les Iroquois.*

↪ Le passé simple convient particulièrement à la **narration dans le passé.**

3. LE PASSÉ COMPOSÉ (OU PASSÉ INDÉFINI) EXPRIME

– Un **fait passé** à un moment déterminé qui demeure **en contact avec le présent.** *Mes grands-parents ont fait un potager et ont récolté de beaux légumes.*

↪ À la différence du passé simple, le passé composé exprime un fait passé dont les conséquences sont actuelles, dont le résultat est encore présent.

– Une **vérité générale**, un **fait d'expérience** qui remonte au passé, mais qui est **toujours vrai.** *Les Beaucerons ont toujours eu l'esprit d'initiative.*

– Un **fait passé** dont les **conséquences** sont **actuelles.** *Il n'a pas eu le temps de déjeuner aujourd'hui.*

– Un **fait non encore achevé**, mais **sur le point de l'être.** *Je suis à vous dans quelques minutes, j'ai terminé.*

– Un **futur antérieur** avec *si. Si tu n'as pas terminé tes devoirs, nous n'irons pas au cinéma.*

↪ Le passé composé de la plupart des verbes est formé à partir du présent de l'indicatif de l'auxiliaire *avoir* auquel est ajouté le participe passé du verbe conjugué. *Sophie a joué. Antoine a couru.* Cependant, certains verbes intransitifs ou pronominaux se conjuguent avec l'auxiliaire *être*. *Elle est née le 31 juillet 1976. Vincent s'est toujours souvenu d'elle.*

---

4. LE PASSÉ ANTÉRIEUR EXPRIME

– Un **fait ponctuel** qui a **précédé un fait passé** exprimé au passé simple. *Dès qu'il **eut remis** son rapport, il se sentit en vacances.*

 Peu utilisé, le passé antérieur s'emploie surtout dans une proposition subordonnée temporelle après une conjonction ou une locution conjonctive, ***lorsque, dès que, aussitôt que, quand, après que...***, où il accompagne un verbe principal au passé simple.

 Le passé antérieur est formé à partir du passé simple des auxiliaires *avoir* ou *être*, auquel est ajouté le participe passé du verbe conjugué.

5. LE PLUS-QUE-PARFAIT EXPRIME

– Un **fait** entièrement **achevé** lors d'un **autre fait passé**. *Nous **avions** tout **rangé** quand ils sont rentrés.*

– Une **condition** pour qu'un **fait hypothétique** se soit réalisé **dans le passé**. *Si j'**avais été** présente, j'aurais pu t'aider.*

– Un **fait habituel** qui avait lieu **avant une action habituelle passée**. *Quand j'**avais mangé**, j'allais marcher un peu dans le parc.*

VOIR TABLEAUX ▶ **PRÉSENT.** ▶ **FUTUR.**

P

135

Si le verbe de la phrase autonome est à un des temps du passé :

– imparfait
– passé simple
– passé composé
– passé antérieur
– plus-que-parfait,

les temps du verbe de la phrase subordonnée seront :

– Le plus-que-parfait pour exprimer l'**antériorité**.
 Il croyait qu'elle lui avait donné son numéro de téléphone.

– L'imparfait de l'indicatif pour exprimer la **simultanéité**.
 Elle croyait qu'il était là.

– Le conditionnel présent pour exprimer la **postériorité**.
 Ils croyaient qu'ils réussiraient.

VOIR LE TABLEAU – CONCORDANCE DES TEMPS DANS LA PHRASE pour les verbes qui se construisent avec le subjonctif.

PÉRIODICITÉ ET DURÉE

1. CERTAINS ADJECTIFS COMPOSÉS AVEC LES PRÉFIXES *BI-*, *TRI-*, *QUATRI-* ET D'AUTRES PRÉFIXES PROPRES À CHAQUE CHIFFRE EXPRIMENT LA **PÉRIODICITÉ**.

▸ **Une fois...**

une fois par jour	*quotidien*	*Un appel quotidien.*
une fois par semaine	*hebdomadaire*	*Une revue hebdomadaire.*
une fois par mois	*mensuel*	*Un concours mensuel.*
une fois par année	*annuel*	*Une exposition annuelle.*
une fois tous les deux mois	*bimestriel*	*Des exercices bimestriels.*
une fois tous les deux ans	*bisannuel, biennal*	*Un évènement bisannuel ou biennal.*
une fois tous les trois mois	*trimestriel*	*Des bulletins trimestriels.*
une fois tous les trois ans	*trisannuel, triennal*	*Des retrouvailles trisannuelles ou triennales.*
une fois tous les six mois	*semestriel*	*Des examens semestriels.*

▸ **Deux fois par...**

deux fois par jour	*biquotidien*	*Un vol biquotidien.*
deux fois par semaine	*bihebdomadaire*	*Des livraisons bihebdomadaires.*
deux fois par mois	*bimensuel*	*Un examen bimensuel.*

☞ On emploie l'adjectif *semestriel* pour exprimer la périodicité de deux fois par année, « une fois tous les six mois ».

▸ **Trois fois par...**

trois fois par semaine	*trihebdomadaire*	*Des cours trihebdomadaires.*
trois fois par mois	*trimensuel*	*Des visites trimensuelles.*

2. CERTAINS ADJECTIFS EXPRIMENT LA **PÉRIODICITÉ** OU LA **DURÉE**.

annuel	ce qui a lieu une fois par an	ou	ce qui dure un an
biennal	ce qui a lieu tous les deux ans	ou	ce qui dure deux ans
triennal	ce qui a lieu tous les trois ans	ou	ce qui dure trois ans
quatriennal	ce qui a lieu tous les quatre ans	ou	ce qui dure quatre ans
quinquennal	ce qui a lieu tous les cinq ans	ou	ce qui dure cinq ans
sexennal	ce qui a lieu tous les six ans	ou	ce qui dure six ans
septennal	ce qui a lieu tous les sept ans	ou	ce qui dure sept ans
octennal	ce qui a lieu tous les huit ans	ou	ce qui dure huit ans
novennal	ce qui a lieu tous les neuf ans	ou	ce qui dure neuf ans
décennal	ce qui a lieu tous les dix ans	ou	ce qui dure dix ans

RÈGLES TYPOGRAPHIQUES

▸ Les **noms de peuples,** de races, d'habitants de régions, de villes s'écrivent avec une **MAJUSCULE.**

Les Québécois, les Canadiens, les Américains, les Chinois, les Européens.
Les Noirs, les Blancs, les Amérindiens, les Inuits.
Les Madelinots, les Beaucerons, les Gaspésiens, les Acadiens, les Louisianais, les Bretons, les Normands.
Les Montréalais, les Trifluviens, les Lavallois, les Parisiens, les Madrilènes.

– La dénomination des habitants d'un lieu (continent, pays, région, ville, village, etc.) est un GENTILÉ.

Ⓣ Les noms de peuples composés et reliés par un trait d'union prennent la majuscule aux deux éléments. *Un Néo-Zélandais, un Sud-Africain, un Nord-Américain.*

Ⓣ Les mots auxquels le préfixe *néo-* est joint s'écrivent avec un trait d'union. *Un Néo-Écossais.* S'il s'agit d'un gentilé, le mot s'écrit avec deux majuscules; si le préfixe signifie « de souche récente », le préfixe s'écrit avec une minuscule. *Un néo-Québécois.*

▸ Les **adjectifs de peuples,** de races, de langues s'écrivent avec une **MINUSCULE.**

Le drapeau québécois, la langue française, les peintres italiens, la race blanche, le sens de l'humour anglais.

Ⓣ Les noms de peuples composés qui comportent un adjectif s'écrivent avec une majuscule au nom et une minuscule à l'adjectif. *Les Canadiens anglais, les Basques espagnols.*

Ⓣ En fonction d'attribut, on emploie généralement un adjectif pour préciser la nationalité d'une personne, son appartenance à un peuple. Dans ce cas, le mot s'écrit avec une minuscule. *Je suis québécoise.* Cependant, il est également possible d'écrire le mot avec une majuscule initiale puisque l'attribut peut être aussi un nom. *Je suis Québécoise (une Québécoise).*

▸ Les **noms de langues** s'écrivent avec une **MINUSCULE.**

Apprendre le russe, le français, le chinois.

ÉCRITURE DU MOT *INUIT*

▸ **Nom masculin et féminin**

Membre d'une nation autochtone du Canada qui habite au nord du 55e parallèle.
Au Québec, il y a près de 6 000 Inuits. Un Inuit, une Inuite.

▦ Ce nom a fait l'objet d'une seconde recommandation officielle (24 avril 1993) en vue de simplifier la graphie au masculin, au féminin et au pluriel (antérieurement *Inuk* au singulier, *Inuit* au pluriel). L'adjectif est maintenant variable. La langue des Inuits est l'**inuktitut.**

▸ **Adjectif**

Relatif aux Inuits. *La culture inuite, des objets inuits.*

PAYS OU ÉTAT	GENTILÉ MASCULIN	GENTILÉ FÉMININ	PAYS OU ÉTAT	GENTILÉ MASCULIN	GENTILÉ FÉMININ
Afghanistan	un Afghan	une Afghane	**Belgique**	un Belge	une Belge
Albanie	un Albanais	une Albanaise	**Birmanie**	un Birman	une Birmane
Algérie	un Algérien	une Algérienne	**Bolivie**	un Bolivien	une Bolivienne
Allemagne	un Allemand	une Allemande	**Brésil**	un Brésilien	une Brésilienne
Angleterre	un Anglais	une Anglaise	**Bulgarie**	un Bulgare	une Bulgare
Arabie saoudite	un Saoudien	une Saoudienne			
Argentine	un Argentin	une Argentine	**Cambodge**	un Cambodgien	une Cambodgienne
Australie	un Australien	une Australienne	**Cameroun**	un Camerounais	une Camerounaise
Autriche	un Autrichien	une Autrichienne	**Canada**	un Canadien	une Canadienne

P

138

PAYS OU ÉTAT	GENTILÉ MASCULIN	GENTILÉ FÉMININ	PAYS OU ÉTAT	GENTILÉ MASCULIN	GENTILÉ FÉMININ
Chili	un Chilien	une Chilienne	Maroc	un Marocain	une Marocaine
Chine	un Chinois	une Chinoise	Mexique	un Mexicain	une Mexicaine
Chypre	un Cypriote	une Cypriote	Monaco	un Monégasque	une Monégasque
	un Chypriote	une Chypriote			
Colombie	un Colombien	une Colombienne	Népal	un Népalais	une Népalaise
Corée	un Coréen	une Coréenne	Niger	un Nigérien	une Nigérienne
Côte d'Ivoire	un Ivoirien	une Ivoirienne	Nigeria	un Nigérian	une Nigériane
Cuba	un Cubain	une Cubaine	Norvège	un Norvégien	une Norvégienne
			Nouvelle-Zélande	un Néo-Zélandais	une Néo-Zélandaise
Danemark	un Danois	une Danoise			
			Pakistan	un Pakistanais	une Pakistanaise
Égypte	un Égyptien	une Égyptienne	Panama	un Panaméen	une Panaméenne
Espagne	un Espagnol	une Espagnole	Paraguay	un Paraguayen	une Paraguayenne
États-Unis	un Américain	une Américaine	Pérou	un Péruvien	une Péruvienne
Éthiopie	un Éthiopien	une Éthiopienne	Philippines	un Philippin	une Philippine
			Pologne	un Polonais	une Polonaise
Finlande	un Finlandais	une Finlandaise	Portugal	un Portugais	une Portugaise
France	un Français	une Française			
			Québec	un Québécois	une Québécoise
Gabon	un Gabonais	une Gabonaise			
Ghana	un Ghanéen	une Ghanéenne	République	un Tchèque	une Tchèque
Grèce	un Grec	une Grecque	tchèque		
Guadeloupe	un Guadeloupéen	une Guadeloupéenne	Roumanie	un Roumain	une Roumaine
Guatemala	un Guatémaltèque	une Guatémaltèque	Russie	un Russe	une Russe
Guinée	un Guinéen	une Guinéenne	Rwanda	un Rwandais	une Rwandaise
Haïti	un Haïtien	une Haïtienne	Sénégal	un Sénégalais	une Sénégalaise
Hollande	un Hollandais	une Hollandaise	Slovaquie	un Slovaque	une Slovaque
Hongrie	un Hongrois	une Hongroise	Somalie	un Somali	une Somalie
				un Somalien	une Somalienne
Inde	un Indien	une Indienne	Soudan	un Soudanais	une Soudanaise
Indonésie	un Indonésien	une Indonésienne	Suède	un Suédois	une Suédoise
Iran	un Iranien	une Iranienne	Suisse	un Suisse	une Suisse
Irak	un Irakien	une Irakienne	Syrie	un Syrien	une Syrienne
	un Iraquien	une Iraquienne			
Irlande	un Irlandais	une Irlandaise	Taïwan	un Taïwanais	une Taïwanaise
Islande	un Islandais	une Islandaise	Tanzanie	un Tanzanien	une Tanzanienne
Israël	un Israélien	une Israélienne	Tchad	un Tchadien	une Tchadienne
Italie	un Italien	une Italienne	Thaïlande	un Thaïlandais	une Thaïlandaise
Japon	un Japonais	une Japonaise	Togo	un Togolais	une Togolaise
Jordanie	un Jordanien	une Jordanienne	Tunisie	un Tunisien	une Tunisienne
			Turquie	un Turc	une Turque
Kenya	un Kenyan	une Kenyane			
Koweït	un Koweïtien	une Koweïtienne	Uruguay	un Uruguayen	une Uruguayenne
Liban	un Libanais	une Libanaise	Venezuela	un Vénézuélien	une Vénézuélienne
Libye	un Libyen	une Libyenne	Vietnam	un Vietnamien	une Vietnamienne
Luxembourg	un Luxembourgeois	une Luxembourgeoise			
			Yougoslavie	un Yougoslave	une Yougoslave
Madagascar	un Malgache	une Malgache	Zaïre	un Zaïrois	une Zaïroise
Mali	un Malien	une Malienne	Zambie	un Zambien	une Zambienne

La **phrase** est une unité grammaticale qui sert à parler d'une entité (*le sujet de la phrase*) et à dire quelque chose à son propos (*le prédicat de la phrase*) ; on y exprime aussi, facultativement, les circonstances particulières de cet énoncé (*le complément de la phrase*).

	PHRASE		
Sens	Ce dont on veut parler	Ce qu'on veut en dire	Circonstances particulières à propos de ce qu'on dit
Fonctions syntaxiques mettant ces sens en rapport	**Sujet de la phrase**	**Prédicat de la phrase**	**Complément de la phrase** (facultatif et mobile)
Exemples	*la voiture* *cet enfant*	*roule* *rit*	*quand le feu est vert* *toute la journée*

- Pour procéder à l'**analyse grammaticale de la phrase**, on utilise un modèle de référence, nommé *phrase de base*, représentant la structure de la phrase la plus fréquemment utilisée dans les productions écrites ou orales : une phrase déclarative, affirmative, active, neutre et personnelle (qui n'a donc subi aucune transformation, par exemple interrogative ou négative). Cette phrase peut être de premier niveau (autonome) ou de deuxième, troisième niveau (subordonnée).

- En tant que **phrase de premier niveau**, elle est autonome parce qu'elle n'entre pas dans une construction syntaxique d'ordre supérieur. Dans un texte, entre ces phrases, on retrouve habituellement une ponctuation : un point, un point-virgule, une virgule, un deux-points, un point d'exclamation, un point d'interrogation ou des points de suspension. En tant que **subordonnée**, la phrase peut occuper plusieurs fonctions syntaxiques à l'intérieur de la phrase de premier niveau.

- Du point de vue du mode du verbe, il y a trois catégories de phrases : la phrase à verbe conjugué (autonome ou subordonnée), la phrase infinitive (autonome ou subordonnée), la phrase participiale (subordonnée).

LES TROIS CONSTITUANTS DE LA PHRASE

▸ SUJET DE LA PHRASE

Trois catégories grammaticales peuvent occuper la fonction de **sujet de la phrase** :

- groupe du nom ;
- phrase infinitive (SUBORDONNÉE SUJET) ;
- phrase à verbe conjugué (SUBORDONNÉE SUJET).

	PHRASE DE BASE		
Fonctions syntaxiques	**Sujet de la phrase**	**Prédicat de la phrase**	**Complément de la phrase** (facultatif et mobile)
Exemples	*les promenades à vélo* *faire du vélo* *que nous roulions à vélo*	*sont amusantes* *est amusant* *m'amuse*	

ANALYSE GRAMMATICALE DE LA PHRASE | SUITE >

1. Conception du tableau : Annie Desnoyers.

P

▸ PRÉDICAT DE LA PHRASE

Une seule catégorie grammaticale est possible dans le cas du **prédicat de la phrase** :

– groupe du verbe.

	PHRASE DE BASE		
Fonctions syntaxiques	**Sujet de la phrase**	**Prédicat de la phrase**	**Complément de la phrase** (facultatif et mobile)
Exemples	*l'enfant* *l'enfant* *l'enfant* *l'enfant* *l'enfant* *l'enfant*	*dort* *aime les biscuits* *parle à son père* *met un dessin dans son sac* *est heureux* *rend ses parents heureux*	

▸ COMPLÉMENT DE LA PHRASE

Cinq catégories grammaticales peuvent occuper la fonction de **complément de la phrase** :

– groupe de la préposition ;
– groupe de l'adverbe ;
– groupe du nom ;
– phrase à verbe conjugué (SUBORDONNÉE CIRCONSTANCIELLE) ;
– phrase participiale (SUBORDONNÉE CIRCONSTANCIELLE).

	PHRASE DE BASE		
Fonctions syntaxiques	**Sujet de la phrase**	**Prédicat de la phrase**	**Complément de la phrase** (facultatif et mobile)
Exemples	*il* *il* *cet enfant* *la voiture* *il*	*dort* *dormait mieux* *rit* *roule* *décide de prendre ses gants*	*dans son bureau* *autrefois* *toute la journée* *quand le feu est vert* *le temps s'étant refroidi*

LES CINQ GROUPES DE LA GRAMMAIRE DE LA PHRASE

Un **groupe de mots** est un ensemble de mots organisés autour d'un noyau et pouvant jouer le même rôle syntaxique que ce dernier. Comme les éléments autres que le noyau sont facultatifs (sauf pour le groupe de la préposition), il arrive parfois qu'un groupe ne contienne qu'un seul mot, son noyau.

▸ GROUPE DU NOM

Le **groupe du nom** est formé d'un nom commun et de son déterminant ou d'un nom propre puis, facultativement, d'un complément du nom. Un pronom peut aussi remplacer le nom puis, facultativement, être suivi d'un complément du pronom.

	GROUPE DU NOM		
Fonctions syntaxiques	**Déterminant**	**Noyau** (nom / pronom)	**Complément du nom / du pronom** (facultatif)
Exemples	*les*	*promenades* *Louise* *celles* *aucune*	*à vélo* *de mon amie*

▸ GROUPE DU VERBE

Le **groupe du verbe** est formé d'un verbe et, selon ce que commande l'emploi de ce verbe, d'aucun, d'un ou de plusieurs compléments du verbe.

P

141

	GROUPE DU VERBE	
Fonctions syntaxiques	**Noyau** (verbe)	**Complément du verbe** (selon le verbe utilisé)
Exemples	*dort* *aime* *parle* *va* *met* *est* *rend*	*les biscuits* *à son père* *dans sa chambre* *un dessin dans son sac* *heureux* *ses parents heureux*

▸ GROUPE DE LA PRÉPOSITION

Le **groupe de la préposition** est composé d'une préposition et, obligatoirement, d'un complément de la préposition.

	GROUPE DE LA PRÉPOSITION	
Fonctions syntaxiques	**Noyau** (préposition)	**Complément de la préposition** (obligatoire)
Exemples	*dans* *d'* *pour*	*sa chambre* *hier* *te voir arriver*

▸ GROUPE DE L'ADVERBE

Le **groupe de l'adverbe** contient un adverbe et, facultativement, un complément de l'adverbe.

	GROUPE DE L'ADVERBE	
Fonctions syntaxiques	**Noyau** (adverbe)	**Complément de l'adverbe** (facultatif)
Exemples	*conformément* *toujours*	*à vos dispositions*

▸ GROUPE DE L'ADJECTIF

Le **groupe de l'adjectif** contient un adjectif et, facultativement, un complément de l'adjectif.

	GROUPE DE L'ADJECTIF	
Fonctions syntaxiques	**Noyau** (adjectif)	**Complément de l'adjectif** (facultatif)
Exemples	*conforme* *bonne* *calme*	*à vos dispositions* *en maths*

VOIR TABLEAUX ▸ ADJECTIF. ▸ ADVERBE. ▸ COMPLÉMENT. ▸ GROUPE. ▸ NOM. ▸ PHRASE (FONCTIONS DE LA).
▸ PHRASE (TYPES ET FORMES DE LA). ▸ PRÉPOSITION. ▸ PRONOM. ▸ VERBE.

Une phrase peut être de premier niveau (autonome) ou de deuxième, troisième niveau (subordonnée).

Une **phrase de premier niveau** est autonome parce qu'elle n'est pas elle-même un constituant d'une construction syntaxique d'ordre supérieur ; de ce fait, elle **n'a pas de fonction syntaxique.**

P

142

☞ Dans un texte, entre les phrases de premier niveau, on retrouve habituellement une ponctuation : un point, un point-virgule, une virgule, un deux-points, un point d'exclamation, un point d'interrogation ou des points de suspension.

En tant que **subordonnée**, la phrase peut occuper plusieurs **fonctions** à l'intérieur de la phrase de premier niveau, c'est-à-dire qu'elle peut jouer un rôle syntaxique précis dans cette phrase, à la place d'un groupe de mots.

[*Ils se demandent* [*pourquoi on leur enseigne tant de notions* [*dont ils ne se souviendront plus bientôt.*]]]

[1er niveau (phrase autonome) sans fonction syntaxique] [2e niveau (phrase subordonnée) complément direct du verbe *se demandent*] [3e niveau (phrase subordonnée) complément du nom *notions*]

	PHRASE		
Sens	Ce dont on veut parler	Ce qu'on veut en dire	Circonstances particulières à propos de ce qu'on dit
Fonctions syntaxiques mettant ces sens en rapport	**Sujet de la phrase**	**Prédicat de la phrase**	**Complément de la phrase** (facultatif et mobile)
Catégories des mots pouvant occuper ces fonctions	• **Groupe du nom** • **Phrase infinitive** • **Phrase à verbe conjugué**	• **Groupe du verbe**	• **Groupe de la préposition** • **Groupe de l'adverbe** • **Groupe du nom** • **Phrase à verbe conjugué** • **Phrase participiale**

LES SIX FONCTIONS SYNTAXIQUES DE LA PHRASE SUBORDONNÉE

FONCTION DE SUJET DE LA PHRASE (subordonnée sujet)

• **Phrase à verbe conjugué**   *Que nous roulions à vélo m'amuse.*
• **Phrase infinitive**   *Faire du vélo m'amuse.*

FONCTION DE COMPLÉMENT DE LA PHRASE (subordonnée circonstancielle)

Les subordonnées circonstancielles servent à exprimer :
– le temps ;
– la cause ;
– la conséquence ;
– la concession ;
– l'opposition ;
– le but ;
– l'hypothèse ou la condition.

FONCTIONS DE LA PHRASE **SUITE >**

1. Conception du tableau : Annie Desnoyers.

• **Phrase à verbe conjugué**

> *La voiture roule **quand le feu est vert**.* (temps)
>
> *Il roulait trop vite **de sorte qu'il a dérapé**.* (conséquence)
>
> ***Quoiqu'il ait déjà lu le texte**, il lui reste à le mémoriser.* (concession)
>
> *Elle préfère la simplicité **alors que sa sœur aime le luxe**.* (opposition)
>
> *Elle a tout préparé **afin que son protégé atteigne le sommet**.* (but)
>
> *J'irais, **si le temps était plus frais**, travailler au jardin.* (condition)

• **Phrase participiale**

> ***Le temps s'étant refroidi**, il décide de prendre ses gants.* (cause)

FONCTION DE COMPLÉMENT DU NOM OU DU PRONOM (subordonnée relative / complétive)

• **Phrase à verbe conjugué**

> *Je vais téléphoner à la dame **qui portait un chapeau hier soir**.* (relative)
>
> *Mon amie Amélie est celle **qui porte un petit chapeau fleuri**.* (relative)
>
> *Le désir **qu'elle revienne au plus vite** lui hantait l'esprit.* (complétive)

• **Phrase participiale**

> *La dame **portant un chapeau** est ma tante.* (relative)

FONCTION DE COMPLÉMENT DU VERBE (subordonnée complétive)

• **Phrase à verbe conjugué**

> *À cause de ce temps frais, on pourrait croire **que l'été est fini**.*
>
> *Rachel se demandait **quel était ton tarif pour les corrections**.*

• **Phrase infinitive**

> *Antoine et Amélie aiment **nous raconter des histoires drôles**.*

FONCTION DE COMPLÉMENT DE L'ADJECTIF (subordonnée complétive)

• **Phrase à verbe conjugué**

> *Ses parents sont certains **qu'elle réussira l'examen final**.*

FONCTION DE COMPLÉMENT DE LA PRÉPOSITION

• **Phrase infinitive**

> *Il s'attend à **recevoir une mention spéciale pour son texte**.*

• **Phrase participiale**

> *La dame est entrée en **chantant joyeusement un air connu**.*

VOIR TABLEAUX ► ADJECTIF. ► COMPLÉMENT. ► GROUPE. ► NOM. ► PHRASE (ANALYSE GRAMMATICALE DE LA).

    ► PRÉPOSITION. ► PRONOM. ► VERBE.

TYPES ET FORMES DE LA **PHRASE**[1]

La **phrase** est une unité grammaticale qui sert à parler d'une entité (le sujet de la phrase) et à dire quelque chose à son propos (le prédicat de la phrase); on y exprime aussi, facultativement, les circonstances particulières de cet énoncé (le complément de la phrase).

La phrase peut être de premier niveau (autonome) ou de deuxième, troisième niveau (subordonnée). Dans un texte, entre les phrases de premier niveau, donc autonomes, on retrouve habituellement une ponctuation; le choix de cette ponctuation dépend du type de la phrase.

LES TYPES DE LA PHRASE (OBLIGATOIRES)

Dans ses nombreuses réalisations, la phrase est obligatoirement d'un des quatre types suivants, mais d'un seul (les types obligatoires de la phrase s'excluent mutuellement).

▸ La **phrase déclarative** énonce un fait, transmet une information.

Le soleil s'est levé à 6 h 45. Mathieu rit souvent; c'est un enfant joyeux. Ils iront quand vous serez prêts; ils vous demandent donc de vous dépêcher.

☞ Elle se termine par un point, un point-virgule, une virgule, un deux-points ou des points de suspension. Même si elle peut contenir une phrase subordonnée interrogative comme complément du verbe, la phrase déclarative ne se termine jamais par un point d'interrogation.

Rachel se demandait quel était ton tarif pour les corrections. Elle te dira combien valent ces logiciels.

▸ La **phrase interrogative** pose une question, demande une information.

Est-ce que tu aimes cette musique? Viens-tu ce soir au cinq à sept?

☞ Elle se termine par un point d'interrogation.

▸ La **phrase impérative** exprime un ordre, une interdiction, un conseil, une demande, un souhait.

Viens ici; je te le dirai à ce moment-là. Soyez prudents en traversant la rue. Gardez tout avec vous, on ne sait jamais…

☞ Elle se termine par un point, un point-virgule, une virgule, un deux-points ou des points de suspension.

▸ La **phrase exclamative** exprime un sentiment intense.

Quel plaisir d'être en vacances! Que de découvertes nous faisons en voyage!

☞ Elle se termine par un point d'exclamation.

LES FORMES DE LA PHRASE (OU TYPES FACULTATIFS)

Les phrases, qu'elles soient déclaratives, interrogatives, impératives ou exclamatives, peuvent aussi, facultativement, subir une, deux ou toutes les transformations suivantes :
– d'affirmative à négative;
– d'active à passive;
– de neutre à emphatique;
– de personnelle à impersonnelle.

TYPES ET FORMES DE LA PHRASE | SUITE >

1. Conception du tableau : Annie Desnoyers.

▶ La **phrase négative** nie un fait, exprime qu'un énoncé est faux ou qu'il n'existe pas (selon l'émetteur). Elle peut aussi traduire un désir ou une défense.

> *Le ciel n'est pas vert. Personne n'est venu? Les élèves n'aimeraient pas que leur excursion à Québec soit annulée. Ne voyez aucune de vos amies pendant cinq jours.*

▶ La **phrase passive** exprime une action subie par le sujet de la phrase.

> *La pomme a été découpée en morceaux.*

↶ Seuls les verbes transitifs directs peuvent se construire au passif.

▶ La **phrase emphatique** met l'accent sur un de ses constituants.

> *Ma mère, elle adore la crème. Adore-t-elle la crème, ta mère?* (reprise nom et pronom)
> *C'est ma mère qui adore la crème. C'est la crème que ma mère adore.* (marqueur emphatique)

▶ La **phrase impersonnelle** transformée se construit avec un verbe occasionnellement impersonnel, c'est-à-dire qui existe aussi à la forme personnelle.

> *Il est arrivé un grave accident. Il est important de boire de l'eau. Il se tient une réunion à ce sujet.*

PHRASE À CONSTRUCTION PARTICULIÈRE

Les phrases à construction particulière peuvent être de formes et de types divers.

> *Marie-Andrée? Le bonheur, ces vacances à la campagne. Au secours!*

▶ **Phrase non verbale**

Il s'agit de la phrase nominale, de l'interjection, de l'apostrophe, de l'onomatopée.

> *Entrée interdite. Merveilleux, ce voyage! Chut! Clac!*

▶ **Phrase à présentatif**

La phrase à présentatif se construit avec les présentatifs *il y a, voici, voilà, c'est.*

> *Il y a trois enfants ici. Voici mes enfants. C'est que mes enfants ne sont pas arrivés. C'est ta vie.*

▶ **Phrase impersonnelle**

La phrase impersonnelle de construction particulière se construit avec un verbe essentiellement impersonnel, c'est-à-dire qui existe seulement à la forme impersonnelle, qui n'est pas transformé syntaxiquement à partir de la phrase de base.

> *Il pleut. Il fera beau demain. Il a déjà été question de ce problème.*

VOIR TABLEAUX ▶ COMPLÉMENT. ▶ PHRASE (ANALYSE GRAMMATICALE DE LA). ▶ PONCTUATION. ▶ VERBE.

PLURIEL DES NOMS

Le nom se met au pluriel quand il désigne plusieurs êtres ou plusieurs objets. *Trois enfants. Cinq maisons.*

 En français, la marque du pluriel ne s'inscrit qu'à compter de deux unités. *La somme s'élève à 1,5 million de dollars, à 2,5 milliers d'euros.*

P

146

PLURIEL DES NOMS

▸ Le pluriel des noms se forme en ajoutant un *s* à la forme du singulier. *Un arbre, des arbres ; une fleur, des fleurs.*

▸ Les noms terminés au singulier par *-s, -x, -z* sont invariables. *Un refus, des refus ; un prix, des prix ; un nez, des nez.*

▸ Les noms terminés au singulier par *-al* font *-aux* au pluriel. *Un cheval, des chevaux ; un fanal, des fanaux ; un journal, des journaux.*
EXCEPTIONS : **avals, bals, cals, carnavals, cérémonials, chacals, festivals, narvals, pals, récitals, régals,** qui suivent la règle générale.
 Certains noms ont les deux pluriels (*-als* et *-aux*) : *étal, idéal, val…*

▸ Les noms terminés au singulier par *-eau, -au, -eu* font *-eaux, -aux, -eux* au pluriel. *Une eau, des eaux ; un tuyau, des tuyaux ; un feu, des feux.*
EXCEPTIONS : **landaus, sarraus, bleus, pneus,** qui suivent la règle générale.

▸ Les noms terminés au singulier par *-ail* font **ails** au pluriel, selon la règle générale. *Un chandail, des chandails ; un détail, des détails ; un rail, des rails.*
EXCEPTIONS : **baux, coraux, émaux, soupiraux, travaux, vitraux.**
 Les mots **bercail, bétail** ne s'emploient pas au pluriel.

▸ Les noms terminés au singulier par *-ou* font *-ous* au pluriel, selon la règle générale. *Un clou, des clous ; un écrou, des écrous ; un fou, des fous.*
EXCEPTIONS : **bijoux, cailloux, choux, genoux, hiboux, joujoux, poux.**

▸ Certains mots ont un pluriel double, par exemple : *aïeul, ciel, œil, travail.*
Aïeuls, « grands-parents » et *aïeux* « ancêtres » ; *ciels* « aspects du ciel en un lieu, en peinture » et *cieux* « espace indéfini et paradis » ; *œils* « boucles (dans le domaine de la marine) et noms composés » et *yeux* « organe de la vue » ; *travails* « appareil servant à maintenir de grands animaux » et *travaux* « ensemble d'activités ».

PLURIEL DES NOMS COMPOSÉS

VOIR TABLEAU ▸ NOMS COMPOSÉS.

PLURIEL DES NOMS PROPRES

▸ Les noms de peuples, de races, d'habitants de régions, de villes prennent la marque du pluriel.
Les Canadiens, les Noirs, les Beaucerons, les Trifluviens.

▸ Les patronymes sont généralement invariables. *Les Fontaine sont invités.*
 Certains noms de familles royales, princières, illustres prennent parfois la marque du pluriel.
Les Bourbons, les Tudors.

▸ Les noms propres employés par métaphore prennent la marque du pluriel. *Des Picassos, des Zolas, des dons Juans.*

▸ Les noms de marques commerciales sont invariables. *Des Peugeot, des Apple.*
 Les noms déposés passés dans l'usage sont devenus des noms communs qui prennent la marque du pluriel et s'écrivent avec une minuscule. *Des aspirines, des linoléums, des stencils.*

PLURIEL DES NOMS EMPRUNTÉS À D'AUTRES LANGUES

▸ Les noms empruntés à d'autres langues prennent généralement la marque française du pluriel, un *s* ajouté à la forme du singulier. *Des agendas, des graffitis, des leitmotivs, des médias, des spaghettis.*
 Certains emprunts sont invariables. *Des nota bene, des modus vivendi.* D'autres gardent le pluriel de leur langue d'origine. *Des errata, des ladies.* Les *Rectifications orthographiques* (1990) préconisent un pluriel régulier : *des erratas, des ladys.*

PLURIEL ET FÉMININ DES ADJECTIFS

FORMATION DU FÉMININ DES ADJECTIFS

Pour mettre un adjectif au féminin, comme pour le nom, il faut généralement ajouter un *e* à la forme du masculin. *Amical, amicale; coquin, coquine; délicat, délicate; grand, grande; idiot, idiote; intérieur, intérieure; précis, précise; pressé, pressée; vert, verte.*

P

147

Cas particuliers

▶ Les adjectifs terminés par *-e* conservent la même forme au masculin et au féminin. *Commode, rapide, sage.*

▶ Certains adjectifs doublent la consonne finale, par exemple *bas, gras, las, épais, gros, métis, exprès* (*basse, grasse, expresse...*) et les adjectifs terminés par :

- *-el, -eil* (ainsi que *gentil* et *nul*) : *naturel, naturelle; pareil, pareille; gentil, gentille;*
- *-en, -on* : *ancien, ancienne; bon, bonne;*
- *-et* et cinq adjectifs en *-ot* (*boulot, maigriot, pâlot, sot, vieillot*) : *coquet, coquette; sot, sotte.*

EXCEPTIONS COURANTES : *complet, complète; concret, concrète; désuet, désuète; discret, discrète; incomplet, incomplète; indiscret, indiscrète; inquiet, inquiète; replet, replète; secret, secrète.*

▶ Les adjectifs terminés par *-er, -ier* font *-ère, -ière. Amer, amère; cher, chère; léger, légère; entier, entière; fier, fière; premier, première.*

▶ Les adjectifs terminés par *-f* font leur féminin en *-ve. Bref, brève; naïf, naïve; neuf, neuve; vif, vive.*

▶ Les adjectifs terminés par *-x* font leur féminin en *-se. Heureux, heureuse; jaloux, jalouse.*

EXCEPTIONS COURANTES : *doux, douce; faux, fausse; roux, rousse.*

▶ Les adjectifs terminés par *-c* font leur féminin en *-che* ou en *-que. Blanc, blanche; franc, franche; sec, sèche; grec, grecque; laïc, laïque; public, publique; turc, turque.*

▶ Les adjectifs terminés par *-eur* qui dérivent d'un verbe font généralement leur féminin en *-euse. Menteur, menteuse; rieur, rieuse; trompeur, trompeuse.*

▶ Les adjectifs terminés par *-gu* prennent un tréma sur le *e* du féminin, ou sur le *u* selon les *Rectifications orthographiques* (1990). *Aiguë, ambiguë, exiguë; aigüe, ambigüe, exigüe.*

VOIR TABLEAU ▶ RECTIFICATIONS ORTHOGRAPHIQUES.

▶ Les adjectifs *beau, fou, jumeau, mou, nouveau, vieux* font au féminin *belle, folle, jumelle, molle, nouvelle, vieille.*

EXCEPTIONS COURANTES : *bénin, bénigne; favori, favorite; frais, fraîche; long, longue; malin, maligne; tiers, tierce; vainqueur.*

☞ L'adjectif *vainqueur* est maintenant considéré comme épicène, c'est-à-dire qu'il conserve la même forme au masculin et au féminin (ex. : *l'équipe vainqueur*). Pour qualifier un nom féminin, on peut aussi employer un adjectif synonyme (ex. : *l'équipe victorieuse*).

FORMATION DU PLURIEL DES ADJECTIFS

Pour mettre un adjectif au pluriel, comme pour le nom, il faut généralement ajouter un *s* à la forme du singulier. *Grands, grandes; verts, vertes; coquins, coquines; pressés, pressées.*

Cas particuliers

▶ Les adjectifs terminés par *-s* et *-x* conservent la même forme au singulier et au pluriel. *Bas, doux, frais, niais, ingénieux.*

▶ Les adjectifs terminés par *-al* changent *-al* en *-aux* pour la plupart. *Général, généraux; loyal, loyaux; normal, normaux; spécial, spéciaux; tribal, tribaux.*

EXCEPTIONS COURANTES : *bancal, boréal, fatal, frugal, glacial, jovial, matinal, natal, naval, pascal* qui font *-als.* L'adjectif *final* fait au pluriel *finals* ou *finaux.*

▶ Les adjectifs terminés par *-eau* prennent un *x* au pluriel. *Beau, beaux; jumeau, jumeaux; nouveau, nouveaux.*

PONCTUATION

La ponctuation est constituée de l'ensemble des signes graphiques qui contribuent à la structuration du texte, qui marquent les rapports syntaxiques entre les phrases, les membres de phrase et qui apportent des précisions sémantiques.

SIGNES DE PONCTUATION	SIGNES TYPOGRAPHIQUES
. ..... le point	- .... le trait d'union
, ... la virgule	( ) ... les parenthèses
; .... le point-virgule	– ... le tiret
: .... le deux-points	« » les guillemets
? .... le point d'interrogation	[ ] ... les crochets
! .... le point d'exclamation	/ .... la barre oblique
... ... les points de suspension	* .... l'astérisque

FONCTIONS DES SIGNES DE PONCTUATION ET DES SIGNES TYPOGRAPHIQUES

LE POINT | . | .... PAS D'ESPACEMENT AVANT / UN ESPACEMENT APRÈS.

▸ Le point marque la **fin d'une phrase autonome déclarative ou impérative.** *Les lilas sont en fleur. Rendez-moi ce livre, svp.*

  T Si l'abréviation est en fin de phrase, le point abréviatif et le point final se confondent.

▸ Le point s'emploie à la **fin d'un mot abrégé** dont on a retranché les lettres finales.
  M. est l'abréviation de *Monsieur* et *Mme*, l'abréviation de *Madame*.

  T L'abréviation *Mme* ne prend pas de point parce que la dernière lettre du mot est conservée.

LA VIRGULE | , | .... PAS D'ESPACEMENT AVANT / UN ESPACEMENT APRÈS.

▸ **1. Énumération et juxtaposition**

• La virgule sépare les **mots, les groupes de mots de même fonction** non unis par une conjonction *(et, ou, ni)*. *Achète des pommes, des poires, des oranges et des pamplemousses.*

• La virgule marque aussi la **fin d'une phrase autonome déclarative ou impérative.** *L'avion se pose, il freine, puis s'immobilise.*

▸ **2. Ajout d'une restriction, d'une explication**

• La virgule isole un élément **exprimant la restriction** *(mais, or, pourtant, cependant, néanmoins, toutefois...)*, l'**explication** *(à savoir, c'est-à-dire, par exemple, car, donc...)*. *Martine est malade, mais elle se soigne.*

• La virgule isole une **explication.** *Le béluga, appelé aussi baleine blanche, vit dans les eaux arctiques. Achète des légumes, par exemple des haricots et des carottes.*

  ↪ On met une virgule au début et à la fin du groupe adjectival explicatif : les virgules jouent ici le même rôle que les parenthèses.

• La virgule encadre également un **groupe nominal explicatif.** *La directrice, Louise Dubois, accueillera les nouveaux élèves.*

• La virgule met en relief une **phrase relative explicative.** *Ces jeunes sportifs, qui sont aussi de bons musiciens, participeront aux épreuves de tennis.*

  ↪ Pour distinguer la phrase relative explicative de la relative déterminative, on vérifie si elle est essentielle à la compréhension de la phrase. La relative déterminative n'est pas encadrée de virgules. *Les jeunes sportifs qui ont été choisis lors des épreuves participeront aux Jeux du Québec.*

• La virgule isole une **incise.** *Je termine cela, répondit-il, et j'arrive immédiatement.*

▶ 3. **Mise en relief d'éléments placés en tête de phrase**

La virgule marque un ajout ou un déplacement par rapport à l'ordre normal des éléments de base de la phrase (sujet, verbe, complément). Si l'ajout ou le déplacement est en début de phrase, une virgule s'impose ; si l'ajout ou le déplacement est en milieu de phrase, deux virgules sont nécessaires.

- La virgule met en évidence un **complément de phrase en début de phrase**. *L'an dernier, nos résultats ont été excellents.*
- La virgule souligne une **phrase subordonnée en début de phrase**. *Parce qu'il fait trop froid, nous avons remis notre excursion.*
- La virgule se place **après certains marqueurs de relation** *(bref, d'abord, d'une part, d'autre part, du reste, en conclusion, en fait, enfin, en outre, en premier lieu, premièrement...).*

▶ 4. **Apostrophe**

- La virgule signale les **mots mis en apostrophe**. *Laurence, écoute-moi !*

LE POINT-VIRGULE `;` .... PAS D'ESPACEMENT AVANT / UN ESPACEMENT APRÈS.

- Le point-virgule marque la **fin d'une phrase autonome déclarative ou impérative** qui est **logiquement reliée à une autre**. *Ces jeunes filles adorent la lecture ; leur vocabulaire est riche.*
- Dans une **énumération,** le point-virgule sert à séparer des **éléments d'une certaine étendue** qui contiennent déjà des virgules. *Le pronom est un mot qui représente généralement un nom, un pronom ou un groupe nominal ; un adjectif ou un groupe adjectival ; une phrase.*
- Le point-virgule s'emploie aussi entre chaque **élément des énumérations** *verticales* introduites par le deux-points.

  La trousse de secours comprend :

  un thermomètre ;

  des pansements ;

  un onguent antibiotique.

LE DEUX-POINTS `:` .... UN ESPACEMENT AVANT / UN ESPACEMENT APRÈS.

- Le deux-points annonce une **citation** ou du **discours rapporté direct**. *Et il répondit : « Ce fut un plaisir. »*
- Le deux-points introduit une **énumération**. *Voici les articles que vous devez vous procurer : un canif, une gourde, un sac de couchage et des bottes de randonnée.*
- Le deux-points annonce un **exemple**. *Ex. : Les blés sont mûrs.*
- Le deux-points marque aussi la **fin d'une phrase autonome déclarative ou impérative**. Il exprime une **relation logique de cause** ou **de conséquence** entre cette phrase et la suivante. *Grand-papa est très savant : il est toujours en train de lire. Grand-maman est enrhumée : elle a pris froid pendant une randonnée en forêt.*

LE POINT D'INTERROGATION `?` .... PAS D'ESPACEMENT AVANT / UN ESPACEMENT APRÈS.

- Le point d'interrogation se place à la **fin d'une phrase autonome interrogative**. *Comment ça va ? Auriez-vous de la tarte aux pommes ?*

P

149

P

150

LE POINT D'EXCLAMATION | ! | .... PAS D'ESPACEMENT AVANT / UN ESPACEMENT APRÈS.

- Le point d'exclamation se place à la **fin d'une phrase autonome exclamative.** *Vous êtes là !*

  Ⓣ Après une interjection, on met un point d'exclamation. *Hé !*

LES POINTS DE SUSPENSION | ... | .... PAS D'ESPACEMENT AVANT / UN ESPACEMENT APRÈS.

- Les points de suspension marquent une **énumération non achevée.** *Les prépositions à, de, par, pour…* *servent à introduire un complément.*

  Ⓣ On emploie soit les points de suspension, soit l'abréviation *etc.,* mais non les deux à la fois.

- Les points de suspension indiquent que la **phrase autonome déclarative ou impérative** est **inachevée** du point de vue du sens. *Tu imagines ce que je veux dire…*

  Ⓣ Les points de suspension se confondent avec le point final et sont toujours au nombre de trois.

- Les points de suspension marquent une **hésitation.** *Il se nomme… euh… Antoine, je crois.*

LE TRAIT D'UNION | - | .... PAS D'ESPACEMENT AVANT / PAS D'ESPACEMENT APRÈS.

- Le trait d'union réunit les **éléments des mots composés.** *Rez-de-chaussée. Jean-Pierre.*

- Le trait d'union s'emploie dans les **déterminants numéraux composés** quand les éléments sont l'un et l'autre inférieurs à *cent* et quand ils ne sont pas joints par la conjonction *et* (règle classique). *Quatre-vingts, trente-sept.*

  ⌕ Selon les *Rectifications orthographiques* (1990), « on peut lier par un trait d'union les numéraux formant un nombre complexe, inférieur ou supérieur à cent ».

- Le trait d'union unit le **verbe** et le **sujet inversé,** le **verbe à l'impératif** et le **pronom personnel** qui le suit. *Aurai-je le temps de te voir ? Donne-moi un peu de lait.*

- Le trait d'union marque **la coupure d'un mot** en fin de ligne.

VOIR TABLEAU ► TRAIT D'UNION.

LES PARENTHÈSES | () | .... PARENTHÈSE OUVRANTE : UN ESPACEMENT AVANT / PAS D'ESPACEMENT APRÈS.
PARENTHÈSE FERMANTE : PAS D'ESPACEMENT AVANT / UN ESPACEMENT APRÈS.

- Les parenthèses, composées de deux signes (parenthèse ouvrante et parenthèse fermante), servent à intercaler dans une phrase un **élément explicatif.** *L'expression tenir pour acquis (du verbe **acquérir**) signifie…*

  Ⓣ Après la parenthèse fermante, il n'y a pas d'espace avant un signe de ponctuation à l'exception du deux-points. *Il vient de Nicolet (Québec).*

- Les parenthèses encadrent un **commentaire.** *L'école a informé les parents de la mise en vigueur (à compter du mois de mars) du nouveau règlement.*

VOIR TABLEAU ► PARENTHÈSES.

LE TIRET | – | ....UN ESPACEMENT AVANT / UN ESPACEMENT APRÈS.

- Le tiret sert à séparer une **explication**, un **commentaire**. *Les joueurs d'échecs – les vrais mordus – s'exercent tous les jours.*
- Le tiret indique le **changement d'interlocuteur** dans un dialogue.
  Le monarque s'avança vers son visiteur.
    « Que voulez-vous insinuer ?
    – Je n'insinue pas, j'affirme ! »
- Le tiret marque également les **éléments d'une énumération**.
  Munissez-vous de bons outils :
  – marteau,
  – scie,
  – tournevis.

P

151

LES GUILLEMETS | « » | ....GUILLEMET OUVRANT : UN ESPACEMENT AVANT / UN ESPACEMENT APRÈS.
GUILLEMET FERMANT : UN ESPACEMENT AVANT / UN ESPACEMENT APRÈS.

- Les guillemets sont de petits chevrons doubles qui se placent au commencement (guillemet ouvrant) et à la fin (guillemet fermant) d'une **citation**, d'un **dialogue**, d'un **mot**, d'une **locution que l'auteur désire isoler**. *Tous les vendredis, elle lit la chronique « Plaisirs ». Le réalisateur cria : « Silence, on tourne ! »*

VOIR TABLEAU ► GUILLEMETS.

LES CROCHETS | [ ] | ....CROCHET OUVRANT : UN ESPACEMENT AVANT / PAS D'ESPACEMENT APRÈS.
CROCHET FERMANT : PAS D'ESPACEMENT AVANT / UN ESPACEMENT APRÈS.

- Les crochets servent à marquer une **insertion** à l'intérieur d'une parenthèse, la **suppression d'un extrait dans une citation** [...], une **explication spécifique**. Dans le *Multidictionnaire*, la prononciation (selon l'Alphabet phonétique international) est indiquée entre crochets. *Abats [aba].*

LA BARRE OBLIQUE | / | ....PAS D'ESPACEMENT AVANT / PAS D'ESPACEMENT APRÈS.

- La barre oblique est utilisée dans l'inscription des **unités de mesure complexes abrégées**, des **fractions**, des **pourcentages**, de certaines mentions qui doivent être abrégées. *Une vitesse de 125 km/h, 2/3, 85 %.*

L'ASTÉRISQUE | * | .... PAS D'ESPACEMENT AVANT / UN ESPACEMENT APRÈS.

- L'astérisque indique un **appel de note** ; il peut être simple, double ou triple (*, **, ***)
  Le béluga* est un mammifère marin.
  _____
  * Le béluga est aussi appelé baleine blanche.

  Ⓣ Pour marquer un appel de note, l'astérisque se place après le mot, en exposant, avec ou sans parenthèses. L'astérisque est repris en bas de page pour introduire la note.

Ⓣ Les espacements recommandés dans ce tableau s'appliquent aux documents produits par dactylographie ou traitement de texte. Dans l'édition, on recourt aux espacements plus détaillés prescrits par les codes typographiques.

VOIR TABLEAU ► ESPACEMENTS.

DÉTERMINANT POSSESSIF

– Le déterminant possessif détermine le nom en indiquant le « possesseur » de l'être, de l'objet désigné.

⌨ On observe que le déterminant possessif est loin de toujours exprimer la possession réelle.
En effet, il n'établit souvent qu'une simple relation de chose à personne, qu'un rapport de dépendance, de familiarité, d'affinité, de proximité, etc. *Mon avion, ton hôtel, sa ville, nos invités, vos étudiants, leurs amis.*

– Il s'accorde en genre et en nombre avec le nom déterminé. *Ta voiture, son ordinateur, nos livres.*

– Il s'accorde en personne avec le nom désignant le possesseur :

un seul possesseur : *mon, ton, son* fils,   **plusieurs possesseurs** : *notre, votre, leur* fils ou fille
                        ma, ta, sa fille   *nos, vos, leurs* fils ou filles
                        mes, tes, ses fils ou filles

FORMES DU DÉTERMINANT POSSESSIF

UN SEUL POSSESSEUR	SINGULIER		PLURIEL
	MASCULIN	FÉMININ	
Première personne	*mon*	*ma*	*mes*
Deuxième personne	*ton*	*ta*	*tes*
Troisième personne	*son*	*sa*	*ses*

PLUSIEURS POSSESSEURS	SINGULIER	PLURIEL
Première personne	*notre*	*nos*
Deuxième personne	*votre*	*vos*
Troisième personne	*leur*	*leurs*

Devant un nom féminin commençant par une voyelle ou un *h* muet, c'est la forme masculine du déterminant qui est employée pour des raisons d'euphonie. *Mon amie, ton échelle, son histoire.*

VOIR TABLEAU ► DÉTERMINANT.

PRONOM POSSESSIF

– Le pronom possessif représente un nom de personne, d'animal ou de chose en précisant le « possesseur ». *Votre chien est bien dressé ; le nôtre est très turbulent. J'ai mon crayon, prenez le vôtre.*

– Comme le déterminant possessif, le pronom possessif est loin de toujours marquer un rapport de possession ; il n'exprime souvent qu'une simple relation, qu'un lien de dépendance, d'affinité, de proximité, etc.

⌨ 1° Il ne faut pas confondre le pronom possessif et le déterminant possessif. *Notre chatte est blanche ; la vôtre est noire.*
2° *Notre* est un déterminant possessif ; *la vôtre* est un pronom possessif qui remplace « votre chatte ». Le déterminant s'écrit avec un *o* ; le pronom possessif s'écrit avec un *ô* et il est toujours précédé d'un article défini.

FORMES DU PRONOM POSSESSIF

UN SEUL POSSESSEUR	SINGULIER		PLURIEL	
	MASCULIN	FÉMININ	MASCULIN	FÉMININ
Première personne	*le mien*	*la mienne*	*les miens*	*les miennes*
Deuxième personne	*le tien*	*la tienne*	*les tiens*	*les tiennes*
Troisième personne	*le sien*	*la sienne*	*les siens*	*les siennes*

PLUSIEURS POSSESSEURS	SINGULIER		PLURIEL
	MASCULIN	FÉMININ	
Première personne	*le nôtre*	*la nôtre*	*les nôtres*
Deuxième personne	*le vôtre*	*la vôtre*	*les vôtres*
Troisième personne	*le leur*	*la leur*	*les leurs*

Le **préfixe** est un élément qui se place avant un radical pour former un nouveau mot.

☞ Le **suffixe** est un élément qui se joint à la suite d'un radical pour former un dérivé.

Dans la composition des mots nouveaux (néologismes), le français emprunte surtout au **grec** et au **latin** des préfixes ou des éléments qui sont joints à un radical pour former une nouvelle unité lexicale. Ces préfixes présentent l'avantage d'être déjà connus et, ainsi, de favoriser la compréhension immédiate du néologisme.

P

153

▶ **Règles d'écriture**

Les préfixes se soudent généralement au radical : on observe une tendance marquée à supprimer les traits d'union pour constituer des unités lexicales simples. Seule la rencontre de deux voyelles impose parfois le trait d'union. *Méga-octet, micro-ordinateur.*

PRÉFIXES D'ORIGINE GRECQUE

PRÉFIXES	SENS	EXEMPLES
aéro-	« air »	*aérogare, aéroport*
agro-	« champ »	*agrochimie, agroalimentaire*
allo-	« autre »	*allophone*
amphi-	« en double »	*amphibie*
anti-	« contre »	*antibruit, antigel*
archéo-	« ancien »	*archéologie*
archi-	« degré extrême »	*archimillionnaire, archi-fou*
auto-	« de soi-même »	*autobiographie*
biblio-	« livre »	*bibliothèque*
bio-	« vie »	*biologie, bio-industrie*
cardi(o)-	« cœur »	*cardiologie*
cata-	« en dessous, en arrière »	*catacombe*
chir(o)-	« main »	*chiromancie*
cosmo-	« monde »	*cosmopolite*
grapho-	« écrire »	*graphologie*
hyper-	« au-dessus, au-delà »	*hypermarché*
kilo-	« mille »	*kilogramme*
meg-, méga-	« grand »	*mégajoule, méga-octet*
micro-	« petit »	*microfilm, micro-ondes*
mono-	« seul »	*monopole*
mytho-	« fable »	*mythologie*
néo-	« nouveau »	*néologisme*
orth(o)-	« droit »	*orthographe*
pan-	« tout »	*panaméricain*
para-, pare-	« à côté de »	*parascolaire*
péd(o)-	« enfant »	*pédiatrie*
penta-	« cinq »	*pentagone*
péri-	« autour »	*périmètre, périphérie*
philo-	« ami »	*philosophie, philologie*
phon-, phono-	« son »	*phonétique*
poly-	« nombreux »	*polytechnique*
pro-	« en faveur de »	*proaméricain*
psych(o)-	« âme »	*psychologie*
thermo-	« chaleur »	*thermomètre*
xén(o)-	« étranger »	*xénophobie*

P

154

PRÉFIXES D'ORIGINE LATINE

PRÉFIXES	SENS	EXEMPLES
anglo-	« anglais »	*anglophone*
anté-	« avant »	*antérieur, antédiluvien*
aqua-	« eau ».	*aquarelle, aquatique*
audio-	« j'entends »	*audiovisuel*
bi(s)-	« deux fois »	*bilingue, bimoteur, bimensuel*
calor-	« chaleur »	*calorifère*
centi-	« cent ».	*centimètre*
co-.	« avec »	*copropriété, coauteur, coédition*
curvi-	« courbe »	*curviligne*
déci-	« dix »	*décibel*
dis-	« séparation »	*dissocier*
ex-.	« antérieurement »	*ex-mari, ex-ministre*
extra-	« en dehors »	*extraterrestre*
franco-	« de langue, d'ascendance française »	*franco-ontarien*
inter-	« entre ».	*interurbain, international*
longi-	« long »	*longiligne*
mini-	« moins »	*minijupe*
multi-	« beaucoup, plusieurs »	*multicolore, multiethnique*
oct-, octa-, octi-, octo-	« huit »	*octogone*
omni-	« tout »	*omnipraticien, omnivore*
péd(i)-	« pied ».	*pédicure*
pisci-	« poisson ».	*pisciculture*
pluri-	« plusieurs »	*pluridisciplinaire*
post-	« après »	*postérieur, postérité*
pré-	« en avant »	*préretraite*
quadr(i)-	« quatre »	*quadrimoteur*
quinqu(a)-	« cinq ».	*quinquennal*
quint-	« cinquième »	*quintuple*
radio-	« rayon »	*radiologie*
rect(i)-	« droit »	*rectiligne*
rétro-	« en arrière »	*rétrograder*
semi-	« demi »	*semi-automatique*
sérici-	« soie »	*sériciculture*
sub-	« sous ».	*subconscient, subdiviser*
super-	« au-dessus »	*superpuissance, superposer*
sur-.	« au-dessus »	*surabondance, surdoué*
sylvi-	« forêt »	*sylviculture*
trans-	« à travers »	*transatlantique*
tri-.	« trois »	*triangle, tricycle*
ultra-	« au-delà »	*ultrason, ultrasecret*
uni-	« un ».	*unilingue*
vidéo-	« je vois »	*vidéocassette*
viti-.	« vigne »	*viticulture*

VOIR TABLEAUX ▶ NÉOLOGISME. ▶ SUFFIXE.

PRÉPOSITION

La préposition est un mot invariable qui sert à introduire un complément, qu'il unit, par un rapport de temps, de lieu, de moyen, de manière, etc., à un mot, à un groupe de mots ainsi complétés.

▸ **Quelques prépositions**

À	DE	PAR
Je viendrai à midi (temps).	*Marcher de midi à minuit* (temps).	*Passer par Trois-Rivières* (lieu).
Il habite à la campagne (lieu).	*Se rapprocher de la ville* (lieu).	*Travailler dix heures par jour* (temps).
Se battre à l'épée (moyen).	*Une femme de tête* (manière).	*Voyager par bateau* (moyen).

DANS	EN	POUR
Il arrivera dans une heure (temps).	*Elle habite en Gaspésie* (lieu).	*Partir pour la campagne* (lieu).
Elle travaille dans un bureau (lieu).	*En été comme en hiver* (temps).	*Partir pour deux jours* (temps).
Boire dans un verre (instrument).	*Une bague en or* (matière).	*Des bottes pour la pluie* (but).

🔲 Attention à certains mots qui sont tantôt des prépositions s'ils introduisent un complément, tantôt des adverbes s'ils n'en introduisent pas.

> *Il y a un chien derrière l'arbre.* Le mot *derrière* introduit un complément de phrase : c'est une **préposition**.

> *Les chiens sont restés derrière.* Le mot *derrière* n'introduit pas de complément : c'est un **adverbe** qui modifie le verbe *rester*.

▸ **Principales prépositions**

à	contre	dès	envers	par	sauf
après	dans	devant	hors	parmi	selon
avant	de	durant	jusque	pendant	sous
avec	depuis	en	malgré	pour	sur
chez	derrière	entre	outre	sans	vers...

LOCUTION PRÉPOSITIVE (ou préposition composée)

La *locution prépositive* ou *préposition composée* est formée de plusieurs mots et joue le même rôle que la préposition : elle introduit un complément. *Un joli jardin a été aménagé en arrière de la maison.*

🔲 Les prépositions simples ou composées introduisent toujours un complément. Attention à certaines locutions qui n'introduisent pas de complément et qui sont alors des locutions adverbiales (ou adverbes composés).

> *Les enfants jouent en avant de l'école.* La locution *en avant de* introduit un complément de phrase : c'est une **préposition composée**.

> *Regardez en avant.* La locution *en avant* n'introduit pas de complément : *c'est un **adverbe composé** qui modifie le verbe *regarder*.

▸ **Principales locutions prépositives** (ou prépositions composées)

à cause de	à l'insu de	auprès de	de delà	en dehors de	par-delà
à condition de	à l'intention de	au prix de	de derrière	en dépit de	par-dessous
à côté de	à moins de	au sujet de	de dessous	en face de	par-dessus
à défaut de	à raison de	autour de	de dessus	en faveur de	par-devant
afin de	au cours de	au travers de	de devant	étant donné	par-devers
à force de	au-dedans de	aux dépens de	de façon à	face à	par rapport à
à l'abri de	au-dehors de	aux environs de	de manière à	faute de	près de
à la façon de	au-dessous de	avant de	d'entre	grâce à	proche de
à la faveur de	au-dessus de	conformément à	de par	hors de	quant à
à la mode de	au-devant de	contrairement à	de peur de	jusqu'à	sauf à
à l'égard de	au lieu de	dans le but de	du côté de	le long de	vis-à-vis de...
à l'encontre de	au milieu de	d'après	en bas de	loin de	
à l'exception de	au moyen de	d'avec	en deçà de	par-dedans	
à l'exclusion de	au pied de	de chez	en dedans de	par-dehors	

PRÉSENT

AXE DU TEMPS

PASSÉ	PRÉSENT	FUTUR
AUTREFOIS, ON VOYAGEAIT EN BATEAU.	**AUJOURD'HUI,** ON SE DÉPLACE EN AVION.	**DEMAIN,** ON CIRCULERA EN NAVETTE SPATIALE.

Le **PRÉSENT** indique qu'un fait, qu'une action a lieu au moment où l'on parle.

▸ **Le PRÉSENT exprime :**

– un **fait actuel,** une **action présente.**

Il fait soleil aujourd'hui. Elle est à la campagne dans son jardin.

▸ **Le PRÉSENT exprime également :**

– une **vérité éternelle, générale.**

Le ciel est bleu. Il importe de bien maîtriser sa langue, car elle est le véhicule de la pensée.

▭ Les proverbes, les maximes, les adages sont généralement au présent, car ils expriment des vérités permanentes. *« Rien ne sert de courir, il faut partir à point. »* (La Fontaine) *Pierre qui roule n'amasse pas mousse.*

– un **fait habituel.**

Les enfants partent tous les matins à 7 h 30 et reviennent à 16 h.

– un **fait scientifique.**

Deux et deux font quatre. « Tout corps plongé dans un liquide subit une poussée verticale, dirigée de bas en haut, égale au poids du fluide déplacé. » (Principe d'Archimède)

– un **fait historique.**

Samuel de Champlain fonde Québec en 1608.

▭ Ce temps s'appelle aussi le présent narratif, car il raconte l'histoire de façon vivante et la rattache à l'actualité.

▸ **Le PRÉSENT peut aussi traduire :**

– un **passé récent.**

La partie de hockey se termine tout juste.

– un **futur proche.**

Attends-moi, j'arrive immédiatement. Nous partons en voyage demain.

▭ Dans ces deux cas, la dimension passée ou future est indiquée à l'aide du verbe au présent accompagné d'une locution adverbiale (ou adverbe composé) pour le passé *(tout juste)* ou d'un adverbe pour le futur *(immédiatement).*

– une **action future** dans une subordonnée conditionnelle.

Si tu économises un peu, tu pourras t'acheter des patins.

VOIR TABLEAUX ▸ CONCORDANCE DES TEMPS DANS LA PHRASE. ▸ FUTUR. ▸ PASSÉ (TEMPS DU).

PROGRESSION DE L'INFORMATION[1]

La notion de **progression de l'information** relève de la grammaire du texte ou cohérence textuelle. Elle concerne l'art de construire des paragraphes et explique comment l'information déjà connue (le **thème**) sert de base dans une phrase pour ajouter l'information nouvelle (le **propos**).

> *La tomate* (**thème**) *est originaire de l'Amérique* (**propos**).
> *L'Amérique* (**thème**) *est le continent d'origine de la tomate* (**propos**).

Les deux phrases ci-dessus ont la même signification, mais elles appartiennent à deux textes différents : la première fait partie d'un texte qui a pour thème la tomate et donne comme information nouvelle que celle-ci vient de l'Amérique ; la deuxième fait partie d'un texte qui a pour thème l'Amérique et donne comme information nouvelle que celle-ci est le lieu d'origine de la tomate.

ꙅ Pour choisir le bon ordre dans lequel présenter l'information, il faut d'abord faire état de ce dont on parle (le thème), ensuite de ce qu'on en dit (le propos).

> *La tomate est originaire de l'Amérique. Ce continent a également donné au monde bien d'autres aliments, comme l'arachide, la courge, le maïs, le piment. Le fait que la tomate en soit originaire surprend le plus les gens, qui associent habituellement cette dernière à l'Italie et à la Méditerranée. Cette région a tellement bien su l'intégrer dans sa cuisine !*

Analyse du paragraphe ci-dessus :

Thème (information connue ou qui vient d'être connue dans les phrases précédentes)	Propos (information nouvelle)
A* : tomate	B : originaire de l'Amérique
B : ce continent	C : donné au monde autres aliments (arachide, courge, maïs, piment)
A + B : le fait que la tomate en soit originaire	D : surprend les gens
D : qui (les gens)	E : associent à l'Italie et à la Méditerranée
E : cette région	F : su l'intégrer dans sa cuisine

*Chaque lettre symbolise une information différente.

Dans la construction d'un paragraphe, il faut s'assurer de regrouper toute l'information nouvelle qui concerne les éléments connus (ou qui viennent d'être connus dans les phrases précédentes). Cet ensemble complet d'information constitue un paragraphe cohérent. Ensuite, pour ajouter une information nouvelle qui deviendra un nouveau thème et qui permettra de communiquer d'autres renseignements, il faut créer un nouveau paragraphe.

Pour communiquer d'autres renseignements, il faut créer un nouveau paragraphe.

> *La tomate est originaire de l'Amérique. Ce continent a également donné au monde bien d'autres aliments, comme l'arachide, la courge, le maïs, le piment. Le fait que la tomate en soit originaire surprend le plus les gens, qui associent habituellement cette dernière à l'Italie et à la Méditerranée. Cette région a tellement bien su l'intégrer dans sa cuisine !*
>
> *La tomate, comme la courge et le piment d'ailleurs, est un fruit. Ce classement biologique est souvent une autre cause d'étonnement.* [...]

VOIR TABLEAU ▶ REPRISE DE L'INFORMATION.

1. Conception du tableau : Annie Desnoyers.

PRONOM

Le pronom est un mot qui représente un nom, un pronom ou un groupe nominal; un adjectif ou un groupe adjectival; une phrase. *Je te prête mon livre : prends-en grand soin et rends-le-moi demain.*

▭ Les pronoms personnels *en* et *le* représentent le groupe nominal *mon livre.*

Les articles de ce journal sont intéressants, mais ceux de cet hebdomadaire le sont peu.

▭ Le pronom personnel *le* représente l'adjectif *intéressants.*

Ces personnes sont honnêtes. Je le crois, du moins.

▭ Le pronom personnel *le* représente la phrase *Ces personnes sont honnêtes.*

1. PRONOM PERSONNEL

Le pronom personnel indique la personne de l'être ou de l'objet dont il est question.

PERSONNE	GENRE	NOMBRE	PRONOMS PERSONNELS SUJETS	PRONOMS PERSONNELS COMPLÉMENTS		
				COMPLÉMENT DIRECT	COMPLÉMENT INDIRECT	COMPLÉMENT DE LA PRÉPOSITION
1re	masculin/féminin	singulier	*je*	*me, moi*	*me*	*moi*
2^{e}	masculin/féminin	singulier	*tu*	*te, toi*	*te*	*toi*
3^{e}	masculin	singulier	*il*	*le, se*	*lui, en, y, se*	*lui*
	féminin	singulier	*elle*	*la, se*	*lui, en, y, se*	*elle*
	neutre	singulier	*on*	*en, se*	*lui, en, y, se*	*soi*
1re	masculin/féminin	pluriel	*nous*	*nous*	*nous*	*nous*
2^{e}	masculin/féminin	pluriel	*vous*	*vous*	*vous*	*vous*
3^{e}	masculin	pluriel	*ils*	*les, se*	*leur, en, y, se*	*eux*
	féminin	pluriel	*elles*	*les, se*	*leur, en, y, se*	*elles*
	masculin/féminin	pluriel	*ils*	*les, se*	*leur, en, y, se*	*eux*

La 1re personne est celle qui parle. *Je reviendrai demain. Elle me regarde. Je me souviens. Regarde-moi. Joue avec moi.*

La 2e personne est celle à qui l'on parle. *Tu reviendras demain? Elle te regarde. Tu te rappelles. Regarde-toi. Je viens avec toi.*

La 3e personne est celle dont on parle. *Elles reviendront demain? On les aime. Elles se coiffent. Regarde-les* ou *parle-leur. Viens avec eux. Danse avec elles.*

▭ Devant une voyelle ou un *h* muet, certains pronoms s'élident : *j', m', t', l', s'. J'aime, je m'ennuie, il t'aime, tu ne l'aimes pas, ils s'habituent.*

2. PRONOM POSSESSIF

– Le pronom possessif représente un nom de personne ou de chose en précisant le « possesseur ». *Votre chien est bien dressé; le nôtre est très turbulent. Prends ton livre; je prends le mien.*

PRONOM | *SUITE* >

– Comme le déterminant possessif, le pronom possessif est loin de toujours marquer un rapport de possession ; il n'exprime souvent qu'une simple relation, qu'un lien de dépendance, d'affinité, de proximité, etc.

🖝 Il ne faut pas confondre le pronom possessif et le déterminant possessif. *Notre chatte est blanche ; la vôtre est noire. Notre* est un déterminant possessif ; *la vôtre* est un pronom possessif qui remplace « votre chatte ». Le déterminant s'écrit avec un *o* ; le pronom possessif, avec un *ô* et il est toujours précédé d'un déterminant défini.

P

159

FORMES DU PRONOM POSSESSIF

UN SEUL POSSESSEUR	SINGULIER		PLURIEL	
	MASCULIN	FÉMININ	MASCULIN	FÉMININ
Première personne	*le mien*	*la mienne*	*les miens*	*les miennes*
Deuxième personne	*le tien*	*la tienne*	*les tiens*	*les tiennes*
Troisième personne	*le sien*	*la sienne*	*les siens*	*les siennes*

PLUSIEURS POSSESSEURS	SINGULIER		PLURIEL	
	MASCULIN	FÉMININ	MASCULIN	FÉMININ
Première personne	*le nôtre*	*la nôtre*	*les nôtres*	*les nôtres*
Deuxième personne	*le vôtre*	*la vôtre*	*les vôtres*	*les vôtres*
Troisième personne	*le leur*	*la leur*	*les leurs*	*les leurs*

3. PRONOM DÉMONSTRATIF

Le pronom démonstratif représente un nom, dont il prend le genre et le nombre, et un déterminant démonstratif ; il sert à montrer la personne ou la chose désignée par ce nom. *Ces fleurs sont plus odorantes que celles-ci. C'est magnifique.*

FORMES DU PRONOM DÉMONSTRATIF :

GENRE	SINGULIER	PLURIEL
MASCULIN	*celui (celui-ci, celui-là)*	*ceux (ceux-ci, ceux-là)*
FÉMININ	*celle (celle-ci, celle-là)*	*celles (celles-ci, celles-là)*
NEUTRE	*ce (ceci, cela)*	

4. PRONOM INDÉFINI

Le pronom indéfini représente une personne, une chose qu'il désigne d'une manière indéterminée, vague. *L'un dit oui, l'autre dit non. Nous n'avons rien mangé et nous n'avons vu personne.*

▸ **Pronoms indéfinis variables :**

Aucun, certain, chacun, l'un, l'autre, le même, maint, nul, pas un, plus d'un, quelqu'un, tel, tout, un autre, un tel...

▸ **Pronoms indéfinis invariables :**

Autrui, on, personne, plusieurs, quelque chose, quiconque, rien...

P

5. PRONOM RELATIF

Le pronom relatif représente un nom ou un pronom et introduit une phrase relative. *La ville **dont** je parle est Montréal. L'enfant **qui** court ressemble à ton frère. Ceux **que** j'ai vus paraissent excellents.*

Le nom ou le pronom représenté par le pronom relatif est son antécédent.

▸ **Pronoms relatifs définis**

FORMES SIMPLES : *qui, que, quoi, dont, où.*

FORMES COMPOSÉES : *à qui, à quoi, de qui, de quoi,* préposition + *qui,* préposition + *quoi*

SINGULIER		PLURIEL	
MASCULIN	FÉMININ	MASCULIN	FÉMININ
lequel	*laquelle*	*lesquels*	*lesquelles*
duquel	*de laquelle*	*desquels*	*desquelles*
auquel	*à laquelle*	*auxquels*	*auxquelles*

▫ La forme du pronom relatif varie selon sa fonction dans la phrase relative.

▸ **Pronoms relatifs indéfinis.** *Quiconque s'aventure en ces lieux s'expose à un danger.*
Quiconque, qui que ce soit, quoi que ce soit.

6. PRONOM INTERROGATIF

Le pronom interrogatif représente une personne, une chose que l'on ne connaît pas et sur laquelle porte l'interrogation. ***Qui** sont-ils? **Quel** est ton nom? Je me demande **ce que** tu veux.*

– **Interrogation dans une phrase autonome interrogative :** *qui, que, quoi, quel, quelle, quels, quelles, lequel, laquelle, lesquels, lesquelles. Lesquels de ces disques préférez-vous?*

▫ Le pronom ***lequel*** représente une personne, une chose dont on parle et avec laquelle il s'accorde en genre et en nombre. ***Lequel** de ces disques préférez-vous?*

– **Interrogation dans une phrase subordonnée :** *ce qui, ce que, lequel, laquelle, lesquels, lesquelles.*
Ils se demandent lequel de ces projets Thomas retiendra.

PRONOMINAUX

Les verbes pronominaux sont accompagnés d'un pronom personnel complément (*me, te, se, nous, vous*) qui représente le sujet. Aux temps composés, les verbes pronominaux se conjuguent avec l'auxiliaire *être*. *Elle se regarde. Nous nous parlons. Elle s'est regardée. Nous nous sommes parlé.*

📖 À l'infinitif, les verbes pronominaux sont toujours précédés du pronom *se* (*s'* devant un verbe qui commence par une voyelle ou un *h* muet). Certains verbes sont **essentiellement pronominaux,** c'est-à-dire qu'ils n'existent qu'à la forme pronominale (*se souvenir*); d'autres sont **accidentellement pronominaux,** c'est-à-dire qu'ils peuvent exister sous une forme non pronominale, mais ils deviennent pronominaux à l'occasion. Ex. : *Aimer* et *s'aimer, contempler* et *se contempler, parfumer* et *se parfumer.* Le pronom peut être complément direct du verbe (CDV) ou complément indirect du verbe (CIV). *Ils se (CDV) sont consultés, elles se (CIV) sont succédé.*

1. LES VERBES PRONOMINAUX RÉFLÉCHIS

PARTICIPE PASSÉ : ACCORD AVEC LE CDV QUI PRÉCÈDE LE VERBE

Les pronominaux sont réfléchis lorsque l'action qu'ils marquent a pour objet le sujet du verbe.
Elle s'est parfumée. Elle a parfumé *qui ? s'* (CDV) mis pour le sujet.

↪ Les pronominaux réfléchis se construisent avec un pronom personnel complément qui renvoie au sujet.

Les pronominaux réfléchis sont appelés **réciproques** lorsqu'ils marquent une action exercée par plusieurs sujets l'un sur l'autre, les uns sur les autres. Les pronominaux réciproques ont donc toujours un sujet au pluriel.

Martin et Jeanne se sont écoutés, ils se sont regardés. Ils ont écouté et regardé **qui ?** *se* mis pour Martin et Jeanne mutuellement. Martin a écouté et regardé Jeanne, et Jeanne a écouté et regardé Martin.

▸ **Accord du participe passé** : le participe passé des verbes pronominaux réfléchis ou réciproques s'accorde avec le complément direct qui précède le verbe. *Elle s'est habillée. Ils se sont salués. Elles se sont lavées,* mais *elles se sont lavé les mains.*

📖 Attention, le participe passé des pronominaux réfléchis ou réciproques ne s'accorde pas si le complément direct suit le verbe. *Elles se sont lavé les mains.* Si le verbe est accompagné d'un pronom (*me, te, se,* etc.) complément indirect, le participe passé ne s'accorde pas. *Ils se sont écrit. Elles se sont parlé.*

2. LES VERBES PRONOMINAUX NON RÉFLÉCHIS

PARTICIPE PASSÉ : ACCORD AVEC LE SUJET DU VERBE

Les pronominaux non réfléchis sont accompagnés d'un pronom (*me, te, se,* etc.) qui n'est pas un complément direct, mais qui fait partie de la forme verbale, pour ainsi dire : ce pronom est sans fonction logique.

Exemples de verbes pronominaux non réfléchis :

s'apercevoir de	se connaître en	se moquer de	se résoudre à
s'approcher de	se défier	s'ouvrir	se saisir de
s'attaquer à	se départir de	se plaindre de	se servir de
s'attendre à	se douter de	s'en prendre à	se taire…
s'avancer	s'endormir	se prévaloir de	
s'aviser de	s'ennuyer	se railler de	
se battre en	se jouer de	se refuser à	

▸ **Accord du participe passé** : le participe passé des verbes pronominaux non réfléchis s'accorde avec le sujet du verbe. *Les enfants se sont moqués du comédien. Ils se sont tus quand le spectacle a commencé.*

3. LES VERBES ESSENTIELLEMENT PRONOMINAUX

PARTICIPE PASSÉ : ACCORD AVEC LE SUJET DU VERBE

Les verbes essentiellement pronominaux n'existent qu'à la forme pronominale.

Exemples de verbes essentiellement pronominaux :

s'absenter	se chamailler	s'empiffrer	s'évader	se méfier de	se réincarner
s'abstenir de	se contreficher	s'empresser de	s'évanouir	se méprendre	se renfrogner
s'accouder	se dédire	s'enfuir	s'évertuer	se morfondre	se repentir
s'accroupir	se démener	s'enquérir de	s'exclamer	s'obstiner	se ressourcer
s'acharner	se désendetter	s'ensuivre	s'extasier	se parjurer	se soucier de
s'adonner à	se désertir	s'entraider	se formaliser	se prélasser	se souvenir de
s'affairer à	se désister	s'entredéchirer	se gargariser	se prosterner	se suicider
s'agenouiller	s'ébrouer	s'entremettre	se gausser	se ratatiner	se tapir
s'en aller	s'écrier	s'entretuer	s'immiscer	se raviser	se targuer de...
s'autodétruire	s'écrouler	s'envoler	s'ingénier à	se rebeller	
s'autoproclamer	s'efforcer de	s'époumoner	s'insurger	se rebiffer	
s'aventurer	s'égailler	s'éprendre de	s'interpénétrer	se récrier	
s'avérer	s'égosiller	s'esclaffer	se lamenter	se recroqueviller	
se blottir	s'emparer de	s'escrimer	se marrer	se réfugier	

▶ **Accord du participe passé** : le participe passé des verbes essentiellement pronominaux s'accorde avec le sujet du verbe. *Ils se sont abstenus de voter. Elles se sont absentées.*

    ▭ Le verbe essentiellement pronominal *s'arroger* est le seul qui est transitif direct. Il s'accorde avec le complément direct qui précède le verbe. Si le complément direct suit le verbe, le participe passé est invariable. *Les pouvoirs qu'il s'est arrogés,* mais *il s'est arrogé des pouvoirs.*

4. LES VERBES PRONOMINAUX DE SENS PASSIF

PARTICIPE PASSÉ : ACCORD AVEC LE SUJET DU VERBE

Les pronominaux de sens passif correspondent à des emplois du verbe à la voix passive où le sujet subit l'action, mais ne la fait pas.
- Voix active. *On mange des pommes à la récréation.*
- Voix passive. *Les pommes sont mangées à la récréation.*
- Forme pronominale passive. *Les pommes se mangent à la récréation.*
Le pronom personnel *se* ne représente pas le sujet, car ce ne sont pas les pommes qui se mangent.

▶ **Accord du participe passé** : le participe passé des verbes pronominaux de sens passif s'accorde avec le sujet du verbe. *Ces produits se sont bien écoulés.*

5. LES VERBES PRONOMINAUX DONT LE PARTICIPE PASSÉ EST INVARIABLE

PARTICIPE PASSÉ : INVARIABLE

Certains verbes pronominaux, qui ne sont pas des verbes transitifs directs à la voix active, sont **invariables** à la forme pronominale, car ils sont accompagnés d'un pronom qui n'est pas un complément direct, mais un complément indirect.
Ils se sont succédé à la direction de l'entreprise. Elles se sont parlé longuement.

    ▭ Le participe passé de ces verbes pronominaux est invariable.

s'appartenir	se déplaire	se plaire	se rire de	se suffire
se complaire	se mentir	se rendre compte	se sourire	se survivre
se convenir	se nuire	se ressembler	se succéder	

Le participe passé du verbe *se faire* suivi d'un infinitif est invariable.
Ils se sont fait construire une petite maison dans les Laurentides.
    ▭ Suivi d'un nom ou d'un adjectif attribut du complément direct, le participe passé du verbe *se faire* s'accorde en genre et en nombre avec l'attribut. *Au fil des ans, elles se sont faites vieilles.*

QUE, CONJONCTION DE SUBORDINATION

La conjonction de subordination (ou subordonnant) *que* sert à introduire une phrase subordonnée sujet, attribut, complément du verbe, complément de phrase, complément du nom ou complément de l'adjectif. *Je pense que nous y arriverons.* Elle accompagne le subjonctif qui marque, notamment, le commandement, la demande, le souhait, le doute, la négation. *Elles souhaitent que nous puissions venir.* La conjonction sert également de corrélatif aux comparatifs. *Anna est plus sportive que Nellie.*

Q
163

☞ Devant une voyelle ou un *h* muet, la conjonction s'élide. *Qu'il, qu'une.*

Il importe de ne pas confondre la conjonction de subordination *que* avec le pronom relatif *que* qui relie une phrase subordonnée relative à un nom ou à un pronom (l'antécédent). *La personne* (antécédent) *que je vois. Les villes* (antécédent) *que j'ai visitées. C'est elle* (antécédent) *que j'ai rencontrée.*

VOIR TABLEAU ▸ QUE, PRONOM.

▸ La conjonction introduit une **subordonnée sujet de la phrase**. *Que vous veniez ce soir nous fait un grand plaisir.*

▸ La conjonction introduit une **subordonnée complétive** (complément du verbe). *Il importe que tu réfléchisses. Je crois que tu as raison.*
  ⤷ La conjonction de subordination est répétée s'il y a coordination de phrases subordonnées. *Elle espère que tu réfléchiras et que tu accepteras sa proposition.*

▸ La conjonction introduit une **subordonnée circonstancielle** (complément de la phrase). *Nous serons là avant que le train (ne) parte.*

▸ La conjonction introduit une **subordonnée complétive** (complément du nom). *Elle caresse l'espoir que tous soient réunis sous peu.*

▸ La conjonction introduit une **subordonnée complétive** (complément de l'adjectif). *Ces candidats étaient ravis que leur candidature soit retenue.*

▸ La conjonction accompagne le **subjonctif.** *Je doute que les voyageurs puissent partir ce soir.*

▸ La conjonction introduit le **second terme d'un modificateur de comparaison.** *Il est plus grand que toi.*

Locutions conjonctives de subordination (ou subordonnants) avec *que.*
Ces subordonnants introduisent une phrase subordonnée circonstancielle.

à ce que	d'abord que	en tant que	quoique
afin que	d'autant moins que	étant donné que	sans que
ainsi que	d'autant plus que	excepté que	sauf que
alors que	de crainte que	il est entendu que	si bien que
à mesure que	de façon que	jusqu'à ce que	si tant est que
à présent que	de manière que	le fait que	soit que... soit que
après que	de même que	malgré que	sous (le) prétexte que
à supposer que	de peur que	moins que	supposé que
à tel point que	depuis que	parce que	tandis que
attendu que	de sorte que	pendant que	tant que
au lieu que	dès que	peut-être que	tant... que
à un point tel que	de telle façon que	plus que	tellement que
au point que	de (telle) sorte que	plutôt que	toutes les fois que
aussi bien que	du moment que	pour autant que	trop... pour que
aussitôt que	en admettant que	pour peu que	une fois que
avant que	en attendant que	pour que	vu que...
bien que	encore que	pourvu que	
c'est-à-dire que	en même temps que	puisque	

VOIR TABLEAU ▸ CONJONCTION DE SUBORDINATION.

Q

Le pronom relatif *que* relie une phrase subordonnée relative à un nom ou à un pronom (l'antécédent). L'antécédent du pronom *que* peut être une personne ou une chose. *La personne* [antécédent] *que j'ai rencontrée. C'est toi* [antécédent] *que j'ai remarqué. Les multiples villes* [antécédent] *que vous avez visitées; celles* [antécédent] *que vous n'avez pas encore vues.*

> Devant une voyelle ou un *h* muet, le pronom s'élide. *La montagne qu'il a escaladée. La promenade qu'Hélène fera.*

Il importe de ne pas confondre le pronom relatif *que* avec la conjonction de subordination *que* qui n'est pas liée à un antécédent et qui introduit une phrase subordonnée sujet, complément du verbe, complément de la phrase, complément du nom ou complément de l'adjectif ou le second terme d'une comparaison.

VOIR TABLEAU ▸ QUE, CONJONCTION DE SUBORDINATION.

▸ **Fonctions du pronom**

- **Complément direct du verbe de la relative.** *Les paysages que vous avez vus sont magnifiques.*
- **Attribut du verbe de la relative.** *Le scientifique qu'il est s'interroge.*

Le pronom interrogatif *que* introduit une phrase interrogative.

▸ **Fonctions du pronom**

1. Interrogation dans la phrase autonome interrogative
   - **Complément direct.** *Que dis-tu?*
     ↪ La construction *qu'est-ce que* s'emploie également, mais elle est plus lourde.
   - **Attribut.** *Qu'est ce parfum?*
   - **Complément d'un verbe impersonnel.** *Que va-t-il arriver?*

2. Interrogation dans la phrase subordonnée
   - **Complément direct.** *Je ne sais que décider.*
   - **Attribut.** *Il ne sait que devenir.*
     > La phrase autonome interrogative est suivie d'un point d'interrogation. *Que veut-elle ?*
     > Par contre, pour l'interrogation exprimée dans la subordonnée, la phrase autonome est déclarative et se termine par un point. *Il se demande ce qu'elle* (et non **qu'est-ce qu'elle*) *veut.*

▸ **Locutions pronominales interrogatives** (ou **pronoms interrogatifs composés**)

Qu'est-ce qui. Que (sujet). *Qu'est-ce qui vous prend?*
Qu'est-ce que. Que (complément). *Qu'est-ce que vous dites?*

VOIR TABLEAU ▸ PRONOM.

QUÉBÉCISME

Mot ou expression propre au français du Québec.

Les québécismes se répartissent en trois grandes catégories :
1. **les mots originaires des provinces de France** d'où sont venus s'établir en Nouvelle-France les premiers colons ;
2. **les mots créés sur le territoire québécois** pour nommer des réalités propres au Québec, pour désigner de nouvelles réalités ou pour éviter un emprunt à d'autres langues ;
3. **les emprunts** à l'anglais et aux langues amérindiennes.

1. QUÉBÉCISMES ORIGINAIRES DE FRANCE

ARCHAÏSMES

Formes lexicales anciennes, disparues ou en voie de disparition dans le français moderne européen, mais encore courantes au Québec et dans certaines régions de la francophonie.

On peut distinguer les archaïsmes de forme et les archaïsmes de sens :

- **Archaïsmes formels**
  Formes appartenant à un état de langue ancien, qui sont toujours vivantes au Québec, mais qui sont disparues de l'usage contemporain européen.
  achalandage, abrier, brunante, l'adjectif *croche* aux sens de « crochu » et « malhonnête », *dépendamment, ennuyant*

- **Archaïsmes sémantiques**
  Acceptions attestées en français des siècles antérieurs, qui n'ont pas survécu en français général, mais qui sont toujours courantes au Québec.
  garde-robe au sens de « placard », *goûter* au sens de « avoir le goût de », *jambette* au sens de « croc-en-jambe », *piger* aux sens de « prendre », « voler, détourner », *tantôt* aux sens de « un peu plus tôt » ou « un peu plus tard »

DIALECTALISMES

Formes lexicales anciennes qui proviennent de l'un ou l'autre des dialectes de la France et qui sont toujours courantes dans l'usage québécois et parfois dans certaines régions de la francophonie.

On peut distinguer les dialectalismes de forme et les dialectalismes de sens :

- **Dialectalismes formels**
  Unités lexicales originaires de certains parlers régionaux, qui sont toujours vivantes au Québec, mais qui ne sont pas usitées dans le français européen.
  écornifler, bleuet (airelle), *gadellier*

- **Dialectalismes sémantiques**
  Acceptions originaires de certains dialectes de France, qui ont survécu en français québécois, mais qui n'appartiennent pas à l'usage courant du français européen.
  bec au sens de « baiser », *creux* au sens de « profond », *mouiller* au sens de « pleuvoir »

2. QUÉBÉCISMES DE CRÉATION OU NÉOLOGISMES

NÉOLOGISMES

Formes lexicales anciennes ou récentes, créées sur le territoire québécois.

On peut distinguer les néologismes de forme et les néologismes de sens :

- **Néologismes formels**

    Formes lexicales de création québécoise.

    aluminerie, baladodiffusion, courriel, débarbouillette, épluchette, érablière, motoneige, piquetage, pourvoirie

- **Néologismes sémantiques**

    Formes lexicales anciennes ou récentes, d'origine française ou étrangère, et dont au moins un des sens est propre à l'usage linguistique québécois.

    babillard au sens de « tableau d'affichage », *dépanneur* au sens de « épicerie de proximité », *laveuse* au sens de « lave-linge », *magasinage* au sens de « courses, lèche-vitrine », *polyvalente* au sens de « école secondaire »

3. QUÉBÉCISMES D'EMPRUNT

EMPRUNTS

Formes lexicales anciennes ou récentes, originaires d'une langue étrangère et intégrées dans l'usage linguistique des Québécois, avec ou sans adaptation phonétique, graphique, morphologique ou syntaxique.

EMPRUNTS À L'ANGLAIS

Formes lexicales ou acceptions originaires de l'anglais et intégrées dans l'usage linguistique des locuteurs québécois.

On peut distinguer les emprunts de forme et les emprunts de sens à l'anglais :

- **Anglicismes formels**

    Mots, expressions empruntés directement à l'anglais ou dont l'orthographe a été adaptée à celle du français.

    coroner, drave, draveur, registraire, triplex

    ⌦ Ces emprunts sont nécessaires : ils désignent une réalité qui n'est pas nommée en français.

- **Anglicismes sémantiques**

    Emplois de mots français dans un sens qu'ils ne possèdent pas, sous l'influence de mots anglais qui ont une forme semblable.

    *batterie au sens de « pile », **juridiction* au sens de « compétence »

    ⌦ Ces emprunts sont critiqués parce qu'il existe des mots français pour nommer ces réalités.

EMPRUNTS AUX LANGUES AMÉRINDIENNES ET À L'INUKTITUT

Formes lexicales empruntées aux langues amérindiennes (amérindianismes) ou à l'inuktitut (inuitismes) pour désigner des réalités de la faune, de la flore, du climat, de la géographie, etc., qui sont propres au Québec.

achigan, atoka, maskinongé, ouananiche, ouaouaron

EMPRUNTS À D'AUTRES LANGUES

Formes lexicales empruntées à d'autres langues (xénismes) pour désigner généralement des réalités propres à d'autres cultures.

cacher, cachère, taboulé, pain pita

QUEL

QUEL, QUELLE, DÉTERMINANT INTERROGATIF

Le déterminant interrogatif *quel, quelle* questionne sur la qualité, la nature, l'identité d'une personne ou d'une chose.

> *Quel bon vent vous amène ? Quelle amie as-tu rencontrée ? Quels fruits préférez-vous ? Quelles couleurs aimez-vous ?*

– **Phrase autonome interrogative.** *Quelle heure est-il ?*

– **Phrase subordonnée.** *Expliquez-moi quels problèmes vous avez.*

> T La phrase autonome interrogative se termine par un point d'interrogation ; la phrase autonome déclarative se termine par un point même si elle contient une interrogation exprimée dans une phrase subordonnée.

QUEL, QUELLE, DÉTERMINANT EXCLAMATIF

Le déterminant exclamatif *quel, quelle* marque l'admiration, l'étonnement, la tristesse, etc.

> *Quelle surprise et quel plaisir de vous retrouver tous !*

> T La phrase exclamative se termine par un point d'exclamation.

QUEL QUE, QUELLE QUE, DÉTERMINANT RELATIF

Le déterminant relatif en deux mots *quel que, quelle que,* qui est placé immédiatement devant le verbe *être* **au subjonctif**, exprime une idée de concession, d'opposition.

> *Quelles que soient vos qualités, il vous faut travailler pour réussir.*

> ▭ Le déterminant relatif s'écrit en deux mots et s'accorde en genre et en nombre avec le sujet du verbe. *Quels qu'ils soient, quelle que soit votre joie.*

Il importe de ne pas confondre le déterminant relatif *quel que* avec le déterminant indéfini *quelque* ou l'adverbe *quelque.*

• Déterminant relatif
  Quelles que soient les directives, il les suivra. Quels que puissent être les commentaires, elle en tiendra compte.

• Déterminant indéfini
  J'ai invité quelques personnes et nous lirons quelques poèmes.

• Adverbe
  Quelque gentil que tu sois, laisse-moi, car je dois travailler.

VOIR TABLEAUX ▸ DÉTERMINANT. ▸ QUELQUE.

QUELQUE

| DÉTERMINANT INDÉFINI | Abréviation *qq.* (s'écrit avec un point).

1. *Quelque* + nom au pluriel. Un petit nombre de. *Nous avons apporté* **quelques** *fruits.* **Quelques** *centaines de personnes.*

2. *Quelque* + nom au singulier. (LITT.) Un certain. *Son compagnon avait* **quelque** *peine à le suivre. Ce poème est de* **quelque** *troubadour du Moyen Âge.*

3. *Quelque* + nom + *que* + subjonctif. (LITT.) Quel que soit le... que, quelle que soit la... que. **Quelques** *paroles apaisantes* **que** *vous prononciez, vous n'arriverez pas à le consoler.* **Quelque** *chagrin* **que** *j'aie, jamais je n'en parlerai.*

☞ La locution, qui s'emploie dans un registre soutenu, marque la concession, l'opposition.

▦ Le déterminant indéfini s'accorde avec le nom qu'il détermine et ne s'élide que devant **un, une** pour former le pronom indéfini *quelqu'un, quelqu'une.*

| ADVERBE |

1. *Quelque* + déterminant numéral. Environ, à peu près. **Quelque** *cent personnes ont assisté au spectacle.*

☞ En ce sens, même s'il est précédé d'un déterminant au pluriel, le mot *quelque* est un adverbe et il est donc invariable. *Notre établissement se situe avantageusement au sein des quelque 12 600 écoles de gestion du monde.*

2. *Quelque* + adjectif + *que* + subjonctif. (LITT.) Si, aussi. **Quelque** *prudent* **qu'**il soit, il ne pourra l'emporter sur son adversaire, qui est un fin stratège.*

3. *Quelque* + participe passé + *que* + subjonctif. (LITT.). Si, aussi. **Quelque** *effrayés* **qu'**ils soient, ils n'avoueront rien.* **Quelque** *endormies* **qu'**elles aient été, elles ont tout entendu.*

4. *Quelque* + adverbe + *que* + subjonctif. (LITT.). Si, aussi. **Quelque** *doucement* **que** *vous retiriez son pansement, il a horriblement mal.*

▦ L'adverbe *quelque* est invariable, comme tous les adverbes, et ne s'élide pas.

Locutions

– *En quelque sorte,* loc. adv. Pour ainsi dire, d'une certaine manière. *Ils mangent très peu : ils jeûnent en quelque sorte.*

– *Et quelques,* loc. adv. Et un peu plus. *Cent étudiants et quelques ont réussi.*
    ↬ La locution s'emploie après une quantité numérique.

– *Quelque chose,* loc. pronom. indéf. Une chose quelconque. *Donnez-moi quelque chose à manger.*
    ↬ Malgré le genre féminin du nom *chose,* la locution se construit avec un participe ou un adjectif au masculin singulier. *Je n'ai jamais vu quelque chose d'aussi joli.*

– *Quelque part,* loc. adv. En quelque lieu. *Est-ce que je vous ai déjà vu quelque part ?*

– *Quelque peu,* loc. adv. (LITT.) Assez. *Cette idée est quelque peu dépassée.*

– *Quelque temps,* loc. adv. Un certain temps. *Dans quelque temps, le printemps reviendra.*

VOIR TABLEAU ▶ QUEL.

RÉSUMÉ						
DÉTERMINANT INDÉFINI			**ADVERBE**			
quelque + nom au pluriel	*quelque* + nom au singulier	*quelque* + nom + *que* + subjonctif	*quelque* + déterminant numéral	*quelque* + adjectif + *que* + subjonctif	*quelque* + participe passé + *que* + subjonctif	*quelque* + adverbe + *que* + subjonctif
« un petit nombre de »	« un certain »	« quel que soit le... que, quelle que soit la... que »	« environ, à peu près »	« si, aussi »	« si, aussi »	« si, aussi »
accord au pluriel	accord au singulier	accord	invariabilité	invariabilité	invariabilité	invariabilité
Quelques pommes sont mûres.	*Ils se cachent dans* **quelque** *endroit.*	*Quelques remarques* **que** *vous fassiez...*	*Quelque cent participants étaient là.*	*Quelque aimables* **que** *soient ces personnes...*	*Quelque fatigués* **que** *nous soyons...*	*Quelque rapidement* **qu'**ils courent...*

PRONOM RELATIF MASCULIN ET FÉMININ

Le pronom relatif *qui* relie une proposition subordonnée à un nom ou à un pronom (l'antécédent).
L'antécédent du pronom *qui* peut être une personne ou une chose. *L'amie* [antécédent] *qui m'a aidé est*
gentille. Ceux [antécédent] *qui sont d'accord doivent lever la main. Un coucher de soleil* [antécédent] *qui*
nous a éblouis.

Q
169

> ⌨ Le pronom relatif est du même genre et du même nombre que le nom ou le pronom qu'il représente
> (l'antécédent); le verbe, le participe passé, l'attribut s'accordent avec l'antécédent. *C'est elle qui est*
> *venue. Vous qui êtes partis, revenez.*

▸ **Fonctions du pronom**

• **Sujet de la phrase relative.** *La colombe qui vole. Elle apprécie qui la comprend. Toi qui me conseilles toujours*
si judicieusement.

> ⌨ Sans antécédent, le pronom relatif a le sens de « quiconque ». *Qui vivra verra.*

• **Complément indirect du verbe.** *La personne à qui j'ai rêvé. L'amie à qui tu parleras.*

> ☞ Lorsque le pronom *qui* est employé avec une préposition, son antécédent ne peut être qu'une
> personne. Pour les animaux et les êtres inanimés, on emploie le pronom *dont,* qui convient également
> aux personnes, ou les pronoms relatifs composés, selon le cas. *Le chien auquel je rêve et dont je parle*
> *constamment. La maison dont je rêve.*

• **Complément de la phrase.** *L'ami avec qui je joue. Celui pour qui il travaille.*

▸ **Locutions**

– *Ce qui* et *ce qu'il.*
> ☞ Avec certains verbes qui admettent à la fois la construction personnelle et impersonnelle, les deux
> locutions s'emploient indifféremment. *Ce qui, ce qu'il importe. Il avait prévu ce qui, ce qu'il arrive.*

– *N'importe qui,* loc. pronom. indéfinie. Une personne quelconque. *Il ne faut pas vous adresser à n'importe qui.*

– *Qui que,* loc. pronom. indéfinie. *Qui que vous soyez, entrez, je vous en prie.*
> ☞ Cette locution qui exprime une concession se construit avec le subjonctif.

– *Qui que ce soit,* loc. pronom. indéfinie. Une personne quelconque, n'importe qui. *Je ne parlerai pas à qui*
que ce soit.
> ⌨ Cette locution exprime une idée d'indétermination.

– *Qui que ce soit qui,* loc. pronom. indéfinie. *Qui que ce soit qui vienne, je l'accueillerai.*
> ☞ Avec cette locution qui marque la concession, le verbe se construit au subjonctif.

Q
170

PRONOM INTERROGATIF MASCULIN ET FÉMININ

Le pronom interrogatif *qui* introduit une proposition interrogative et a le sens de *quelle personne ? Qui* vient *prendre la relève ?*

▭ Le verbe, le participe, le participe passé, l'attribut s'accordent généralement au masculin singulier.

▸ **Fonctions du pronom**

1. Interrogation dans la phrase autonome interrogative

- **Sujet.** *Qui chante ainsi ?*
- **Attribut.** *Qui es-tu ?*
- **Complément direct du verbe.** *Qui a-t-il rencontré ?*
- **Complément indirect du verbe.** *À qui parlez-vous ?*
- **Complément de la phrase.** *Avec qui travailles-tu ?*

2. Interrogation dans la phrase subordonnée

- **Sujet.** *Je me demande qui gagnera le gros lot.*
- **Complément direct du verbe.** *Je ne sais qui tu rencontres.*
- **Complément indirect du verbe.** *Dis-moi à qui tu attribues le premier prix.*
- **Attribut du sujet.** *Rappelez-vous qui elle est.*
- **Complément de la phrase.** *Elle s'est demandé avec qui vous chanteriez.*

▭ La phrase autonome interrogative est suivie d'un point d'interrogation. *Qui a prononcé ces mots ?* Par contre, pour l'interrogation exprimée dans la subordonnée, la phrase autonome est déclarative et se termine par un point. *Je me demande qui a prononcé ces mots.*

▸ **Locutions pronominales interrogatives**

– *Qui est-ce qui.* Qui (sujet). *Qui est-ce qui vient ?*
– *Qui est-ce que.* Qui (complément). *Qui est-ce que j'entends ?*

VOIR TABLEAU ▸ PRONOM.

QUOI

PRONOM RELATIF

Le pronom relatif neutre *quoi* relie une phrase subordonnée relative à un pronom de sens indéterminé *(ce, cela, rien, chose…),* à une phrase déjà énoncée. L'antécédent du pronom relatif *quoi* ne peut être qu'une chose. *Vous avez étudié l'histoire, ce* [antécédent] *en* **quoi** *vous avez eu raison.*

⌐ Le pronom *quoi* est précédé d'une préposition.

1. Avec un antécédent, il a le sens de *lequel, laquelle, laquelle chose.*

- **Complément indirect du verbe.** *Ce à* **quoi** *j'ai rêvé, c'est de partir en voyage.*
- **Complément de la phrase.** *Voilà* **en quoi** *cette thèse est intéressante.*

   ⌐ L'antécédent est un pronom ou une locution neutre : *ce, rien, quelque chose.*

2. Sans antécédent, il a le sens de « ce qui est nécessaire ». *Emporte* **de quoi** *manger.*

3. *Quoi que* + subjonctif. Quelle que soit la chose que. *Quoi que* *vous fassiez, il sera d'accord.*

   ⌐ Cette locution à valeur concessive se construit avec le subjonctif. Ne pas confondre avec la conjonction *quoique,* signifiant « bien que » et qui est suivie d'un verbe, généralement au subjonctif, d'un adjectif, d'un participe passé ou d'un complément. *Quoique nous ayons leur accord, il faudra nous montrer très prudents.*

Locutions

- *À quoi bon ?* Pourquoi ? *À quoi bon tout transcrire à la main ? C'est bien plus rapide à l'ordinateur.*
- *Faute de quoi,* loc. conj. Autrement, sinon. *Nous partirons tôt : faute de quoi, nous serons en retard.*
- *Il n'y a pas de quoi.* Formule de politesse employée à la suite de remerciements. *Merci beaucoup. Il n'y a pas de quoi* (et non **bienvenue*).
- *Il n'y a pas de quoi fouetter un chat.* Ce n'est pas grave, c'est sans importance.
- *Moyennant quoi,* loc. conj. Grâce à quoi. *Prenons nos précautions, moyennant quoi, nous parviendrons à nos fins.*
- *N'importe quoi,* loc. pronom. Une chose quelconque. *N'achète pas n'importe quoi.*
- *Quoi que ce soit,* loc. pronom. Quelque chose. *Si vous désirez quoi que ce soit, prévenez-moi.*
- *Quoi qu'il en soit,* loc. conj. En tout état de cause. *Quoi qu'il en soit, il faut tout reprendre à zéro.*
- *Sans quoi,* loc. conj. Autrement, sinon. *Prends des vêtements chauds, sans quoi tu gèleras.*

PRONOM INTERROGATIF

1. **Interrogation dans la phrase autonome interrogative**

- **Complément direct du verbe.** Quelle chose ? *Devinez* **quoi** *?*
- **Complément indirect du verbe.** À quelle chose ? *À* **quoi** *rêves-tu ?*
- **Complément de la phrase.** Avec quelle chose ? *Avec* **quoi** *sculptes-tu le bois ?*

   ⌐ Suivi d'un adjectif, le pronom se construit avec la préposition *de. Quoi de plus joli qu'un bouquet de roses ? **Quoi de** nouveau ?*

2. **Interrogation dans la phrase subordonnée**

   Il ne sait pas **de quoi** *elle parle. Elle ne sait pas* **quoi** *conclure.*

   T̄ La phrase autonome interrogative est suivie d'un point d'interrogation. *À* **quoi** *pensez-vous ?* Par contre, pour l'interrogation exprimée dans la subordonnée, la phrase autonome est déclarative et se termine par un point. *Je ne sais* **quoi** *dire.*

INTERJECTION

L'interjection marque la surprise, l'admiration, l'indignation. *Quoi! vous avez osé! Hé quoi! admettrez-vous que vous avez tort ?*

VOIR TABLEAU ► INTERJECTION. ► PRONOM.

Le 6 décembre 1990 est publié au *Journal officiel de la République française* un texte intitulé «Les rectifications de l'orthographe». Présentées par le Conseil supérieur de la langue française [France] avec l'aval de l'Académie française, ces propositions visent à simplifier certaines graphies et à supprimer des anomalies, des exceptions ou des irrégularités de l'orthographe française. Elles touchent un peu plus de 2000 mots du vocabulaire actuel, mais aussi et surtout l'écriture des nouveaux mots, tout particulièrement dans les domaines technique et scientifique.

☞ Ainsi que l'écrit l'Office québécois de la langue française [www.oqlf.gouv.qc.ca], «les rectifications de l'orthographe sont des recommandations, des propositions; même si elles sont officielles, elles n'ont pas de caractère obligatoire».

Les rectifications se résument à quelques règles et portent principalement sur les points suivants:

- la soudure et le trait d'union;
- le pluriel des noms composés;
- la francisation des emprunts à d'autres langues;
- les accents;
- le participe passé du verbe *laisser*;
- diverses anomalies, en particulier les séries désaccordées.

Pour la **correction des épreuves de français**, les formes rectifiées sont admises depuis quelques années et doivent être considérées comme des variantes orthographiques des formes traditionnelles, comme *clef* et *clé*, *lys* et *lis*, *événement* et *évènement*.

PRISE DE POSITION DE L'OFFICE QUÉBÉCOIS DE LA LANGUE FRANÇAISE (OQLF)

Diffusée dans sa *Banque de dépannage linguistique* [http://www.oqlf.gouv.qc.ca/ressources/bdl.html], la prise de position de l'OQLF se lit ainsi: «Bien que les rectifications orthographiques aient été proposées en 1990, l'utilisation effective des nouvelles formes n'est pas encore généralisée. Les flottements dans l'emploi des graphies rectifiées que l'on observe, entre autres dans les dictionnaires usuels, illustrent bien le fait que nous sommes encore dans une période de transition. À l'instar de l'Académie française, qui, en 1991, déclarait que les anciennes graphies demeuraient admises et qu'on ne pouvait pénaliser les nouvelles graphies, l'Office québécois de la langue française estime que ni les graphies traditionnelles ni les nouvelles graphies proposées ne doivent être considérées comme fautives.»

LES PRINCIPALES RÈGLES

Soudure et trait d'union

▸ Le trait d'union ou l'apostrophe est supprimé dans certains mots et les éléments sont soudés, notamment:

– dans les mots composés formés avec *contr(e)-*, *entr(e)-*, *extra-*, *infra-*, *intra-*, *ultra-* ou avec des éléments «savants».
Contrejour, entretemps, s'entraimer, agroalimentaire, électroencéphalogramme.

– dans les mots empruntés à d'autres langues et les onomatopées.
Baseball, waterpolo, cowboy, exlibris, harakiri, statuquo; blabla, froufrou, tictac.

▸ Le trait d'union lie tous les éléments dans les numéraux composés, qu'ils soient inférieurs ou supérieurs à *cent*.
Vingt-quatre années, cent-quarante-et-un ans.

RECTIFICATIONS ORTHOGRAPHIQUES | *SUITE >*

1. Conception du tableau: Karine Pouliot.

R

Pluriel des noms composés

▶ Le pluriel des noms composés du type *verbe + nom* (*brise-glace*) et *préposition + nom* (*avant-midi*) est régularisé : le nom prend la marque du pluriel seulement si le nom composé est au pluriel.
  Un brise-glace, des brise-glaces ; un essuie-main, des essuie-mains ; un porte-parole, des porte-paroles ; un avant-midi, des avant-midis ; un sans-abri, des sans-abris.

Francisation de l'orthographe des mots d'origine étrangère

▶ Les mots empruntés à d'autres langues suivent la règle du singulier et du pluriel et sont accentués selon les règles du français.
  Un artéfact, des artéfacts ; un maximum, des maximums ; un média, des médias ; un référendum, des référendums ; un sandwich, des sandwichs ; un spaghetti, des spaghettis ; un véto, des vétos.

Accents et tréma

▶ On emploie l'accent grave plutôt que l'accent aigu devant une syllabe contenant un *e* dit muet.
  Assèchement, cèleri, crèmerie, évènement, règlementation.

  Cette règle régularise la conjugaison au futur et au conditionnel des verbes en *é* + consonne + *er* (comme *céder*).
  Il cèdera (céder), *elles répèteraient* (répéter).

  EXCEPTIONS : Les préfixes *dé-* et *pré-* (*démener, prélever*), les *é-* initiaux (*élever*) ainsi que *médecin, médecine*.

▶ On conserve l'accent circonflexe sur *a*, *e* et *o* (*théâtre, forêt, côté*), mais pas sur *i* et *u*.
  Abime, assidument, couter, croitre, disparaitre, envouter, flute, maitrise, trainer.

  EXCEPTIONS : On conserve l'accent circonflexe pour distinguer des homophones (ex. : *mur* et *mûr* ; *du* et *dû* ; *jeune* et *jeûne* ; *sur* et *sûr* ; *cru* et *crû*) et dans les terminaisons du passé simple (*-îmes, -îtes, -ûmes, -ûtes*) ou de l'imparfait du subjonctif (ex. : *qu'il prît*, de *prendre* ; *qu'il crût*, de *croire*).

▶ Le tréma se place sur la voyelle qui doit être prononcée, indiquant qu'elle doit être prononcée séparément de la voyelle qui la suit ou qui la précède.
  Aigüe, ambigüe, ambigüité, contigüité, argüer, gageüre.

Simplification des consonnes doubles

▶ Les verbes en *-eler* et en *-eter* (sauf *appeler, jeter* et leurs dérivés) se conjuguent sur le modèle de *peler* ou de *acheter* : ils ne doublent pas le *l* ou le *t*, mais s'écrivent avec un *è*. Leurs dérivés en *-ement* suivent la même règle.
  Je morcèle, morcèlement (comme *je démantèle, démantèlement*) ; *je cachète* (comme *j'achète*).

  EXCEPTIONS : *J'appelle, tu appelles, il appelle, elles appellent...* (appeler) ; *j'interpelle...* (interpeler) ; *je jette...* (jeter) et leurs dérivés.

▶ La consonne qui suit le *e* dit muet est simple.
  Interpeler (comme *appeler*) ; *dentelière, lunetier* (comme *noisetier*).

Accord du participe passé de *laisser*

▶ Le participe passé du verbe *laisser* suivi d'un infinitif reste invariable (comme celui du verbe **faire** suivi d'un infinitif).
  *Nous les avons **laissé mijoter** une heure* (comme *Nous les avons **fait mijoter***).

Anomalies rectifiées

▶ Des familles sont réaccordées et des anomalies, corrigées.
  Bonhommie (comme *bonhomme*) ; *charriot* (comme *charrette*) ; *dissout* (comme *dissoute*) et *absout* (comme *absoute*) ; *persiffler, persifflage, persiffleur* (comme *siffler*) ; *corole, girole* (comme *bestiole, camisole*) ; *joailler, quincailler* (comme *poulailler*) ; *assoir* ; **ognon** ; *nénufar* (d'origine arabe, et non grecque comme *phare*).

RÉFÉRENCES BIBLIOGRAPHIQUES

Ensemble des renseignements relatifs à un texte publié sous la forme d'un livre ou d'un article et qui comprennent principalement le nom de l'auteur, le titre du document, l'éditeur et la date de publication.

UNIFORMITÉ ET PRÉCISION

– Selon le contexte, les références bibliographiques seront plus ou moins concises, le nombre d'éléments d'information fournis pourra varier.

– Ainsi, à l'intérieur d'un texte, on citera parfois uniquement le nom de l'auteur et l'année de la publication ou le titre de l'ouvrage et la page de la citation. Cependant, les références complètes seront données dans la bibliographie finale.

– Il importe de présenter de façon uniforme les divers renseignements pour un même ouvrage, d'adopter des caractères identiques et de conserver une ponctuation uniforme.

La référence du livre est légèrement différente de la référence de l'article. Voici, dans l'ordre, les renseignements que ces références comprennent :

RÉFÉRENCE D'UN LIVRE

1. Le nom de l'auteur ou des auteurs.
2. Le titre du livre.
3. Le lieu de publication.
4. L'éditeur.
5. La date de publication.
6. Le nombre de pages.

NEPVEU, Pierre. *Lignes aériennes*, Montréal, Éditions du Noroît, 2002, 115 p.

1. Nom et prénom de l'auteur. 2. Titre. 3. Lieu de publication. 4. Éditeur. 5. Date de publication. 6. Nombre de pages.

▸ **Le nom de l'auteur**

– **Un seul auteur.** Le nom de l'auteur est noté en majuscules, il est séparé par une virgule du prénom écrit en minuscules avec une majuscule initiale et il est suivi d'un point.
LECLERC, Félix.   HÉBERT, Anne.   VIGNY, Alfred de.

☞ Dans la mesure du possible, le prénom sera écrit au long.

– **Deux ou trois auteurs.** S'il y a deux ou trois auteurs, le nom et le prénom des autres auteurs sont écrits à la suite, dans l'ordre de la lecture cependant, et sont séparés par une virgule ou par la conjonction *et*.
BOILEAU, Pierre, Thomas NARCEJAC.   ou   BOILEAU, Pierre et Thomas NARCEJAC.

– **Plusieurs auteurs.** S'il y a plus de trois auteurs, on utilise *et al.* (abréviation de l'expression latine *et alii*, signifiant « et les autres ») ou *et collab.* (abréviation de l'expression *et collaborateurs*).

– **Collectif.** S'il s'agit d'un ouvrage collectif ou d'un document dont l'auteur ou les auteurs ne sont pas mentionnés, la référence commencera alors par le titre du document.
Le Larousse des noms communs, Paris, Larousse, 2008, 1510 p.

▸ **Le titre du livre**

Le titre est en italique ou, si l'on ne dispose pas de caractères italiques, il est souligné et suivi d'une virgule. Les titres d'ouvrages prennent une majuscule au premier nom et éventuellement à l'adjectif et à l'article qui le précèdent.
Le *Guide de la communication écrite*, de Marie Malo. *L'Homme rapaillé*, de Gaston Miron.
Le Nouveau Petit Robert 2009.

T Si le titre comprend plusieurs mots mis en parallèle, chacun s'écrit avec une majuscule. *Guerre et Paix.* S'il est constitué d'une phrase, seul le premier mot s'écrit avec une majuscule. *La grammaire est une chanson douce*, d'Érik Orsenna. S'il y a un sous-titre, la règle des majuscules et des minuscules du titre s'applique de la même façon et le titre est séparé du sous-titre par un point. *Français de France et français du Canada. Les parlers de l'Ouest de la France, du Québec et de l'Acadie* sous la direction de Pierre Gauthier et Thomas Lavoie.

VOIR TABLEAU ▸ MAJUSCULES ET MINUSCULES.

RÉFÉRENCES BIBLIOGRAPHIQUES | SUITE >

▸ **Le numéro de l'édition**

S'il y a lieu, on inscrira le numéro de l'édition après le titre du livre.
Le Bon Usage, 13ᵉ édition.

▸ **La collection**

S'il y a lieu, la mention de la collection s'inscrit à la suite du titre et elle est suivie d'une virgule. Cette mention peut également figurer à la suite du nombre de pages, entre parenthèses, précédée de deux espaces et suivie d'un point après la parenthèse fermante.

PITCHER, Patricia. *Artistes, Artisans et Technocrates*, 2ᵉ éd., coll. Presses HEC, Montréal, Québec Amérique, 2008, 265 p.

T Le nom *collection* s'abrège *coll.*

▸ **Le lieu, l'éditeur et la date de publication**

Le lieu de la publication, noté en minuscules et suivi d'une virgule, précède le nom de l'éditeur et la date de publication.
Montréal, Québec Amérique, 2009.

▸ **Le nombre de pages du livre**

345 p.

T On utilise l'abréviation de *pages (p.)*. Quand l'ouvrage comprend plusieurs volumes, on écrit le nombre avant l'indication du nombre de pages à l'aide de l'abréviation *vol.* 2 vol., 345 p.

RÉFÉRENCE D'UN ARTICLE

1. Le nom de l'auteur ou des auteurs.
2. Le titre de l'article.
3. Le nom du périodique.
4. Le numéro de l'édition, du volume ou du périodique, s'il y a lieu.
5. La date de publication.
6. L'indication des pages de l'article.

LANCELIN, Anne. «Épicure. L'art d'être heureux», *Le Nouvel Observateur*, n° 2283, 7-13 août 2008, p. 10-16.

1. Nom et prénom de l'auteur.   2. Titre de l'article.   3. Nom du journal ou de la revue.   4. Volume et numéro de l'édition.   5. Date de publication.   6. Pages.

▸ **Le nom de l'auteur**

Le nom de l'auteur ou des auteurs d'un article se note comme celui d'un livre et il est suivi d'un point.
FORTIN, Jacques et Louise MARTEL.

T S'il y a plus d'un auteur, seuls les nom et prénom du premier auteur sont inversés afin de faciliter le classement alphabétique.

▸ **Le titre de l'article**

Le titre d'un article est généralement placé entre guillemets après le nom de l'auteur. Il est suivi d'une virgule et on écrit ensuite le nom du périodique (journal, revue), qui est mis en italique, ou souligné, à défaut d'italique.

DESCÔTEAUX, Bernard, « Une ministre muette », *Le Devoir*, vol. XCIX, n° 182, 13 août 2008, p. A6.

▸ **Le nom du périodique**

Le nom du périodique est en italique et il est suivi d'une virgule. Si l'on ne dispose pas de caractères italiques, le nom du périodique est souligné.
Courrier international, Gestion, Géo.

R
175

▶ **Le numéro du périodique et la date de publication**

On note le numéro du volume, s'il y a lieu, le numéro du périodique et la date de la parution.
Découvertes, vol. 3, n° 5, mai 2003.

▶ **L'indication des pages d'un article**

La notation des pages d'un article est faite à l'aide de l'abréviation *p.* (et non plus *pp.) suivie des numéros des première et dernière pages de l'article séparés par un trait d'union ou par la préposition *à.*
p. 15-20 ou p. 15 à 20.

RÉFÉRENCES ÉLECTRONIQUES

▶ **Site Web**

• Le nom de l'auteur ou de l'organisme est noté en majuscules. S'il y a lieu, il est séparé par une virgule du prénom écrit en minuscules avec une majuscule initiale et il est suivi d'un point.

• Le titre de l'article ou du texte est placé entre guillemets et il est suivi d'une virgule.

• Le titre de la page d'accueil (titre du périodique, dénomination de l'organisme, raison sociale de l'entreprise, etc.) s'inscrit ensuite en italique et il est suivi d'une virgule.

• Le type de support figure entre crochets, s'il y a lieu, et la mention est suivie d'un point.

• L'adresse URL est notée entre crochets.

• La date de consultation du site est placée entre parenthèses.

GRAVEL, Pauline. « Une solution au rejet de greffe de moelle osseuse », *Le Devoir,* Éditions Internet, [en ligne]. [http://www.ledevoir.com] (9 juillet 2002)

OFFICE QUÉBÉCOIS DE LA LANGUE FRANÇAISE. *Le Grand Dictionnaire terminologique,* [en ligne]. [http://oqlf.gouv.qc.ca] (15 septembre 2008)

VILLERS-SIDANI, Étienne de, Kimberly L SIMPSON, Y-F LU, Rick C S LIN & Michael M MERZENICH. « Manipulating critical period closure across different sectors of the primary auditory cortex », *Nature Neuroscience,* vol. 11, n° 8, August 2008, p. 957-965, [en ligne] [www.nature.com/natureneuroscience] (10 août 2008)

▶ **Cédérom**

• Le nom de l'auteur ou de l'organisme est noté en majuscules. Il est séparé par une virgule du prénom écrit en minuscules avec une majuscule initiale et il est suivi d'un point.

• Le titre du document est écrit en italique et suivi d'une virgule.

• La mention de l'édition ou de la version, s'il y a lieu, figure ensuite et se termine par une virgule.

• Le type de support est noté entre crochets et est suivi d'une virgule.

• Le lieu de publication est noté en minuscules et suivi d'une virgule.

• Le nom de l'éditeur est inscrit en minuscules et suivi d'une virgule.

• La date de publication figure à la fin et est suivie d'un point.

Le Nouveau Petit Robert de la langue française, [cédérom], Paris, Le Robert, 2007.

VILLERS, Marie-Éva de. *Multidictionnaire de la langue française,* 5ᵉ éd., [cédérom], Montréal, Québec Amérique, 2010.

REPRISE DE L'INFORMATION[1]

La notion de reprise de l'information relève de la grammaire du texte ou cohérence textuelle. Mode de rappel des éléments déjà connus d'un texte, la reprise permet d'assurer la progression de l'information, tout en évitant la répétition.

VOIR TABLEAU ► PROGRESSION DE L'INFORMATION.

FORMES DE REPRISE

Les principales formes de reprise de l'information sont :

- **le déterminant défini, possessif ou démonstratif**

    Un homme entra par la petite porte. **L'homme/Cet homme/Notre homme** *portait un chapeau melon.*

- **le pronom**

    Un homme entra par la petite porte. **Il** *la referma soigneusement.*

- **le synonyme**

    Le nom habitation a notamment le **sens** *de « lieu où l'on habite ». Cette* **signification** *est la plus courante.*

- **la périphrase**

    Le **castor** *est un grand constructeur. Ce* **symbole officiel du Canada** *figure sur les pièces de cinq cents.*

- **le terme générique**, indiquant une relation de tout à partie

    Le **castor** *est un grand constructeur. Ce* **rongeur** *prépare en plus lui-même ses matériaux !*

- **le terme spécifique**, indiquant une relation de partie à tout

    La construction des **bateaux** *s'est toujours raffinée. D'ailleurs, les* **paquebots** *sont de nos jours des merveilles de technologie.*

- **le passage d'une classe grammaticale à l'autre** ou mots de même famille

    Il **entra** *lentement par la petite porte. Son* **entrée** *fut à peine remarquée.*

- **l'adverbe**

    Il entra par **la petite porte.** **Là,** *il s'arrêta net.*

VOIR TABLEAUX ► ADVERBE. ► DÉTERMINANT. ► FAMILLE DE MOTS. ► PRONOM. ► SYNONYMES.

En plus de ces formes de reprise, portant sur un seul élément d'information de la phrase antérieure, il existe aussi une forme de reprise portant sur la phrase antérieure au complet : *ce que* ou *ce qui*, précédé d'une virgule.

Elle a jugé négativement ces adolescents sans même leur avoir parlé, ***ce qui*** *a beaucoup attristé leurs parents.*

↪ Pour choisir le bon pronom de reprise, il faut porter une attention particulière au genre, au nombre et à la personne de son antécédent. Si un pronom n'a pas le même genre ou nombre ou personne que l'information reprise, alors il y a une erreur de cohérence textuelle.

*Chaque étudiant doit se munir d'une clé USB. Nous lui (et non *leur) saurons gré de le faire avant le premier cours.*

*Vous êtes très fatigués de cette course. Il faut bien vous (et non *se) reposer avant la prochaine.*

*L'université a revu sa politique sur les frais afférents. Elle (et non *Ils) se devait de respecter les nouvelles normes.*

↪ Pour choisir le bon pronom personnel sujet d'une phrase, à la 3e personne, il faut d'abord déterminer si ce pronom reprend le sujet ou un complément de la phrase précédente. S'il reprend le sujet, sa forme sera *il/elle/ils/elles.* S'il reprend un complément, sa forme sera *celui-ci/celle-ci/ceux-ci/celles-ci* ou *ce dernier/cette dernière*, etc. Si les pronoms sont inversés, alors il y a une erreur de cohérence textuelle.

*Ma mère a emmené ma sœur au restaurant hier soir. Celle-ci (et non *Elle) fêtait ses 15 ans.*

---

1. Conception du tableau : Annie Desnoyers.

Le sigle est une abréviation constituée par les initiales de plusieurs mots et qui s'épelle lettre par lettre.

SRC (Société Radio-Canada), PME (petite et moyenne entreprise), FTQ (Fédération des travailleurs et travailleuses du Québec).

▸ L'acronyme est un sigle composé des initiales ou des premières lettres d'une désignation, et qui, à la différence du sigle, se prononce comme un mot.

ONU (Organisation des Nations Unies), cégep (collège d'enseignement général et professionnel) et OVNI (objet volant non identifié) sont des acronymes.

▸ **Points abréviatifs**

La tendance actuelle est d'omettre les points abréviatifs. Dans cet ouvrage, les sigles et les acronymes sont notés sans points ; cependant, la forme avec points est généralement correcte.

▸ **Genre et nombre des sigles**

Les sigles sont du genre et du nombre du mot principal de la désignation abrégée.

Le FMI (Fonds [masculin singulier] monétaire international), la CSN (Confédération [féminin singulier] des syndicats nationaux).

T À son premier emploi dans un texte, le sigle doit être précédé de la désignation au long.

ADN	Acide désoxyribonucléique		HAE	Heure avancée de l'Est
AFP	Agence France-Presse		HEC	École des hautes études commerciales
AI	Amnesty International		HLM	Habitation à loyer modique (Canada)
AID	Agence internationale de développement		HLM	Habitation à loyer modéré (France)
AIÉA	Agence internationale de l'énergie atomique		HNE	Heure normale de l'Est
BBC	British Broadcasting Corporation		INRS	Institut national de la recherche scientifique
BCG	Vaccin bilié de Calmette et Guérin		IVG	Interruption volontaire de grossesse
BIRD	Banque internationale pour la reconstruction et le développement		MIT	Massachusetts Institute of Technology
BIT	Bureau international du travail		MST	Maladie sexuellement transmissible (France)
BNQ	Bureau de normalisation du Québec		MTS	Maladie transmise sexuellement (Canada)
CAC	Conseil des Arts du Canada		NAS	Numéro d'assurance sociale
CAO	Conception assistée par ordinateur		OCDÉ	Organisation de coopération et de développement économiques
CCCI	Conseil canadien de la coopération internationale		OGM	Organisme génétiquement modifié
CCDP	Commission canadienne des droits de la personne		OIT	Organisation internationale du travail
CE	Communauté européenne		OQLF	Office québécois de la langue française
CÉC	Conseil économique du Canada		OMC	Organisation mondiale du commerce
CÉI	Communauté d'États indépendants		OMM	Organisation météorologique mondiale
CIA	Central Intelligence Agency		OMS	Organisation mondiale de la santé
CLSC	Centre local de services communautaires		ONF	Office national du film
CNA	Centre national des arts		ONG	Organisation non gouvernementale
CPV	Chlorure de polyvinyle		OPQ	Office des professions du Québec
CRTC	Conseil de la radiodiffusion et des télécommunications canadiennes		PDG	Président-directeur général
CSDM	Commission scolaire de Montréal		PIB	Produit intérieur brut
CSLF	Conseil supérieur de la langue française		PME	Petite et moyenne entreprise
CSST	Commission de la santé et de la sécurité du travail		PNB	Produit national brut
CTF	Commission de terminologie française		PVC	voir CPV
CUP	Code universel des produits		RAMQ	Régie de l'assurance-maladie du Québec
DDT	Dichloro-diphényl-trichloréthane		RRQ	Régie des rentes du Québec
DSC	Département de santé communautaire		SAAQ	Société de l'assurance automobile du Québec
ÉCG	Électrocardiogramme		SRC	Société Radio-Canada
ÉEG	Électroencéphalogramme		STM	Société de transport de Montréal
FMI	Fonds monétaire international		TGV	Train à grande vitesse
GMT	Greenwich Mean Time (Temps moyen de Greenwich)		TPS	Taxe sur les produits et services
			TVQ	Taxe de vente du Québec
GRC	Gendarmerie royale du Canada		UA	Unité africaine
			UE	Union européenne

VOIR TABLEAUX ▸ **ABRÉVIATION (RÈGLES DE L').** ▸ **ACRONYME.**

SUBJONCTIF

Le subjonctif exprime une action considérée **dans la pensée** plutôt que dans la réalité, une **hypothèse**. Mode par excellence de la phrase subordonnée, il marque :

- le **doute**. *Je doute qu'il **puisse** venir.*
- l'**incertitude**. *Je ne crois pas qu'elle **finisse** son travail à temps.*
- la **crainte**. *Mes parents craignent qu'il n'y **ait** pas assez de provisions.*
- la **supposition**. *Il ne suppose pas qu'on **bâtisse** une maison dans un marécage.*
- le **souhait**. *Tu souhaites qu'ils **réussissent**.*
- la **prière**. *Sa marraine prie pour que Lorraine **guérisse**.*
- la **volonté**. *Elle exigera que les messages **soient** bien **transmis**.*
- l'**interdiction**. *La direction interdit qu'on **fasse** du bruit après 22 h.*

PRÉSENT DU SUBJONCTIF

On emploie le présent du subjonctif dans la phrase subordonnée lorsque l'action a lieu en même temps que l'action de la principale (PENDANT) ou postérieurement (APRÈS).

> *Je ne crois pas qu'il **pleuve** en ce moment.* (simultanéité : PENDANT)
> *Tu souhaiterais que tes amis **soient** présents.* (postériorité : APRÈS)

PASSÉ DU SUBJONCTIF

On emploie le passé du subjonctif dans la phrase subordonnée lorsque l'action a eu lieu AVANT celle de la principale.

> *La direction a déploré que les élèves **soient arrivés** en retard pour l'examen.* (antériorité : AVANT)
> *Les enfants regrettent que la neige **ait fondu** : ils ne peuvent aller skier.* (antériorité : AVANT)
> *Elle souhaiterait qu'on l'**ait informée** personnellement.* (antériorité : AVANT)

IMPARFAIT ET PLUS-QUE-PARFAIT DU SUBJONCTIF

Ces temps du subjonctif s'emploient dans un registre littéraire lorsque le verbe de la phrase principale (ou autonome) est à un des temps du passé de l'indicatif ou du conditionnel. *Il aurait aimé qu'elle **vînt** le voir.* De façon courante, on emploie plutôt le présent ou le passé du subjonctif. *Il aurait aimé qu'elle **vienne** le voir.*

VERBES DE LA PRINCIPALE IMPOSANT LE SUBJONCTIF

Certains verbes de la phrase principale (ou autonome) imposent le mode subjonctif dans la phrase subordonnée.

- Les verbes qui expriment le **doute**, la **crainte**, l'**incertitude**.
  *Tu doutes qu'il **finisse** son travail à temps. Elle craint que les enfants n'**aient pris** froid.*
- Les verbes qui traduisent un **ordre**, une **défense**.
  *Le colonel ordonne que les soldats **soient** au garde-à-vous. Le gardien du musée interdit que l'on s'**assoie** sur ces socles.*
- Les verbes qui marquent l'**amour**, la **haine**, la **surprise**.
  *Nous sommes vraiment surpris que tes amis **aient décidé** de partir. Tu adorerais qu'il **coure** avec toi.*
- Certains **verbes impersonnels** tels *arriver, convenir, importer...*
  *Il arrive que nous **soyons** en avance.*

S

LOCUTIONS CONJONCTIVES DE SUBORDINATION IMPOSANT LE SUBJONCTIF

Certaines locutions conjonctives de subordination (ou subordonnants) sont toujours suivies du subjonctif dans la subordonnée.

*Rentre **avant qu**'il ne **pleuve**. Cache-toi **de peur** qu'on ne **t'aperçoive**. **Quoi que** tu **dises**, tu auras raison. **Qui que** tu **sois**...*

⚲ La locution conjonctive **avant que** se construit avec le subjonctif, mais la locution conjonctive **après que** se construit avec l'indicatif. *Après que vous aurez dormi un peu, vous vous sentirez mieux.*

EXEMPLES

à condition que	de manière que	peu s'en est fallu que	sans que
afin que	de peur que	pour autant que	si bien que
à moins que	du plus loin que	pour peu que	si peu que
à supposer que	en admettant que	pour que	si tant est que
au lieu que	en attendant que	pourvu que	soit que... soit que
avant que	encore que	quel que	supposé que
bien que	en sorte que	quelque... que	trop... pour que...
d'aussi loin que	jusqu'à ce que	qui que	
de crainte que	malgré que	quoique	
de façon que	moyennant que	quoi que	

VOIR TABLEAUX ► CONCORDANCE DES TEMPS DANS LA PHRASE. ► CONJONCTION DE SUBORDINATION. ► IMPÉRATIF. ► INDICATIF. ► INFINITIF.

Les verbes dont l'infinitif se termine par *ier* doublent le *i* à la première et à la deuxième personne du pluriel du subjonctif présent.

ABRIER	*Que nous abriions, que vous abriiez.*	CERTIFIER	*Que nous certifiions, que vous certifiiez.*
AFFILIER	*Que nous affiliions, que vous affiliiez.*	CHARRIER	*Que nous charriions, que vous charriiez.*
ALLIER	*Que nous alliions, que vous alliiez.*	CHÂTIER	*Que nous châtiions, que vous châtiiez.*
AMNISTIER	*Que nous amnistiions, que vous amnistiiez.*	CLARIFIER	*Que nous clarifiions, que vous clarifiiez.*
AMPLIFIER	*Que nous amplifiions, que vous amplifiiez.*	CLASSIFIER	*Que nous classifiions, que vous classifiiez.*
ANÉMIER	*Que nous anémiions, que vous anémiiez.*	COLORIER	*Que nous coloriions, que vous coloriiez.*
ANESTHÉSIER	*Que nous anesthésiions, que vous anesthésiiez.*	COMMUNIER	*Que nous communiions, que vous communiiez.*
APOSTASIER	*Que nous apostasiions, que vous apostasiiez.*	CONCILIER	*Que nous conciliions, que vous conciliiez.*
APPARIER	*Que nous appariions, que vous appariiez.*		
APPRÉCIER	*Que nous appréciions, que vous appréciiez.*	CONFIER	*Que nous confiions, que vous confiiez.*
ARMORIER	*Que nous armoriions, que vous armoriiez.*	CONGÉDIER	*Que nous congédiions, que vous congédiiez.*
ASPHYXIER	*Que nous asphyxiions, que vous asphyxiiez.*		
ASSOCIER	*Que nous associions, que vous associiez.*	CONTRARIER	*Que nous contrariions, que vous contrariiez.*
ATROPHIER (S')	*Que nous nous atrophiions, que vous vous atrophiiez.*		
AUTHENTIFIER	*Que nous authentifiions, que vous authentifiiez.*	CONVIER	*Que nous conviions, que vous conviiez.*
		COPIER	*Que nous copiions, que vous copiiez.*
AUTOPSIER	*Que nous autopsiions, que vous autopsiiez.*	CRIER	*Que nous criions, que vous criiez.*
AVARIER	*Que nous avariions, que vous avariiez.*	CRUCIFIER	*Que nous crucifiions, que vous crucifiiez.*
BALBUTIER	*Que nous balbutiions, que vous balbutiiez.*	DÉCALCIFIER	*Que nous décalcifiions, que vous décalcifiiez.*
BÉATIFIER	*Que nous béatifiions, que vous béatifiiez.*		
BÉNÉFICIER	*Que nous bénéficiions, que vous bénéficiiez.*	DÉCRIER	*Que nous décriions, que vous décriiez.*
BÊTIFIER	*Que nous bêtifiions, que vous bêtifiiez.*	...	
BONIFIER	*Que nous bonifiions, que vous bonifiiez.*		
CALLIGRAPHIER	*Que nous calligraphiions, que vous calligraphiiez.*		
CALOMNIER	*Que nous calomniions, que vous calomniiez.*		

SUFFIXE

Le **suffixe** est un élément qui se joint à la suite d'un radical pour former un dérivé.

☞ Le **préfixe** est un élément qui se place avant un radical pour former un nouveau mot.

Dans la composition des mots nouveaux (néologismes), le français puise dans ses ressources ou emprunte surtout au **grec** et au **latin** des suffixes ou des éléments qui sont joints à un radical pour former une nouvelle unité lexicale. Ces suffixes présentent l'avantage d'être déjà connus et, ainsi, de favoriser la compréhension immédiate du néologisme.

	SUFFIXES	SENS	EXEMPLES
SUFFIXES D'ORIGINE GRECQUE	*-cratie*	« puissance »	*aristocratie, démocratie*
	-graphie	« écriture »	*radiographie, télégraphie*
	-logie	« science »	*biologie, philologie*
	-onyme	« nom »	*toponyme, odonyme*
	-phile	« ami »	*francophile, bibliophile*
	-phobe	« crainte »	*agoraphobe, claustrophobe*
	-scope	« examiner »	*microscope, télescope*
	-thérapie	« traitement »	*physiothérapie, chimiothérapie*
SUFFIXES D'ORIGINE LATINE	*-cide*	« tuer »	*homicide, régicide*
	-culture	« cultiver »	*apiculture, horticulture*
	-duc	« conduire »	*gazoduc, oléoduc*
	-fère	« qui porte »	*ombellifère, mammifère*
	-lingue	« langue »	*bilingue, multilingue*
	-vore	« manger »	*herbivore, omnivore*
SUFFIXES DE NOMS	*-age*	« action »	*défrichage, affichage*
	-ateur	« agent »	*dessinateur, accélérateur*
	-erie	« spécialité »	*animalerie, bijouterie*
	-ette	« diminutif »	*maisonnette, fillette*
	-ier, ière	« métier »	*épicier, jardinière*
	-isme	« doctrine »	*automatisme, socialisme*
	-ite	« maladie »	*appendicite, bronchite*
	-ité	« qualité »	*rapidité, vélocité*
	-on	« diminutif »	*chaton, ourson*
	-ure	« ensemble »	*toiture, voilure*
SUFFIXES D'ADJECTIFS	*-able*	« possibilité »	*aimable, capable*
	-ais, aise	« origine »	*français, montréalaise*
	-âtre	« péjoratif »	*rougeâtre, douceâtre*
	-el, elle	« caractère »	*spirituel, temporelle*
	-ible	« possibilité »	*indestructible, risible*
	-ien, ienne	« origine »	*gaspésien, trifluvienne*
	-if, ive	« caractère »	*actif, vive*
	-ois, oise	« origine »	*chinois, québécoise*
SUFFIXES DE VERBES	*-er*	« action »	*planter, couper*
	-ir	« action »	*finir, polir*
	-asser	« péjoratif »	*rêvasser, finasser*
	-iser	« action »	*informatiser, automatiser*
SUFFIXES D'ADVERBES	*-ment*	« manière »	*rapidement, calmement*

VOIR TABLEAUX ► **NÉOLOGISME.** ► **PRÉFIXE.**

SUJET

- Le sujet de la phrase désigne l'être ou la chose qui **fait l'action du verbe** (verbe d'action).

  Maman a planté des fleurs. Qui est-ce qui a planté des fleurs ? *Maman.*

- Le sujet de la phrase désigne l'être ou la chose qui se trouve dans l'**état exprimé par le verbe** (verbe attributif).

  Le chien Filou est gourmand. Qui est-ce qui est gourmand ? *Le chien Filou.*

- Le sujet de la phrase désigne l'être ou la chose qui **subit l'action du verbe** (phrase passive).

  La pomme est mangée par Julien. Qu'est-ce qui est mangé ? *La pomme.*

  🖎 Pour trouver le sujet d'un verbe, on pose la question *qui est-ce qui ?* (pour un être vivant), *qu'est-ce qui ?* (pour une chose). Attention : dans une question, l'ordre des mots est inversé. *Plante-t-elle des fleurs ?*

CATÉGORIE DU SUJET

Le sujet peut être :

– un **groupe nominal** : un **nom commun**, son **déterminant** et un **complément**, un **nom propre** ou un **pronom**.

  La table est ronde. *Jacques* joue du piano. *Nous* sommes d'accord. *Qui* est là ?

– une **phrase infinitive**. *Nager tous les jours* est bon pour la santé.

– une **phrase à verbe conjugué**. *Pierre qui roule* n'amasse pas mousse.

ACCORD DU VERBE, DE L'ATTRIBUT DU SUJET, DU PARTICIPE PASSÉ

Le sujet de la phrase est un donneur d'accord. Il est important de pouvoir le reconnaître parce que c'est avec lui qu'on accorde le verbe, l'attribut du sujet ou le participe passé, s'il y a lieu. Quand le sujet de la phrase est une phrase (infinitive ou à verbe conjugué), l'accord se fait à la 3ᵉ personne du singulier.

  Tu as dormi pendant deux heures. (Le verbe est à la deuxième personne du singulier parce que le sujet est *tu*.) *Elle est adroite.* (L'attribut est au féminin singulier parce que le sujet du verbe est *elle*.)

  Les chats sont partis. (Le participe passé est au masculin pluriel parce que le sujet du verbe est *les chats*.)

- **Sujet de personnes différentes**

  Si les sujets ne sont pas de la même personne, le verbe se met au pluriel et s'accorde avec la personne qui a la priorité ; la 1ʳᵉ personne l'emporte sur les deux autres et la 2ᵉ personne, sur la 3ᵉ. *Vous et moi sommes d'avis que ce vin est excellent. Ta sœur et toi avez obtenu les meilleurs résultats.*

- **Sujet complexe**

  Lorsque le sujet se compose d'un pronom indéfini ou interrogatif complété par un pronom personnel, le verbe s'accorde à la 3ᵉ personne avec le pronom indéfini ou interrogatif (et non pas avec le pronom personnel). *Certains d'entre vous ne seront* (et non **serez*) *pas d'accord.*

- **Nom collectif sujet**

– Nom collectif **employé seul.**

  Si le sujet est un collectif sans complément, le verbe se met **au singulier.**

  L'équipe gagna la partie.

– Nom collectif **suivi d'un complément au singulier.**

  Si le sujet est un collectif suivi d'un complément au singulier, le verbe se met **au singulier.**

  La plupart du temps se passa à jouer dehors.

– Nom collectif **précédé d'un déterminant indéfini et suivi d'un complément au pluriel.**

  Si le sujet est un collectif précédé d'un déterminant indéfini (*un, une*) et suivi d'un complément au pluriel, le verbe se met **au singulier** lorsque l'auteur veut insister sur le tout, l'ensemble, **au pluriel** s'il veut insister sur la pluralité.

  Une majorité d'élèves a réussi l'examen ou *une majorité d'élèves ont réussi l'examen.*

– Nom collectif **précédé d'un déterminant défini, d'un déterminant possessif ou d'un déterminant démonstratif et suivi d'un complément au pluriel.**

  Si le sujet est un collectif précédé d'un déterminant défini *(le, la),* d'un déterminant possessif *(mon, ma)* ou d'un déterminant démonstratif *(ce, cette)* et suivi d'un complément au pluriel, le verbe se met **au singulier** parce que l'accent est mis sur l'ensemble.

  La bande de copains est en excursion. Mon groupe d'amis raffole de cette musique.

VOIR TABLEAU ► COLLECTIF.

SUPERLATIF

SUPERLATIF RELATIF

- Le superlatif relatif exprime la qualité d'un être ou d'un objet **au degré le plus élevé** (supériorité relative) ou **au degré le moins élevé** (infériorité relative), en comparaison avec d'autres êtres ou objets.

  La rose est la plus belle de toutes les fleurs (**supériorité relative**).

  Le pissenlit est la moins appréciée des fleurs (**infériorité relative**).

▸ Formation du superlatif relatif

- Le superlatif relatif est formé à l'aide du déterminant défini et de certains adverbes : *le plus, le moins, le mieux, le meilleur, le moindre, des plus, des mieux, des moins.*

  *Tu es **la meilleure** des amies, c'est **le moindre** de tes soucis.*

▸ Déterminant qui précède un superlatif relatif

- Le déterminant reste neutre (masculin singulier) devant l'adjectif féminin ou pluriel si la comparaison porte sur **les différents états d'un seul être ou d'un seul objet.**

  *C'est le matin qu'elle est **le** plus attentive (au plus haut degré).*

- Si la comparaison porte sur **plusieurs êtres ou objets,** l'article s'accorde avec le nom auquel il se rapporte.

  *Cette personne est **la** plus compétente des candidates.*

▸ Accord de l'adjectif qui suit un superlatif relatif

- L'adjectif qui suit le superlatif relatif *des plus, des mieux, des moins* se met au pluriel et s'accorde en genre avec le nom auquel il se rapporte.

  *Cette animatrice est **des plus** compétentes. Ils ont construit un véhicule **des plus** résistants.*

SUPERLATIF ABSOLU

- Le superlatif absolu exprime la qualité d'un être ou d'un objet **à un très haut degré** (supériorité ou infériorité absolue), **sans comparaison avec** d'autres êtres ou objets.

  *La pivoine est **très** odorante* (supériorité absolue).

  *La marguerite est **très peu** odorante* (infériorité absolue).

▸ Formation du superlatif absolu

- Le superlatif absolu est formé à l'aide des adverbes *très, fort, bien...* ou des adverbes en *-ment : infiniment, extrêmement, joliment...*

  *Un édifice **très** haut, un avion **extrêmement** rapide.*

- Dans la langue familière, le superlatif absolu est formé des éléments *archi, extra, hyper, super, ultra...*

  *Elle est **super**-gentille, ce copain est **hyper**-sympathique.*

VOIR TABLEAUX ▸ ADJECTIF. ▸ ADVERBE.

SYMBOLE

Signe conventionnel constitué par :
- une lettre .... h ....(heure)
- un groupe de lettres .... km ....(kilomètre)
- un groupe de lettres et de chiffres .... H$_2$O ......(symbole chimique)
- un signe .... $ ....(dollar)
- un pictogramme .... ⌨ ....(note, dans cet ouvrage)

Le symbole, indépendamment des frontières linguistiques, sert à désigner de façon très concise :
- un être
- une chose
- une grandeur
- une réalité

Les symboles s'emploient principalement dans les domaines scientifique et technique : symboles chimiques, mathématiques, symboles des unités monétaires, des unités de mesure.

▸ **Symboles chimiques**

    Ag (argent)   *C* (carbone)   *N* (azote)   *Na* (sodium)

▸ **Symboles mathématiques**

    + (addition)   – (soustraction)   *x* (multiplication)   ÷ (division)

▸ **Symboles d'unités de mesure**

    m (mètre)   *h* (heure)   *t* (tonne)   *V* (volt)

▸ **Symboles d'unités monétaires**

    $ (dollar)   *€* (euro)   *£* (livre sterling)   *¥* (yen)

    T Les symboles sont invariables et s'écrivent sans point abréviatif.

VOIR TABLEAU ▸ ABRÉVIATION (RÈGLES DE L').

RÈGLES D'ÉCRITURE DES SYMBOLES DES UNITÉS DE MESURE

Les symboles des unités de mesure, qui sont les mêmes dans toutes les langues, sont invariables et s'écrivent sans point abréviatif.

    35 kg   *20 cm*   *12 s*

    ⌨ Les symboles des unités de mesure sont normalisés et doivent être écrits sans être modifiés.

▸ **Place du symbole**

Le symbole se place après le nombre entier ou décimal et il en est séparé par un espacement simple.

    0,35 m   *23,8 °C*

Les sous-multiples d'unités non décimales s'écrivent à la suite sans ponctuation.

    11 h 35 min 40 s

RÈGLES D'ÉCRITURE DES SYMBOLES DES UNITÉS MONÉTAIRES

Signes conventionnels qui désignent les monnaies internationales.

    $ est le symbole de **dollar**, *€* est le symbole de *euro*, *£* est le symbole de **livre sterling**.

    T Les symboles des unités monétaires s'écrivent en majuscules, sans points abréviatifs et sont invariables.

▸ **Place du symbole**

En français, le symbole de l'unité monétaire se place à la suite du nombre après un espace, selon l'ordre de la lecture.

    39,95 $ *25 ¢*

VOIR TABLEAU ▸ SYMBOLES DES UNITÉS MONÉTAIRES.

SYMBOLES DES UNITÉS MONÉTAIRES

Signes conventionnels qui désignent les monnaies internationales, les symboles des unités monétaires s'écrivent en majuscules, sans points et sont invariables.

▸ **Place du symbole**

En français, le symbole de l'unité monétaire se place après l'expression numérale, selon l'ordre de la lecture ; il est séparé du nombre par un espacement simple. *100 $.*

[T] Si l'expression numérale comporte une fraction décimale, le symbole de l'unité monétaire se place à la suite de cette fraction décimale, après un espacement simple. *39,95 $.* Attention, le signe décimal est la virgule et non plus le point ; il se note sans espacement avant ni après.

▸ **Écriture des sommes d'argent**

La notation peut se faire à l'aide de chiffres suivis du symbole de l'unité monétaire *(15 000 $)* ou en toutes lettres *(quinze mille dollars).* Pour les sommes supérieures à six chiffres – qui comprennent donc les noms *million* et *milliard* –, il est également possible de noter le nombre en chiffres suivi du nom *million* ou *milliard* et du nom de l'unité monétaire *(15 millions de dollars, 20 milliards d'euros).*

VOIR TABLEAU ▸ **MILLE, MILLION, MILLIARD.**

▸ **Tableaux et statistiques**

Dans les documents techniques, les tableaux, les statistiques, les états financiers, etc., on indique généralement en tête de colonne la mention *en milliers de* (dollars, euros, etc.) ou *en millions de* (dollars, euros, etc.), selon le cas. On recourt parfois aux préfixes *k* de *kilo* signifiant « mille » et *M* de *méga* signifiant « un million » et *G* de *giga* signifiant « un milliard » accolés au symbole de l'unité monétaire, *k$* symbole de *kilodollar* (1000 $), *k€* symbole de *kiloeuro* (1000 €) , *M$* symbole de *mégadollar* (1 000 000 $), *G$*, symbole de *gigadollar* (1 000 000 000 $).

[T] Cette notation doit être réservée aux documents de nature technique où la place est très restreinte (tableaux, statistiques, etc.). Il n'y a pas d'espace entre le préfixe et le symbole de l'unité monétaire.

▸ **Symboles courants d'unités monétaires**

NOM DU PAYS OU DU CONTINENT	DÉSIGNATION DE LA MONNAIE	SYMBOLE
Canada	dollar canadien	$ CA
États-Unis	dollar des États-Unis	$ US
Europe	euro	€
Grande-Bretagne	livre sterling	£
Japon	yen	¥
Mexique	peso mexicain	$ MEX
Russie	rouble	RBL
Suisse	franc suisse	FS

▸ **Code alphabétique des unités monétaires**

Pour les échanges internationaux et les transferts électroniques de fonds, on recourt à un code alphabétique défini par la norme de l'International Organization for Standardization (ISO). Le code alphabétique du dollar canadien est *CAD*, celui du dollar américain est *USD*.

▸ Liste des noms des unités monétaires

NOM DU PAYS	DÉSIGNATION DE LA MONNAIE	CODE ISO
Afghanistan	afghani	AFN
Afrique du Sud	rand	ZAR
Albanie	lek	ALL
Algérie	dinar algérien	DZD
Allemagne	euro	EUR
Andorre	euro	EUR
Angola	kwanza	AOA
Arabie saoudite	riyal saoudien	SAR
Argentine	peso argentin	ARS
Australie	dollar australien	AUD
Autriche	euro	EUR
Bangladesh	taka	BDT
Belgique	euro	EUR
Bénin	franc CFA	XOF
Birmanie (Myanmar)	kyat	MMK
Bolivie	boliviano	BOB
Botswana	pula	BWP
Brésil	real brésilien	BRL
Bulgarie	lev bulgare	BGN
Burkina Faso	franc CFA	XOF
Burundi	franc du Burundi	BIF
Cambodge	riel	KHR
Cameroun	franc CFA	XAF
Canada	dollar canadien	CAD
Centrafricaine (République)	franc CFA	XAF
Chili	peso chilien	CLP
Chine	yuan	CNY
Chypre	euro	EUR
Colombie	peso colombien	COP
Congo	franc CFA	XAF
Corée du Nord	won nord-coréen	KPW
Corée du Sud	won	KRW
Costa Rica	colon costaricain	CRC
Côte d'Ivoire	franc CFA	XOF
Croatie	kuna croate	HRK
Cuba	peso cubain	CUP
Danemark	couronne danoise	DKK
Dominicaine (République)	peso dominicain	DOP
Égypte	livre égyptienne	EGP
Émirats arabes unis	dirham des EAU	AED
Équateur	dollar des Etats-Unis	USD
Espagne	euro	EUR
Estonie	couronne estonienne	EEK
États-Unis	dollar des Etats-Unis	USD
Éthiopie	birr éthiopien	ETB
Finlande	euro	EUR
France	euro	EUR
Gabon	franc CFA	XAF
Géorgie	lari	GEL
Ghana	cedi	GHS
Grande-Bretagne	livre sterling	GBP
Grèce	euro	EUR
Guatemala	quetzal	GTQ
Guinée	franc guinéen	GNF
Haïti	gourde et dollar des Etats-Unis	HTG USD
Honduras	lempira	HNL
Hongrie	forint	HUF
Inde	roupie indienne	INR
Indonésie	roupie indonésienne	IDR
Iran	rial iranien	IRR
Iraq	dinar iraquien	IQD
Irlande	euro	EUR
Islande	couronne islandaise	ISK
Israël	shekel	ILS
Italie	euro	EUR

NOM DU PAYS	DÉSIGNATION DE LA MONNAIE	CODE ISO
Japon	yen	JPY
Jordanie	dinar jordanien	JOD
Kenya	shilling kenyan	KES
Koweït	dinar koweïtien	KWD
Laos	kip	LAK
Lettonie	lats letton	LVL
Liban	livre libanaise	LBP
Liberia	dollar libérien	LRD
Libye	dinar libyen	LYD
Lituanie	litas lituanien	LTL
Luxembourg	euro	EUR
Madagascar	ariary malgache	MGA
Mali	franc CFA	XOF
Malte	euro	EUR
Maroc	dirham marocain	MAD
Mauritanie	ouguiya	MRO
Mexique	peso mexicain	MXN
Monténégro	euro	EUR
Népal	roupie népalaise	NPR
Nicaragua	cordoba d'or	NIO
Niger	franc CFA	XOF
Nigeria	naïra	NGN
Norvège	couronne norvégienne	NOK
Nouvelle-Zélande	dollar néo-zélandais	NZD
Ouganda	shilling ougandais	UGX
Pakistan	roupie pakistanaise	PKR
Panama	balboa et dollar des États-Unis	PRB USD
Paraguay	guarani	PYG
Pays-Bas	euro	EUR
Pérou	sol	PEN
Philippines	peso philippin	PHP
Pologne	zloty	PLN
Portugal	euro	EUR
Qatar	riyal qatarien	QAR
Roumanie	leu	RON
Russie	rouble	RUB
Rwanda	franc rwandais	RWF
Saint-Marin	euro	EUR
Salvador	colon salvadorien	SVC
Sénégal	franc CFA	XOF
Sierra Leone	leone	SLL
Singapour	dollar de Singapour	SGD
Slovaquie	couronne slovaque	SKK
Slovénie	euro	EUR
Somalie	shilling somalien	SOS
Soudan	livre soudanaise	SDG
Suède	couronne suédoise	SEK
Suisse	franc suisse	CHF
Syrie	livre syrienne	SYP
Tanzanie	shilling tanzanien	TZS
Tchad	franc CFA	XAF
Tchèque (République)	couronne tchèque	CZK
Thaïlande	baht	THB
Togo	franc CFA	XOF
Tunisie	dinar tunisien	TND
Turquie	livre turque	TRY
Ukraine	hrivna	UAH
Uruguay	peso uruguayen	UYU
Venezuela	bolivar	VEF
Vietnam	dông	VND
Yémen	rial yéménite	YER
Zambie	kwacha	ZMK
Zimbabwe	dollar zimbabwéen	ZWD

SYNONYMES

Les synonymes sont des mots qui ont la même signification ou des sens très voisins.

VERBES SYNONYMES

Les verbes qui suivent expriment tous l'idée de « faire connaître », mais selon diverses nuances :

citer .... faire connaître en nommant une personne, une chose ;
désigner .... faire connaître par une expression, un signe, un symbole ;
indiquer .... faire connaître une personne, une chose, en donnant un indice (détail caractéristique) qui permet de la trouver ;
montrer .... faire connaître en mettant sous les yeux ;
nommer .... faire connaître par son nom ;
révéler .... faire connaître ce qui était inconnu ;
signaler .... faire connaître en attirant l'attention sur un aspect particulier.

ADJECTIFS SYNONYMES

Les adjectifs qui suivent expriment tous l'idée de « ce qui est beau » à divers degrés :

admirable .... beau à la perfection ;
joli .... d'une beauté gracieuse et plaisante ;
magnifique .... beau par sa grandeur et son éclat ;
merveilleux .... d'une beauté surprenante, féerique ;
splendide .... d'une beauté éclatante, rayonnante.

NOMS SYNONYMES

Les noms qui suivent désignent tous « un vêtement porté par-dessus les autres vêtements pour se protéger des intempéries » :

anorak .... manteau à capuchon qui protège du vent et du froid ;
cape .... manteau avec ou sans capuchon, ample et sans manches ;
imperméable .... manteau qui protège de la pluie ;
pelisse .... manteau doublé de fourrure ;
paletot .... manteau d'homme, généralement en lainage chaud.

🖙 Ne pas confondre avec les noms suivants :

– *antonymes,* mots qui ont une signification contraire :
    devant .... derrière
    en avant .... en arrière
    provisoire .... permanent
    définitif .... passager

– *homonymes,* mots qui s'écrivent ou se prononcent de façon identique sans avoir la même signification :
    air .... mélange gazeux
    air .... mélodie
    air .... expression
    aire .... surface
    ère .... époque
    hère .... malheureux
    hère .... jeune cerf

– *paronymes,* mots qui présentent une ressemblance d'orthographe ou de prononciation sans avoir la même signification :
    acception .... sens d'un mot
    acceptation ..... accord

VOIR TABLEAUX ▶ ANTONYMES. ▶ HOMONYMES. ▶ PARONYMES.

TEL

TEL, TELLE, DÉTERMINANT INDÉFINI

1. Pareil, semblable.

Je n'ai jamais entendu de ***telles*** *bêtises. Un* ***tel*** *talent lui permettra de progresser rapidement.*

↪ Placé en début de phrase comme attribut, l'adjectif entraîne l'inversion du sujet. *Nous nous retrouvions tous autour de la table, car* ***telle*** *était sa volonté.*

2. Si grand.

Il se battit avec un ***tel*** *courage qu'il l'emporta. Une émotion* ***telle*** *qu'il en perdit la raison.*

3. *Tel* + nom. Se dit de personnes, de choses qu'on ne peut désigner de façon déterminée.

Ils viendront à ***telle*** *heure, à* ***tel*** *moment. Je vous donnerai* ***telle*** *ou* ***telle*** *information.*

ACCORD DU DÉTERMINANT

- ***Tel*** (non suivi de ***que***). Ainsi que.

  Elle était ***tel*** *un tigre. À vol d'oiseau, les lacs sont* ***telles*** *des gouttes d'eau.*

  📖 Le déterminant s'accorde **avec le nom qui suit** et qui exprime la comparaison.

  📖 Le déterminant indéfini peut aussi introduire une énumération ; il s'accorde alors avec les éléments de l'énumération. *Le projet a été évalué selon de nombreux critères* ***telles*** *la rentabilité, la qualité de la recherche, la pertinence des objectifs.*

- ***Tel que.*** Ainsi que.

  Une amazone ***telle qu****'un fauve. Les cavaliers surgirent tout à coup* ***tels que*** *des bêtes féroces.* ***Tels que*** *des libellules, les danseurs se mirent à voltiger.*

  📖 Le déterminant s'accorde **avec le nom auquel il se rapporte** et qui le précède généralement, mais non obligatoirement.

  📖 La locution ***tel que*** peut aussi introduire une énumération. Dans ce cas, le déterminant indéfini s'accorde avec le nom auquel il se rapporte. *Le projet a été évalué selon de nombreux critères* ***tels que*** *la rentabilité, la qualité de la recherche, la pertinence des objectifs.*

- ***Tel quel.*** Sans changement, dans l'état où il ou elle se trouve.

  Cette maison, je l'ai retrouvée ***telle quelle****, pareille à ce qu'elle était il y a de cela 30 ans.*

  📖 La locution s'accorde en genre et en nombre **avec le nom auquel elle se rapporte.**

- ***Comme tel.*** En cette qualité.

  La langue officielle du Québec est le français et doit être reconnue ***comme telle*** *par tous.*

  📖 Dans les expressions **comme tel, en tant que tel,** l'adjectif s'accorde avec le nom auquel il se rapporte.

- ***Tel que*** + participe passé.

  La loi a été adoptée ***telle qu****'elle avait été proposée.*

  ↪ L'ellipse du sujet et de l'auxiliaire (*telle que proposée*) est maintenant considérée comme correcte dans la langue courante. La construction avec le sujet et le verbe conjugué (*telle qu'elle a été proposée*) est cependant à privilégier. Si le déterminant ***tel*** renvoie à une proposition plutôt qu'à un nom ou à un pronom, cette construction est fautive (ex. : **tel que convenu, je vous transmets l'ordre du jour de notre prochaine réunion*). Dans ce cas, on écrira plutôt : *tel que nous en avons convenu* ou *comme convenu, je vous transmets l'ordre du jour de notre prochaine réunion.*

- ***De telle sorte que,*** loc. conj. De telle manière que, à tel point que.

  Il a travaillé ***de telle sorte qu****'il peut récolter aujourd'hui les fruits de ses efforts.*

  ↪ La locution se construit avec l'indicatif.

TEL, TELLE, PRONOM INDÉFINI SINGULIER

- (LITT.) Celui, quelqu'un.

  Tel *est pris qui croyait prendre.*

  📖 Le pronom ne s'emploie qu'au singulier.

- ***Tel… tel.*** Celui-ci et celui-là.

  Tel *aime la lecture,* ***tel*** *préfère le sport.*

- ***Un tel, une telle.*** Quelqu'un, quelqu'une. *Une telle nous a prévenus.*

  🔖 La locution s'emploie pour remplacer un nom propre non précisé.

- ***Monsieur Untel, Madame Unetelle.*** Précédé d'un titre de civilité (monsieur, madame…), le pronom s'écrit avec une majuscule, à l'image d'un nom propre, et en un seul mot. *Monsieur Untel sera présent ainsi que Madame Unetelle.*

Ce lexique grammatical établit la correspondance entre le vocabulaire des programmes de français du ministère de l'Éducation de 1980 (grammaire classique) et de 1995 (nouvelle grammaire).

Grammaire classique	Nouvelle grammaire
Adjectif démonstratif	déterminant démonstratif
Adjectif exclamatif	déterminant exclamatif
Adjectif indéfini	déterminant indéfini
Adjectif interrogatif	déterminant interrogatif
Adjectif numéral cardinal	déterminant numéral
Adjectif numéral ordinal	adjectif ordinal
Adjectif possessif	déterminant possessif
Adjectif qualificatif	adjectif
	adjectif qualifiant
	adjectif classifiant
Adjectif relatif	déterminant relatif
Adjectif verbal	participe adjectif
Adverbe	adverbe
Apposition	complément du nom
Article défini	déterminant défini
Article indéfini	déterminant indéfini
Article partitif	déterminant partitif
Attribut	attribut du sujet
	attribut du complément direct du verbe
Auxiliaire	auxiliaire
	auxiliaire de temps ou d'aspect
	auxiliaire de conjugaison
	auxiliaire de modalité
	auxiliaire factitif
Complément circonstanciel	complément de phrase
	complément de verbe
Complément d'agent	complément du verbe passif
Complément de l'adjectif	complément de l'adjectif
Complément déterminatif	complément du nom
Complément d'objet direct	complément direct du verbe
Complément d'objet indirect	complément indirect du verbe
Conditionnel	conditionnel
Conjonction de coordination	conjonction de coordination, coordonnant
Conjonction de subordination	conjonction de subordination, subordonnant
Épithète	complément du nom
Futur antérieur	futur antérieur
Futur simple	futur simple
Imparfait	imparfait
Impératif	impératif
Indicatif	indicatif
Infinitif	infinitif
Interjection	interjection
Locution adjective	adjectif (composé), adjectif (complexe)
Locution adverbiale	adverbe (composé), adverbe (complexe)

T

Locution conjonctive de coordination	coordonnant (composé)
Locution conjonctive de subordination	subordonnant (composé)
Locution nominale	nom (composé)
Locution prépositive	préposition (composée)
Nom commun	nom commun
Nom composé	nom composé
Nom propre	nom propre
Participe passé	participe passé
Participe présent	participe présent
Passé antérieur	passé antérieur
Passé composé	passé composé
Passé simple	passé simple
Phrase déclarative	phrase déclarative
Phrase exclamative	phrase exclamative
Phrase impérative	phrase impérative
Phrase interrogative	phrase interrogative
Plus-que-parfait	plus-que-parfait
Préposition	préposition
Présent	présent
Pronom démonstratif	pronom démonstratif
Pronom indéfini	pronom indéfini
Pronom interrogatif	pronom interrogatif
Pronom personnel	pronom personnel
Pronom possessif	pronom possessif
Pronom relatif	pronom relatif
Proposition	phrase
Proposition indépendante	phrase autonome ou matrice
Proposition principale	phrase autonome ou matrice
Proposition subordonnée	phrase subordonnée
Semi-auxiliaire	auxiliaire de temps ou d'aspect
	auxiliaire de modalité
	auxiliaire factitif
Style direct	discours rapporté direct
Style indirect	discours rapporté indirect
Subjonctif	subjonctif
Subordonnée circonstancielle	subordonnée circonstancielle
Subordonnée complétive	subordonnée complétive
Subordonnée relative	subordonnée relative
Superlatif	superlatif
Verbe d'état, verbe copule	verbe attributif
Verbe impersonnel	verbe impersonnel
Verbe intransitif	verbe intransitif
Verbe principal	verbe de la phrase autonome ou matrice
Verbe pronominal	verbe pronominal
Verbe transitif	verbe transitif
Voix active	phrase de forme active
Voix passive	phrase de forme passive

▸ **Titres de fonctions, de grades, de noblesse**

De façon générale, ces titres sont des noms communs qui s'écrivent avec une minuscule.
Le pape, la présidente-directrice générale, le duc, la juge, le premier ministre.

Si le titre désigne une personne à qui l'on s'adresse, il s'écrit avec une majuscule.
Veuillez agréer, Madame la Présidente, ...

TITRES ET FONCTIONS AU FÉMININ

académicienne	ambulancière	assureuse	blanchisseuse	bruiteuse
acheteuse	animatrice	astrophysicienne	bottière	bûcheronne
administratrice	annonceure	auteure	bouchère	cadreuse
agente	ou annonceuse	aviatrice	boulangère	caissière
agente de bord	apicultrice	avicultrice	boulangère-	camionneuse
agente de	arboricultrice	avocate	pâtissière	caporale
voyages	arpenteuse	balayeuse	boxeuse	cartomancienne
agricultrice	artificière	banquière	brasseuse	cascadeuse
ajusteuse	artisane	bergère	brigadière	cavalière
ambassadrice	assistante	bijoutière	brodeuse	chapelière...

VOIR TABLEAU ▸ FÉMINISATION DES TITRES.

▸ **Titres honorifiques**

Le titre honorifique ainsi que l'adjectif et l'adverbe qui le précèdent s'écrivent avec une majuscule.
Sa Sainteté, Sa Très Gracieuse Majesté.

Suivis du nom propre, les titres honorifiques s'abrègent.
S. S. le pape Jean-Paul II, S. M. la reine Élisabeth II.

▸ **Titres de civilité**

Les titres de civilité s'écrivent avec une majuscule et ne s'abrègent pas dans l'adresse.
Monsieur Jacques Valbois.

Ⓣ Dans les formules d'appel ou de salutation, le titre de civilité n'est pas suivi du patronyme.
Madame (et non *Madame Valbois).

Le titre s'abrège généralement lorsqu'il est suivi du patronyme ou d'un autre titre et qu'on ne s'adresse pas directement à la personne.
M. Roberge est absent, M. le juge est là.

Le titre s'écrit avec une minuscule initiale et ne s'abrège pas lorsqu'il est employé seul, sans être accompagné d'un nom propre, d'un titre ou d'une fonction, dans certaines constructions de déférence.
Oui, monsieur, madame est sortie. Je ne crois pas avoir déjà rencontré monsieur.

TITRES D'ŒUVRES

Les titres d'œuvres littéraires (poème, essai, roman, etc.) ou artistiques (peinture, sculpture, ballet, composition musicale), les noms de journaux, de périodiques s'écrivent avec une majuscule au nom initial et éventuellement à l'adjectif, l'adverbe, le déterminant qui le précèdent.

> *Le Dictionnaire visuel, les Concertos brandebourgeois, Le Nouveau Petit Robert, Les Très Riches Heures du duc de Berry.*

> T L'Office québécois de la langue française a adopté une règle simplifiée qui consiste à écrire le titre des ouvrages avec une seule majuscule initiale. *Le français au Québec. 400 ans d'histoire et de vie.* Les titres sont composés en italique dans un texte en romain. Dans un texte déjà en italique, la notation se fait en romain. Dans un manuscrit, on utilisera les guillemets ou le soulignement si le texte est destiné à l'impression.

▸ **Déterminant défini**

Le déterminant défini ne prend la majuscule que s'il fait partie du titre.

> *Il a lu* L'Homme rapaillé *de Gaston Miron. Elle a consulté le* Dictionnaire de la comptabilité *de Fernand Sylvain.* Le Devoir, *mais le* Déjeuner sur l'herbe.

▸ **Adjectif**

Si l'adjectif précède le substantif, tous deux prennent la majuscule.

> *La Divine Comédie, le Grand Larousse de la langue française, Le Nouveau Petit Robert, Prochain Épisode.*

Si l'adjectif suit le substantif, il s'écrit avec une minuscule.

> *Le Code typographique, Le Plaisir chaste, Les Noces barbares, Refus global.*

▸ **Plusieurs substantifs**

Si le titre est constitué de plusieurs mots mis en parallèle, chacun s'écrit avec une majuscule.

> *Guerre et Paix, La Belle et la Bête, Artistes, Artisans et Technocrates.*

▸ **Phrase ou groupe de mots**

Lorsqu'un titre est constitué d'une phrase, seul le premier mot s'écrit avec une majuscule.

> *Attendez que je me rappelle, Et tout le reste n'est rien, La grammaire est une chanson douce, À la recherche du temps perdu.*

▸ **Sous-titre**

Le sous-titre s'écrit à la suite d'un point et suit les mêmes règles que le titre pour l'emploi des majuscules.

> *J'ai lu l'ouvrage* Ce que parler veut dire. L'Économie des échanges linguistiques.
> Des Mots et des Mondes. Dictionnaires, encyclopédies, grammaires, nomenclatures : *le sous-titre de cet ouvrage décrit bien son contenu.*

▸ **Contraction de la préposition** *à* **ou** *de* **et de l'article initial du titre**

En général, la contraction de la préposition et de l'article initial se fait.

> *La lecture du* Devoir. *Le visionnement des* Quatre Cents Coups *de Truffaut.*

▸ **Accord du verbe, de l'adjectif et du participe**

Le verbe, l'adjectif et le participe s'accordent avec le titre si celui-ci débute par un nom précédé d'un déterminant ou si le titre est un nom propre féminin.

> Les Champs magnétiques *sont une œuvre surréaliste.* La Joconde *fut peinte par Léonard de Vinci.*

▸ **Élision**

Il est préférable d'élider le déterminant qui précède un titre commençant par une voyelle ou un *h* muet.

> *L'auteure d'*Émilie, Émilie *est Élisabeth Badinter.*

> T Cependant l'absence d'élision est courante. *L'auteure de* Une saison dans la vie d'Emmanuel *est Marie-Claire Blais.*

ACCORD DE **TOUT**

TOUT, TOUTE, DÉTERMINANT DÉFINI (receveur d'accord)

► **Aux sens de** « complet, entier », « unique », « au plus haut point »

- *Tout, toute* + déterminant défini + nom ....variable ....*Il travaille **tout** l'été,*
  __toute__ la journée.
- *Tout, toute* + déterminant démonstratif + nom........variable ....*Elle repeint **tout** ce garage,*
  __toute__ cette maison.
- *Tout, toute* + déterminant possessif + nom............variable ....*Le chien a mangé **tout** son os,*
  __toute__ sa viande.
- *Tout, toute* + nom ....variable ....*De **tout** cœur, en **toute** amitié,*
  *de **toute** beauté.*

  📏 En ces sens, le déterminant et le nom sont au singulier.

TOUT, TOUTE, TOUS, TOUTES, DÉTERMINANT INDÉFINI (receveur d'accord)

► **Aux sens de** « sans exception », « chaque », « n'importe lequel »

- *Tous, toutes* + déterminant + nom ou pronom ....variable ....*Vois **tous** les glands et **toutes***
  *les feuilles. **Tous** les miens.*
- *Tous, toutes* + déterminant démonstratif + nom.......variable ....*J'ai lu **tous** ces livres,*
  __toutes__ ces histoires.
- *Tous, toutes* + déterminant possessif + nom............variable ....*Elle a écouté **tous** mes disques,*
  __toutes__ mes chansons.
- *Tout, toute* + nom ou pronom.......................variable ....*__Toute__ réclamation sera considérée.*
  __Tout__ cela n'est qu'une illusion.
- *Tout autre, toute autre* + nom ....variable ....*__Toute autre__ personne viendrait.*

TOUT, ADVERBE

► **Au sens de** « entièrement, tout à fait ».

- *Tout* + adjectif masculin ....invariable .....*Ils sont **tout** joyeux.*
- *Tout* + adjectif féminin........................invariable .....*Tu as bu la coupe **tout** entière.*
  (commençant par une voyelle ou un *h* muet) *Elles sont **tout** hésitantes (h muet).*
- *Toute, toutes* + adjectif féminin.................variable ....*Elles sont **toutes** gracieuses et*
  (commençant par une consonne ou un *h* aspiré) *__toutes__ hâlées (h aspiré).*
  📏 L'adverbe change de forme pour des raisons d'harmonie de la phrase (euphonie).
- *Tout* + adverbe................................invariable .....*Ils roulaient **tout** doucement.*
- *Tout autre* « entièrement autre ».................invariable .....*Une **tout autre** signification.*

TOUS, TOUTES, TOUT, PRONOM MASCULIN ET FÉMININ (receveur et donneur d'accord)

- *Tous, toutes.* Le pronom est au pluriel et il prend
  la marque du genre........................*Tous et toutes étaient motivés.*
- *Tout.* Le pronom neutre est au singulier.................*Ils comprirent **tout**.*

TOUT, NOM MASCULIN (donneur d'accord)

- *Tout, touts.* Le nom masculin prend la marque du pluriel.............*Réunir des **touts** complets.*

TRAIT D'UNION

Signe en forme de trait horizontal qui se place à mi-hauteur de l'écriture, sans espace avant ni après, et qui sert principalement à unir les éléments de certains mots composés, de certaines locutions et les syllabes d'un mot divisé en fin de ligne.

EMPLOIS

▸ Liaison des **éléments de certains mots composés.**
Des sous-marins, un presse-citron, un garde-côte, le bien-être, un arc-en-ciel, un en-tête, des va-et-vient, des qu'en-dira-t-on.

> T Dans les mots composés, on a de plus en plus tendance à supprimer le trait d'union et à souder les éléments en vue de simplifier l'orthographe. À titre d'exemple, lors de sa création, le néologisme ***microéconomie*** s'écrivait avec un trait d'union (*micro-économie*); aujourd'hui, les deux éléments qui le composent sont soudés.

VOIR TABLEAU ▸ NOMS COMPOSÉS.

▸ Liaison des **formes verbales inversées.**
« C'est ainsi », lui dit-il. Le savait-il? Prend-on ce train? Répondent-ils à vos demandes? Où vais-je?

> T Le verbe se joint par un trait d'union au pronom sujet inversé. Le trait d'union s'emploie avant et après le *t* euphonique qui sépare le verbe du pronom sujet. *Mesure-t-elle les conséquences de ce geste? Pensa-t-elle à tout? Cela te convainc-t-il?*

▸ Liaison des **verbes à l'impératif aux pronoms** complément direct du verbe et complément indirect du verbe.

> T Le verbe à l'impératif se joint par un trait d'union au pronom personnel complément direct ou indirect qui le suit. *Raconte-moi ce qu'il t'a dit.* Si le verbe à l'impératif est suivi de deux pronoms, le pronom complément direct s'écrit avant le pronom complément indirect et deux traits d'union sont alors nécessaires. *Dis-le-moi.*

> ↪ Attention, le pronom *en* est joint au pronom personnel par un trait d'union, sauf lorsque le pronom est élidé. *Viens-t'en, va-t'en.*

VOIR TABLEAU ▸ IMPÉRATIF.

▸ Liaison du **pronom personnel** et de l'adjectif *même.*
Moi-même, toi-même, lui-même, elles-mêmes, nous-même(s), vous-même(s), eux-mêmes.

▸ Liaison de certains **préfixes (demi-, grand-, néo-, sous-,** etc.) à un nom.
Une politique de non-ingérence. Un grand-père. Des néo-Québécois. Une demi-mesure. La sous-ministre.

▸ Liaison des **nombres inférieurs à cent** qui ne sont pas reliés par la conjonction *et.*
Quatre-vingt-deux, vingt et un, cent dix, deux cent trente-deux.

> T Selon la règle classique, le trait d'union s'emploie seulement entre les éléments qui sont l'un et l'autre inférieurs à *cent,* sauf s'ils sont joints par la conjonction *et.* Les *Rectifications orthographiques* (1990) admettent l'emploi du trait d'union dans tous les cas : « on peut lier par un trait d'union les numéraux formant un nombre complexe, inférieur ou supérieur à *cent* ».

VOIR TABLEAU ▸ NOMBRES.

▸ Liaison des **éléments spécifiques des noms de lieux** composés de plusieurs mots.
Le boulevard René-Lévesque, Port-au-Persil, Cap-à-l'Aigle, la Nouvelle-Angleterre.

VOIR TABLEAU ▸ GÉOGRAPHIQUES (NOMS).

▸ Liaison des **prénoms**, des **patronymes.**
Marie-Ève. Philippe Dubois-Lalande.

▸ **Coupure d'un mot** en fin de ligne.
Ce dictionnaire comporte des tableaux relatifs aux difficultés ortho-graphiques.

VOIR TABLEAU ▸ DIVISION DES MOTS.

UN, UNE, DÉTERMINANT NUMÉRAL

Une unité. *Cette table mesure **un** mètre sur deux mètres. Elle a pris **un** café et deux croissants.*

📏 1° Le déterminant numéral **un** prend la marque du féminin. *Vingt et **une** étudiantes.*

2° Selon la règle classique, le déterminant numéral **un** se joint aux dizaines à l'aide de la conjonction **et** sans traits d'union. *Trente et un, vingt et un.* Une seule exception : *quatre-vingt-un.*

3° Selon la règle classique, le déterminant numéral **un** se joint aux centaines, aux milliers sans trait d'union et sans conjonction. *Cent un, mille un.*

4° Cependant, les *Rectifications orthographiques* (1990) admettent l'emploi du trait d'union dans tous les cas : « on peut lier par un trait d'union les déterminants numéraux formant un nombre complexe, inférieur ou supérieur à **cent** ». Nous observons que, malgré les *Rectifications,* la règle classique est généralement appliquée.

5° La préposition **de** ne s'élide pas devant le déterminant numéral dans les textes de nature scientifique, technique ou commerciale. *Une distance **de un** kilomètre, le total **de un** million de dollars.*

Locutions

– ***Un par un, un à un,*** loc. adv. Un seul à la fois. *Elles passeront une par une.*

UN, UNE, ADJECTIF ORDINAL

Premier. *Chapitre **un**, acte **un**, page **un**. L'an deux mille **un** (2001).*

T L'adjectif ordinal s'écrit généralement en chiffre romain ou en chiffre arabe. *Chapitre I, page 1.*

VOIR TABLEAU ► **NOMBRES.**

UN, UNE, ADJECTIF

Simple, unique. *La vérité est **une** et indivisible.*

UN, NOM MASCULIN INVARIABLE

Nombre qui exprime l'unité. *Le nombre 111 s'écrit avec trois **un**.*

T Devant le nom **un**, l'article **le** ne s'élide pas. *Ils habitent **le un** de la rue des Érables.*

UNE, NOM FÉMININ

Première page d'un quotidien. *Cet article figure **à la une** du journal du soir.*

📏 Devant le nom féminin **une**, l'article **la** ne s'élide pas.

UN, UNE, DÉTERMINANT INDÉFINI

• Le déterminant indéfini se rapporte à une personne, à une chose indéterminée ou non dénommée.

• Le déterminant indéfini indique le nombre (un et non plusieurs), mais ne précise pas l'identité de l'être ou de la chose.

*Il a rencontré **un** ami. Elle a vu **un** cheval et **une** jolie maison.*

📏 Le déterminant s'accorde en genre et en nombre avec le nom auquel il se rapporte. Le pluriel de l'article est **des**.

VOIR TABLEAU ► **DÉTERMINANT.**

UN, UNE, UNS, UNES, PRONOM INDÉFINI

• Quelqu'un, une certaine personne. *L'**un** de vous peut-il m'aider ?*

UN | SUITE >

Locutions

– *L'un et l'autre.* Tous deux.

  L'un et l'autre viendra ou *viendront.*

  [⌨] Le verbe se met au singulier ou au pluriel.

– *L'un, l'une…, l'autre.* Celui-là, celle-là par opposition à *l'autre.*

  L'une chante, l'autre danse. L'un accepte, tandis que l'autre refuse.

– *L'un, l'une l'autre, les uns, les unes les autres.* Réciproquement.

  Ils s'aiment l'un l'autre. Elles s'aident les unes les autres. Les enfants se sont confiés aux uns et aux autres.

– *L'un ou l'autre.* Un seul des deux.

  [⌨] Le verbe se met au singulier. *L'une ou l'autre sera présente.*

– *Ni l'un ni l'autre, ni l'une ni l'autre.* Aucun des deux.

  Ni l'un ni l'autre n'a accepté ou *n'ont accepté.*

  [⌨] Le verbe se met au singulier ou au pluriel.

– *Pas un.* Aucun.

  Pas un ne réussira.

  ↷ Le pronom se construit avec *ne*.

– *Plus d'un, plus d'une* + complément au pluriel.

  Plus d'un des candidats était déçu ou *étaient déçus.*

  [⌨] Le verbe se met au singulier ou au pluriel.

– *Plus d'un, plus d'une.*

  Plus d'une étudiante était satisfaite.

  [⌨] Le verbe s'accorde au singulier avec le pronom indéfini, malgré la logique.

– *Tout un chacun,* loc. pronom. Tout le monde.

  Tout un chacun (et non **tous et chacun*) *aspire au bonheur. Elle veut tenter sa chance, comme tout un chacun.*

  [⌨] Cette locution pronominale sujet est au singulier : le verbe dont elle est le sujet est donc à la troisième personne du singulier.

– *Un de ceux, une de celles qui, que.*

  Cette jeune étudiante est une de celles qui ont le plus travaillé.

  [⌨] Le verbe se met au pluriel.

– *L'un, l'une des…* Une certaine personne.

  L'une des participantes a appuyé la proposition.

  [⌨] Le verbe se met au singulier lorsque la locution a le sens de « une certaine personne », car on insiste alors sur l'individualité.

– *Un, une des…* Quelqu'un parmi.

  Un des auteurs qui se sont attachés à décrire cette situation.

  [⌨] Le verbe se met au pluriel lorsque l'action concerne le complément au pluriel du pronom indéfini (la pluralité).

– *Un, une des…* Celui, celle qui.

  Une des athlètes qui a été sélectionnée… Les juges ont désigné un des champions.

  [⌨] Le verbe se met au singulier lorsque la locution a le sens de « celui, celle qui », car on insiste alors sur l'individualité. *Une des personnes qui a le plus contribué, c'est le linguiste.*

VERBE

Élément essentiel de la phrase, le verbe en est le mot moteur; il exprime l'**action**, l'**état**, le **devenir** d'un sujet. Le verbe est le noyau du groupe du verbe. Ce dernier, ayant comme fonction d'être le prédicat de la phrase, il exprime ce qui est dit à propos du sujet. Le verbe est un receveur d'accord: il s'accorde en personne et en nombre avec son sujet.

MODÈLES DE CONJUGAISON DES VERBES

Les verbes se répartissent en deux modèles de conjugaison:

▸ **Premier modèle**

Les verbes se terminant par **-er**.
Aimer, appeler, avancer, changer, congeler, créer, employer, envoyer, étudier, payer, posséder...

▸ **Deuxième modèle**

Les verbes se terminant à l'infinitif par **-ir** et au participe présent par **-issant**.
Aboutir, abrutir, affermir, agir, bannir, blêmir, bondir, choisir, divertir, éblouir, finir, investir...

Tous les autres verbes qui se terminent à l'infinitif par **-ir** et au participe présent par **-ant**.
Acquérir, bouillir, courir, cueillir, dormir, faillir, fuir, ouvrir, sortir, servir, tressaillir, venir, vêtir...

Les verbes qui se terminent à l'infinitif par **-oir**.
Apercevoir, devoir, émouvoir, falloir, pleuvoir, pouvoir, recevoir, savoir, valoir, voir, vouloir...

Les verbes qui se terminent à l'infinitif par **-re**.
Apprendre, combattre, craindre, éteindre, faire, fendre, joindre, plaire, remettre, soustraire, vaincre...

⌐ La grammaire classique place dans un troisième groupe les verbes qui ne se terminent pas à l'infinif par **-er** (1er groupe) et ceux qui ne se terminent pas à l'infinitif par **-ir** et au participe présent par **-issant** (2e groupe).

VOIR TABLEAU ▸ AUXILIAIRE.

CONJUGAISON DU VERBE

Les formes verbales se composent de deux éléments : le **radical** et la **terminaison**, appelée aussi *désinence*.

Alors que le radical porte la signification du verbe, la terminaison en indique le mode, le temps, la personne et le nombre.

La terminaison marque :

• le **mode** du verbe (indicatif, subjonctif, impératif, infinitif, participe). *Finissons* (indicatif), *finir* (infinitif);

• le **temps** (présent, passé, futur, conditionnel). *Aimez* (présent), *aimiez* (passé), *aimerez* (futur), *aimeriez* (conditionnel);

• la **personne**, le **nombre** du sujet (1re, 2e, 3e personne, singulier et pluriel). *Aimons* (1re personne), *aimez* (2e personne), *aiment* (3e personne); *finis* (singulier) et *finissez* (pluriel).

⌐ Les terminaisons des verbes qui figurent dans cet ouvrage à titre de modèles de conjugaison sont notées en caractères gras.

VOIR TABLEAUX ▸ FUTUR. ▸ IMPÉRATIF. ▸ INDICATIF. ▸ INFINITIF. ▸ PARTICIPE PASSÉ.
▸ PARTICIPE PRÉSENT. ▸ PASSÉ (TEMPS DU). ▸ PRÉSENT. ▸ SUBJONCTIF.

VERBES TRANSITIFS ET INTRANSITIFS

• Les **verbes transitifs directs** ont un complément du verbe **joint directement au verbe, sans préposition.**

L'enfant mange la pomme.
L'enfant mange quoi? La pomme.

V

- Les **verbes transitifs indirects** ont un complément du verbe **relié indirectement au verbe par une préposition** (*à, de,* etc.).

    Il parle à sa sœur.
    Vous souvenez-vous de lui?
    Il parle à qui? À sa sœur. Vous vous souvenez de qui? De lui.

- Les **verbes intransitifs** sont construits **sans complément direct ou indirect du verbe.** Par contre, comme dans toutes les phrases, il peut y avoir un complément de phrase.

    Le soleil plombe.
    L'herbe pousse dans le champ.
    L'enfant mange en ce moment.

- Les **verbes impersonnels** expriment un état qui ne comporte pas de sujet logique; ils ne se construisent qu'**à la troisième personne du singulier** avec le sujet impersonnel *il*.

    Il neige à plein ciel et il vente.

VERBES PRONOMINAUX

- Le **verbe pronominal** est accompagné d'un pronom réfléchi de la même personne que le sujet parce qu'il désigne le même être, le même objet que le sujet.

    Tu te laves. Elles se sont parlé.

- Le **verbe pronominal** est **réfléchi** lorsque l'action porte sur le sujet.

    Bruno s'est coupé. Brigitte s'est blessée.

- Le **verbe pronominal** est **réciproque** lorsque deux ou plusieurs sujets agissent l'un sur l'autre ou les uns sur les autres.

    Ils se sont aimés.

    ▱ Le verbe pronominal réciproque ne s'emploie qu'au pluriel.

- Le **verbe pronominal** est **non réfléchi** lorsque le verbe exprime par lui-même un sens complet et que le pronom n'a pas de valeur particulière.

    S'en aller, s'évanouir, se douter, se taire, se moquer, s'enfuir...

FORME PRONOMINALE

SINGULIER		
1ʳᵉ pers.	*je me parfume*	*je m'enfuis*
2ᵉ pers.	*tu te parfumes*	*tu t'enfuis*
3ᵉ pers. du fém.	⌐ *elle se parfume*	⌐ *elle s'enfuit*
3ᵉ pers. du masc.	∟ *il se parfume*	∟ *il s'enfuit*

PLURIEL		
1ʳᵉ pers.	*nous nous parfumons*	*nous nous enfuyons*
2ᵉ pers.	*vous vous parfumez*	*vous vous enfuyez*
3ᵉ pers. du fém.	⌐ *elles se parfument*	⌐ *elles s'enfuient*
3ᵉ pers. du masc.	∟ *ils se parfument*	∟ *ils s'enfuient*

VOIR TABLEAU ► PRONOMINAUX.

MODÈLES DE CONJUGAISON

CONJUGAISON DU VERBE **ACCROÎTRE**

INDICATIF

PRÉSENT

j'	accrois
tu	accrois
elle	accroît
il	accroît
nous	accroissons
vous	accroissez
elles	accroissent
ils	accroissent

PASSÉ COMPOSÉ

j'	ai	accru
tu	as	accru
elle	a	accru
il	a	accru
nous	avons	accru
vous	avez	accru
elles	ont	accru
ils	ont	accru

IMPARFAIT

j'	accroissais
tu	accroissais
elle	accroissait
il	accroissait
nous	accroissions
vous	accroissiez
elles	accroissaient
ils	accroissaient

PLUS-QUE-PARFAIT

j'	avais	accru
tu	avais	accru
elle	avait	accru
il	avait	accru
nous	avions	accru
vous	aviez	accru
elles	avaient	accru
ils	avaient	accru

PASSÉ SIMPLE

j'	accrus
tu	accrus
elle	accrut
il	accrut
nous	accrûmes
vous	accrûtes
elles	accrurent
ils	accrurent

PASSÉ ANTÉRIEUR

j'	eus	accru
tu	eus	accru
elle	eut	accru
il	eut	accru
nous	eûmes	accru
vous	eûtes	accru
elles	eurent	accru
ils	eurent	accru

FUTUR SIMPLE

j'	accroîtrai
tu	accroîtras
elle	accroîtra
il	accroîtra
nous	accroîtrons
vous	accroîtrez
elles	accroîtront
ils	accroîtront

FUTUR ANTÉRIEUR

j'	aurai	accru
tu	auras	accru
elle	aura	accru
il	aura	accru
nous	aurons	accru
vous	aurez	accru
elles	auront	accru
ils	auront	accru

CONDITIONNEL PRÉSENT

j'	accroîtrais
tu	accroîtrais
elle	accroîtrait
il	accroîtrait
nous	accroîtrions
vous	accroîtriez
elles	accroîtraient
ils	accroîtraient

CONDITIONNEL PASSÉ

j'	aurais	accru
tu	aurais	accru
elle	aurait	accru
il	aurait	accru
nous	aurions	accru
vous	auriez	accru
elles	auraient	accru
ils	auraient	accru

SUBJONCTIF

PRÉSENT

que	j'	accroisse
que	tu	accroisses
qu'	elle	accroisse
qu'	il	accroisse
que	nous	accroissions
que	vous	accroissiez
qu'	elles	accroissent
qu'	ils	accroissent

PASSÉ

que	j'	aie	accru
que	tu	aies	accru
qu'	elle	ait	accru
qu'	il	ait	accru
que	nous	ayons	accru
que	vous	ayez	accru
qu'	elles	aient	accru
qu'	ils	aient	accru

IMPARFAIT

que	j'	accrusse
que	tu	accrusses
qu'	elle	accrût
qu'	il	accrût
que	nous	accrussions
que	vous	accrussiez
qu'	elles	accrussent
qu'	ils	accrussent

PLUS-QUE-PARFAIT

que	j'	eusse	accru
que	tu	eusses	accru
qu'	elle	eût	accru
qu'	il	eût	accru
que	nous	eussions	accru
que	vous	eussiez	accru
qu'	elles	eussent	accru
qu'	ils	eussent	accru

IMPÉRATIF

PRÉSENT

accrois
accroissons
accroissez

PASSÉ

aie	accru
ayons	accru
ayez	accru

INFINITIF

PRÉSENT

accroître

PASSÉ

avoir accru

PARTICIPE

PRÉSENT

accroissant

PASSÉ

accru, ue
ayant accru

CONJUGAISON DU VERBE **ACQUÉRIR**

INDICATIF

PRÉSENT

j'	acqu**iers**
tu	acqu**iers**
elle	acqu**iert**
il	acqu**iert**
nous	acqu**érons**
vous	acqu**érez**
elles	acqu**ièrent**
ils	acqu**ièrent**

PASSÉ COMPOSÉ

j'	ai	acquis
tu	as	acquis
elle	a	acquis
il	a	acquis
nous	avons	acquis
vous	avez	acquis
elles	ont	acquis
ils	ont	acquis

IMPARFAIT

j'	acqu**érais**
tu	acqu**érais**
elle	acqu**érait**
il	acqu**érait**
nous	acqu**érions**
vous	acqu**ériez**
elles	acqu**éraient**
ils	acqu**éraient**

PLUS-QUE-PARFAIT

j'	avais	acquis
tu	avais	acquis
elle	avait	acquis
il	avait	acquis
nous	avions	acquis
vous	aviez	acquis
elles	avaient	acquis
ils	avaient	acquis

PASSÉ SIMPLE

j'	acqu**is**
tu	acqu**is**
elle	acqu**it**
il	acqu**it**
nous	acqu**îmes**
vous	acqu**îtes**
elles	acqu**irent**
ils	acqu**irent**

PASSÉ ANTÉRIEUR

j'	eus	acquis
tu	eus	acquis
elle	eut	acquis
il	eut	acquis
nous	eûmes	acquis
vous	eûtes	acquis
elles	eurent	acquis
ils	eurent	acquis

FUTUR SIMPLE

j'	acqu**errai**
tu	acqu**erras**
elle	acqu**erra**
il	acqu**erra**
nous	acqu**errons**
vous	acqu**errez**
elles	acqu**erront**
ils	acqu**erront**

FUTUR ANTÉRIEUR

j'	aurai	acquis
tu	auras	acquis
elle	aura	acquis
il	aura	acquis
nous	aurons	acquis
vous	aurez	acquis
elles	auront	acquis
ils	auront	acquis

CONDITIONNEL PRÉSENT

j'	acqu**errais**
tu	acqu**errais**
elle	acqu**errait**
il	acqu**errait**
nous	acqu**errions**
vous	acqu**erriez**
elles	acqu**erraient**
ils	acqu**erraient**

CONDITIONNEL PASSÉ

j'	aurais	acquis
tu	aurais	acquis
elle	aurait	acquis
il	aurait	acquis
nous	aurions	acquis
vous	auriez	acquis
elles	auraient	acquis
ils	auraient	acquis

SUBJONCTIF

PRÉSENT

que	j'	acqu**ière**
que	tu	acqu**ières**
qu'	elle	acqu**ière**
qu'	il	acqu**ière**
que	nous	acqu**érions**
que	vous	acqu**ériez**
qu'	elles	acqu**ièrent**
qu'	ils	acqu**ièrent**

PASSÉ

que	j'	aie	acquis
que	tu	aies	acquis
qu'	elle	ait	acquis
qu'	il	ait	acquis
que	nous	ayons	acquis
que	vous	ayez	acquis
qu'	elles	aient	acquis
qu'	ils	aient	acquis

IMPARFAIT

que	j'	acqu**isse**
que	tu	acqu**isses**
qu'	elle	acqu**ît**
qu'	il	acqu**ît**
que	nous	acqu**issions**
que	vous	acqu**issiez**
qu'	elles	acqu**issent**
qu'	ils	acqu**issent**

PLUS-QUE-PARFAIT

que	j'	eusse	acquis
que	tu	eusses	acquis
qu'	elle	eût	acquis
qu'	il	eût	acquis
que	nous	eussions	acquis
que	vous	eussiez	acquis
qu'	elles	eussent	acquis
qu'	ils	eussent	acquis

IMPÉRATIF

PRÉSENT

acqu**iers**
acqu**érons**
acqu**érez**

PASSÉ

aie	acquis
ayons	acquis
ayez	acquis

INFINITIF

PRÉSENT

acqu**érir**

PASSÉ

avoir acquis

PARTICIPE

PRÉSENT

acqu**érant**

PASSÉ

acquis, ise
ayant acquis

CONJUGAISON DU VERBE **AIMER**

INDICATIF

PRÉSENT
j'	aime
tu	aimes
elle	aime
il	aime
nous	aimons
vous	aimez
elles	aiment
ils	aiment

PASSÉ COMPOSÉ
j'	ai	aimé
tu	as	aimé
elle	a	aimé
il	a	aimé
nous	avons	aimé
vous	avez	aimé
elles	ont	aimé
ils	ont	aimé

IMPARFAIT
j'	aimais
tu	aimais
elle	aimait
il	aimait
nous	aimions
vous	aimiez
elles	aimaient
ils	aimaient

PLUS-QUE-PARFAIT
j'	avais	aimé
tu	avais	aimé
elle	avait	aimé
il	avait	aimé
nous	avions	aimé
vous	aviez	aimé
elles	avaient	aimé
ils	avaient	aimé

PASSÉ SIMPLE
j'	aimai
tu	aimas
elle	aima
il	aima
nous	aimâmes
vous	aimâtes
elles	aimèrent
ils	aimèrent

PASSÉ ANTÉRIEUR
j'	eus	aimé
tu	eus	aimé
elle	eut	aimé
il	eut	aimé
nous	eûmes	aimé
vous	eûtes	aimé
elles	eurent	aimé
ils	eurent	aimé

FUTUR SIMPLE
j'	aimerai
tu	aimeras
elle	aimera
il	aimera
nous	aimerons
vous	aimerez
elles	aimeront
ils	aimeront

FUTUR ANTÉRIEUR
j'	aurai	aimé
tu	auras	aimé
elle	aura	aimé
il	aura	aimé
nous	aurons	aimé
vous	aurez	aimé
elles	auront	aimé
ils	auront	aimé

CONDITIONNEL PRÉSENT
j'	aimerais
tu	aimerais
elle	aimerait
il	aimerait
nous	aimerions
vous	aimeriez
elles	aimeraient
ils	aimeraient

CONDITIONNEL PASSÉ
j'	aurais	aimé
tu	aurais	aimé
elle	aurait	aimé
il	aurait	aimé
nous	aurions	aimé
vous	auriez	aimé
elles	auraient	aimé
ils	auraient	aimé

SUBJONCTIF

PRÉSENT
que	j'	aime
que	tu	aimes
qu'	elle	aime
qu'	il	aime
que	nous	aimions
que	vous	aimiez
qu'	elles	aiment
qu'	ils	aiment

PASSÉ
que	j'	aie	aimé
que	tu	aies	aimé
qu'	elle	ait	aimé
qu'	il	ait	aimé
que	nous	ayons	aimé
que	vous	ayez	aimé
qu'	elles	aient	aimé
qu'	ils	aient	aimé

IMPARFAIT
que	j'	aimasse
que	tu	aimasses
qu'	elle	aimât
qu'	il	aimât
que	nous	aimassions
que	vous	aimassiez
qu'	elles	aimassent
qu'	ils	aimassent

PLUS-QUE-PARFAIT
que	j'	eusse	aimé
que	tu	eusses	aimé
qu'	elle	eût	aimé
qu'	il	eût	aimé
que	nous	eussions	aimé
que	vous	eussiez	aimé
qu'	elles	eussent	aimé
qu'	ils	eussent	aimé

IMPÉRATIF

PRÉSENT
aime
aimons
aimez

PASSÉ
aie	aimé
ayons	aimé
ayez	aimé

INFINITIF

PRÉSENT
aimer

PASSÉ
avoir aimé

PARTICIPE

PRÉSENT
aimant

PASSÉ
aimé, ée
ayant aimé

CONJUGAISON DU VERBE **ALLER**

INDICATIF

PRÉSENT

je	vais
tu	vas
elle	va
il	va
nous	allons
vous	allez
elles	vont
ils	vont

PASSÉ COMPOSÉ

je	suis	allé, ée
tu	es	allé, ée
elle	est	allée
il	est	allé
nous	sommes	allés, ées
vous	êtes	allés, ées
elles	sont	allées
ils	sont	allés

IMPARFAIT

j'	allais
tu	allais
elle	allait
il	allait
nous	allions
vous	alliez
elles	allaient
ils	allaient

PLUS-QUE-PARFAIT

j'	étais	allé, ée
tu	étais	allé, ée
elle	était	allée
il	était	allé
nous	étions	allés, ées
vous	étiez	allés, ées
elles	étaient	allées
ils	étaient	allés

PASSÉ SIMPLE

j'	allai
tu	allas
elle	alla
il	alla
nous	allâmes
vous	allâtes
elles	allèrent
ils	allèrent

PASSÉ ANTÉRIEUR

je	fus	allé, ée
tu	fus	allé, ée
elle	fut	allée
il	fut	allé
nous	fûmes	allés, ées
vous	fûtes	allés, ées
elles	furent	allées
ils	furent	allés

FUTUR SIMPLE

j'	irai
tu	iras
elle	ira
il	ira
nous	irons
vous	irez
elles	iront
ils	iront

FUTUR ANTÉRIEUR

je	serai	allé, ée
tu	seras	allé, ée
elle	sera	allée
il	sera	allé
nous	serons	allés, ées
vous	serez	allés, ées
elles	seront	allées
ils	seront	allés

CONDITIONNEL PRÉSENT

j'	irais
tu	irais
elle	irait
il	irait
nous	irions
vous	iriez
elles	iraient
ils	iraient

CONDITIONNEL PASSÉ

je	serais	allé, ée
tu	serais	allé, ée
elle	serait	allée
il	serait	allé
nous	serions	allés, ées
vous	seriez	allés, ées
elles	seraient	allées
ils	seraient	allés

SUBJONCTIF

PRÉSENT

que j'	aille
que tu	ailles
qu' elle	aille
qu' il	aille
que nous	allions
que vous	alliez
qu' elles	aillent
qu' ils	aillent

PASSÉ

que je	sois	allé, ée
que tu	sois	allé, ée
qu' elle	soit	allée
qu' il	soit	allé
que nous	soyons	allés, ées
que vous	soyez	allés, ées
qu' elles	soient	allées
qu' ils	soient	allés

IMPARFAIT

que j'	allasse
que tu	allasses
qu' elle	allât
qu' il	allât
que nous	allassions
que vous	allassiez
qu' elles	allassent
qu' ils	allassent

PLUS-QUE-PARFAIT

que je	fusse	allé, ée
que tu	fusses	allé, ée
qu' elle	fût	allée
qu' il	fût	allé
que nous	fussions	allés, ées
que vous	fussiez	allés, ées
qu' elles	fussent	allées
qu' ils	fussent	allés

IMPÉRATIF

PRÉSENT

va
allons
allez

PASSÉ

sois	allé, ée
soyons	allés, ées
soyez	allés, ées

INFINITIF

PRÉSENT

aller

PASSÉ

être allé, ée

PARTICIPE

PRÉSENT

allant

PASSÉ

allé, ée
étant allé, ée

CONJUGAISON DU VERBE S'EN **ALLER**

INDICATIF

PRÉSENT

je	m'en	v**ais**
tu	t'en	v**as**
elle	s'en	v**a**
il	s'en	v**a**
ns ns en		all**ons**
vs vs en		all**ez**
elles	s'en	v**ont**
ils	s'en	v**ont**

PASSÉ COMPOSÉ

je	m'en	suis	allé, ée
tu	t'en	es	allé, ée
elle	s'en	est	allée
il	s'en	est	allé
ns ns en		sommes	allés, ées
vs vs en		êtes	allés, ées
elles	s'en	sont	allées
ils	s'en	sont	allés

IMPARFAIT

je	m'en	all**ais**
tu	t'en	all**ais**
elle	s'en	all**ait**
il	s'en	all**ait**
ns ns en		all**ions**
vs vs en		all**iez**
elles	s'en	all**aient**
ils	s'en	all**aient**

PLUS-QUE-PARFAIT

je	m'en	étais	allé, ée
tu	t'en	étais	allé, ée
elle	s'en	était	allée
il	s'en	était	allé
ns ns en		étions	allés, ées
vs vs en		étiez	allés, ées
elles	s'en	étaient	allées
ils	s'en	étaient	allés

PASSÉ SIMPLE

je	m'en	all**ai**
tu	t'en	all**as**
elle	s'en	all**a**
il	s'en	all**a**
ns ns en		all**âmes**
vs vs en		all**âtes**
elles	s'en	all**èrent**
ils	s'en	all**èrent**

PASSÉ ANTÉRIEUR

je	m'en	fus	allé, ée
tu	t'en	fus	allé, ée
elle	s'en	fut	allée
il	s'en	fut	allé
ns ns en		fûmes	allés, ées
vs vs en		fûtes	allés, ées
elles	s'en	furent	allées
ils	s'en	furent	allés

FUTUR SIMPLE

je	m'en	**irai**
tu	t'en	**iras**
elle	s'en	**ira**
il	s'en	**ira**
ns ns en		**irons**
vs vs en		**irez**
elles	s'en	**iront**
ils	s'en	**iront**

FUTUR ANTÉRIEUR

je	m'en	serai	allé, ée
tu	t'en	seras	allé, ée
elle	s'en	sera	allée
il	s'en	sera	allé
ns ns en		serons	allés, ées
vs vs en		serez	allés, ées
elles	s'en	seront	allées
ils	s'en	seront	allés

CONDITIONNEL PRÉSENT

je	m'en	**irais**
tu	t'en	**irais**
elle	s'en	**irait**
il	s'en	**irait**
ns ns en		**irions**
vs vs en		**iriez**
elles	s'en	**iraient**
ils	s'en	**iraient**

CONDITIONNEL PASSÉ

je	m'en	serais	allé, ée
tu	t'en	serais	allé, ée
elle	s'en	serait	allée
il	s'en	serait	allé
ns ns en		serions	allés, ées
vs vs en		seriez	allés, ées
elles	s'en	seraient	allées
ils	s'en	seraient	allés

SUBJONCTIF

PRÉSENT

que je	m'en	**aille**
que tu	t'en	**ailles**
qu' elle	s'en	**aille**
qu' il	s'en	**aille**
que ns ns	en	**allions**
que vs vs	en	**alliez**
qu' elles	s'en	**aillent**
qu' ils	s'en	**aillent**

PASSÉ

que je	m'en	sois	allé, ée
que tu	t'en	sois	allé, ée
qu' elle	s'en	soit	allée
qu' il	s'en	soit	allé
que ns ns en		soyons	allés, ées
que vs vs en		soyez	allés, ées
qu' elles	s'en	soient	allées
qu' ils	s'en	soient	allés

IMPARFAIT

que je	m'en	all**asse**
que tu	t'en	all**asses**
qu' elle	s'en	all**ât**
qu' il	s'en	all**ât**
que ns ns	en	all**assions**
que vs vs	en	all**assiez**
qu' elles	s'en	all**assent**
qu' ils	s'en	all**assent**

PLUS-QUE-PARFAIT

que je	m'en	fusse	allé, ée
que tu	t'en	fusses	allé, ée
qu' elle	s'en	fût	allée
qu' il	s'en	fût	allé
que ns ns en		fussions	allés, ées
que vs vs en		fussiez	allés, ées
qu' elles	s'en	fussent	allées
qu' ils	s'en	fussent	allés

IMPÉRATIF

PRÉSENT

va-t'en
allons-nous-en
allez-vous-en

PASSÉ

(n'existe pas)

INFINITIF

PRÉSENT

s'en all**er**

PASSÉ

s'en être allé, ée

PARTICIPE

PRÉSENT

s'en all**ant**

PASSÉ

en allé, ée
s'en étant allé, ée

CONJUGAISON DU VERBE **APERCEVOIR**

INDICATIF

PRÉSENT
j'	aperçois
tu	aperçois
elle	aperçoit
il	aperçoit
nous	apercevons
vous	apercevez
elles	aperçoivent
ils	aperçoivent

PASSÉ COMPOSÉ
j'	ai	aperçu
tu	as	aperçu
elle	a	aperçu
il	a	aperçu
nous	avons	aperçu
vous	avez	aperçu
elles	ont	aperçu
ils	ont	aperçu

IMPARFAIT
j'	apercevais
tu	apercevais
elle	apercevait
il	apercevait
nous	apercevions
vous	aperceviez
elles	apercevaient
ils	apercevaient

PLUS-QUE-PARFAIT
j'	avais	aperçu
tu	avais	aperçu
elle	avait	aperçu
il	avait	aperçu
nous	avions	aperçu
vous	aviez	aperçu
elles	avaient	aperçu
ils	avaient	aperçu

PASSÉ SIMPLE
j'	aperçus
tu	aperçus
elle	aperçut
il	aperçut
nous	aperçûmes
vous	aperçûtes
elles	aperçurent
ils	aperçurent

PASSÉ ANTÉRIEUR
j'	eus	aperçu
tu	eus	aperçu
elle	eut	aperçu
il	eut	aperçu
nous	eûmes	aperçu
vous	eûtes	aperçu
elles	eurent	aperçu
ils	eurent	aperçu

FUTUR SIMPLE
j'	apercevrai
tu	apercevras
elle	apercevra
il	apercevra
nous	apercevrons
vous	apercevrez
elles	apercevront
ils	apercevront

FUTUR ANTÉRIEUR
j'	aurai	aperçu
tu	auras	aperçu
elle	aura	aperçu
il	aura	aperçu
nous	aurons	aperçu
vous	aurez	aperçu
elles	auront	aperçu
ils	auront	aperçu

CONDITIONNEL PRÉSENT
j'	apercevrais
tu	apercevrais
elle	apercevrait
il	apercevrait
nous	apercevrions
vous	apercevriez
elles	apercevraient
ils	apercevraient

CONDITIONNEL PASSÉ
j'	aurais	aperçu
tu	aurais	aperçu
elle	aurait	aperçu
il	aurait	aperçu
nous	aurions	aperçu
vous	auriez	aperçu
elles	auraient	aperçu
ils	auraient	aperçu

SUBJONCTIF

PRÉSENT
que	j'	aperçoive
que	tu	aperçoives
qu'	elle	aperçoive
qu'	il	aperçoive
que	nous	apercevions
que	vous	aperceviez
qu'	elles	aperçoivent
qu'	ils	aperçoivent

PASSÉ
que	j'	aie	aperçu
que	tu	aies	aperçu
qu'	elle	ait	aperçu
qu'	il	ait	aperçu
que	nous	ayons	aperçu
que	vous	ayez	aperçu
qu'	elles	aient	aperçu
qu'	ils	aient	aperçu

IMPARFAIT
que	j'	aperçusse
que	tu	aperçusses
qu'	elle	aperçût
qu'	il	aperçût
que	nous	aperçussions
que	vous	aperçussiez
qu'	elles	aperçussent
qu'	ils	aperçussent

PLUS-QUE-PARFAIT
que	j'	eusse	aperçu
que	tu	eusses	aperçu
qu'	elle	eût	aperçu
qu'	il	eût	aperçu
que	nous	eussions	aperçu
que	vous	eussiez	aperçu
qu'	elles	eussent	aperçu
qu'	ils	eussent	aperçu

IMPÉRATIF

PRÉSENT
aperçois
apercevons
apercevez

PASSÉ
aie	aperçu
ayons	aperçu
ayez	aperçu

INFINITIF

PRÉSENT
apercevoir

PASSÉ
avoir aperçu

PARTICIPE

PRÉSENT
apercevant

PASSÉ
aperçu, ue
ayant aperçu

CONJUGAISON DU VERBE **APPELER**

INDICATIF

PRÉSENT

j'	appelle
tu	appelles
elle	appelle
il	appelle
nous	appelons
vous	appelez
elles	appellent
ils	appellent

PASSÉ COMPOSÉ

j'	ai	appelé
tu	as	appelé
elle	a	appelé
il	a	appelé
nous	avons	appelé
vous	avez	appelé
elles	ont	appelé
ils	ont	appelé

IMPARFAIT

j'	appelais
tu	appelais
elle	appelait
il	appelait
nous	appelions
vous	appeliez
elles	appelaient
ils	appelaient

PLUS-QUE-PARFAIT

j'	avais	appelé
tu	avais	appelé
elle	avait	appelé
il	avait	appelé
nous	avions	appelé
vous	aviez	appelé
elles	avaient	appelé
ils	avaient	appelé

PASSÉ SIMPLE

j'	appelai
tu	appelas
elle	appela
il	appela
nous	appelâmes
vous	appelâtes
elles	appelèrent
ils	appelèrent

PASSÉ ANTÉRIEUR

j'	eus	appelé
tu	eus	appelé
elle	eut	appelé
il	eut	appelé
nous	eûmes	appelé
vous	eûtes	appelé
elles	eurent	appelé
ils	eurent	appelé

FUTUR SIMPLE

j'	appellerai
tu	appelleras
elle	appellera
il	appellera
nous	appellerons
vous	appellerez
elles	appelleront
ils	appelleront

FUTUR ANTÉRIEUR

j'	aurai	appelé
tu	auras	appelé
elle	aura	appelé
il	aura	appelé
nous	aurons	appelé
vous	aurez	appelé
elles	auront	appelé
ils	auront	appelé

CONDITIONNEL PRÉSENT

j'	appellerais
tu	appellerais
elle	appellerait
il	appellerait
nous	appellerions
vous	appelleriez
elles	appelleraient
ils	appelleraient

CONDITIONNEL PASSÉ

j'	aurais	appelé
tu	aurais	appelé
elle	aurait	appelé
il	aurait	appelé
nous	aurions	appelé
vous	auriez	appelé
elles	auraient	appelé
ils	auraient	appelé

SUBJONCTIF

PRÉSENT

que	j'	appelle
que	tu	appelles
qu'	elle	appelle
qu'	il	appelle
que	nous	appelions
que	vous	appeliez
qu'	elles	appellent
qu'	ils	appellent

PASSÉ

que	j'	aie	appelé
que	tu	aies	appelé
qu'	elle	ait	appelé
qu'	il	ait	appelé
que	nous	ayons	appelé
que	vous	ayez	appelé
qu'	elles	aient	appelé
qu'	ils	aient	appelé

IMPARFAIT

que	j'	appelasse
que	tu	appelasses
qu'	elle	appelât
qu'	il	appelât
que	nous	appelassions
que	vous	appelassiez
qu'	elles	appelassent
qu'	ils	appelassent

PLUS-QUE-PARFAIT

que	j'	eusse	appelé
que	tu	eusses	appelé
qu'	elle	eût	appelé
qu'	il	eût	appelé
que	nous	eussions	appelé
que	vous	eussiez	appelé
qu'	elles	eussent	appelé
qu'	ils	eussent	appelé

IMPÉRATIF

PRÉSENT

appelle
appelons
appelez

PASSÉ

aie	appelé
ayons	appelé
ayez	appelé

INFINITIF

PRÉSENT

appeler

PASSÉ

avoir appelé

PARTICIPE

PRÉSENT

appelant

PASSÉ

appelé, ée
ayant appelé

CONJUGAISON DU VERBE **APPRENDRE**

INDICATIF

PRÉSENT
j'	apprends
tu	apprends
elle	apprend
il	apprend
nous	apprenons
vous	apprenez
elles	apprennent
ils	apprennent

PASSÉ COMPOSÉ
j'	ai	appris
tu	as	appris
elle	a	appris
il	a	appris
nous	avons	appris
vous	avez	appris
elles	ont	appris
ils	ont	appris

IMPARFAIT
j'	apprenais
tu	apprenais
elle	apprenait
il	apprenait
nous	apprenions
vous	appreniez
elles	apprenaient
ils	apprenaient

PLUS-QUE-PARFAIT
j'	avais	appris
tu	avais	appris
elle	avait	appris
il	avait	appris
nous	avions	appris
vous	aviez	appris
elles	avaient	appris
ils	avaient	appris

PASSÉ SIMPLE
j'	appris
tu	appris
elle	apprit
il	apprit
nous	apprîmes
vous	apprîtes
elles	apprirent
ils	apprirent

PASSÉ ANTÉRIEUR
j'	eus	appris
tu	eus	appris
elle	eut	appris
il	eut	appris
nous	eûmes	appris
vous	eûtes	appris
elles	eurent	appris
ils	eurent	appris

FUTUR SIMPLE
j'	apprendrai
tu	apprendras
elle	apprendra
il	apprendra
nous	apprendrons
vous	apprendrez
elles	apprendront
ils	apprendront

FUTUR ANTÉRIEUR
j'	aurai	appris
tu	auras	appris
elle	aura	appris
il	aura	appris
nous	aurons	appris
vous	aurez	appris
elles	auront	appris
ils	auront	appris

CONDITIONNEL PRÉSENT
j'	apprendrais
tu	apprendrais
elle	apprendrait
il	apprendrait
nous	apprendrions
vous	apprendriez
elles	apprendraient
ils	apprendraient

CONDITIONNEL PASSÉ
j'	aurais	appris
tu	aurais	appris
elle	aurait	appris
il	aurait	appris
nous	aurions	appris
vous	auriez	appris
elles	auraient	appris
ils	auraient	appris

SUBJONCTIF

PRÉSENT
que	j'	apprenne
que	tu	apprennes
qu'	elle	apprenne
qu'	il	apprenne
que	nous	apprenions
que	vous	appreniez
qu'	elles	apprennent
qu'	ils	apprennent

PASSÉ
que	j'	aie	appris
que	tu	aies	appris
qu'	elle	ait	appris
qu'	il	ait	appris
que	nous	ayons	appris
que	vous	ayez	appris
qu'	elles	aient	appris
qu'	ils	aient	appris

IMPARFAIT
que	j'	apprisse
que	tu	apprisses
qu'	elle	apprît
qu'	il	apprît
que	nous	apprissions
que	vous	apprissiez
qu'	elles	apprissent
qu'	ils	apprissent

PLUS-QUE-PARFAIT
que	j'	eusse	appris
que	tu	eusses	appris
qu'	elle	eût	appris
qu'	il	eût	appris
que	nous	eussions	appris
que	vous	eussiez	appris
qu'	elles	eussent	appris
qu'	ils	eussent	appris

IMPÉRATIF

PRÉSENT
apprends
apprenons
apprenez

PASSÉ
aie	appris
ayons	appris
ayez	appris

INFINITIF

PRÉSENT
apprendre

PASSÉ
avoir appris

PARTICIPE

PRÉSENT
apprenant

PASSÉ
appris, se
ayant appris

CONJUGAISON DU VERBE **ASSEOIR**

INDICATIF

PRÉSENT

j'	assois
tu	assois
elle	assoit
il	assoit
nous	assoyons
vous	assoyez
elles	assoient
ils	assoient

PASSÉ COMPOSÉ

j'	ai	assis
tu	as	assis
elle	a	assis
il	a	assis
nous	avons	assis
vous	avez	assis
elles	ont	assis
ils	ont	assis

IMPARFAIT

j'	assoyais
tu	assoyais
elle	assoyait
il	assoyait
nous	assoyions
vous	assoyiez
elles	assoyaient
ils	assoyaient

PLUS-QUE-PARFAIT

j'	avais	assis
tu	avais	assis
elle	avait	assis
il	avait	assis
nous	avions	assis
vous	aviez	assis
elles	avaient	assis
ils	avaient	assis

PASSÉ SIMPLE

j'	assis
tu	assis
elle	assit
il	assit
nous	assîmes
vous	assîtes
elles	assirent
ils	assirent

PASSÉ ANTÉRIEUR

j'	eus	assis
tu	eus	assis
elle	eut	assis
il	eut	assis
nous	eûmes	assis
vous	eûtes	assis
elles	eurent	assis
ils	eurent	assis

FUTUR SIMPLE

j'	assoirai
tu	assoiras
elle	assoira
il	assoira
nous	assoirons
vous	assoirez
elles	assoiront
ils	assoiront

FUTUR ANTÉRIEUR

j'	aurai	assis
tu	auras	assis
elle	aura	assis
il	aura	assis
nous	aurons	assis
vous	aurez	assis
elles	auront	assis
ils	auront	assis

CONDITIONNEL PRÉSENT

j'	assoirais
tu	assoirais
elle	assoirait
il	assoirait
nous	assoirions
vous	assoiriez
elles	assoiraient
ils	assoiraient

CONDITIONNEL PASSÉ

j'	aurais	assis
tu	aurais	assis
elle	aurait	assis
il	aurait	assis
nous	aurions	assis
vous	auriez	assis
elles	auraient	assis
ils	auraient	assis

SUBJONCTIF

PRÉSENT

que	j'	assoie
que	tu	assoies
qu'	elle	assoie
qu'	il	assoie
que	nous	assoyions
que	vous	assoyiez
qu'	elles	assoient
qu'	ils	assoient

PASSÉ

que	j'	aie	assis
que	tu	aies	assis
qu'	elle	ait	assis
qu'	il	ait	assis
que	nous	ayons	assis
que	vous	ayez	assis
qu'	elles	aient	assis
qu'	ils	aient	assis

IMPARFAIT

que	j'	assisse
que	tu	assisses
qu'	elle	assît
qu'	il	assît
que	nous	assissions
que	vous	assissiez
qu'	elles	assissent
qu'	ils	assissent

PLUS-QUE-PARFAIT

que	j'	eusse	assis
que	tu	eusses	assis
qu'	elle	eût	assis
qu'	il	eût	assis
que	nous	eussions	assis
que	vous	eussiez	assis
qu'	elles	eussent	assis
qu'	ils	eussent	assis

IMPÉRATIF

PRÉSENT

assois
assoyons
assoyez

PASSÉ

aie	assis
ayons	assis
ayez	assis

INFINITIF

PRÉSENT

asseoir

PASSÉ

avoir assis

PARTICIPE

PRÉSENT

assoyant

PASSÉ

assis, se
ayant assis

CONJUGAISON DU VERBE **AVANCER**

INDICATIF

PRÉSENT

j'	avance
tu	avances
elle	avance
il	avance
nous	avançons
vous	avancez
elles	avancent
ils	avancent

PASSÉ COMPOSÉ

j'	ai	avancé
tu	as	avancé
elle	a	avancé
il	a	avancé
nous	avons	avancé
vous	avez	avancé
elles	ont	avancé
ils	ont	avancé

IMPARFAIT

j'	avançais
tu	avançais
elle	avançait
il	avançait
nous	avancions
vous	avanciez
elles	avançaient
ils	avançaient

PLUS-QUE-PARFAIT

j'	avais	avancé
tu	avais	avancé
elle	avait	avancé
il	avait	avancé
nous	avions	avancé
vous	aviez	avancé
elles	avaient	avancé
ils	avaient	avancé

PASSÉ SIMPLE

j'	avançai
tu	avanças
elle	avança
il	avança
nous	avançâmes
vous	avançâtes
elles	avancèrent
ils	avancèrent

PASSÉ ANTÉRIEUR

j'	eus	avancé
tu	eus	avancé
elle	eut	avancé
il	eut	avancé
nous	eûmes	avancé
vous	eûtes	avancé
elles	eurent	avancé
ils	eurent	avancé

FUTUR SIMPLE

j'	avancerai
tu	avanceras
elle	avancera
il	avancera
nous	avancerons
vous	avancerez
elles	avanceront
ils	avanceront

FUTUR ANTÉRIEUR

j'	aurai	avancé
tu	auras	avancé
elle	aura	avancé
il	aura	avancé
nous	aurons	avancé
vous	aurez	avancé
elles	auront	avancé
ils	auront	avancé

CONDITIONNEL PRÉSENT

j'	avancerais
tu	avancerais
elle	avancerait
il	avancerait
nous	avancerions
vous	avanceriez
elles	avanceraient
ils	avanceraient

CONDITIONNEL PASSÉ

j'	aurais	avancé
tu	aurais	avancé
elle	aurait	avancé
il	aurait	avancé
nous	aurions	avancé
vous	auriez	avancé
elles	auraient	avancé
ils	auraient	avancé

SUBJONCTIF

PRÉSENT

que	j'	avance
que	tu	avances
qu'	elle	avance
qu'	il	avance
que	nous	avancions
que	vous	avanciez
qu'	elles	avancent
qu'	ils	avancent

PASSÉ

que	j'	aie	avancé
que	tu	aies	avancé
qu'	elle	ait	avancé
qu'	il	ait	avancé
que	nous	ayons	avancé
que	vous	ayez	avancé
qu'	elles	aient	avancé
qu'	ils	aient	avancé

IMPARFAIT

que	j'	avançasse
que	tu	avançasses
qu'	elle	avançât
qu'	il	avançât
que	nous	avançassions
que	vous	avançassiez
qu'	elles	avançassent
qu'	ils	avançassent

PLUS-QUE-PARFAIT

que	j'	eusse	avancé
que	tu	eusses	avancé
qu'	elle	eût	avancé
qu'	il	eût	avancé
que	nous	eussions	avancé
que	vous	eussiez	avancé
qu'	elles	eussent	avancé
qu'	ils	eussent	avancé

IMPÉRATIF

PRÉSENT

avance
avançons
avancez

PASSÉ

aie	avancé
ayons	avancé
ayez	avancé

INFINITIF

PRÉSENT

avancer

PASSÉ

avoir avancé

PARTICIPE

PRÉSENT

avançant

PASSÉ

avancé, ée
ayant avancé

CONJUGAISON DU VERBE **AVOIR**

INDICATIF

PRÉSENT

j'   ai
tu   as
elle   a
il   a

nous avons
vous avez
elles ont
ils ont

PASSÉ COMPOSÉ

j'   ai eu
tu   as eu
elle   a eu
il   a eu

nous avons eu
vous avez eu
elles ont eu
ils ont eu

IMPARFAIT

j'   avais
tu   avais
elle   avait
il   avait

nous avions
vous aviez
elles avaient
ils avaient

PLUS-QUE-PARFAIT

j'   avais eu
tu   avais eu
elle   avait eu
il   avait eu

nous avions eu
vous aviez eu
elles avaient eu
ils avaient eu

PASSÉ SIMPLE

j'   eus
tu   eus
elle   eut
il   eut

nous eûmes
vous eûtes
elles eurent
ils eurent

PASSÉ ANTÉRIEUR

j'   eus eu
tu   eus eu
elle   eut eu
il   eut eu

nous eûmes eu
vous eûtes eu
elles eurent eu
ils eurent eu

FUTUR SIMPLE

j'   aurai
tu   auras
elle   aura
il   aura

nous aurons
vous aurez
elles auront
ils auront

FUTUR ANTÉRIEUR

j'   aurai eu
tu   auras eu
elle   aura eu
il   aura eu

nous aurons eu
vous aurez eu
elles auront eu
ils auront eu

CONDITIONNEL PRÉSENT

j'   aurais
tu   aurais
elle   aurait
il   aurait

nous aurions
vous auriez
elles auraient
ils auraient

CONDITIONNEL PASSÉ

j'   aurais eu
tu   aurais eu
elle   aurait eu
il   aurait eu

nous aurions eu
vous auriez eu
elles auraient eu
ils auraient eu

SUBJONCTIF

PRÉSENT

que j'   aie
que tu   aies
qu' elle   ait
qu' il   ait

que nous ayons
que vous ayez
qu' elles aient
qu' ils aient

PASSÉ

que j'   aie eu
que tu   aies eu
qu' elle   ait eu
qu' il   ait eu

que nous ayons eu
que vous ayez eu
qu' elles aient eu
qu' ils aient eu

IMPARFAIT

que j'   eusse
que tu   eusses
qu' elle   eût
qu' il   eût

que nous eussions
que vous eussiez
qu' elles eussent
qu' ils eussent

PLUS-QUE-PARFAIT

que j'   eusse eu
que tu   eusses eu
qu' elle   eût eu
qu' il   eût eu

que nous eussions eu
que vous eussiez eu
qu' elles eussent eu
qu' ils eussent eu

IMPÉRATIF

PRÉSENT

aie
ayons
ayez

PASSÉ

aie eu
ayons eu
ayez eu

INFINITIF

PRÉSENT

avoir

PASSÉ

avoir eu

PARTICIPE

PRÉSENT

ayant

PASSÉ

eu, eue
ayant eu

CONJUGAISON DU VERBE **BOIRE**

INDICATIF

PRÉSENT

je	bois
tu	bois
elle	boit
il	boit
nous	buvons
vous	buvez
elles	boivent
ils	boivent

PASSÉ COMPOSÉ

j'	ai	bu
tu	as	bu
elle	a	bu
il	a	bu
nous	avons	bu
vous	avez	bu
elles	ont	bu
ils	ont	bu

IMPARFAIT

je	buvais
tu	buvais
elle	buvait
il	buvait
nous	buvions
vous	buviez
elles	buvaient
ils	buvaient

PLUS-QUE-PARFAIT

j'	avais	bu
tu	avais	bu
elle	avait	bu
il	avait	bu
nous	avions	bu
vous	aviez	bu
elles	avaient	bu
ils	avaient	bu

PASSÉ SIMPLE

je	bus
tu	bus
elle	but
il	but
nous	bûmes
vous	bûtes
elles	burent
ils	burent

PASSÉ ANTÉRIEUR

j'	eus	bu
tu	eus	bu
elle	eut	bu
il	eut	bu
nous	eûmes	bu
vous	eûtes	bu
elles	eurent	bu
ils	eurent	bu

FUTUR SIMPLE

je	boirai
tu	boiras
elle	boira
il	boira
nous	boirons
vous	boirez
elles	boiront
ils	boiront

FUTUR ANTÉRIEUR

j'	aurai	bu
tu	auras	bu
elle	aura	bu
il	aura	bu
nous	aurons	bu
vous	aurez	bu
elles	auront	bu
ils	auront	bu

CONDITIONNEL PRÉSENT

je	boirais
tu	boirais
elle	boirait
il	boirait
nous	boirions
vous	boiriez
elles	boiraient
ils	boiraient

CONDITIONNEL PASSÉ

j'	aurais	bu
tu	aurais	bu
elle	aurait	bu
il	aurait	bu
nous	aurions	bu
vous	auriez	bu
elles	auraient	bu
ils	auraient	bu

SUBJONCTIF

PRÉSENT

que	je	boive
que	tu	boives
qu'	elle	boive
qu'	il	boive
que	nous	buvions
que	vous	buviez
qu'	elles	boivent
qu'	ils	boivent

PASSÉ

que	j'	aie	bu
que	tu	aies	bu
qu'	elle	ait	bu
qu'	il	ait	bu
que	nous	ayons	bu
que	vous	ayez	bu
qu'	elles	aient	bu
qu'	ils	aient	bu

IMPARFAIT

que	je	busse
que	tu	busses
qu'	elle	bût
qu'	il	bût
que	nous	bussions
que	vous	bussiez
qu'	elles	bussent
qu'	ils	bussent

PLUS-QUE-PARFAIT

que	j'	eusse	bu
que	tu	eusses	bu
qu'	elle	eût	bu
qu'	il	eût	bu
que	nous	eussions	bu
que	vous	eussiez	bu
qu'	elles	eussent	bu
qu'	ils	eussent	bu

IMPÉRATIF

PRÉSENT

bois
buvons
buvez

PASSÉ

aie	bu
ayons	bu
ayez	bu

INFINITIF

PRÉSENT

boire

PASSÉ

avoir bu

PARTICIPE

PRÉSENT

buvant

PASSÉ

bu, ue
ayant bu

CONJUGAISON DU VERBE **BOUILLIR**

INDICATIF

PRÉSENT
je	bous
tu	bous
elle	bout
il	bout
nous	bouillons
vous	bouillez
elles	bouillent
ils	bouillent

PASSÉ COMPOSÉ
j'	ai	bouilli
tu	as	bouilli
elle	a	bouilli
il	a	bouilli
nous	avons	bouilli
vous	avez	bouilli
elles	ont	bouilli
ils	ont	bouilli

IMPARFAIT
je	bouillais
tu	bouillais
elle	bouillait
il	bouillait
nous	bouillions
vous	bouilliez
elles	bouillaient
ils	bouillaient

PLUS-QUE-PARFAIT
j'	avais	bouilli
tu	avais	bouilli
elle	avait	bouilli
il	avait	bouilli
nous	avions	bouilli
vous	aviez	bouilli
elles	avaient	bouilli
ils	avaient	bouilli

PASSÉ SIMPLE
je	bouillis
tu	bouillis
elle	bouillit
il	bouillit
nous	bouillîmes
vous	bouillîtes
elles	bouillirent
ils	bouillirent

PASSÉ ANTÉRIEUR
j'	eus	bouilli
tu	eus	bouilli
elle	eut	bouilli
il	eut	bouilli
nous	eûmes	bouilli
vous	eûtes	bouilli
elles	eurent	bouilli
ils	eurent	bouilli

FUTUR SIMPLE
je	bouillirai
tu	bouilliras
elle	bouillira
il	bouillira
nous	bouillirons
vous	bouillirez
elles	bouilliront
ils	bouilliront

FUTUR ANTÉRIEUR
j'	aurai	bouilli
tu	auras	bouilli
elle	aura	bouilli
il	aura	bouilli
nous	aurons	bouilli
vous	aurez	bouilli
elles	auront	bouilli
ils	auront	bouilli

CONDITIONNEL PRÉSENT
je	bouillirais
tu	bouillirais
elle	bouillirait
il	bouillirait
nous	bouillirions
vous	bouilliriez
elles	bouilliraient
ils	bouilliraient

CONDITIONNEL PASSÉ
j'	aurais	bouilli
tu	aurais	bouilli
elle	aurait	bouilli
il	aurait	bouilli
nous	aurions	bouilli
vous	auriez	bouilli
elles	auraient	bouilli
ils	auraient	bouilli

SUBJONCTIF

PRÉSENT
que	je	bouille
que	tu	bouilles
qu'	elle	bouille
qu'	il	bouille
que	nous	bouillions
que	vous	bouilliez
qu'	elles	bouillent
qu'	ils	bouillent

PASSÉ
que	j'	aie	bouilli
que	tu	aies	bouilli
qu'	elle	ait	bouilli
qu'	il	ait	bouilli
que	nous	ayons	bouilli
que	vous	ayez	bouilli
qu'	elles	aient	bouilli
qu'	ils	aient	bouilli

IMPARFAIT
que	je	bouillisse
que	tu	bouillisses
qu'	elle	bouillît
qu'	il	bouillît
que	nous	bouillissions
que	vous	bouillissiez
qu'	elles	bouillissent
qu'	ils	bouillissent

PLUS-QUE-PARFAIT
que	j'	eusse	bouilli
que	tu	eusses	bouilli
qu'	elle	eût	bouilli
qu'	il	eût	bouilli
que	nous	eussions	bouilli
que	vous	eussiez	bouilli
qu'	elles	eussent	bouilli
qu'	ils	eussent	bouilli

IMPÉRATIF

PRÉSENT
bous
bouillons
bouillez

PASSÉ
aie	bouilli
ayons	bouilli
ayez	bouilli

INFINITIF

PRÉSENT
bouillir

PASSÉ
avoir bouilli

PARTICIPE

PRÉSENT
bouillant

PASSÉ
bouilli, ie
ayant bouilli

CONJUGAISON DU VERBE **CHANGER**

INDICATIF

PRÉSENT

je	change
tu	changes
elle	change
il	change
nous	changeons
vous	changez
elles	changent
ils	changent

PASSÉ COMPOSÉ

j'	ai	changé
tu	as	changé
elle	a	changé
il	a	changé
nous	avons	changé
vous	avez	changé
elles	ont	changé
ils	ont	changé

IMPARFAIT

je	changeais
tu	changeais
elle	changeait
il	changeait
nous	changions
vous	changiez
elles	changeaient
ils	changeaient

PLUS-QUE-PARFAIT

j'	avais	changé
tu	avais	changé
elle	avait	changé
il	avait	changé
nous	avions	changé
vous	aviez	changé
elles	avaient	changé
ils	avaient	changé

PASSÉ SIMPLE

je	changeai
tu	changeas
elle	changea
il	changea
nous	changeâmes
vous	changeâtes
elles	changèrent
ils	changèrent

PASSÉ ANTÉRIEUR

j'	eus	changé
tu	eus	changé
elle	eut	changé
il	eut	changé
nous	eûmes	changé
vous	eûtes	changé
elles	eurent	changé
ils	eurent	changé

FUTUR SIMPLE

je	changerai
tu	changeras
elle	changera
il	changera
nous	changerons
vous	changerez
elles	changeront
ils	changeront

FUTUR ANTÉRIEUR

j'	aurai	changé
tu	auras	changé
elle	aura	changé
il	aura	changé
nous	aurons	changé
vous	aurez	changé
elles	auront	changé
ils	auront	changé

CONDITIONNEL PRÉSENT

je	changerais
tu	changerais
elle	changerait
il	changerait
nous	changerions
vous	changeriez
elles	changeraient
ils	changeraient

CONDITIONNEL PASSÉ

j'	aurais	changé
tu	aurais	changé
elle	aurait	changé
il	aurait	changé
nous	aurions	changé
vous	auriez	changé
elles	auraient	changé
ils	auraient	changé

SUBJONCTIF

PRÉSENT

que	je	change
que	tu	changes
qu'	elle	change
qu'	il	change
que	nous	changions
que	vous	changiez
qu'	elles	changent
qu'	ils	changent

PASSÉ

que	j'	aie	changé
que	tu	aies	changé
qu'	elle	ait	changé
qu'	il	ait	changé
que	nous	ayons	changé
que	vous	ayez	changé
qu'	elles	aient	changé
qu'	ils	aient	changé

IMPARFAIT

que	je	changeasse
que	tu	changeasses
qu'	elle	changeât
qu'	il	changeât
que	nous	changeassions
que	vous	changeassiez
qu'	elles	changeassent
qu'	ils	changeassent

PLUS-QUE-PARFAIT

que	j'	eusse	changé
que	tu	eusses	changé
qu'	elle	eût	changé
qu'	il	eût	changé
que	nous	eussions	changé
que	vous	eussiez	changé
qu'	elles	eussent	changé
qu'	ils	eussent	changé

IMPÉRATIF

PRÉSENT

change
changeons
changez

PASSÉ

aie	changé
ayons	changé
ayez	changé

INFINITIF

PRÉSENT

changer

PASSÉ

avoir changé

PARTICIPE

PRÉSENT

changeant

PASSÉ

changé, ée
ayant changé

CONJUGAISON DU VERBE **CLORE**

INDICATIF

PRÉSENT
je	clos
tu	clos
elle	clôt
il	clôt
elles	clos**ent**
ils	clos**ent**

PASSÉ COMPOSÉ
j'	ai	clos
tu	as	clos
elle	a	clos
il	a	clos
nous	avons	clos
vous	avez	clos
elles	ont	clos
ils	ont	clos

IMPARFAIT
(*n'existe pas*)

PLUS-QUE-PARFAIT
j'	avais	clos
tu	avais	clos
elle	avait	clos
il	avait	clos
nous	avions	clos
vous	aviez	clos
elles	avaient	clos
ils	avaient	clos

PASSÉ SIMPLE
(*n'existe pas*)

PASSÉ ANTÉRIEUR
j'	eus	clos
tu	eus	clos
elle	eut	clos
il	eut	clos
nous	eûmes	clos
vous	eûtes	clos
elles	eurent	clos
ils	eurent	clos

FUTUR SIMPLE
je	clor**ai**
tu	clor**as**
elle	clor**a**
il	clor**a**
nous	clor**ons**
vous	clor**ez**
elles	clor**ont**
ils	clor**ont**

FUTUR ANTÉRIEUR
j'	aurai	clos
tu	auras	clos
elle	aura	clos
il	aura	clos
nous	aurons	clos
vous	aurez	clos
elles	auront	clos
ils	auront	clos

CONDITIONNEL PRÉSENT
je	clor**ais**
tu	clor**ais**
elle	clor**ait**
il	clor**ait**
nous	clor**ions**
vous	clor**iez**
elles	clor**aient**
ils	clor**aient**

CONDITIONNEL PASSÉ
j'	aurais	clos
tu	aurais	clos
elle	aurait	clos
il	aurait	clos
nous	aurions	clos
vous	auriez	clos
elles	auraient	clos
ils	auraient	clos

SUBJONCTIF

PRÉSENT
que	je	clos**e**
que	tu	clos**es**
qu'	elle	clos**e**
qu'	il	clos**e**
que	nous	clos**ions**
que	vous	clos**iez**
qu'	elles	clos**ent**
qu'	ils	clos**ent**

PASSÉ
que	j'	aie	clos
que	tu	aies	clos
qu'	elle	ait	clos
qu'	il	ait	clos
que	nous	ayons	clos
que	vous	ayez	clos
qu'	elles	aient	clos
qu'	ils	aient	clos

IMPARFAIT
(*n'existe pas*)

PLUS-QUE-PARFAIT
que	j'	eusse	clos
que	tu	eusses	clos
qu'	elle	eût	clos
qu'	il	eût	clos
que	nous	eussions	clos
que	vous	eussiez	clos
qu'	elles	eussent	clos
qu'	ils	eussent	clos

IMPÉRATIF

PRÉSENT
clos

PASSÉ
aie	clos
ayons	clos
ayez	clos

INFINITIF

PRÉSENT
clore

PASSÉ
avoir clos

PARTICIPE

PRÉSENT
clos**ant**

PASSÉ
clos, ose
ayant clos

CONJUGAISON DU VERBE **COMBATTRE**

INDICATIF

PRÉSENT / PASSÉ COMPOSÉ

je	combats	j'	ai	combattu
tu	combats	tu	as	combattu
elle	combat	elle	a	combattu
il	combat	il	a	combattu
nous	combattons	nous	avons	combattu
vous	combattez	vous	avez	combattu
elles	combattent	elles	ont	combattu
ils	combattent	ils	ont	combattu

IMPARFAIT / PLUS-QUE-PARFAIT

je	combattais	j'	avais	combattu
tu	combattais	tu	avais	combattu
elle	combattait	elle	avait	combattu
il	combattait	il	avait	combattu
nous	combattions	nous	avions	combattu
vous	combattiez	vous	aviez	combattu
elles	combattaient	elles	avaient	combattu
ils	combattaient	ils	avaient	combattu

PASSÉ SIMPLE / PASSÉ ANTÉRIEUR

je	combattis	j'	eus	combattu
tu	combattis	tu	eus	combattu
elle	combattit	elle	eut	combattu
il	combattit	il	eut	combattu
nous	combattîmes	nous	eûmes	combattu
vous	combattîtes	vous	eûtes	combattu
elles	combattirent	elles	eurent	combattu
ils	combattirent	ils	eurent	combattu

FUTUR SIMPLE / FUTUR ANTÉRIEUR

je	combattrai	j'	aurai	combattu
tu	combattras	tu	auras	combattu
elle	combattra	elle	aura	combattu
il	combattra	il	aura	combattu
nous	combattrons	nous	aurons	combattu
vous	combattrez	vous	aurez	combattu
elles	combattront	elles	auront	combattu
ils	combattront	ils	auront	combattu

CONDITIONNEL PRÉSENT / CONDITIONNEL PASSÉ

je	combattrais	j'	aurais	combattu
tu	combattrais	tu	aurais	combattu
elle	combattrait	elle	aurait	combattu
il	combattrait	il	aurait	combattu
nous	combattrions	nous	aurions	combattu
vous	combattriez	vous	auriez	combattu
elles	combattraient	elles	auraient	combattu
ils	combattraient	ils	auraient	combattu

SUBJONCTIF

PRÉSENT / PASSÉ

que	je	combatte	que	j'	aie	combattu
que	tu	combattes	que	tu	aies	combattu
qu'	elle	combatte	qu'	elle	ait	combattu
qu'	il	combatte	qu'	il	ait	combattu
que	nous	combattions	que	nous	ayons	combattu
que	vous	combattiez	que	vous	ayez	combattu
qu'	elles	combattent	qu'	elles	aient	combattu
qu'	ils	combattent	qu'	ils	aient	combattu

IMPARFAIT / PLUS-QUE-PARFAIT

que	je	combattisse	que	j'	eusse	combattu
que	tu	combattisses	que	tu	eusses	combattu
qu'	elle	combattît	qu'	elle	eût	combattu
qu'	il	combattît	qu'	il	eût	combattu
que	nous	combattissions	que	nous	eussions	combattu
que	vous	combattissiez	que	vous	eussiez	combattu
qu'	elles	combattissent	qu'	elles	eussent	combattu
qu'	ils	combattissent	qu'	ils	eussent	combattu

IMPÉRATIF

PRÉSENT / PASSÉ

combats	aie	combattu
combattons	ayons	combattu
combattez	ayez	combattu

INFINITIF

PRÉSENT / PASSÉ

combattre	avoir combattu

PARTICIPE

PRÉSENT / PASSÉ

combattant	combattu, ue
	ayant combattu

CONJUGAISON DU VERBE **CONDUIRE**

INDICATIF

PRÉSENT

je	conduis
tu	conduis
elle	conduit
il	conduit
nous	conduisons
vous	conduisez
elles	conduisent
ils	conduisent

PASSÉ COMPOSÉ

j'	ai	conduit
tu	as	conduit
elle	a	conduit
il	a	conduit
nous	avons	conduit
vous	avez	conduit
elles	ont	conduit
ils	ont	conduit

IMPARFAIT

je	conduisais
tu	conduisais
elle	conduisait
il	conduisait
nous	conduisions
vous	conduisiez
elles	conduisaient
ils	conduisaient

PLUS-QUE-PARFAIT

j'	avais	conduit
tu	avais	conduit
elle	avait	conduit
il	avait	conduit
nous	avions	conduit
vous	aviez	conduit
elles	avaient	conduit
ils	avaient	conduit

PASSÉ SIMPLE

je	conduisis
tu	conduisis
elle	conduisit
il	conduisit
nous	conduisîmes
vous	conduisîtes
elles	conduisirent
ils	conduisirent

PASSÉ ANTÉRIEUR

j'	eus	conduit
tu	eus	conduit
elle	eut	conduit
il	eut	conduit
nous	eûmes	conduit
vous	eûtes	conduit
elles	eurent	conduit
ils	eurent	conduit

FUTUR SIMPLE

je	conduirai
tu	conduiras
elle	conduira
il	conduira
nous	conduirons
vous	conduirez
elles	conduiront
ils	conduiront

FUTUR ANTÉRIEUR

j'	aurai	conduit
tu	auras	conduit
elle	aura	conduit
il	aura	conduit
nous	aurons	conduit
vous	aurez	conduit
elles	auront	conduit
ils	auront	conduit

CONDITIONNEL PRÉSENT

je	conduirais
tu	conduirais
elle	conduirait
il	conduirait
nous	conduirions
vous	conduiriez
elles	conduiraient
ils	conduiraient

CONDITIONNEL PASSÉ

j'	aurais	conduit
tu	aurais	conduit
elle	aurait	conduit
il	aurait	conduit
nous	aurions	conduit
vous	auriez	conduit
elles	auraient	conduit
ils	auraient	conduit

SUBJONCTIF

PRÉSENT

que	je	conduise
que	tu	conduises
qu'	elle	conduise
qu'	il	conduise
que	nous	conduisions
que	vous	conduisiez
qu'	elles	conduisent
qu'	ils	conduisent

PASSÉ

que	j'	aie	conduit
que	tu	aies	conduit
qu'	elle	ait	conduit
qu'	il	ait	conduit
que	nous	ayons	conduit
que	vous	ayez	conduit
qu'	elles	aient	conduit
qu'	ils	aient	conduit

IMPARFAIT

que	je	conduisisse
que	tu	conduisisses
qu'	elle	conduisît
qu'	il	conduisît
que	nous	conduisissions
que	vous	conduisissiez
qu'	elles	conduisissent
qu'	ils	conduisissent

PLUS-QUE-PARFAIT

que	j'	eusse	conduit
que	tu	eusses	conduit
qu'	elle	eût	conduit
qu'	il	eût	conduit
que	nous	eussions	conduit
que	vous	eussiez	conduit
qu'	elles	eussent	conduit
qu'	ils	eussent	conduit

IMPÉRATIF

PRÉSENT

conduis
conduisons
conduisez

PASSÉ

aie	conduit
ayons	conduit
ayez	conduit

INFINITIF

PRÉSENT

conduire

PASSÉ

avoir conduit

PARTICIPE

PRÉSENT

conduisant

PASSÉ

conduit, uite
ayant conduit

CONJUGAISON DU VERBE **CONGELER**

INDICATIF

PRÉSENT
je	congèle		
tu	congèles		
elle	congèle		
il	congèle		
nous	congelons		
vous	congelez		
elles	congèlent		
ils	congèlent		

PASSÉ COMPOSÉ
j'	ai	congelé
tu	as	congelé
elle	a	congelé
il	a	congelé
nous	avons	congelé
vous	avez	congelé
elles	ont	congelé
ils	ont	congelé

IMPARFAIT
je	congelais
tu	congelais
elle	congelait
il	congelait
nous	congelions
vous	congeliez
elles	congelaient
ils	congelaient

PLUS-QUE-PARFAIT
j'	avais	congelé
tu	avais	congelé
elle	avait	congelé
il	avait	congelé
nous	avions	congelé
vous	aviez	congelé
elles	avaient	congelé
ils	avaient	congelé

PASSÉ SIMPLE
je	congelai
tu	congelas
elle	congela
il	congela
nous	congelâmes
vous	congelâtes
elles	congelèrent
ils	congelèrent

PASSÉ ANTÉRIEUR
j'	eus	congelé
tu	eus	congelé
elle	eut	congelé
il	eut	congelé
nous	eûmes	congelé
vous	eûtes	congelé
elles	eurent	congelé
ils	eurent	congelé

FUTUR SIMPLE
je	congèlerai
tu	congèleras
elle	congèlera
il	congèlera
nous	congèlerons
vous	congèlerez
elles	congèleront
ils	congèleront

FUTUR ANTÉRIEUR
j'	aurai	congelé
tu	auras	congelé
elle	aura	congelé
il	aura	congelé
nous	aurons	congelé
vous	aurez	congelé
elles	auront	congelé
ils	auront	congelé

CONDITIONNEL PRÉSENT
je	congèlerais
tu	congèlerais
elle	congèlerait
il	congèlerait
nous	congèlerions
vous	congèleriez
elles	congèleraient
ils	congèleraient

CONDITIONNEL PASSÉ
j'	aurais	congelé
tu	aurais	congelé
elle	aurait	congelé
il	aurait	congelé
nous	aurions	congelé
vous	auriez	congelé
elles	auraient	congelé
ils	auraient	congelé

SUBJONCTIF

PRÉSENT
que	je	congèle
que	tu	congèles
qu'	elle	congèle
qu'	il	congèle
que	nous	congelions
que	vous	congeliez
qu'	elles	congèlent
qu'	ils	congèlent

PASSÉ
que	j'	aie	congelé
que	tu	aies	congelé
qu'	elle	ait	congelé
qu'	il	ait	congelé
que	nous	ayons	congelé
que	vous	ayez	congelé
qu'	elles	aient	congelé
qu'	ils	aient	congelé

IMPARFAIT
que	je	congelasse
que	tu	congelasses
qu'	elle	congelât
qu'	il	congelât
que	nous	congelassions
que	vous	congelassiez
qu'	elles	congelassent
qu'	ils	congelassent

PLUS-QUE-PARFAIT
que	j'	eusse	congelé
que	tu	eusses	congelé
qu'	elle	eût	congelé
qu'	il	eût	congelé
que	nous	eussions	congelé
que	vous	eussiez	congelé
qu'	elles	eussent	congelé
qu'	ils	eussent	congelé

IMPÉRATIF

PRÉSENT
congèle
congelons
congelez

PASSÉ
aie	congelé
ayons	congelé
ayez	congelé

INFINITIF

PRÉSENT
congeler

PASSÉ
avoir congelé

PARTICIPE

PRÉSENT
congelant

PASSÉ
congelé, ée
ayant congelé

CONJUGAISON DU VERBE **COUDRE**

INDICATIF

PRÉSENT

je	cou**ds**
tu	cou**ds**
elle	cou**d**
il	cou**d**
nous	cou**sons**
vous	cou**sez**
elles	cou**sent**
ils	cou**sent**

PASSÉ COMPOSÉ

j'	ai	cousu
tu	as	cousu
elle	a	cousu
il	a	cousu
nous	avons	cousu
vous	avez	cousu
elles	ont	cousu
ils	ont	cousu

IMPARFAIT

je	cou**sais**
tu	cou**sais**
elle	cou**sait**
il	cou**sait**
nous	cou**sions**
vous	cou**siez**
elles	cou**saient**
ils	cou**saient**

PLUS-QUE-PARFAIT

j'	avais	cousu
tu	avais	cousu
elle	avait	cousu
il	avait	cousu
nous	avions	cousu
vous	aviez	cousu
elles	avaient	cousu
ils	avaient	cousu

PASSÉ SIMPLE

je	cou**sis**
tu	cou**sis**
elle	cou**sit**
il	cou**sit**
nous	cou**sîmes**
vous	cou**sîtes**
elles	cou**sirent**
ils	cou**sirent**

PASSÉ ANTÉRIEUR

j'	eus	cousu
tu	eus	cousu
elle	eut	cousu
il	eut	cousu
nous	eûmes	cousu
vous	eûtes	cousu
elles	eurent	cousu
ils	eurent	cousu

FUTUR SIMPLE

je	cou**drai**
tu	cou**dras**
elle	cou**dra**
il	cou**dra**
nous	cou**drons**
vous	cou**drez**
elles	cou**dront**
ils	cou**dront**

FUTUR ANTÉRIEUR

j'	aurai	cousu
tu	auras	cousu
elle	aura	cousu
il	aura	cousu
nous	aurons	cousu
vous	aurez	cousu
elles	auront	cousu
ils	auront	cousu

CONDITIONNEL PRÉSENT

je	cou**drais**
tu	cou**drais**
elle	cou**drait**
il	cou**drait**
nous	cou**drions**
vous	cou**driez**
elles	cou**draient**
ils	cou**draient**

CONDITIONNEL PASSÉ

j'	aurais	cousu
tu	aurais	cousu
elle	aurait	cousu
il	aurait	cousu
nous	aurions	cousu
vous	auriez	cousu
elles	auraient	cousu
ils	auraient	cousu

SUBJONCTIF

PRÉSENT

que	je	cou**se**
que	tu	cou**ses**
qu'	elle	cou**se**
qu'	il	cou**se**
que	nous	cou**sions**
que	vous	cou**siez**
qu'	elles	cou**sent**
qu'	ils	cou**sent**

PASSÉ

que	j'	aie	cousu
que	tu	aies	cousu
qu'	elle	ait	cousu
qu'	il	ait	cousu
que	nous	ayons	cousu
que	vous	ayez	cousu
qu'	elles	aient	cousu
qu'	ils	aient	cousu

IMPARFAIT

que	je	cou**sisse**
que	tu	cou**sisses**
qu'	elle	cou**sît**
qu'	il	cou**sît**
que	nous	cou**sissions**
que	vous	cou**sissiez**
qu'	elles	cou**sissent**
qu'	ils	cou**sissent**

PLUS-QUE-PARFAIT

que	j'	eusse	cousu
que	tu	eusses	cousu
qu'	elle	eût	cousu
qu'	il	eût	cousu
que	nous	eussions	cousu
que	vous	eussiez	cousu
qu'	elles	eussent	cousu
qu'	ils	eussent	cousu

IMPÉRATIF

PRÉSENT

cou**ds**
cou**sons**
cou**sez**

PASSÉ

aie	cousu
ayons	cousu
ayez	cousu

INFINITIF

PRÉSENT

cou**dre**

PASSÉ

avoir cousu

PARTICIPE

PRÉSENT

cou**sant**

PASSÉ

cousu, ue
ayant cousu

CONJUGAISON DU VERBE **COURIR**

INDICATIF

PRÉSENT

je	cours
tu	cours
elle	court
il	court
nous	courons
vous	courez
elles	courent
ils	courent

PASSÉ COMPOSÉ

j'	ai	couru
tu	as	couru
elle	a	couru
il	a	couru
nous	avons	couru
vous	avez	couru
elles	ont	couru
ils	ont	couru

IMPARFAIT

je	courais
tu	courais
elle	courait
il	courait
nous	courions
vous	couriez
elles	couraient
ils	couraient

PLUS-QUE-PARFAIT

j'	avais	couru
tu	avais	couru
elle	avait	couru
il	avait	couru
nous	avions	couru
vous	aviez	couru
elles	avaient	couru
ils	avaient	couru

PASSÉ SIMPLE

je	courus
tu	courus
elle	courut
il	courut
nous	courûmes
vous	courûtes
elles	coururent
ils	coururent

PASSÉ ANTÉRIEUR

j'	eus	couru
tu	eus	couru
elle	eut	couru
il	eut	couru
nous	eûmes	couru
vous	eûtes	couru
elles	eurent	couru
ils	eurent	couru

FUTUR SIMPLE

je	courrai
tu	courras
elle	courra
il	courra
nous	courrons
vous	courrez
elles	courront
ils	courront

FUTUR ANTÉRIEUR

j'	aurai	couru
tu	auras	couru
elle	aura	couru
il	aura	couru
nous	aurons	couru
vous	aurez	couru
elles	auront	couru
ils	auront	couru

CONDITIONNEL PRÉSENT

je	courrais
tu	courrais
elle	courrait
il	courrait
nous	courrions
vous	courriez
elles	courraient
ils	courraient

CONDITIONNEL PASSÉ

j'	aurais	couru
tu	aurais	couru
elle	aurait	couru
il	aurait	couru
nous	aurions	couru
vous	auriez	couru
elles	auraient	couru
ils	auraient	couru

SUBJONCTIF

PRÉSENT

que	je	coure
que	tu	coures
qu'	elle	coure
qu'	il	coure
que	nous	courions
que	vous	couriez
qu'	elles	courent
qu'	ils	courent

PASSÉ

que	j'	aie	couru
que	tu	aies	couru
qu'	elle	ait	couru
qu'	il	ait	couru
que	nous	ayons	couru
que	vous	ayez	couru
qu'	elles	aient	couru
qu'	ils	aient	couru

IMPARFAIT

que	je	courusse
que	tu	courusses
qu'	elle	courût
qu'	il	courût
que	nous	courussions
que	vous	courussiez
qu'	elles	courussent
qu'	ils	courussent

PLUS-QUE-PARFAIT

que	j'	eusse	couru
que	tu	eusses	couru
qu'	elle	eût	couru
qu'	il	eût	couru
que	nous	eussions	couru
que	vous	eussiez	couru
qu'	elles	eussent	couru
qu'	ils	eussent	couru

IMPÉRATIF

PRÉSENT

cours
courons
courez

PASSÉ

aie	couru
ayons	couru
ayez	couru

INFINITIF

PRÉSENT

courir

PASSÉ

avoir couru

PARTICIPE

PRÉSENT

courant

PASSÉ

couru, ue
ayant couru

CONJUGAISON DU VERBE **CRAINDRE**

INDICATIF

PRÉSENT

je	crains
tu	crains
elle	craint
il	craint
nous	craignons
vous	craignez
elles	craignent
ils	craignent

PASSÉ COMPOSÉ

j'	ai	craint
tu	as	craint
elle	a	craint
il	a	craint
nous	avons	craint
vous	avez	craint
elles	ont	craint
ils	ont	craint

IMPARFAIT

je	craignais
tu	craignais
elle	craignait
il	craignait
nous	craignions
vous	craigniez
elles	craignaient
ils	craignaient

PLUS-QUE-PARFAIT

j'	avais	craint
tu	avais	craint
elle	avait	craint
il	avait	craint
nous	avions	craint
vous	aviez	craint
elles	avaient	craint
ils	avaient	craint

PASSÉ SIMPLE

je	craignis
tu	craignis
elle	craignit
il	craignit
nous	craignîmes
vous	craignîtes
elles	craignirent
ils	craignirent

PASSÉ ANTÉRIEUR

j'	eus	craint
tu	eus	craint
elle	eut	craint
il	eut	craint
nous	eûmes	craint
vous	eûtes	craint
elles	eurent	craint
ils	eurent	craint

FUTUR SIMPLE

je	craindrai
tu	craindras
elle	craindra
il	craindra
nous	craindrons
vous	craindrez
elles	craindront
ils	craindront

FUTUR ANTÉRIEUR

j'	aurai	craint
tu	auras	craint
elle	aura	craint
il	aura	craint
nous	aurons	craint
vous	aurez	craint
elles	auront	craint
ils	auront	craint

CONDITIONNEL PRÉSENT

je	craindrais
tu	craindrais
elle	craindrait
il	craindrait
nous	craindrions
vous	craindriez
elles	craindraient
ils	craindraient

CONDITIONNEL PASSÉ

j'	aurais	craint
tu	aurais	craint
elle	aurait	craint
il	aurait	craint
nous	aurions	craint
vous	auriez	craint
elles	auraient	craint
ils	auraient	craint

SUBJONCTIF

PRÉSENT

que	je	craigne
que	tu	craignes
qu'	elle	craigne
qu'	il	craigne
que	nous	craignions
que	vous	craigniez
qu'	elles	craignent
qu'	ils	craignent

PASSÉ

que	j'	aie	craint
que	tu	aies	craint
qu'	elle	ait	craint
qu'	il	ait	craint
que	nous	ayons	craint
que	vous	ayez	craint
qu'	elles	aient	craint
qu'	ils	aient	craint

IMPARFAIT

que	je	craignisse
que	tu	craignisses
qu'	elle	craignît
qu'	il	craignît
que	nous	craignissions
que	vous	craignissiez
qu'	elles	craignissent
qu'	ils	craignissent

PLUS-QUE-PARFAIT

que	j'	eusse	craint
que	tu	eusses	craint
qu'	elle	eût	craint
qu'	il	eût	craint
que	nous	eussions	craint
que	vous	eussiez	craint
qu'	elles	eussent	craint
qu'	ils	eussent	craint

IMPÉRATIF

PRÉSENT

crains
craignons
craignez

PASSÉ

aie	craint
ayons	craint
ayez	craint

INFINITIF

PRÉSENT

craindre

PASSÉ

avoir craint

PARTICIPE

PRÉSENT

craignant

PASSÉ

craint, ainte
ayant craint

CONJUGAISON DU VERBE **CRÉER**

INDICATIF

PRÉSENT

je	crée
tu	crées
elle	crée
il	crée
nous	créons
vous	créez
elles	créent
ils	créent

PASSÉ COMPOSÉ

j'	ai	créé
tu	as	créé
elle	a	créé
il	a	créé
nous	avons	créé
vous	avez	créé
elles	ont	créé
ils	ont	créé

IMPARFAIT

je	créais
tu	créais
elle	créait
il	créait
nous	créions
vous	créiez
elles	créaient
ils	créaient

PLUS-QUE-PARFAIT

j'	avais	créé
tu	avais	créé
elle	avait	créé
il	avait	créé
nous	avions	créé
vous	aviez	créé
elles	avaient	créé
ils	avaient	créé

PASSÉ SIMPLE

je	créai
tu	créas
elle	créa
il	créa
nous	créâmes
vous	créâtes
elles	créèrent
ils	créèrent

PASSÉ ANTÉRIEUR

j'	eus	créé
tu	eus	créé
elle	eut	créé
il	eut	créé
nous	eûmes	créé
vous	eûtes	créé
elles	eurent	créé
ils	eurent	créé

FUTUR SIMPLE

je	créerai
tu	créeras
elle	créera
il	créera
nous	créerons
vous	créerez
elles	créeront
ils	créeront

FUTUR ANTÉRIEUR

j'	aurai	créé
tu	auras	créé
elle	aura	créé
il	aura	créé
nous	aurons	créé
vous	aurez	créé
elles	auront	créé
ils	auront	créé

CONDITIONNEL PRÉSENT

je	créerais
tu	créerais
elle	créerait
il	créerait
nous	créerions
vous	créeriez
elles	créeraient
ils	créeraient

CONDITIONNEL PASSÉ

j'	aurais	créé
tu	aurais	créé
elle	aurait	créé
il	aurait	créé
nous	aurions	créé
vous	auriez	créé
elles	auraient	créé
ils	auraient	créé

SUBJONCTIF

PRÉSENT

que	je	crée
que	tu	crées
qu'	elle	crée
qu'	il	crée
que	nous	créions
que	vous	créiez
qu'	elles	créent
qu'	ils	créent

PASSÉ

que	j'	aie	créé
que	tu	aies	créé
qu'	elle	ait	créé
qu'	il	ait	créé
que	nous	ayons	créé
que	vous	ayez	créé
qu'	elles	aient	créé
qu'	ils	aient	créé

IMPARFAIT

que	je	créasse
que	tu	créasses
qu'	elle	créât
qu'	il	créât
que	nous	créassions
que	vous	créassiez
qu'	elles	créassent
qu'	ils	créassent

PLUS-QUE-PARFAIT

que	j'	eusse	créé
que	tu	eusses	créé
qu'	elle	eût	créé
qu'	il	eût	créé
que	nous	eussions	créé
que	vous	eussiez	créé
qu'	elles	eussent	créé
qu'	ils	eussent	créé

IMPÉRATIF

PRÉSENT

crée
créons
créez

PASSÉ

aie	créé
ayons	créé
ayez	créé

INFINITIF

PRÉSENT

créer

PASSÉ

avoir créé

PARTICIPE

PRÉSENT

créant

PASSÉ

créé, ée
ayant créé

CONJUGAISON DU VERBE **CROIRE**

INDICATIF

PRÉSENT
je	crois
tu	crois
elle	croit
il	croit
nous	croyons
vous	croyez
elles	croient
ils	croient

PASSÉ COMPOSÉ
j'	ai	cru
tu	as	cru
elle	a	cru
il	a	cru
nous	avons	cru
vous	avez	cru
elles	ont	cru
ils	ont	cru

IMPARFAIT
je	croyais
tu	croyais
elle	croyait
il	croyait
nous	croyions
vous	croyiez
elles	croyaient
ils	croyaient

PLUS-QUE-PARFAIT
j'	avais	cru
tu	avais	cru
elle	avait	cru
il	avait	cru
nous	avions	cru
vous	aviez	cru
elles	avaient	cru
ils	avaient	cru

PASSÉ SIMPLE
je	crus
tu	crus
elle	crut
il	crut
nous	crûmes
vous	crûtes
elles	crurent
ils	crurent

PASSÉ ANTÉRIEUR
j'	eus	cru
tu	eus	cru
elle	eut	cru
il	eut	cru
nous	eûmes	cru
vous	eûtes	cru
elles	eurent	cru
ils	eurent	cru

FUTUR SIMPLE
je	croirai
tu	croiras
elle	croira
il	croira
nous	croirons
vous	croirez
elles	croiront
ils	croiront

FUTUR ANTÉRIEUR
j'	aurai	cru
tu	auras	cru
elle	aura	cru
il	aura	cru
nous	aurons	cru
vous	aurez	cru
elles	auront	cru
ils	auront	cru

CONDITIONNEL PRÉSENT
je	croirais
tu	croirais
elle	croirait
il	croirait
nous	croirions
vous	croiriez
elles	croiraient
ils	croiraient

CONDITIONNEL PASSÉ
j'	aurais	cru
tu	aurais	cru
elle	aurait	cru
il	aurait	cru
nous	aurions	cru
vous	auriez	cru
elles	auraient	cru
ils	auraient	cru

SUBJONCTIF

PRÉSENT
que	je	croie
que	tu	croies
qu'	elle	croie
qu'	il	croie
que	nous	croyions
que	vous	croyiez
qu'	elles	croient
qu'	ils	croient

PASSÉ
que	j'	aie	cru
que	tu	aies	cru
qu'	elle	ait	cru
qu'	il	ait	cru
que	nous	ayons	cru
que	vous	ayez	cru
qu'	elles	aient	cru
qu'	ils	aient	cru

IMPARFAIT
que	je	crusse
que	tu	crusses
qu'	elle	crût
qu'	il	crût
que	nous	crussions
que	vous	crussiez
qu'	elles	crussent
qu'	ils	crussent

PLUS-QUE-PARFAIT
que	j'	eusse	cru
que	tu	eusses	cru
qu'	elle	eût	cru
qu'	il	eût	cru
que	nous	eussions	cru
que	vous	eussiez	cru
qu'	elles	eussent	cru
qu'	ils	eussent	cru

IMPÉRATIF

PRÉSENT
crois
croyons
croyez

PASSÉ
aie	cru
ayons	cru
ayez	cru

INFINITIF

PRÉSENT
croire

PASSÉ
avoir cru

PARTICIPE

PRÉSENT
croyant

PASSÉ
cru, ue
ayant cru

CONJUGAISON DU VERBE **CUEILLIR**

INDICATIF

PRÉSENT
je	cueille
tu	cueilles
elle	cueille
il	cueille
nous	cueillons
vous	cueillez
elles	cueillent
ils	cueillent

PASSÉ COMPOSÉ
j'	ai	cueilli
tu	as	cueilli
elle	a	cueilli
il	a	cueilli
nous	avons	cueilli
vous	avez	cueilli
elles	ont	cueilli
ils	ont	cueilli

IMPARFAIT
je	cueillais
tu	cueillais
elle	cueillait
il	cueillait
nous	cueillions
vous	cueilliez
elles	cueillaient
ils	cueillaient

PLUS-QUE-PARFAIT
j'	avais	cueilli
tu	avais	cueilli
elle	avait	cueilli
il	avait	cueilli
nous	avions	cueilli
vous	aviez	cueilli
elles	avaient	cueilli
ils	avaient	cueilli

PASSÉ SIMPLE
je	cueillis
tu	cueillis
elle	cueillit
il	cueillit
nous	cueillîmes
vous	cueillîtes
elles	cueillirent
ils	cueillirent

PASSÉ ANTÉRIEUR
j'	eus	cueilli
tu	eus	cueilli
elle	eut	cueilli
il	eut	cueilli
nous	eûmes	cueilli
vous	eûtes	cueilli
elles	eurent	cueilli
ils	eurent	cueilli

FUTUR SIMPLE
je	cueillerai
tu	cueilleras
elle	cueillera
il	cueillera
nous	cueillerons
vous	cueillerez
elles	cueilleront
ils	cueilleront

FUTUR ANTÉRIEUR
j'	aurai	cueilli
tu	auras	cueilli
elle	aura	cueilli
il	aura	cueilli
nous	aurons	cueilli
vous	aurez	cueilli
elles	auront	cueilli
ils	auront	cueilli

CONDITIONNEL PRÉSENT
je	cueillerais
tu	cueillerais
elle	cueillerait
il	cueillerait
nous	cueillerions
vous	cueilleriez
elles	cueilleraient
ils	cueilleraient

CONDITIONNEL PASSÉ
j'	aurais	cueilli
tu	aurais	cueilli
elle	aurait	cueilli
il	aurait	cueilli
nous	aurions	cueilli
vous	auriez	cueilli
elles	auraient	cueilli
ils	auraient	cueilli

SUBJONCTIF

PRÉSENT
que	je	cueille
que	tu	cueilles
qu'	elle	cueille
qu'	il	cueille
que	nous	cueillions
que	vous	cueilliez
qu'	elles	cueillent
qu'	ils	cueillent

PASSÉ
que	j'	aie	cueilli
que	tu	aies	cueilli
qu'	elle	ait	cueilli
qu'	il	ait	cueilli
que	nous	ayons	cueilli
que	vous	ayez	cueilli
qu'	elles	aient	cueilli
qu'	ils	aient	cueilli

IMPARFAIT
que	je	cueillisse
que	tu	cueillisses
qu'	elle	cueillît
qu'	il	cueillît
que	nous	cueillissions
que	vous	cueillissiez
qu'	elles	cueillissent
qu'	ils	cueillissent

PLUS-QUE-PARFAIT
que	j'	eusse	cueilli
que	tu	eusses	cueilli
qu'	elle	eût	cueilli
qu'	il	eût	cueilli
que	nous	eussions	cueilli
que	vous	eussiez	cueilli
qu'	elles	eussent	cueilli
qu'	ils	eussent	cueilli

IMPÉRATIF

PRÉSENT
| cueille |
| cueillons |
| cueillez |

PASSÉ
aie	cueilli
ayons	cueilli
ayez	cueilli

INFINITIF

PRÉSENT
cueillir

PASSÉ
avoir cueilli

PARTICIPE

PRÉSENT
cueillant

PASSÉ
cueilli, ie
ayant cueilli

CONJUGAISON DU VERBE **DEVOIR**

INDICATIF

PRÉSENT
je	dois	j'	ai	dû
tu	dois	tu	as	dû
elle	doit	elle	a	dû
il	doit	il	a	dû
nous	devons	nous	avons	dû
vous	devez	vous	avez	dû
elles	doivent	elles	ont	dû
ils	doivent	ils	ont	dû

PASSÉ COMPOSÉ
(combined above)

IMPARFAIT
je	devais	j'	avais	dû
tu	devais	tu	avais	dû
elle	devait	elle	avait	dû
il	devait	il	avait	dû
nous	devions	nous	avions	dû
vous	deviez	vous	aviez	dû
elles	devaient	elles	avaient	dû
ils	devaient	ils	avaient	dû

PLUS-QUE-PARFAIT
(combined above)

PASSÉ SIMPLE
je	dus	j'	eus	dû
tu	dus	tu	eus	dû
elle	dut	elle	eut	dû
il	dut	il	eut	dû
nous	dûmes	nous	eûmes	dû
vous	dûtes	vous	eûtes	dû
elles	durent	elles	eurent	dû
ils	durent	ils	eurent	dû

PASSÉ ANTÉRIEUR
(combined above)

FUTUR SIMPLE
je	devrai	j'	aurai	dû
tu	devras	tu	auras	dû
elle	devra	elle	aura	dû
il	devra	il	aura	dû
nous	devrons	nous	aurons	dû
vous	devrez	vous	aurez	dû
elles	devront	elles	auront	dû
ils	devront	ils	auront	dû

FUTUR ANTÉRIEUR
(combined above)

CONDITIONNEL PRÉSENT
je	devrais	j'	aurais	dû
tu	devrais	tu	aurais	dû
elle	devrait	elle	aurait	dû
il	devrait	il	aurait	dû
nous	devrions	nous	aurions	dû
vous	devriez	vous	auriez	dû
elles	devraient	elles	auraient	dû
ils	devraient	ils	auraient	dû

CONDITIONNEL PASSÉ
(combined above)

SUBJONCTIF

PRÉSENT
que	je	doive	que	j'	aie	dû
que	tu	doives	que	tu	aies	dû
qu'	elle	doive	qu'	elle	ait	dû
qu'	il	doive	qu'	il	ait	dû
que	nous	devions	que	nous	ayons	dû
que	vous	deviez	que	vous	ayez	dû
qu'	elles	doivent	qu'	elles	aient	dû
qu'	ils	doivent	qu'	ils	aient	dû

PASSÉ
(combined above)

IMPARFAIT
que	je	dusse	que	j'	eusse	dû
que	tu	dusses	que	tu	eusses	dû
qu'	elle	dût	qu'	elle	eût	dû
qu'	il	dût	qu'	il	eût	dû
que	nous	dussions	que	nous	eussions	dû
que	vous	dussiez	que	vous	eussiez	dû
qu'	elles	dussent	qu'	elles	eussent	dû
qu'	ils	dussent	qu'	ils	eussent	dû

PLUS-QUE-PARFAIT
(combined above)

IMPÉRATIF

PRÉSENT
dois
devons
devez

PASSÉ
aie	dû
ayons	dû
ayez	dû

INFINITIF

PRÉSENT
devoir

PASSÉ
avoir dû

PARTICIPE

PRÉSENT
devant

PASSÉ
dû, ue
ayant dû

CONJUGAISON DU VERBE **DIRE**

INDICATIF

PRÉSENT

je	dis
tu	dis
elle	dit
il	dit
nous	disons
vous	dites
elles	disent
ils	disent

PASSÉ COMPOSÉ

j'	ai	dit
tu	as	dit
elle	a	dit
il	a	dit
nous	avons	dit
vous	avez	dit
elles	ont	dit
ils	ont	dit

IMPARFAIT

je	disais
tu	disais
elle	disait
il	disait
nous	disions
vous	disiez
elles	disaient
ils	disaient

PLUS-QUE-PARFAIT

j'	avais	dit
tu	avais	dit
elle	avait	dit
il	avait	dit
nous	avions	dit
vous	aviez	dit
elles	avaient	dit
ils	avaient	dit

PASSÉ SIMPLE

je	dis
tu	dis
elle	dit
il	dit
nous	dîmes
vous	dîtes
elles	dirent
ils	dirent

PASSÉ ANTÉRIEUR

j'	eus	dit
tu	eus	dit
elle	eut	dit
il	eut	dit
nous	eûmes	dit
vous	eûtes	dit
elles	eurent	dit
ils	eurent	dit

FUTUR SIMPLE

je	dirai
tu	diras
elle	dira
il	dira
nous	dirons
vous	direz
elles	diront
ils	diront

FUTUR ANTÉRIEUR

j'	aurai	dit
tu	auras	dit
elle	aura	dit
il	aura	dit
nous	aurons	dit
vous	aurez	dit
elles	auront	dit
ils	auront	dit

CONDITIONNEL PRÉSENT

je	dirais
tu	dirais
elle	dirait
il	dirait
nous	dirions
vous	diriez
elles	diraient
ils	diraient

CONDITIONNEL PASSÉ

j'	aurais	dit
tu	aurais	dit
elle	aurait	dit
il	aurait	dit
nous	aurions	dit
vous	auriez	dit
elles	auraient	dit
ils	auraient	dit

SUBJONCTIF

PRÉSENT

que	je	dise
que	tu	dises
qu'	elle	dise
qu'	il	dise
que	nous	disions
que	vous	disiez
qu'	elles	disent
qu'	ils	disent

PASSÉ

que	j'	aie	dit
que	tu	aies	dit
qu'	elle	ait	dit
qu'	il	ait	dit
que	nous	ayons	dit
que	vous	ayez	dit
qu'	elles	aient	dit
qu'	ils	aient	dit

IMPARFAIT

que	je	disse
que	tu	disses
qu'	elle	dît
qu'	il	dît
que	nous	dissions
que	vous	dissiez
qu'	elles	dissent
qu'	ils	dissent

PLUS-QUE-PARFAIT

que	j'	eusse	dit
que	tu	eusses	dit
qu'	elle	eût	dit
qu'	il	eût	dit
que	nous	eussions	dit
que	vous	eussiez	dit
qu'	elles	eussent	dit
qu'	ils	eussent	dit

IMPÉRATIF

PRÉSENT

dis
disons
dites

PASSÉ

aie	dit
ayons	dit
ayez	dit

INFINITIF

PRÉSENT

dire

PASSÉ

avoir dit

PARTICIPE

PRÉSENT

disant

PASSÉ

dit, ite
ayant dit

CONJUGAISON DU VERBE **DORMIR**

INDICATIF

PRÉSENT

je	dors
tu	dors
elle	dort
il	dort
nous	dormons
vous	dormez
elles	dorment
ils	dorment

PASSÉ COMPOSÉ

j'	ai	dormi
tu	as	dormi
elle	a	dormi
il	a	dormi
nous	avons	dormi
vous	avez	dormi
elles	ont	dormi
ils	ont	dormi

IMPARFAIT

je	dormais
tu	dormais
elle	dormait
il	dormait
nous	dormions
vous	dormiez
elles	dormaient
ils	dormaient

PLUS-QUE-PARFAIT

j'	avais	dormi
tu	avais	dormi
elle	avait	dormi
il	avait	dormi
nous	avions	dormi
vous	aviez	dormi
elles	avaient	dormi
ils	avaient	dormi

PASSÉ SIMPLE

je	dormis
tu	dormis
elle	dormit
il	dormit
nous	dormîmes
vous	dormîtes
elles	dormirent
ils	dormirent

PASSÉ ANTÉRIEUR

j'	eus	dormi
tu	eus	dormi
elle	eut	dormi
il	eut	dormi
nous	eûmes	dormi
vous	eûtes	dormi
elles	eurent	dormi
ils	eurent	dormi

FUTUR SIMPLE

je	dormirai
tu	dormiras
elle	dormira
il	dormira
nous	dormirons
vous	dormirez
elles	dormiront
ils	dormiront

FUTUR ANTÉRIEUR

j'	aurai	dormi
tu	auras	dormi
elle	aura	dormi
il	aura	dormi
nous	aurons	dormi
vous	aurez	dormi
elles	auront	dormi
ils	auront	dormi

CONDITIONNEL PRÉSENT

je	dormirais
tu	dormirais
elle	dormirait
il	dormirait
nous	dormirions
vous	dormiriez
elles	dormiraient
ils	dormiraient

CONDITIONNEL PASSÉ

j'	aurais	dormi
tu	aurais	dormi
elle	aurait	dormi
il	aurait	dormi
nous	aurions	dormi
vous	auriez	dormi
elles	auraient	dormi
ils	auraient	dormi

SUBJONCTIF

PRÉSENT

que	je	dorme
que	tu	dormes
qu'	elle	dorme
qu'	il	dorme
que	nous	dormions
que	vous	dormiez
qu'	elles	dorment
qu'	ils	dorment

PASSÉ

que	j'	aie	dormi
que	tu	aies	dormi
qu'	elle	ait	dormi
qu'	il	ait	dormi
que	nous	ayons	dormi
que	vous	ayez	dormi
qu'	elles	aient	dormi
qu'	ils	aient	dormi

IMPARFAIT

que	je	dormisse
que	tu	dormisses
qu'	elle	dormît
qu'	il	dormît
que	nous	dormissions
que	vous	dormissiez
qu'	elles	dormissent
qu'	ils	dormissent

PLUS-QUE-PARFAIT

que	j'	eusse	dormi
que	tu	eusses	dormi
qu'	elle	eût	dormi
qu'	il	eût	dormi
que	nous	eussions	dormi
que	vous	eussiez	dormi
qu'	elles	eussent	dormi
qu'	ils	eussent	dormi

IMPÉRATIF

PRÉSENT

dors
dormons
dormez

PASSÉ

aie	dormi
ayons	dormi
ayez	dormi

INFINITIF

PRÉSENT

dormir

PASSÉ

avoir dormi

PARTICIPE

PRÉSENT

dormant

PASSÉ

dormi
ayant dormi

CONJUGAISON DU VERBE **ÉCRIRE**

INDICATIF

PRÉSENT
j'	écris
tu	écris
elle	écrit
il	écrit
nous	écrivons
vous	écrivez
elles	écrivent
ils	écrivent

PASSÉ COMPOSÉ
j'	ai	écrit
tu	as	écrit
elle	a	écrit
il	a	écrit
nous	avons	écrit
vous	avez	écrit
elles	ont	écrit
ils	ont	écrit

IMPARFAIT
j'	écrivais
tu	écrivais
elle	écrivait
il	écrivait
nous	écrivions
vous	écriviez
elles	écrivaient
ils	écrivaient

PLUS-QUE-PARFAIT
j'	avais	écrit
tu	avais	écrit
elle	avait	écrit
il	avait	écrit
nous	avions	écrit
vous	aviez	écrit
elles	avaient	écrit
ils	avaient	écrit

PASSÉ SIMPLE
j'	écrivis
tu	écrivis
elle	écrivit
il	écrivit
nous	écrivîmes
vous	écrivîtes
elles	écrivirent
ils	écrivirent

PASSÉ ANTÉRIEUR
j'	eus	écrit
tu	eus	écrit
elle	eut	écrit
il	eut	écrit
nous	eûmes	écrit
vous	eûtes	écrit
elles	eurent	écrit
ils	eurent	écrit

FUTUR SIMPLE
j'	écrirai
tu	écriras
elle	écrira
il	écrira
nous	écrirons
vous	écrirez
elles	écriront
ils	écriront

FUTUR ANTÉRIEUR
j'	aurai	écrit
tu	auras	écrit
elle	aura	écrit
il	aura	écrit
nous	aurons	écrit
vous	aurez	écrit
elles	auront	écrit
ils	auront	écrit

CONDITIONNEL PRÉSENT
j'	écrirais
tu	écrirais
elle	écrirait
il	écrirait
nous	écririons
vous	écririez
elles	écriraient
ils	écriraient

CONDITIONNEL PASSÉ
j'	aurais	écrit
tu	aurais	écrit
elle	aurait	écrit
il	aurait	écrit
nous	aurions	écrit
vous	auriez	écrit
elles	auraient	écrit
ils	auraient	écrit

SUBJONCTIF

PRÉSENT
que	j'	écrive
que	tu	écrives
qu'	elle	écrive
qu'	il	écrive
que	nous	écrivions
que	vous	écriviez
qu'	elles	écrivent
qu'	ils	écrivent

PASSÉ
que	j'	aie	écrit
que	tu	aies	écrit
qu'	elle	ait	écrit
qu'	il	ait	écrit
que	nous	ayons	écrit
que	vous	ayez	écrit
qu'	elles	aient	écrit
qu'	ils	aient	écrit

IMPARFAIT
que	j'	écrivisse
que	tu	écrivisses
qu'	elle	écrivît
qu'	il	écrivît
que	nous	écrivissions
que	vous	écrivissiez
qu'	elles	écrivissent
qu'	ils	écrivissent

PLUS-QUE-PARFAIT
que	j'	eusse	écrit
que	tu	eusses	écrit
qu'	elle	eût	écrit
qu'	il	eût	écrit
que	nous	eussions	écrit
que	vous	eussiez	écrit
qu'	elles	eussent	écrit
qu'	ils	eussent	écrit

IMPÉRATIF

PRÉSENT
écris
écrivons
écrivez

PASSÉ
aie	écrit
ayons	écrit
ayez	écrit

INFINITIF

PRÉSENT
écrire

PASSÉ
avoir écrit

PARTICIPE

PRÉSENT
écrivant

PASSÉ
écrit, ite
ayant écrit

CONJUGAISON DU VERBE **ÉMOUVOIR**

INDICATIF

PRÉSENT
j'	émeus
tu	émeus
elle	émeut
il	émeut
nous	émouvons
vous	émouvez
elles	émeuvent
ils	émeuvent

PASSÉ COMPOSÉ
j'	ai	ému
tu	as	ému
elle	a	ému
il	a	ému
nous	avons	ému
vous	avez	ému
elles	ont	ému
ils	ont	ému

IMPARFAIT
j'	émouvais
tu	émouvais
elle	émouvait
il	émouvait
nous	émouvions
vous	émouviez
elles	émouvaient
ils	émouvaient

PLUS-QUE-PARFAIT
j'	avais	ému
tu	avais	ému
elle	avait	ému
il	avait	ému
nous	avions	ému
vous	aviez	ému
elles	avaient	ému
ils	avaient	ému

PASSÉ SIMPLE
j'	émus
tu	émus
elle	émut
il	émut
nous	émûmes
vous	émûtes
elles	émurent
ils	émurent

PASSÉ ANTÉRIEUR
j'	eus	ému
tu	eus	ému
elle	eut	ému
il	eut	ému
nous	eûmes	ému
vous	eûtes	ému
elles	eurent	ému
ils	eurent	ému

FUTUR SIMPLE
j'	émouvrai
tu	émouvras
elle	émouvra
il	émouvra
nous	émouvrons
vous	émouvrez
elles	émouvront
ils	émouvront

FUTUR ANTÉRIEUR
j'	aurai	ému
tu	auras	ému
elle	aura	ému
il	aura	ému
nous	aurons	ému
vous	aurez	ému
elles	auront	ému
ils	auront	ému

CONDITIONNEL PRÉSENT
j'	émouvrais
tu	émouvrais
elle	émouvrait
il	émouvrait
nous	émouvrions
vous	émouvriez
elles	émouvraient
ils	émouvraient

CONDITIONNEL PASSÉ
j'	aurais	ému
tu	aurais	ému
elle	aurait	ému
il	aurait	ému
nous	aurions	ému
vous	auriez	ému
elles	auraient	ému
ils	auraient	ému

SUBJONCTIF

PRÉSENT
que	j'	émeuve
que	tu	émeuves
qu'	elle	émeuve
qu'	il	émeuve
que	nous	émouvions
que	vous	émouviez
qu'	elles	émeuvent
qu'	ils	émeuvent

PASSÉ
que	j'	aie	ému
que	tu	aies	ému
qu'	elle	ait	ému
qu'	il	ait	ému
que	nous	ayons	ému
que	vous	ayez	ému
qu'	elles	aient	ému
qu'	ils	aient	ému

IMPARFAIT
que	j'	émusse
que	tu	émusses
qu'	elle	émût
qu'	il	émût
que	nous	émussions
que	vous	émussiez
qu'	elles	émussent
qu'	ils	émussent

PLUS-QUE-PARFAIT
que	j'	eusse	ému
que	tu	eusses	ému
qu'	elle	eût	ému
qu'	il	eût	ému
que	nous	eussions	ému
que	vous	eussiez	ému
qu'	elles	eussent	ému
qu'	ils	eussent	ému

IMPÉRATIF

PRÉSENT
émeus
émouvons
émouvez

PASSÉ
aie	ému
ayons	ému
ayez	ému

INFINITIF

PRÉSENT
émouvoir

PASSÉ
avoir ému

PARTICIPE

PRÉSENT
émouvant

PASSÉ
ému, ue
ayant ému

CONJUGAISON DU VERBE **EMPLOYER**

INDICATIF

PRÉSENT | PASSÉ COMPOSÉ

j'	emploie	j'	ai	employé
tu	emploies	tu	as	employé
elle	emploie	elle	a	employé
il	emploie	il	a	employé
nous	employons	nous	avons	employé
vous	employez	vous	avez	employé
elles	emploient	elles	ont	employé
ils	emploient	ils	ont	employé

IMPARFAIT | PLUS-QUE-PARFAIT

j'	employais	j'	avais	employé
tu	employais	tu	avais	employé
elle	employait	elle	avait	employé
il	employait	il	avait	employé
nous	employions	nous	avions	employé
vous	employiez	vous	aviez	employé
elles	employaient	elles	avaient	employé
ils	employaient	ils	avaient	employé

PASSÉ SIMPLE | PASSÉ ANTÉRIEUR

j'	employai	j'	eus	employé
tu	employas	tu	eus	employé
elle	employa	elle	eut	employé
il	employa	il	eut	employé
nous	employâmes	nous	eûmes	employé
vous	employâtes	vous	eûtes	employé
elles	employèrent	elles	eurent	employé
ils	employèrent	ils	eurent	employé

FUTUR SIMPLE | FUTUR ANTÉRIEUR

j'	emploierai	j'	aurai	employé
tu	emploieras	tu	auras	employé
elle	emploiera	elle	aura	employé
il	emploiera	il	aura	employé
nous	emploierons	nous	aurons	employé
vous	emploierez	vous	aurez	employé
elles	emploieront	elles	auront	employé
ils	emploieront	ils	auront	employé

CONDITIONNEL PRÉSENT | CONDITIONNEL PASSÉ

j'	emploierais	j'	aurais	employé
tu	emploierais	tu	aurais	employé
elle	emploierait	elle	aurait	employé
il	emploierait	il	aurait	employé
nous	emploierions	nous	aurions	employé
vous	emploieriez	vous	auriez	employé
elles	emploieraient	elles	auraient	employé
ils	emploieraient	ils	auraient	employé

SUBJONCTIF

PRÉSENT | PASSÉ

que	j'	emploie	que	j'	aie	employé
que	tu	emploies	que	tu	aies	employé
qu'	elle	emploie	qu'	elle	ait	employé
qu'	il	emploie	qu'	il	ait	employé
que	nous	employions	que	nous	ayons	employé
que	vous	employiez	que	vous	ayez	employé
qu'	elles	emploient	qu'	elles	aient	employé
qu'	ils	emploient	qu'	ils	aient	employé

IMPARFAIT | PLUS-QUE-PARFAIT

que	j'	employasse	que	j'	eusse	employé
que	tu	employasses	que	tu	eusses	employé
qu'	elle	employât	qu'	elle	eût	employé
qu'	il	employât	qu'	il	eût	employé
que	nous	employassions	que	nous	eussions	employé
que	vous	employassiez	que	vous	eussiez	employé
qu'	elles	employassent	qu'	elles	eussent	employé
qu'	ils	employassent	qu'	ils	eussent	employé

IMPÉRATIF

PRÉSENT | PASSÉ

emploie	aie	employé
employons	ayons	employé
employez	ayez	employé

INFINITIF

PRÉSENT | PASSÉ

employer	avoir employé

PARTICIPE

PRÉSENT | PASSÉ

employant	employé, ée
	ayant employé

CONJUGAISON DU VERBE **ENVOYER**

INDICATIF

PRÉSENT
j' envoie
tu envoies
elle envoie
il envoie

nous envoyons
vous envoyez
elles envoient
ils envoient

PASSÉ COMPOSÉ
j' ai envoyé
tu as envoyé
elle a envoyé
il a envoyé

nous avons envoyé
vous avez envoyé
elles ont envoyé
ils ont envoyé

IMPARFAIT
j' envoyais
tu envoyais
elle envoyait
il envoyait

nous envoyions
vous envoyiez
elles envoyaient
ils envoyaient

PLUS-QUE-PARFAIT
j' avais envoyé
tu avais envoyé
elle avait envoyé
il avait envoyé

nous avions envoyé
vous aviez envoyé
elles avaient envoyé
ils avaient envoyé

PASSÉ SIMPLE
j' envoyai
tu envoyas
elle envoya
il envoya

nous envoyâmes
vous envoyâtes
elles envoyèrent
ils envoyèrent

PASSÉ ANTÉRIEUR
j' eus envoyé
tu eus envoyé
elle eut envoyé
il eut envoyé

nous eûmes envoyé
vous eûtes envoyé
elles eurent envoyé
ils eurent envoyé

FUTUR SIMPLE
j' enverrai
tu enverras
elle enverra
il enverra

nous enverrons
vous enverrez
elles enverront
ils enverront

FUTUR ANTÉRIEUR
j' aurai envoyé
tu auras envoyé
elle aura envoyé
il aura envoyé

nous aurons envoyé
vous aurez envoyé
elles auront envoyé
ils auront envoyé

CONDITIONNEL PRÉSENT
j' enverrais
tu enverrais
elle enverrait
il enverrait

nous enverrions
vous enverriez
elles enverraient
ils enverraient

CONDITIONNEL PASSÉ
j' aurais envoyé
tu aurais envoyé
elle aurait envoyé
il aurait envoyé

nous aurions envoyé
vous auriez envoyé
elles auraient envoyé
ils auraient envoyé

SUBJONCTIF

PRÉSENT
que j' envoie
que tu envoies
qu' elle envoie
qu' il envoie

que nous envoyions
que vous envoyiez
qu' elles envoient
qu' ils envoient

PASSÉ
que j' aie envoyé
que tu aies envoyé
qu' elle ait envoyé
qu' il ait envoyé

que nous ayons envoyé
que vous ayez envoyé
qu' elles aient envoyé
qu' ils aient envoyé

IMPARFAIT
que j' envoyasse
que tu envoyasses
qu' elle envoyât
qu' il envoyât

que nous envoyassions
que vous envoyassiez
qu' elles envoyassent
qu' ils envoyassent

PLUS-QUE-PARFAIT
que j' eusse envoyé
que tu eusses envoyé
qu' elle eût envoyé
qu' il eût envoyé

que nous eussions envoyé
que vous eussiez envoyé
qu' elles eussent envoyé
qu' ils eussent envoyé

IMPÉRATIF

PRÉSENT
envoie
envoyons
envoyez

PASSÉ
aie envoyé
ayons envoyé
ayez envoyé

INFINITIF

PRÉSENT
envoyer

PASSÉ
avoir envoyé

PARTICIPE

PRÉSENT
envoyant

PASSÉ
envoyé, ée
ayant envoyé

CONJUGAISON DU VERBE **ÉTEINDRE**

INDICATIF

PRÉSENT

j'	éteins
tu	éteins
elle	éteint
il	éteint
nous	éteignons
vous	éteignez
elles	éteignent
ils	éteignent

PASSÉ COMPOSÉ

j'	ai	éteint
tu	as	éteint
elle	a	éteint
il	a	éteint
nous	avons	éteint
vous	avez	éteint
elles	ont	éteint
ils	ont	éteint

IMPARFAIT

j'	éteignais
tu	éteignais
elle	éteignait
il	éteignait
nous	éteignions
vous	éteigniez
elles	éteignaient
ils	éteignaient

PLUS-QUE-PARFAIT

j'	avais	éteint
tu	avais	éteint
elle	avait	éteint
il	avait	éteint
nous	avions	éteint
vous	aviez	éteint
elles	avaient	éteint
ils	avaient	éteint

PASSÉ SIMPLE

j'	éteignis
tu	éteignis
elle	éteignit
il	éteignit
nous	éteignîmes
vous	éteignîtes
elles	éteignirent
ils	éteignirent

PASSÉ ANTÉRIEUR

j'	eus	éteint
tu	eus	éteint
elle	eut	éteint
il	eut	éteint
nous	eûmes	éteint
vous	eûtes	éteint
elles	eurent	éteint
ils	eurent	éteint

FUTUR SIMPLE

j'	éteindrai
tu	éteindras
elle	éteindra
il	éteindra
nous	éteindrons
vous	éteindrez
elles	éteindront
ils	éteindront

FUTUR ANTÉRIEUR

j'	aurai	éteint
tu	auras	éteint
elle	aura	éteint
il	aura	éteint
nous	aurons	éteint
vous	aurez	éteint
elles	auront	éteint
ils	auront	éteint

CONDITIONNEL PRÉSENT

j'	éteindrais
tu	éteindrais
elle	éteindrait
il	éteindrait
nous	éteindrions
vous	éteindriez
elles	éteindraient
ils	éteindraient

CONDITIONNEL PASSÉ

j'	aurais	éteint
tu	aurais	éteint
elle	aurait	éteint
il	aurait	éteint
nous	aurions	éteint
vous	auriez	éteint
elles	auraient	éteint
ils	auraient	éteint

SUBJONCTIF

PRÉSENT

que	j'	éteigne
que	tu	éteignes
qu'	elle	éteigne
qu'	il	éteigne
que	nous	éteignions
que	vous	éteigniez
qu'	elles	éteignent
qu'	ils	éteignent

PASSÉ

que	j'	aie	éteint
que	tu	aies	éteint
qu'	elle	ait	éteint
qu'	il	ait	éteint
que	nous	ayons	éteint
que	vous	ayez	éteint
qu'	elles	aient	éteint
qu'	ils	aient	éteint

IMPARFAIT

que	j'	éteignisse
que	tu	éteignisses
qu'	elle	éteignît
qu'	il	éteignît
que	nous	éteignissions
que	vous	éteignissiez
qu'	elles	éteignissent
qu'	ils	éteignissent

PLUS-QUE-PARFAIT

que	j'	eusse	éteint
que	tu	eusses	éteint
qu'	elle	eût	éteint
qu'	il	eût	éteint
que	nous	eussions	éteint
que	vous	eussiez	éteint
qu'	elles	eussent	éteint
qu'	ils	eussent	éteint

IMPÉRATIF

PRÉSENT

éteins
éteignons
éteignez

PASSÉ

aie	éteint
ayons	éteint
ayez	éteint

INFINITIF

PRÉSENT

éteindre

PASSÉ

avoir éteint

PARTICIPE

PRÉSENT

éteignant

PASSÉ

éteint, einte
ayant éteint

CONJUGAISON DU VERBE **ÊTRE**

INDICATIF

PRÉSENT

je	suis
tu	es
elle	est
il	est
nous	sommes
vous	êtes
elles	sont
ils	sont

PASSÉ COMPOSÉ

j'	ai	été
tu	as	été
elle	a	été
il	a	été
nous	avons	été
vous	avez	été
elles	ont	été
ils	ont	été

IMPARFAIT

j'	étais
tu	étais
elle	était
il	était
nous	étions
vous	étiez
elles	étaient
ils	étaient

PLUS-QUE-PARFAIT

j'	avais	été
tu	avais	été
elle	avait	été
il	avait	été
nous	avions	été
vous	aviez	été
elles	avaient	été
ils	avaient	été

PASSÉ SIMPLE

je	fus
tu	fus
elle	fut
il	fut
nous	fûmes
vous	fûtes
elles	furent
ils	furent

PASSÉ ANTÉRIEUR

j'	eus	été
tu	eus	été
elle	eut	été
il	eut	été
nous	eûmes	été
vous	eûtes	été
elles	eurent	été
ils	eurent	été

FUTUR SIMPLE

je	serai
tu	seras
elle	sera
il	sera
nous	serons
vous	serez
elles	seront
ils	seront

FUTUR ANTÉRIEUR

j'	aurai	été
tu	auras	été
elle	aura	été
il	aura	été
nous	aurons	été
vous	aurez	été
elles	auront	été
ils	auront	été

CONDITIONNEL PRÉSENT

je	serais
tu	serais
elle	serait
il	serait
nous	serions
vous	seriez
elles	seraient
ils	seraient

CONDITIONNEL PASSÉ

j'	aurais	été
tu	aurais	été
elle	aurait	été
il	aurait	été
nous	aurions	été
vous	auriez	été
elles	auraient	été
ils	auraient	été

SUBJONCTIF

PRÉSENT

que	je	sois
que	tu	sois
qu'	elle	soit
qu'	il	soit
que	nous	soyons
que	vous	soyez
qu'	elles	soient
qu'	ils	soient

PASSÉ

que	j'	aie	été
que	tu	aies	été
qu'	elle	ait	été
qu'	il	ait	été
que	nous	ayons	été
que	vous	ayez	été
qu'	elles	aient	été
qu'	ils	aient	été

IMPARFAIT

que	je	fusse
que	tu	fusses
qu'	elle	fût
qu'	il	fût
que	nous	fussions
que	vous	fussiez
qu'	elles	fussent
qu'	ils	fussent

PLUS-QUE-PARFAIT

que	j'	eusse	été
que	tu	eusses	été
qu'	elle	eût	été
qu'	il	eût	été
que	nous	eussions	été
que	vous	eussiez	été
qu'	elles	eussent	été
qu'	ils	eussent	été

IMPÉRATIF

PRÉSENT

sois
soyons
soyez

PASSÉ

aie	été
ayons	été
ayez	été

INFINITIF

PRÉSENT

être

PASSÉ

avoir été

PARTICIPE

PRÉSENT

étant

PASSÉ

été
ayant été

CONJUGAISON DU VERBE **ÉTUDIER**

INDICATIF

PRÉSENT
j'	étudie
tu	étudies
elle	étudie
il	étudie
nous	étudions
vous	étudiez
elles	étudient
ils	étudient

PASSÉ COMPOSÉ
j'	ai	étudié
tu	as	étudié
elle	a	étudié
il	a	étudié
nous	avons	étudié
vous	avez	étudié
elles	ont	étudié
ils	ont	étudié

IMPARFAIT
j'	étudiais
tu	étudiais
elle	étudiait
il	étudiait
nous	étudiions
vous	étudiiez
elles	étudiaient
ils	étudiaient

PLUS-QUE-PARFAIT
j'	avais	étudié
tu	avais	étudié
elle	avait	étudié
il	avait	étudié
nous	avions	étudié
vous	aviez	étudié
elles	avaient	étudié
ils	avaient	étudié

PASSÉ SIMPLE
j'	étudiai
tu	étudias
elle	étudia
il	étudia
nous	étudiâmes
vous	étudiâtes
elles	étudièrent
ils	étudièrent

PASSÉ ANTÉRIEUR
j'	eus	étudié
tu	eus	étudié
elle	eut	étudié
il	eut	étudié
nous	eûmes	étudié
vous	eûtes	étudié
elles	eurent	étudié
ils	eurent	étudié

FUTUR SIMPLE
j'	étudierai
tu	étudieras
elle	étudiera
il	étudiera
nous	étudierons
vous	étudierez
elles	étudieront
ils	étudieront

FUTUR ANTÉRIEUR
j'	aurai	étudié
tu	auras	étudié
elle	aura	étudié
il	aura	étudié
nous	aurons	étudié
vous	aurez	étudié
elles	auront	étudié
ils	auront	étudié

CONDITIONNEL PRÉSENT
j'	étudierais
tu	étudierais
elle	étudierait
il	étudierait
nous	étudierions
vous	étudieriez
elles	étudieraient
ils	étudieraient

CONDITIONNEL PASSÉ
j'	aurais	étudié
tu	aurais	étudié
elle	aurait	étudié
il	aurait	étudié
nous	aurions	étudié
vous	auriez	étudié
elles	auraient	étudié
ils	auraient	étudié

SUBJONCTIF

PRÉSENT
que	j'	étudie
que	tu	étudies
qu'	elle	étudie
qu'	il	étudie
que	nous	étudiions
que	vous	étudiiez
qu'	elles	étudient
qu'	ils	étudient

PASSÉ
que	j'	aie	étudié
que	tu	aies	étudié
qu'	elle	ait	étudié
qu'	il	ait	étudié
que	nous	ayons	étudié
que	vous	ayez	étudié
qu'	elles	aient	étudié
qu'	ils	aient	étudié

IMPARFAIT
que	j'	étudiasse
que	tu	étudiasses
qu'	elle	étudiât
qu'	il	étudiât
que	nous	étudiassions
que	vous	étudiassiez
qu'	elles	étudiassent
qu'	ils	étudiassent

PLUS-QUE-PARFAIT
que	j'	eusse	étudié
que	tu	eusses	étudié
qu'	elle	eût	étudié
qu'	il	eût	étudié
que	nous	eussions	étudié
que	vous	eussiez	étudié
qu'	elles	eussent	étudié
qu'	ils	eussent	étudié

IMPÉRATIF

PRÉSENT
étudie
étudions
étudiez

PASSÉ
aie	étudié
ayons	étudié
ayez	étudié

INFINITIF

PRÉSENT
étudier

PASSÉ
avoir étudié

PARTICIPE

PRÉSENT
étudiant

PASSÉ
étudié, ée
ayant étudié

CONJUGAISON DU VERBE **FAILLIR**

INDICATIF

PRÉSENT

je	faux
tu	faux
elle	faut
il	faut
nous	faillons
vous	faillez
elles	faillent
ils	faillent

PASSÉ COMPOSÉ

j'	ai	failli
tu	as	failli
elle	a	failli
il	a	failli
nous	avons	failli
vous	avez	failli
elles	ont	failli
ils	ont	failli

IMPARFAIT

je	faillais
tu	faillais
elle	faillait
il	faillait
nous	faillions
vous	failliez
elles	faillaient
ils	faillaient

PLUS-QUE-PARFAIT

j'	avais	failli
tu	avais	failli
elle	avait	failli
il	avait	failli
nous	avions	failli
vous	aviez	failli
elles	avaient	failli
ils	avaient	failli

PASSÉ SIMPLE

je	faillis
tu	faillis
elle	faillit
il	faillit
nous	faillîmes
vous	faillîtes
elles	faillirent
ils	faillirent

PASSÉ ANTÉRIEUR

j'	eus	failli
tu	eus	failli
elle	eut	failli
il	eut	failli
nous	eûmes	failli
vous	eûtes	failli
elles	eurent	failli
ils	eurent	failli

FUTUR SIMPLE

je	faillirai
tu	failliras
elle	faillira
il	faillira
nous	faillirons
vous	faillirez
elles	failliront
ils	failliront

FUTUR ANTÉRIEUR

j'	aurai	failli
tu	auras	failli
elle	aura	failli
il	aura	failli
nous	aurons	failli
vous	aurez	failli
elles	auront	failli
ils	auront	failli

CONDITIONNEL PRÉSENT

je	faillirais
tu	faillirais
elle	faillirait
il	faillirait
nous	faillirions
vous	failliriez
elles	failliraient
ils	failliraient

CONDITIONNEL PASSÉ

j'	aurais	failli
tu	aurais	failli
elle	aurait	failli
il	aurait	failli
nous	aurions	failli
vous	auriez	failli
elles	auraient	failli
ils	auraient	failli

SUBJONCTIF

PRÉSENT

que	je	faille
que	tu	failles
qu'	elle	faille
qu'	il	faille
que	nous	faillions
que	vous	failliez
qu'	elles	faillent
qu'	ils	faillent

PASSÉ

que	j'	aie	failli
que	tu	aies	failli
qu'	elle	ait	failli
qu'	il	ait	failli
que	nous	ayons	failli
que	vous	ayez	failli
qu'	elles	aient	failli
qu'	ils	aient	failli

IMPARFAIT

que	je	faillisse
que	tu	faillisses
qu'	elle	faillît
qu'	il	faillît
que	nous	faillissions
que	vous	faillissiez
qu'	elles	faillissent
qu'	ils	faillissent

PLUS-QUE-PARFAIT

que	j'	eusse	failli
que	tu	eusses	failli
qu'	elle	eût	failli
qu'	il	eût	failli
que	nous	eussions	failli
que	vous	eussiez	failli
qu'	elles	eussent	failli
qu'	ils	eussent	failli

IMPÉRATIF

PRÉSENT

(n'existe pas)

PASSÉ

(n'existe pas)

INFINITIF

PRÉSENT

faillir

PASSÉ

avoir failli

PARTICIPE

PRÉSENT

faillant

PASSÉ

failli

ayant failli

CONJUGAISON DU VERBE **FAIRE**

INDICATIF

PRÉSENT

je	fais
tu	fais
elle	fait
il	fait
nous	faisons
vous	faites
elles	font
ils	font

PASSÉ COMPOSÉ

j'	ai	fait
tu	as	fait
elle	a	fait
il	a	fait
nous	avons	fait
vous	avez	fait
elles	ont	fait
ils	ont	fait

IMPARFAIT

je	faisais
tu	faisais
elle	faisait
il	faisait
nous	faisions
vous	faisiez
elles	faisaient
ils	faisaient

PLUS-QUE-PARFAIT

j'	avais	fait
tu	avais	fait
elle	avait	fait
il	avait	fait
nous	avions	fait
vous	aviez	fait
elles	avaient	fait
ils	avaient	fait

PASSÉ SIMPLE

je	fis
tu	fis
elle	fit
il	fit
nous	fîmes
vous	fîtes
elles	firent
ils	firent

PASSÉ ANTÉRIEUR

j'	eus	fait
tu	eus	fait
elle	eut	fait
il	eut	fait
nous	eûmes	fait
vous	eûtes	fait
elles	eurent	fait
ils	eurent	fait

FUTUR SIMPLE

je	ferai
tu	feras
elle	fera
il	fera
nous	ferons
vous	ferez
elles	feront
ils	feront

FUTUR ANTÉRIEUR

j'	aurai	fait
tu	auras	fait
elle	aura	fait
il	aura	fait
nous	aurons	fait
vous	aurez	fait
elles	auront	fait
ils	auront	fait

CONDITIONNEL PRÉSENT

je	ferais
tu	ferais
elle	ferait
il	ferait
nous	ferions
vous	feriez
elles	feraient
ils	feraient

CONDITIONNEL PASSÉ

j'	aurais	fait
tu	aurais	fait
elle	aurait	fait
il	aurait	fait
nous	aurions	fait
vous	auriez	fait
elles	auraient	fait
ils	auraient	fait

SUBJONCTIF

PRÉSENT

que	je	fasse
que	tu	fasses
qu'	elle	fasse
qu'	il	fasse
que	nous	fassions
que	vous	fassiez
qu'	elles	fassent
qu'	ils	fassent

PASSÉ

que	j'	aie	fait
que	tu	aies	fait
qu'	elle	ait	fait
qu'	il	ait	fait
que	nous	ayons	fait
que	vous	ayez	fait
qu'	elles	aient	fait
qu'	ils	aient	fait

IMPARFAIT

que	je	fisse
que	tu	fisses
qu'	elle	fît
qu'	il	fît
que	nous	fissions
que	vous	fissiez
qu'	elles	fissent
qu'	ils	fissent

PLUS-QUE-PARFAIT

que	j'	eusse	fait
que	tu	eusses	fait
qu'	elle	eût	fait
qu'	il	eût	fait
que	nous	eussions	fait
que	vous	eussiez	fait
qu'	elles	eussent	fait
qu'	ils	eussent	fait

IMPÉRATIF

PRÉSENT

fais
faisons
faites

PASSÉ

aie	fait
ayons	fait
ayez	fait

INFINITIF

PRÉSENT

faire

PASSÉ

avoir fait

PARTICIPE

PRÉSENT

faisant

PASSÉ

fait, faite
ayant fait

CONJUGAISON DU VERBE **FALLOIR**

INDICATIF

PRÉSENT		PASSÉ COMPOSÉ	
il faut	il	a	fallu

IMPARFAIT		PLUS-QUE-PARFAIT	
il fallait	il	avait	fallu

PASSÉ SIMPLE		PASSÉ ANTÉRIEUR	
il fallut	il	eut	fallu

FUTUR SIMPLE		FUTUR ANTÉRIEUR	
il faudra	il	aura	fallu

CONDITIONNEL PRÉSENT		CONDITIONNEL PASSÉ	
il faudrait	il	aurait	fallu

SUBJONCTIF

PRÉSENT		PASSÉ	
qu' il faille	qu' il	ait	fallu

IMPARFAIT		PLUS-QUE-PARFAIT	
qu' il fallût	qu' il	eût	fallu

IMPÉRATIF

PRÉSENT	PASSÉ
(*n'existe pas*)	(*n'existe pas*)

INFINITIF

PRÉSENT	PASSÉ
falloir	(*n'existe pas*)

PARTICIPE

PRÉSENT	PASSÉ
(*n'existe pas*)	fallu

CONJUGAISON DU VERBE **FENDRE**

INDICATIF

PRÉSENT		PASSÉ COMPOSÉ		
je	fends	j'	ai	fendu
tu	fends	tu	as	fendu
elle	fend	elle	a	fendu
il	fend	il	a	fendu
nous	fendons	nous	avons	fendu
vous	fendez	vous	avez	fendu
elles	fendent	elles	ont	fendu
ils	fendent	ils	ont	fendu

IMPARFAIT		PLUS-QUE-PARFAIT		
je	fendais	j'	avais	fendu
tu	fendais	tu	avais	fendu
elle	fendait	elle	avait	fendu
il	fendait	il	avait	fendu
nous	fendions	nous	avions	fendu
vous	fendiez	vous	aviez	fendu
elles	fendaient	elles	avaient	fendu
ils	fendaient	ils	avaient	fendu

PASSÉ SIMPLE		PASSÉ ANTÉRIEUR		
je	fendis	j'	eus	fendu
tu	fendis	tu	eus	fendu
elle	fendit	elle	eut	fendu
il	fendit	il	eut	fendu
nous	fendîmes	nous	eûmes	fendu
vous	fendîtes	vous	eûtes	fendu
elles	fendirent	elles	eurent	fendu
ils	fendirent	ils	eurent	fendu

FUTUR SIMPLE		FUTUR ANTÉRIEUR		
je	fendrai	j'	aurai	fendu
tu	fendras	tu	auras	fendu
elle	fendra	elle	aura	fendu
il	fendra	il	aura	fendu
nous	fendrons	nous	aurons	fendu
vous	fendrez	vous	aurez	fendu
elles	fendront	elles	auront	fendu
ils	fendront	ils	auront	fendu

CONDITIONNEL PRÉSENT		CONDITIONNEL PASSÉ		
je	fendrais	j'	aurais	fendu
tu	fendrais	tu	aurais	fendu
elle	fendrait	elle	aurait	fendu
il	fendrait	il	aurait	fendu
nous	fendrions	nous	aurions	fendu
vous	fendriez	vous	auriez	fendu
elles	fendraient	elles	auraient	fendu
ils	fendraient	ils	auraient	fendu

SUBJONCTIF

PRÉSENT		PASSÉ		
que je	fende	que j'	aie	fendu
que tu	fendes	que tu	aies	fendu
qu' elle	fende	qu' elle	ait	fendu
qu' il	fende	qu' il	ait	fendu
que nous	fendions	que nous	ayons	fendu
que vous	fendiez	que vous	ayez	fendu
qu' elles	fendent	qu' elles	aient	fendu
qu' ils	fendent	qu' ils	aient	fendu

IMPARFAIT		PLUS-QUE-PARFAIT		
que je	fendisse	que j'	eusse	fendu
que tu	fendisses	que tu	eusses	fendu
qu' elle	fendît	qu' elle	eût	fendu
qu' il	fendît	qu' il	eût	fendu
que nous	fendissions	que nous	eussions	fendu
que vous	fendissiez	que vous	eussiez	fendu
qu' elles	fendissent	qu' elles	eussent	fendu
qu' ils	fendissent	qu' ils	eussent	fendu

IMPÉRATIF

PRÉSENT	PASSÉ	
fends	aie	fendu
fendons	ayons	fendu
fendez	ayez	fendu

INFINITIF

PRÉSENT	PASSÉ
fendre	avoir fendu

PARTICIPE

PRÉSENT	PASSÉ
fendant	fendu, ue
	ayant fendu

CONJUGAISON DU VERBE **FINIR**

INDICATIF

PRÉSENT
je	fin**is**
tu	fin**is**
elle	fin**it**
il	fin**it**
nous	fin**issons**
vous	fin**issez**
elles	fin**issent**
ils	fin**issent**

PASSÉ COMPOSÉ
j'	ai	fini
tu	as	fini
elle	a	fini
il	a	fini
nous	avons	fini
vous	avez	fini
elles	ont	fini
ils	ont	fini

IMPARFAIT
je	fin**issais**
tu	fin**issais**
elle	fin**issait**
il	fin**issait**
nous	fin**issions**
vous	fin**issiez**
elles	fin**issaient**
ils	fin**issaient**

PLUS-QUE-PARFAIT
j'	avais	fini
tu	avais	fini
elle	avait	fini
il	avait	fini
nous	avions	fini
vous	aviez	fini
elles	avaient	fini
ils	avaient	fini

PASSÉ SIMPLE
je	fin**is**
tu	fin**is**
elle	fin**it**
il	fin**it**
nous	fin**îmes**
vous	fin**îtes**
elles	fin**irent**
ils	fin**irent**

PASSÉ ANTÉRIEUR
j'	eus	fini
tu	eus	fini
elle	eut	fini
il	eut	fini
nous	eûmes	fini
vous	eûtes	fini
elles	eurent	fini
ils	eurent	fini

FUTUR SIMPLE
je	fin**irai**
tu	fin**iras**
elle	fin**ira**
il	fin**ira**
nous	fin**irons**
vous	fin**irez**
elles	fin**iront**
ils	fin**iront**

FUTUR ANTÉRIEUR
j'	aurai	fini
tu	auras	fini
elle	aura	fini
il	aura	fini
nous	aurons	fini
vous	aurez	fini
elles	auront	fini
ils	auront	fini

CONDITIONNEL PRÉSENT
je	fin**irais**
tu	fin**irais**
elle	fin**irait**
il	fin**irait**
nous	fin**irions**
vous	fin**iriez**
elles	fin**iraient**
ils	fin**iraient**

CONDITIONNEL PASSÉ
j'	aurais	fini
tu	aurais	fini
elle	aurait	fini
il	aurait	fini
nous	aurions	fini
vous	auriez	fini
elles	auraient	fini
ils	auraient	fini

SUBJONCTIF

PRÉSENT
que	je	fin**isse**
que	tu	fin**isses**
qu'	elle	fin**isse**
qu'	il	fin**isse**
que	nous	fin**issions**
que	vous	fin**issiez**
qu'	elles	fin**issent**
qu'	ils	fin**issent**

PASSÉ
que	j'	aie	fini
que	tu	aies	fini
qu'	elle	ait	fini
qu'	il	ait	fini
que	nous	ayons	fini
que	vous	ayez	fini
qu'	elles	aient	fini
qu'	ils	aient	fini

IMPARFAIT
que	je	fin**isse**
que	tu	fin**isses**
qu'	elle	fin**ît**
qu'	il	fin**ît**
que	nous	fin**issions**
que	vous	fin**issiez**
qu'	elles	fin**issent**
qu'	ils	fin**issent**

PLUS-QUE-PARFAIT
que	j'	eusse	fini
que	tu	eusses	fini
qu'	elle	eût	fini
qu'	il	eût	fini
que	nous	eussions	fini
que	vous	eussiez	fini
qu'	elles	eussent	fini
qu'	ils	eussent	fini

IMPÉRATIF

PRÉSENT
fin**is**
fin**issons**
fin**issez**

PASSÉ
aie	fini
ayons	fini
ayez	fini

INFINITIF

PRÉSENT
fin**ir**

PASSÉ
avoir fini

PARTICIPE

PRÉSENT
fin**issant**

PASSÉ
fini, ie
ayant fini

CONJUGAISON DU VERBE **FUIR**

INDICATIF

PRÉSENT
je	fuis
tu	fuis
elle	fuit
il	fuit
nous	fuyons
vous	fuyez
elles	fuient
ils	fuient

PASSÉ COMPOSÉ
j'	ai	fui
tu	as	fui
elle	a	fui
il	a	fui
nous	avons	fui
vous	avez	fui
elles	ont	fui
ils	ont	fui

IMPARFAIT
je	fuyais
tu	fuyais
elle	fuyait
il	fuyait
nous	fuyions
vous	fuyiez
elles	fuyaient
ils	fuyaient

PLUS-QUE-PARFAIT
j'	avais	fui
tu	avais	fui
elle	avait	fui
il	avait	fui
nous	avions	fui
vous	aviez	fui
elles	avaient	fui
ils	avaient	fui

PASSÉ SIMPLE
je	fuis
tu	fuis
elle	fuit
il	fuit
nous	fuîmes
vous	fuîtes
elles	fuirent
ils	fuirent

PASSÉ ANTÉRIEUR
j'	eus	fui
tu	eus	fui
elle	eut	fui
il	eut	fui
nous	eûmes	fui
vous	eûtes	fui
elles	eurent	fui
ils	eurent	fui

FUTUR SIMPLE
je	fuirai
tu	fuiras
elle	fuira
il	fuira
nous	fuirons
vous	fuirez
elles	fuiront
ils	fuiront

FUTUR ANTÉRIEUR
j'	aurai	fui
tu	auras	fui
elle	aura	fui
il	aura	fui
nous	aurons	fui
vous	aurez	fui
elles	auront	fui
ils	auront	fui

CONDITIONNEL PRÉSENT
je	fuirais
tu	fuirais
elle	fuirait
il	fuirait
nous	fuirions
vous	fuiriez
elles	fuiraient
ils	fuiraient

CONDITIONNEL PASSÉ
j'	aurais	fui
tu	aurais	fui
elle	aurait	fui
il	aurait	fui
nous	aurions	fui
vous	auriez	fui
elles	auraient	fui
ils	auraient	fui

SUBJONCTIF

PRÉSENT
que	je	fuie
que	tu	fuies
qu'	elle	fuie
qu'	il	fuie
que	nous	fuyions
que	vous	fuyiez
qu'	elles	fuient
qu'	ils	fuient

PASSÉ
que	j'	aie	fui
que	tu	aies	fui
qu'	elle	ait	fui
qu'	il	ait	fui
que	nous	ayons	fui
que	vous	ayez	fui
qu'	elles	aient	fui
qu'	ils	aient	fui

IMPARFAIT
que	je	fuisse
que	tu	fuisses
qu'	elle	fuît
qu'	il	fuît
que	nous	fuissions
que	vous	fuissiez
qu'	elles	fuissent
qu'	ils	fuissent

PLUS-QUE-PARFAIT
que	j'	eusse	fui
que	tu	eusses	fui
qu'	elle	eût	fui
qu'	il	eût	fui
que	nous	eussions	fui
que	vous	eussiez	fui
qu'	elles	eussent	fui
qu'	ils	eussent	fui

IMPÉRATIF

PRÉSENT
fuis
fuyons
fuyez

PASSÉ
aie	fui
ayons	fui
ayez	fui

INFINITIF

PRÉSENT
fuir

PASSÉ
avoir fui

PARTICIPE

PRÉSENT
fuyant

PASSÉ
fui, ie
ayant fui

CONJUGAISON DU VERBE **HAÏR**

INDICATIF

PRÉSENT
je	hais
tu	hais
elle	hait
il	hait
nous	haïssons
vous	haïssez
elles	haïssent
ils	haïssent

PASSÉ COMPOSÉ
j'	ai	haï
tu	as	haï
elle	a	haï
il	a	haï
nous	avons	haï
vous	avez	haï
elles	ont	haï
ils	ont	haï

IMPARFAIT
je	haïssais
tu	haïssais
elle	haïssait
il	haïssait
nous	haïssions
vous	haïssiez
elles	haïssaient
ils	haïssaient

PLUS-QUE-PARFAIT
j'	avais	haï
tu	avais	haï
elle	avait	haï
il	avait	haï
nous	avions	haï
vous	aviez	haï
elles	avaient	haï
ils	avaient	haï

PASSÉ SIMPLE
je	haïs
tu	haïs
elle	haït
il	haït
nous	haïmes
vous	haïtes
elles	haïrent
ils	haïrent

PASSÉ ANTÉRIEUR
j'	eus	haï
tu	eus	haï
elle	eut	haï
il	eut	haï
nous	eûmes	haï
vous	eûtes	haï
elles	eurent	haï
ils	eurent	haï

FUTUR SIMPLE
je	haïrai
tu	haïras
elle	haïra
il	haïra
nous	haïrons
vous	haïrez
elles	haïront
ils	haïront

FUTUR ANTÉRIEUR
j'	aurai	haï
tu	auras	haï
elle	aura	haï
il	aura	haï
nous	aurons	haï
vous	aurez	haï
elles	auront	haï
ils	auront	haï

CONDITIONNEL PRÉSENT
je	haïrais
tu	haïrais
elle	haïrait
il	haïrait
nous	haïrions
vous	haïriez
elles	haïraient
ils	haïraient

CONDITIONNEL PASSÉ
j'	aurais	haï
tu	aurais	haï
elle	aurait	haï
il	aurait	haï
nous	aurions	haï
vous	auriez	haï
elles	auraient	haï
ils	auraient	haï

SUBJONCTIF

PRÉSENT
que	je	haïsse
que	tu	haïsses
qu'	elle	haïsse
qu'	il	haïsse
que	nous	haïssions
que	vous	haïssiez
qu'	elles	haïssent
qu'	ils	haïssent

PASSÉ
que	j'	aie	haï
que	tu	aies	haï
qu'	elle	ait	haï
qu'	il	ait	haï
que	nous	ayons	haï
que	vous	ayez	haï
qu'	elles	aient	haï
qu'	ils	aient	haï

IMPARFAIT
que	je	haïsse
que	tu	haïsses
qu'	elle	haït
qu'	il	haït
que	nous	haïssions
que	vous	haïssiez
qu'	elles	haïssent
qu'	ils	haïssent

PLUS-QUE-PARFAIT
que	j'	eusse	haï
que	tu	eusses	haï
qu'	elle	eût	haï
qu'	il	eût	haï
que	nous	eussions	haï
que	vous	eussiez	haï
qu'	elles	eussent	haï
qu'	ils	eussent	haï

IMPÉRATIF

PRÉSENT
hais
haïssons
haïssez

PASSÉ
aie	haï
ayons	haï
ayez	haï

INFINITIF

PRÉSENT
haïr

PASSÉ
avoir haï

PARTICIPE

PRÉSENT
haïssant

PASSÉ
haï, ïe
ayant haï

CONJUGAISON DU VERBE **INCLURE**

INDICATIF

PRÉSENT
j'	inclus
tu	inclus
elle	inclut
il	inclut
nous	incluons
vous	incluez
elles	incluent
ils	incluent

PASSÉ COMPOSÉ
j'	ai	inclus
tu	as	inclus
elle	a	inclus
il	a	inclus
nous	avons	inclus
vous	avez	inclus
elles	ont	inclus
ils	ont	inclus

IMPARFAIT
j'	incluais
tu	incluais
elle	incluait
il	incluait
nous	incluions
vous	incluiez
elles	incluaient
ils	incluaient

PLUS-QUE-PARFAIT
j'	avais	inclus
tu	avais	inclus
elle	avait	inclus
il	avait	inclus
nous	avions	inclus
vous	aviez	inclus
elles	avaient	inclus
ils	avaient	inclus

PASSÉ SIMPLE
j'	inclus
tu	inclus
elle	inclut
il	inclut
nous	inclûmes
vous	inclûtes
elles	inclurent
ils	inclurent

PASSÉ ANTÉRIEUR
j'	eus	inclus
tu	eus	inclus
elle	eut	inclus
il	eut	inclus
nous	eûmes	inclus
vous	eûtes	inclus
elles	eurent	inclus
ils	eurent	inclus

FUTUR SIMPLE
j'	inclurai
tu	incluras
elle	inclura
il	inclura
nous	inclurons
vous	inclurez
elles	incluront
ils	incluront

FUTUR ANTÉRIEUR
j'	aurai	inclus
tu	auras	inclus
elle	aura	inclus
il	aura	inclus
nous	aurons	inclus
vous	aurez	inclus
elles	auront	inclus
ils	auront	inclus

CONDITIONNEL PRÉSENT
j'	inclurais
tu	inclurais
elle	inclurait
il	inclurait
nous	inclurions
vous	incluriez
elles	incluraient
ils	incluraient

CONDITIONNEL PASSÉ
j'	aurais	inclus
tu	aurais	inclus
elle	aurait	inclus
il	aurait	inclus
nous	aurions	inclus
vous	auriez	inclus
elles	auraient	inclus
ils	auraient	inclus

SUBJONCTIF

PRÉSENT
que	j'	inclue
que	tu	inclues
qu'	elle	inclue
qu'	il	inclue
que	nous	incluions
que	vous	incluiez
qu'	elles	incluent
qu'	ils	incluent

PASSÉ
que	j'	aie	inclus
que	tu	aies	inclus
qu'	elle	ait	inclus
qu'	il	ait	inclus
que	nous	ayons	inclus
que	vous	ayez	inclus
qu'	elles	aient	inclus
qu'	ils	aient	inclus

IMPARFAIT
que	j'	inclusse
que	tu	inclusses
qu'	elle	inclût
qu'	il	inclût
que	nous	inclussions
que	vous	inclussiez
qu'	elles	inclussent
qu'	ils	inclussent

PLUS-QUE-PARFAIT
que	j'	eusse	inclus
que	tu	eusses	inclus
qu'	elle	eût	inclus
qu'	il	eût	inclus
que	nous	eussions	inclus
que	vous	eussiez	inclus
qu'	elles	eussent	inclus
qu'	ils	eussent	inclus

IMPÉRATIF

PRÉSENT
inclus
incluons
incluez

PASSÉ
aie	inclus
ayons	inclus
ayez	inclus

INFINITIF

PRÉSENT
inclure

PASSÉ
avoir inclus

PARTICIPE

PRÉSENT
incluant

PASSÉ
inclus, se
ayant inclus

CONJUGAISON DU VERBE **JOINDRE**

INDICATIF

PRÉSENT
je	joins
tu	joins
elle	joint
il	joint
nous	joignons
vous	joignez
elles	joignent
ils	joignent

PASSÉ COMPOSÉ
j'	ai	joint
tu	as	joint
elle	a	joint
il	a	joint
nous	avons	joint
vous	avez	joint
elles	ont	joint
ils	ont	joint

IMPARFAIT
je	joignais
tu	joignais
elle	joignait
il	joignait
nous	joignions
vous	joigniez
elles	joignaient
ils	joignaient

PLUS-QUE-PARFAIT
j'	avais	joint
tu	avais	joint
elle	avait	joint
il	avait	joint
nous	avions	joint
vous	aviez	joint
elles	avaient	joint
ils	avaient	joint

PASSÉ SIMPLE
je	joignis
tu	joignis
elle	joignit
il	joignit
nous	joignîmes
vous	joignîtes
elles	joignirent
ils	joignirent

PASSÉ ANTÉRIEUR
j'	eus	joint
tu	eus	joint
elle	eut	joint
il	eut	joint
nous	eûmes	joint
vous	eûtes	joint
elles	eurent	joint
ils	eurent	joint

FUTUR SIMPLE
je	joindrai
tu	joindras
elle	joindra
il	joindra
nous	joindrons
vous	joindrez
elles	joindront
ils	joindront

FUTUR ANTÉRIEUR
j'	aurai	joint
tu	auras	joint
elle	aura	joint
il	aura	joint
nous	aurons	joint
vous	aurez	joint
elles	auront	joint
ils	auront	joint

CONDITIONNEL PRÉSENT
je	joindrais
tu	joindrais
elle	joindrait
il	joindrait
nous	joindrions
vous	joindriez
elles	joindraient
ils	joindraient

CONDITIONNEL PASSÉ
j'	aurais	joint
tu	aurais	joint
elle	aurait	joint
il	aurait	joint
nous	aurions	joint
vous	auriez	joint
elles	auraient	joint
ils	auraient	joint

SUBJONCTIF

PRÉSENT
que	je	joigne
que	tu	joignes
qu'	elle	joigne
qu'	il	joigne
que	nous	joignions
que	vous	joigniez
qu'	elles	joignent
qu'	ils	joignent

PASSÉ
que	j'	aie	joint
que	tu	aies	joint
qu'	elle	ait	joint
qu'	il	ait	joint
que	nous	ayons	joint
que	vous	ayez	joint
qu'	elles	aient	joint
qu'	ils	aient	joint

IMPARFAIT
que	je	joignisse
que	tu	joignisses
qu'	elle	joignît
qu'	il	joignît
que	nous	joignissions
que	vous	joignissiez
qu'	elles	joignissent
qu'	ils	joignissent

PLUS-QUE-PARFAIT
que	j'	eusse	joint
que	tu	eusses	joint
qu'	elle	eût	joint
qu'	il	eût	joint
que	nous	eussions	joint
que	vous	eussiez	joint
qu'	elles	eussent	joint
qu'	ils	eussent	joint

IMPÉRATIF

PRÉSENT
joins
joignons
joignez

PASSÉ
aie	joint
ayons	joint
ayez	joint

INFINITIF

PRÉSENT
joindre

PASSÉ
avoir joint

PARTICIPE

PRÉSENT
joignant

PASSÉ
joint, e
ayant joint

CONJUGAISON DU VERBE **LEVER**

INDICATIF

PRÉSENT
je	lève
tu	lèves
elle	lève
il	lève
nous	levons
vous	levez
elles	lèvent
ils	lèvent

PASSÉ COMPOSÉ
j'	ai	levé
tu	as	levé
elle	a	levé
il	a	levé
nous	avons	levé
vous	avez	levé
elles	ont	levé
ils	ont	levé

IMPARFAIT
je	levais
tu	levais
elle	levait
il	levait
nous	levions
vous	leviez
elles	levaient
ils	levaient

PLUS-QUE-PARFAIT
j'	avais	levé
tu	avais	levé
elle	avait	levé
il	avait	levé
nous	avions	levé
vous	aviez	levé
elles	avaient	levé
ils	avaient	levé

PASSÉ SIMPLE
je	levai
tu	levas
elle	leva
il	leva
nous	levâmes
vous	levâtes
elles	levèrent
ils	levèrent

PASSÉ ANTÉRIEUR
j'	eus	levé
tu	eus	levé
elle	eut	levé
il	eut	levé
nous	eûmes	levé
vous	eûtes	levé
elles	eurent	levé
ils	eurent	levé

FUTUR SIMPLE
je	lèverai
tu	lèveras
elle	lèvera
il	lèvera
nous	lèverons
vous	lèverez
elles	lèveront
ils	lèveront

FUTUR ANTÉRIEUR
j'	aurai	levé
tu	auras	levé
elle	aura	levé
il	aura	levé
nous	aurons	levé
vous	aurez	levé
elles	auront	levé
ils	auront	levé

CONDITIONNEL PRÉSENT
je	lèverais
tu	lèverais
elle	lèverait
il	lèverait
nous	lèverions
vous	lèveriez
elles	lèveraient
ils	lèveraient

CONDITIONNEL PASSÉ
j'	aurais	levé
tu	aurais	levé
elle	aurait	levé
il	aurait	levé
nous	aurions	levé
vous	auriez	levé
elles	auraient	levé
ils	auraient	levé

SUBJONCTIF

PRÉSENT
que	je	lève
que	tu	lèves
qu'	elle	lève
qu'	il	lève
que	nous	levions
que	vous	leviez
qu'	elles	lèvent
qu'	ils	lèvent

PASSÉ
que	j'	aie	levé
que	tu	aies	levé
qu'	elle	ait	levé
qu'	il	ait	levé
que	nous	ayons	levé
que	vous	ayez	levé
qu'	elles	aient	levé
qu'	ils	aient	levé

IMPARFAIT
que	je	levasse
que	tu	levasses
qu'	elle	levât
qu'	il	levât
que	nous	levassions
que	vous	levassiez
qu'	elles	levassent
qu'	ils	levassent

PLUS-QUE-PARFAIT
que	j'	eusse	levé
que	tu	eusses	levé
qu'	elle	eût	levé
qu'	il	eût	levé
que	nous	eussions	levé
que	vous	eussiez	levé
qu'	elles	eussent	levé
qu'	ils	eussent	levé

IMPÉRATIF

PRÉSENT
lève
levons
levez

PASSÉ
aie	levé
ayons	levé
ayez	levé

INFINITIF

PRÉSENT
lever

PASSÉ
avoir levé

PARTICIPE

PRÉSENT
levant

PASSÉ
levé, ée
ayant levé

CONJUGAISON DU VERBE **LIRE**

INDICATIF

PRÉSENT

je	lis
tu	lis
elle	lit
il	lit
nous	lisons
vous	lisez
elles	lisent
ils	lisent

PASSÉ COMPOSÉ

j'	ai	lu
tu	as	lu
elle	a	lu
il	a	lu
nous	avons	lu
vous	avez	lu
elles	ont	lu
ils	ont	lu

IMPARFAIT

je	lisais
tu	lisais
elle	lisait
il	lisait
nous	lisions
vous	lisiez
elles	lisaient
ils	lisaient

PLUS-QUE-PARFAIT

j'	avais	lu
tu	avais	lu
elle	avait	lu
il	avait	lu
nous	avions	lu
vous	aviez	lu
elles	avaient	lu
ils	avaient	lu

PASSÉ SIMPLE

je	lus
tu	lus
elle	lut
il	lut
nous	lûmes
vous	lûtes
elles	lurent
ils	lurent

PASSÉ ANTÉRIEUR

j'	eus	lu
tu	eus	lu
elle	eut	lu
il	eut	lu
nous	eûmes	lu
vous	eûtes	lu
elles	eurent	lu
ils	eurent	lu

FUTUR SIMPLE

je	lirai
tu	liras
elle	lira
il	lira
nous	lirons
vous	lirez
elles	liront
ils	liront

FUTUR ANTÉRIEUR

j'	aurai	lu
tu	auras	lu
elle	aura	lu
il	aura	lu
nous	aurons	lu
vous	aurez	lu
elles	auront	lu
ils	auront	lu

CONDITIONNEL PRÉSENT

je	lirais
tu	lirais
elle	lirait
il	lirait
nous	lirions
vous	liriez
elles	liraient
ils	liraient

CONDITIONNEL PASSÉ

j'	aurais	lu
tu	aurais	lu
elle	aurait	lu
il	aurait	lu
nous	aurions	lu
vous	auriez	lu
elles	auraient	lu
ils	auraient	lu

SUBJONCTIF

PRÉSENT

que	je	lise
que	tu	lises
qu'	elle	lise
qu'	il	lise
que	nous	lisions
que	vous	lisiez
qu'	elles	lisent
qu'	ils	lisent

PASSÉ

que	j'	aie	lu
que	tu	aies	lu
qu'	elle	ait	lu
qu'	il	ait	lu
que	nous	ayons	lu
que	vous	ayez	lu
qu'	elles	aient	lu
qu'	ils	aient	lu

IMPARFAIT

que	je	lusse
que	tu	lusses
qu'	elle	lût
qu'	il	lût
que	nous	lussions
que	vous	lussiez
qu'	elles	lussent
qu'	ils	lussent

PLUS-QUE-PARFAIT

que	j'	eusse	lu
que	tu	eusses	lu
qu'	elle	eût	lu
qu'	il	eût	lu
que	nous	eussions	lu
que	vous	eussiez	lu
qu'	elles	eussent	lu
qu'	ils	eussent	lu

IMPÉRATIF

PRÉSENT

lis
lisons
lisez

PASSÉ

aie	lu
ayons	lu
ayez	lu

INFINITIF

PRÉSENT

lire

PASSÉ

avoir lu

PARTICIPE

PRÉSENT

lisant

PASSÉ

lu, ue
ayant lu

CONJUGAISON DU VERBE **MOUDRE**

INDICATIF

PRÉSENT
je	mou**ds**
tu	mou**ds**
elle	mou**d**
il	mou**d**
nous	mou**lons**
vous	mou**lez**
elles	mou**lent**
ils	mou**lent**

PASSÉ COMPOSÉ
j'	ai	moulu
tu	as	moulu
elle	a	moulu
il	a	moulu
nous	avons	moulu
vous	avez	moulu
elles	ont	moulu
ils	ont	moulu

IMPARFAIT
je	mou**lais**
tu	mou**lais**
elle	mou**lait**
il	mou**lait**
nous	mou**lions**
vous	mou**liez**
elles	mou**laient**
ils	mou**laient**

PLUS-QUE-PARFAIT
j'	avais	moulu
tu	avais	moulu
elle	avait	moulu
il	avait	moulu
nous	avions	moulu
vous	aviez	moulu
elles	avaient	moulu
ils	avaient	moulu

PASSÉ SIMPLE
je	mou**lus**
tu	mou**lus**
elle	mou**lut**
il	mou**lut**
nous	mou**lûmes**
vous	mou**lûtes**
elles	mou**lurent**
ils	mou**lurent**

PASSÉ ANTÉRIEUR
j'	eus	moulu
tu	eus	moulu
elle	eut	moulu
il	eut	moulu
nous	eûmes	moulu
vous	eûtes	moulu
elles	eurent	moulu
ils	eurent	moulu

FUTUR SIMPLE
je	mou**drai**
tu	mou**dras**
elle	mou**dra**
il	mou**dra**
nous	mou**drons**
vous	mou**drez**
elles	mou**dront**
ils	mou**dront**

FUTUR ANTÉRIEUR
j'	aurai	moulu
tu	auras	moulu
elle	aura	moulu
il	aura	moulu
nous	aurons	moulu
vous	aurez	moulu
elles	auront	moulu
ils	auront	moulu

CONDITIONNEL PRÉSENT
je	mou**drais**
tu	mou**drais**
elle	mou**drait**
il	mou**drait**
nous	mou**drions**
vous	mou**driez**
elles	mou**draient**
ils	mou**draient**

CONDITIONNEL PASSÉ
j'	aurais	moulu
tu	aurais	moulu
elle	aurait	moulu
il	aurait	moulu
nous	aurions	moulu
vous	auriez	moulu
elles	auraient	moulu
ils	auraient	moulu

SUBJONCTIF

PRÉSENT
que	je	mou**le**
que	tu	mou**les**
qu'	elle	mou**le**
qu'	il	mou**le**
que	nous	mou**lions**
que	vous	mou**liez**
qu'	elles	mou**lent**
qu'	ils	mou**lent**

PASSÉ
que	j'	aie	moulu
que	tu	aies	moulu
qu'	elle	ait	moulu
qu'	il	ait	moulu
que	nous	ayons	moulu
que	vous	ayez	moulu
qu'	elles	aient	moulu
qu'	ils	aient	moulu

IMPARFAIT
que	je	mou**lusse**
que	tu	mou**lusses**
qu'	elle	mou**lût**
qu'	il	mou**lût**
que	nous	mou**lussions**
que	vous	mou**lussiez**
qu'	elles	mou**lussent**
qu'	ils	mou**lussent**

PLUS-QUE-PARFAIT
que	j'	eusse	moulu
que	tu	eusses	moulu
qu'	elle	eût	moulu
qu'	il	eût	moulu
que	nous	eussions	moulu
que	vous	eussiez	moulu
qu'	elles	eussent	moulu
qu'	ils	eussent	moulu

IMPÉRATIF

PRÉSENT
mou**ds**
mou**lons**
mou**lez**

PASSÉ
aie	moulu
ayons	moulu
ayez	moulu

INFINITIF

PRÉSENT
mou**dre**

PASSÉ
avoir moulu

PARTICIPE

PRÉSENT
mou**lant**

PASSÉ
moulu, ue
ayant moulu

CONJUGAISON DU VERBE **MOURIR**

INDICATIF

PRÉSENT

je	**meurs**	
tu	**meurs**	
elle	**meurt**	
il	**meurt**	

nous	**mourons**	
vous	**mourez**	
elles	**meurent**	
ils	**meurent**	

PASSÉ COMPOSÉ

je	suis	mort, te
tu	es	mort, te
elle	est	morte
il	est	mort

nous	sommes	morts, tes
vous	êtes	morts, tes
elles	sont	mortes
ils	sont	morts

IMPARFAIT

je	**mourais**
tu	**mourais**
elle	**mourait**
il	**mourait**

nous	**mourions**
vous	**mouriez**
elles	**mouraient**
ils	**mouraient**

PLUS-QUE-PARFAIT

j'	étais	mort, te
tu	étais	mort, te
elle	était	morte
il	était	mort

nous	étions	morts, tes
vous	étiez	morts, tes
elles	étaient	mortes
ils	étaient	morts

PASSÉ SIMPLE

je	**mourus**
tu	**mourus**
elle	**mourut**
il	**mourut**

nous	**mourûmes**
vous	**mourûtes**
elles	**moururent**
ils	**moururent**

PASSÉ ANTÉRIEUR

je	fus	mort, te
tu	fus	mort, te
elle	fut	morte
il	fut	mort

nous	fûmes	morts, tes
vous	fûtes	morts, tes
elles	furent	mortes
ils	furent	morts

FUTUR SIMPLE

je	**mourrai**
tu	**mourras**
elle	**mourra**
il	**mourra**

nous	**mourrons**
vous	**mourrez**
elles	**mourront**
ils	**mourront**

FUTUR ANTÉRIEUR

je	serai	mort, te
tu	seras	mort, te
elle	sera	morte
il	sera	mort

nous	serons	morts, tes
vous	serez	morts, tes
elles	seront	mortes
ils	seront	morts

CONDITIONNEL PRÉSENT

je	**mourrais**
tu	**mourrais**
elle	**mourrait**
il	**mourrait**

nous	**mourrions**
vous	**mourriez**
elles	**mourraient**
ils	**mourraient**

CONDITIONNEL PASSÉ

je	serais	mort, te
tu	serais	mort, te
elle	serait	morte
il	serait	mort

nous	serions	morts, tes
vous	seriez	morts, tes
elles	seraient	mortes
ils	seraient	morts

SUBJONCTIF

PRÉSENT

que	je	**meure**
que	tu	**meures**
qu'	elle	**meure**
qu'	il	**meure**

que	nous	**mourions**
que	vous	**mouriez**
qu'	elles	**meurent**
qu'	ils	**meurent**

PASSÉ

que	je	sois	mort, te
que	tu	sois	mort, te
qu'	elle	soit	morte
qu'	il	soit	mort

que	nous	soyons	morts, tes
que	vous	soyez	morts, tes
qu'	elles	soient	mortes
qu'	ils	soient	morts

IMPARFAIT

que	je	**mourusse**
que	tu	**mourusses**
qu'	elle	**mourût**
qu'	il	**mourût**

que	nous	**mourussions**
que	vous	**mourussiez**
qu'	elles	**mourussent**
qu'	ils	**mourussent**

PLUS-QUE-PARFAIT

que	je	fusse	mort, te
que	tu	fusses	mort, te
qu'	elle	fût	morte
qu'	il	fût	mort

que	nous	fussions	morts, tes
que	vous	fussiez	morts, tes
qu'	elles	fussent	mortes
qu'	ils	fussent	morts

IMPÉRATIF

PRÉSENT

meurs
mourons
mourez

PASSÉ

sois mort, te
soyons morts, tes
soyez morts, tes

INFINITIF

PRÉSENT

mourir

PASSÉ

être mort, te

PARTICIPE

PRÉSENT

mourant

PASSÉ

mort, te
étant mort, te

CONJUGAISON DU VERBE **NAÎTRE**

INDICATIF

PRÉSENT
je	nais
tu	nais
elle	naît
il	naît
nous	naissons
vous	naissez
elles	naissent
ils	naissent

PASSÉ COMPOSÉ
je	suis	né, ée
tu	es	né, ée
elle	est	née
il	est	né
nous	sommes	nés, ées
vous	êtes	nés, ées
elles	sont	nées
ils	sont	nés

IMPARFAIT
je	naissais
tu	naissais
elle	naissait
il	naissait
nous	naissions
vous	naissiez
elles	naissaient
ils	naissaient

PLUS-QUE-PARFAIT
j'	étais	né, ée
tu	étais	né, ée
elle	était	née
il	était	né
nous	étions	nés, ées
vous	étiez	nés, ées
elles	étaient	nées
ils	étaient	nés

PASSÉ SIMPLE
je	naquis
tu	naquis
elle	naquit
il	naquit
nous	naquîmes
vous	naquîtes
elles	naquirent
ils	naquirent

PASSÉ ANTÉRIEUR
je	fus	né, ée
tu	fus	né, ée
elle	fut	née
il	fut	né
nous	fûmes	nés, ées
vous	fûtes	nés, ées
elles	furent	nées
ils	furent	nés

FUTUR SIMPLE
je	naîtrai
tu	naîtras
elle	naîtra
il	naîtra
nous	naîtrons
vous	naîtrez
elles	naîtront
ils	naîtront

FUTUR ANTÉRIEUR
je	serai	né, ée
tu	seras	né, ée
elle	sera	née
il	sera	né
nous	serons	nés, ées
vous	serez	nés, ées
elles	seront	nées
ils	seront	nés

CONDITIONNEL PRÉSENT
je	naîtrais
tu	naîtrais
elle	naîtrait
il	naîtrait
nous	naîtrions
vous	naîtriez
elles	naîtraient
ils	naîtraient

CONDITIONNEL PASSÉ
je	serais	né, ée
tu	serais	né, ée
elle	serait	née
il	serait	né
nous	serions	nés, ées
vous	seriez	nés, ées
elles	seraient	nées
ils	seraient	nés

SUBJONCTIF

PRÉSENT
que	je	naisse
que	tu	naisses
qu'	elle	naisse
qu'	il	naisse
que	nous	naissions
que	vous	naissiez
qu'	elles	naissent
qu'	ils	naissent

PASSÉ
que	je	sois	né, ée
que	tu	sois	né, ée
qu'	elle	soit	née
qu'	il	soit	né
que	nous	soyons	nés, ées
que	vous	soyez	nés, ées
qu'	elles	soient	nées
qu'	ils	soient	nés

IMPARFAIT
que	je	naquisse
que	tu	naquisses
qu'	elle	naquît
qu'	il	naquît
que	nous	naquissions
que	vous	naquissiez
qu'	elles	naquissent
qu'	ils	naquissent

PLUS-QUE-PARFAIT
que	je	fusse	né, ée
que	tu	fusses	né, ée
qu'	elle	fût	née
qu'	il	fût	né
que	nous	fussions	nés, ées
que	vous	fussiez	nés, ées
qu'	elles	fussent	nées
qu'	ils	fussent	nés

IMPÉRATIF

PRÉSENT
nais
naissons
naissez

PASSÉ
sois	né, ée
soyons	nés, ées
soyez	nés, ées

INFINITIF

PRÉSENT
naître

PASSÉ
être né, ée

PARTICIPE

PRÉSENT
naissant

PASSÉ
né, née
étant né, ée

CONJUGAISON DU VERBE **OUVRIR**

INDICATIF

PRÉSENT
j' ouvre
tu ouvres
elle ouvre
il ouvre

nous ouvrons
vous ouvrez
elles ouvrent
ils ouvrent

PASSÉ COMPOSÉ
j' ai ouvert
tu as ouvert
elle a ouvert
il a ouvert

nous avons ouvert
vous avez ouvert
elles ont ouvert
ils ont ouvert

IMPARFAIT
j' ouvrais
tu ouvrais
elle ouvrait
il ouvrait

nous ouvrions
vous ouvriez
elles ouvraient
ils ouvraient

PLUS-QUE-PARFAIT
j' avais ouvert
tu avais ouvert
elle avait ouvert
il avait ouvert

nous avions ouvert
vous aviez ouvert
elles avaient ouvert
ils avaient ouvert

PASSÉ SIMPLE
j' ouvris
tu ouvris
elle ouvrit
il ouvrit

nous ouvrîmes
vous ouvrîtes
elles ouvrirent
ils ouvrirent

PASSÉ ANTÉRIEUR
j' eus ouvert
tu eus ouvert
elle eut ouvert
il eut ouvert

nous eûmes ouvert
vous eûtes ouvert
elles eurent ouvert
ils eurent ouvert

FUTUR SIMPLE
j' ouvrirai
tu ouvriras
elle ouvrira
il ouvrira

nous ouvrirons
vous ouvrirez
elles ouvriront
ils ouvriront

FUTUR ANTÉRIEUR
j' aurai ouvert
tu auras ouvert
elle aura ouvert
il aura ouvert

nous aurons ouvert
vous aurez ouvert
elles auront ouvert
ils auront ouvert

CONDITIONNEL PRÉSENT
j' ouvrirais
tu ouvrirais
elle ouvrirait
il ouvrirait

nous ouvririons
vous ouvririez
elles ouvriraient
ils ouvriraient

CONDITIONNEL PASSÉ
j' aurais ouvert
tu aurais ouvert
elle aurait ouvert
il aurait ouvert

nous aurions ouvert
vous auriez ouvert
elles auraient ouvert
ils auraient ouvert

SUBJONCTIF

PRÉSENT
que j' ouvre
que tu ouvres
qu' elle ouvre
qu' il ouvre

que nous ouvrions
que vous ouvriez
qu' elles ouvrent
qu' ils ouvrent

PASSÉ
que j' aie ouvert
que tu aies ouvert
qu' elle ait ouvert
qu' il ait ouvert

que nous ayons ouvert
que vous ayez ouvert
qu' elles aient ouvert
qu' ils aient ouvert

IMPARFAIT
que j' ouvrisse
que tu ouvrisses
qu' elle ouvrît
qu' il ouvrît

que nous ouvrissions
que vous ouvrissiez
qu' elles ouvrissent
qu' ils ouvrissent

PLUS-QUE-PARFAIT
que j' eusse ouvert
que tu eusses ouvert
qu' elle eût ouvert
qu' il eût ouvert

que nous eussions ouvert
que vous eussiez ouvert
qu' elles eussent ouvert
qu' ils eussent ouvert

IMPÉRATIF

PRÉSENT
ouvre
ouvrons
ouvrez

PASSÉ
aie ouvert
ayons ouvert
ayez ouvert

INFINITIF

PRÉSENT
ouvrir

PASSÉ
avoir ouvert

PARTICIPE

PRÉSENT
ouvrant

PASSÉ
ouvert, te
ayant ouvert

CONJUGAISON DU VERBE **PAÎTRE**

INDICATIF

PRÉSENT		PASSÉ COMPOSÉ
je	pais	(*n'existe pas*)
tu	pais	
elle	paît	
il	paît	
nous	paissons	
vous	paissez	
elles	paissent	
ils	paissent	

IMPARFAIT		PLUS-QUE-PARFAIT
je	paissais	(*n'existe pas*)
tu	paissais	
elle	paissait	
il	paissait	
nous	paissions	
vous	paissiez	
elles	paissaient	
ils	paissaient	

PASSÉ SIMPLE	PASSÉ ANTÉRIEUR
(*n'existe pas*)	(*n'existe pas*)

FUTUR SIMPLE		FUTUR ANTÉRIEUR
je	paîtrai	(*n'existe pas*)
tu	paîtras	
elle	paîtra	
il	paîtra	
nous	paîtrons	
vous	paîtrez	
elles	paîtront	
ils	paîtront	

CONDITIONNEL PRÉSENT		CONDITIONNEL PASSÉ
je	paîtrais	(*n'existe pas*)
tu	paîtrais	
elle	paîtrait	
il	paîtrait	
nous	paîtrions	
vous	paîtriez	
elles	paîtraient	
ils	paîtraient	

SUBJONCTIF

PRÉSENT			PASSÉ
que	je	paisse	(*n'existe pas*)
que	tu	paisses	
qu'	elle	paisse	
qu'	il	paisse	
que	nous	paissions	
que	vous	paissiez	
qu'	elles	paissent	
qu'	ils	paissent	

IMPARFAIT	PLUS-QUE-PARFAIT
(*n'existe pas*)	(*n'existe pas*)

IMPÉRATIF

PRÉSENT	PASSÉ
pais	(*n'existe pas*)
paissons	
paissez	

INFINITIF

PRÉSENT	PASSÉ
paître	(*n'existe pas*)

PARTICIPE

PRÉSENT	PASSÉ
paissant	(*n'existe pas*)

CONJUGAISON DU VERBE **PARAÎTRE**

INDICATIF

PRÉSENT

je	par**ais**
tu	par**ais**
elle	par**aît**
il	par**aît**
nous	par**aissons**
vous	par**aissez**
elles	par**aissent**
ils	par**aissent**

PASSÉ COMPOSÉ

j'	ai	paru
tu	as	paru
elle	a	paru
il	a	paru
nous	avons	paru
vous	avez	paru
elles	ont	paru
ils	ont	paru

IMPARFAIT

je	par**aissais**
tu	par**aissais**
elle	par**aissait**
il	par**aissait**
nous	par**aissions**
vous	par**aissiez**
elles	par**aissaient**
ils	par**aissaient**

PLUS-QUE-PARFAIT

j'	avais	paru
tu	avais	paru
elle	avait	paru
il	avait	paru
nous	avions	paru
vous	aviez	paru
elles	avaient	paru
ils	avaient	paru

PASSÉ SIMPLE

je	par**us**
tu	par**us**
elle	par**ut**
il	par**ut**
nous	par**ûmes**
vous	par**ûtes**
elles	par**urent**
ils	par**urent**

PASSÉ ANTÉRIEUR

j'	eus	paru
tu	eus	paru
elle	eut	paru
il	eut	paru
nous	eûmes	paru
vous	eûtes	paru
elles	eurent	paru
ils	eurent	paru

FUTUR SIMPLE

je	par**aîtrai**
tu	par**aîtras**
elle	par**aîtra**
il	par**aîtra**
nous	par**aîtrons**
vous	par**aîtrez**
elles	par**aîtront**
ils	par**aîtront**

FUTUR ANTÉRIEUR

j'	aurai	paru
tu	auras	paru
elle	aura	paru
il	aura	paru
nous	aurons	paru
vous	aurez	paru
elles	auront	paru
ils	auront	paru

CONDITIONNEL PRÉSENT

je	par**aîtrais**
tu	par**aîtrais**
elle	par**aîtrait**
il	par**aîtrait**
nous	par**aîtrions**
vous	par**aîtriez**
elles	par**aîtraient**
ils	par**aîtraient**

CONDITIONNEL PASSÉ

j'	aurais	paru
tu	aurais	paru
elle	aurait	paru
il	aurait	paru
nous	aurions	paru
vous	auriez	paru
elles	auraient	paru
ils	auraient	paru

SUBJONCTIF

PRÉSENT

que	je	par**aisse**
que	tu	par**aisses**
qu'	elle	par**aisse**
qu'	il	par**aisse**
que	nous	par**aissions**
que	vous	par**aissiez**
qu'	elles	par**aissent**
qu'	ils	par**aissent**

PASSÉ

que	j'	aie	paru
que	tu	aies	paru
qu'	elle	ait	paru
qu'	il	ait	paru
que	nous	ayons	paru
que	vous	ayez	paru
qu'	elles	aient	paru
qu'	ils	aient	paru

IMPARFAIT

que	je	par**usse**
que	tu	par**usses**
qu'	elle	par**ût**
qu'	il	par**ût**
que	nous	par**ussions**
que	vous	par**ussiez**
qu'	elles	par**ussent**
qu'	ils	par**ussent**

PLUS-QUE-PARFAIT

que	j'	eusse	paru
que	tu	eusses	paru
qu'	elle	eût	paru
qu'	il	eût	paru
que	nous	eussions	paru
que	vous	eussiez	paru
qu'	elles	eussent	paru
qu'	ils	eussent	paru

IMPÉRATIF

PRÉSENT

par**ais**
par**aissons**
par**aissez**

PASSÉ

aie paru
ayons paru
ayez paru

INFINITIF

PRÉSENT

par**aître**

PASSÉ

avoir paru

PARTICIPE

PRÉSENT

par**aissant**

PASSÉ

paru, ue
ayant paru

CONJUGAISON DU VERBE **PAYER**

INDICATIF

PRÉSENT

je	paie / paye
tu	paies / payes
elle	paie / paye
il	paie / paye
nous	payons
vous	payez
elles	paient / payent
ils	paient / payent

PASSÉ COMPOSÉ

j'	ai	payé
tu	as	payé
elle	a	payé
il	a	payé
nous	avons	payé
vous	avez	payé
elles	ont	payé
ils	ont	payé

IMPARFAIT

je	payais
tu	payais
elle	payait
il	payait
nous	payions
vous	payiez
elles	payaient
ils	payaient

PLUS-QUE-PARFAIT

j'	avais	payé
tu	avais	payé
elle	avait	payé
il	avait	payé
nous	avions	payé
vous	aviez	payé
elles	avaient	payé
ils	avaient	payé

PASSÉ SIMPLE

je	payai
tu	payas
elle	paya
il	paya
nous	payâmes
vous	payâtes
elles	payèrent
ils	payèrent

PASSÉ ANTÉRIEUR

j'	eus	payé
tu	eus	payé
elle	eut	payé
il	eut	payé
nous	eûmes	payé
vous	eûtes	payé
elles	eurent	payé
ils	eurent	payé

FUTUR SIMPLE

je	paierai / payerai
tu	paieras / payeras
elle	paiera / payera
il	paiera / payera
ns	paierons / payerons
vs	paierez / payerez
elles	paieront / payeront
ils	paieront / payeront

FUTUR ANTÉRIEUR

j'	aurai	payé
tu	auras	payé
elle	aura	payé
il	aura	payé
nous	aurons	payé
vous	aurez	payé
elles	auront	payé
ils	auront	payé

CONDITIONNEL PRÉSENT

je	paierais / payerais
tu	paierais / payerais
elle	paierait / payerait
il	paierait / payerait
ns	paierions / payerions
vs	paieriez / payeriez
elles	paieraient / payeraient
ils	paieraient / payeraient

CONDITIONNEL PASSÉ

j'	aurais	payé
tu	aurais	payé
elle	aurait	payé
il	aurait	payé
nous	aurions	payé
vous	auriez	payé
elles	auraient	payé
ils	auraient	payé

SUBJONCTIF

PRÉSENT

que	je	paie / paye
que	tu	paies / payes
qu'	elle	paie / paye
qu'	il	paie / paye
que	nous	payions
que	vous	payiez
qu'	elles	paient / payent
qu'	ils	paient / payent

PASSÉ

que	j'	aie	payé
que	tu	aies	payé
qu'	elle	ait	payé
qu'	il	ait	payé
que	nous	ayons	payé
que	vous	ayez	payé
qu'	elles	aient	payé
qu'	ils	aient	payé

IMPARFAIT

que	je	payasse
que	tu	payasses
qu'	elle	payât
qu'	il	payât
que	nous	payassions
que	vous	payassiez
qu'	elles	payassent
qu'	ils	payassent

PLUS-QUE-PARFAIT

que	j'	eusse	payé
que	tu	eusses	payé
qu'	elle	eût	payé
qu'	il	eût	payé
que	nous	eussions	payé
que	vous	eussiez	payé
qu'	elles	eussent	payé
qu'	ils	eussent	payé

IMPÉRATIF

PRÉSENT

paie / paye
payons
payez

PASSÉ

aie payé
ayons payé
ayez payé

INFINITIF

PRÉSENT

payer

PASSÉ

avoir payé

PARTICIPE

PRÉSENT

payant

PASSÉ

payé, ée
ayant payé

CONJUGAISON DU VERBE **PLAIRE**

INDICATIF

PRÉSENT
je	plais
tu	plais
elle	plaît
il	plaît
nous	plaisons
vous	plaisez
elles	plaisent
ils	plaisent

PASSÉ COMPOSÉ
j'	ai	plu
tu	as	plu
elle	a	plu
il	a	plu
nous	avons	plu
vous	avez	plu
elles	ont	plu
ils	ont	plu

IMPARFAIT
je	plaisais
tu	plaisais
elle	plaisait
il	plaisait
nous	plaisions
vous	plaisiez
elles	plaisaient
ils	plaisaient

PLUS-QUE-PARFAIT
j'	avais	plu
tu	avais	plu
elle	avait	plu
il	avait	plu
nous	avions	plu
vous	aviez	plu
elles	avaient	plu
ils	avaient	plu

PASSÉ SIMPLE
je	plus
tu	plus
elle	plut
il	plut
nous	plûmes
vous	plûtes
elles	plurent
ils	plurent

PASSÉ ANTÉRIEUR
j'	eus	plu
tu	eus	plu
elle	eut	plu
il	eut	plu
nous	eûmes	plu
vous	eûtes	plu
elles	eurent	plu
ils	eurent	plu

FUTUR SIMPLE
je	plairai
tu	plairas
elle	plaira
il	plaira
nous	plairons
vous	plairez
elles	plairont
ils	plairont

FUTUR ANTÉRIEUR
j'	aurai	plu
tu	auras	plu
elle	aura	plu
il	aura	plu
nous	aurons	plu
vous	aurez	plu
elles	auront	plu
ils	auront	plu

CONDITIONNEL PRÉSENT
je	plairais
tu	plairais
elle	plairait
il	plairait
nous	plairions
vous	plairiez
elles	plairaient
ils	plairaient

CONDITIONNEL PASSÉ
j'	aurais	plu
tu	aurais	plu
elle	aurait	plu
il	aurait	plu
nous	aurions	plu
vous	auriez	plu
elles	auraient	plu
ils	auraient	plu

SUBJONCTIF

PRÉSENT
que	je	plaise
que	tu	plaises
qu'	elle	plaise
qu'	il	plaise
que	nous	plaisions
que	vous	plaisiez
qu'	elles	plaisent
qu'	ils	plaisent

PASSÉ
que	j'	aie	plu
que	tu	aies	plu
qu'	elle	ait	plu
qu'	il	ait	plu
que	nous	ayons	plu
que	vous	ayez	plu
qu'	elles	aient	plu
qu'	ils	aient	plu

IMPARFAIT
que	je	plusse
que	tu	plusses
qu'	elle	plût
qu'	il	plût
que	nous	plussions
que	vous	plussiez
qu'	elles	plussent
qu'	ils	plussent

PLUS-QUE-PARFAIT
que	j'	eusse	plu
que	tu	eusses	plu
qu'	elle	eût	plu
qu'	il	eût	plu
que	nous	eussions	plu
que	vous	eussiez	plu
qu'	elles	eussent	plu
qu'	ils	eussent	plu

IMPÉRATIF

PRÉSENT
plais
plaisons
plaisez

PASSÉ
aie	plu
ayons	plu
ayez	plu

INFINITIF

PRÉSENT
plaire

PASSÉ
avoir plu

PARTICIPE

PRÉSENT
plaisant

PASSÉ
plu
ayant plu

CONJUGAISON DU VERBE **PLEUVOIR**

INDICATIF

PRÉSENT		PASSÉ COMPOSÉ	
il	pleut	il	a	plu

IMPARFAIT		PLUS-QUE-PARFAIT	
il	pleuvait	il	avait	plu

PASSÉ SIMPLE		PASSÉ ANTÉRIEUR	
il	plut	il	eut	plu

FUTUR SIMPLE		FUTUR ANTÉRIEUR	
il	pleuvra	il	aura	plu

CONDITIONNEL PRÉSENT		CONDITIONNEL PASSÉ	
il	pleuvrait	il	aurait	plu

SUBJONCTIF

PRÉSENT		PASSÉ	
qu' il	pleuve	qu' il	ait	plu

IMPARFAIT		PLUS-QUE-PARFAIT	
qu' il	plût	qu' il	eût	plu

IMPÉRATIF

PRÉSENT	PASSÉ
(n'existe pas)	*(n'existe pas)*

INFINITIF

PRÉSENT	PASSÉ
pleuvoir	avoir plu

PARTICIPE

PRÉSENT	PASSÉ
pleuvant	plu
	ayant plu

CONJUGAISON DU VERBE **POSSÉDER**

INDICATIF

	PRÉSENT		PASSÉ COMPOSÉ	
je	possède	j'	ai	possédé
tu	possèdes	tu	as	possédé
elle	possède	elle	a	possédé
il	possède	il	a	possédé
nous	possédons	nous	avons	possédé
vous	possédez	vous	avez	possédé
elles	possèdent	elles	ont	possédé
ils	possèdent	ils	ont	possédé

	IMPARFAIT		PLUS-QUE-PARFAIT	
je	possédais	j'	avais	possédé
tu	possédais	tu	avais	possédé
elle	possédait	elle	avait	possédé
il	possédait	il	avait	possédé
nous	possédions	ns	avions	possédé
vous	possédiez	vs	aviez	possédé
elles	possédaient	elles	avaient	possédé
ils	possédaient	ils	avaient	possédé

	PASSÉ SIMPLE		PASSÉ ANTÉRIEUR	
je	possédai	j'	eus	possédé
tu	possédas	tu	eus	possédé
elle	posséda	elle	eut	possédé
il	posséda	il	eut	possédé
nous	possédâmes	ns	eûmes	possédé
vous	possédâtes	vs	eûtes	possédé
elles	possédèrent	elles	eurent	possédé
ils	possédèrent	ils	eurent	possédé

	FUTUR SIMPLE		FUTUR ANTÉRIEUR	
je	posséderai	j'	aurai	possédé
tu	posséderas	tu	auras	possédé
elle	possédera	elle	aura	possédé
il	possédera	il	aura	possédé
ns	posséderons	ns	aurons	possédé
vs	posséderez	vs	aurez	possédé
elles	posséderont	elles	auront	possédé
ils	posséderont	ils	auront	possédé

	CONDITIONNEL PRÉSENT		CONDITIONNEL PASSÉ	
je	posséderais	j'	aurais	possédé
tu	posséderais	tu	aurais	possédé
elle	posséderait	elle	aurait	possédé
il	posséderait	il	aurait	possédé
nous	posséderions	nous	aurions	possédé
vous	posséderiez	vous	auriez	possédé
elles	posséderaient	elles	auraient	possédé
ils	posséderaient	ils	auraient	possédé

SUBJONCTIF

		PRÉSENT			PASSÉ	
que	je	possède	que	j'	aie	possédé
que	tu	possèdes	que	tu	aies	possédé
qu'	elle	possède	qu'	elle	ait	possédé
qu'	il	possède	qu'	il	ait	possédé
que	nous	possédions	que	nous	ayons	possédé
que	vous	possédiez	que	vous	ayez	possédé
qu'	elles	possèdent	qu'	elles	aient	possédé
qu'	ils	possèdent	qu'	ils	aient	possédé

		IMPARFAIT			PLUS-QUE-PARFAIT	
que	je	possédasse	que	j'	eusse	possédé
que	tu	possédasses	que	tu	eusses	possédé
qu'	elle	possédât	qu'	elle	eût	possédé
qu'	il	possédât	qu'	il	eût	possédé
que	nous	possédassions	que	nous	eussions	possédé
que	vous	possédassiez	que	vous	eussiez	possédé
qu'	elles	possédassent	qu'	elles	eussent	possédé
qu'	ils	possédassent	qu'	ils	eussent	possédé

IMPÉRATIF

PRÉSENT	PASSÉ	
possède	aie	possédé
possédons	ayons	possédé
possédez	ayez	possédé

INFINITIF

PRÉSENT	PASSÉ
posséder	avoir possédé

PARTICIPE

PRÉSENT	PASSÉ
possédant	possédé, ée
	ayant possédé

CONJUGAISON DU VERBE **POURVOIR**

INDICATIF

PRÉSENT		PASSÉ COMPOSÉ		
je	pourv**ois**	j'	ai	pourvu
tu	pourv**ois**	tu	as	pourvu
elle	pourv**oit**	elle	a	pourvu
il	pourv**oit**	il	a	pourvu
nous	pourv**oyons**	nous	avons	pourvu
vous	pourv**oyez**	vous	avez	pourvu
elles	pourv**oient**	elles	ont	pourvu
ils	pourv**oient**	ils	ont	pourvu

IMPARFAIT		PLUS-QUE-PARFAIT		
je	pourv**oyais**	j'	avais	pourvu
tu	pourv**oyais**	tu	avais	pourvu
elle	pourv**oyait**	elle	avait	pourvu
il	pourv**oyait**	il	avait	pourvu
nous	pourv**oyions**	nous	avions	pourvu
vous	pourv**oyiez**	vous	aviez	pourvu
elles	pourv**oyaient**	elles	avaient	pourvu
ils	pourv**oyaient**	ils	avaient	pourvu

PASSÉ SIMPLE		PASSÉ ANTÉRIEUR		
je	pourv**us**	j'	eus	pourvu
tu	pourv**us**	tu	eus	pourvu
elle	pourv**ut**	elle	eut	pourvu
il	pourv**ut**	il	eut	pourvu
nous	pourv**ûmes**	nous	eûmes	pourvu
vous	pourv**ûtes**	vous	eûtes	pourvu
elles	pourv**urent**	elles	eurent	pourvu
ils	pourv**urent**	ils	eurent	pourvu

FUTUR SIMPLE		FUTUR ANTÉRIEUR		
je	pourv**oirai**	j'	aurai	pourvu
tu	pourv**oiras**	tu	auras	pourvu
elle	pourv**oira**	elle	aura	pourvu
il	pourv**oira**	il	aura	pourvu
nous	pourv**oirons**	nous	aurons	pourvu
vous	pourv**oirez**	vous	aurez	pourvu
elles	pourv**oiront**	elles	auront	pourvu
ils	pourv**oiront**	ils	auront	pourvu

CONDITIONNEL PRÉSENT		CONDITIONNEL PASSÉ		
je	pourv**oirais**	j'	aurais	pourvu
tu	pourv**oirais**	tu	aurais	pourvu
elle	pourv**oirait**	elle	aurait	pourvu
il	pourv**oirait**	il	aurait	pourvu
nous	pourv**oirions**	nous	aurions	pourvu
vous	pourv**oiriez**	vous	auriez	pourvu
elles	pourv**oiraient**	elles	auraient	pourvu
ils	pourv**oiraient**	ils	auraient	pourvu

SUBJONCTIF

PRÉSENT			PASSÉ		
que je	pourv**oie**	que	j'	aie	pourvu
que tu	pourv**oies**	que	tu	aies	pourvu
qu' elle	pourv**oie**	qu'	elle	ait	pourvu
qu' il	pourv**oie**	qu'	il	ait	pourvu
que nous	pourv**oyions**	que	nous	ayons	pourvu
que vous	pourv**oyiez**	que	vous	ayez	pourvu
qu' elles	pourv**oient**	qu'	elles	aient	pourvu
qu' ils	pourv**oient**	qu'	ils	aient	pourvu

IMPARFAIT			PLUS-QUE-PARFAIT		
que je	pourv**usse**	que	j'	eusse	pourvu
que tu	pourv**usses**	que	tu	eusses	pourvu
qu' elle	pourv**ût**	qu'	elle	eût	pourvu
qu' il	pourv**ût**	qu'	il	eût	pourvu
que nous	pourv**ussions**	que	nous	eussions	pourvu
que vous	pourv**ussiez**	que	vous	eussiez	pourvu
qu' elles	pourv**ussent**	qu'	elles	eussent	pourvu
qu' ils	pourv**ussent**	qu'	ils	eussent	pourvu

IMPÉRATIF

PRÉSENT	PASSÉ	
pourv**ois**	aie	pourvu
pourv**oyons**	ayons	pourvu
pourv**oyez**	ayez	pourvu

INFINITIF

PRÉSENT	PASSÉ
pourv**oir**	avoir pourvu

PARTICIPE

PRÉSENT	PASSÉ
pourv**oyant**	pourvu, ue
	ayant pourvu

CONJUGAISON DU VERBE **POUVOIR**

INDICATIF

PRÉSENT

je	peux
tu	peux
elle	peut
il	peut
nous	pouvons
vous	pouvez
elles	peuvent
ils	peuvent

PASSÉ COMPOSÉ

j'	ai	pu
tu	as	pu
elle	a	pu
il	a	pu
nous	avons	pu
vous	avez	pu
elles	ont	pu
ils	ont	pu

IMPARFAIT

je	pouvais
tu	pouvais
elle	pouvait
il	pouvait
nous	pouvions
vous	pouviez
elles	pouvaient
ils	pouvaient

PLUS-QUE-PARFAIT

j'	avais	pu
tu	avais	pu
elle	avait	pu
il	avait	pu
nous	avions	pu
vous	aviez	pu
elles	avaient	pu
ils	avaient	pu

PASSÉ SIMPLE

je	pus
tu	pus
elle	put
il	put
nous	pûmes
vous	pûtes
elles	purent
ils	purent

PASSÉ ANTÉRIEUR

j'	eus	pu
tu	eus	pu
elle	eut	pu
il	eut	pu
nous	eûmes	pu
vous	eûtes	pu
elles	eurent	pu
ils	eurent	pu

FUTUR SIMPLE

je	pourrai
tu	pourras
elle	pourra
il	pourra
nous	pourrons
vous	pourrez
elles	pourront
ils	pourront

FUTUR ANTÉRIEUR

j'	aurai	pu
tu	auras	pu
elle	aura	pu
il	aura	pu
nous	aurons	pu
vous	aurez	pu
elles	auront	pu
ils	auront	pu

CONDITIONNEL PRÉSENT

je	pourrais
tu	pourrais
elle	pourrait
il	pourrait
nous	pourrions
vous	pourriez
elles	pourraient
ils	pourraient

CONDITIONNEL PASSÉ

j'	aurais	pu
tu	aurais	pu
elle	aurait	pu
il	aurait	pu
nous	aurions	pu
vous	auriez	pu
elles	auraient	pu
ils	auraient	pu

SUBJONCTIF

PRÉSENT

que	je	puisse
que	tu	puisses
qu'	elle	puisse
qu'	il	puisse
que	nous	puissions
que	vous	puissiez
qu'	elles	puissent
qu'	ils	puissent

PASSÉ

que	j'	aie	pu
que	tu	aies	pu
qu'	elle	ait	pu
qu'	il	ait	pu
que	nous	ayons	pu
que	vous	ayez	pu
qu'	elles	aient	pu
qu'	ils	aient	pu

IMPARFAIT

que	je	pusse
que	tu	pusses
qu'	elle	pût
qu'	il	pût
que	nous	pussions
que	vous	pussiez
qu'	elles	pussent
qu'	ils	pussent

PLUS-QUE-PARFAIT

que	j'	eusse	pu
que	tu	eusses	pu
qu'	elle	eût	pu
qu'	il	eût	pu
que	nous	eussions	pu
que	vous	eussiez	pu
qu'	elles	eussent	pu
qu'	ils	eussent	pu

IMPÉRATIF

PRÉSENT

(n'existe pas)

PASSÉ

(n'existe pas)

INFINITIF

PRÉSENT

pouvoir

PASSÉ

avoir pu

PARTICIPE

PRÉSENT

pouvant

PASSÉ

pu
ayant pu

CONJUGAISON DU VERBE **PROTÉGER**

INDICATIF

PRÉSENT

je	prot**è**ge			
tu	prot**è**ges			
elle	prot**è**ge			
il	prot**è**ge			
nous	prot**é**geons			
vous	prot**é**gez			
elles	prot**è**gent			
ils	prot**è**gent			

PASSÉ COMPOSÉ

j'	ai	protégé
tu	as	protégé
elle	a	protégé
il	a	protégé
nous	avons	protégé
vous	avez	protégé
elles	ont	protégé
ils	ont	protégé

IMPARFAIT

je	prot**é**geais
tu	prot**é**geais
elle	prot**é**geait
il	prot**é**geait
nous	prot**é**gions
vous	prot**é**giez
elles	prot**é**geaient
ils	prot**é**geaient

PLUS-QUE-PARFAIT

j'	avais	protégé
tu	avais	protégé
elle	avait	protégé
il	avait	protégé
nous	avions	protégé
vous	aviez	protégé
elles	avaient	protégé
ils	avaient	protégé

PASSÉ SIMPLE

je	prot**é**geai
tu	prot**é**geas
elle	prot**é**gea
il	prot**é**gea
ns	prot**é**geâmes
vs	prot**é**geâtes
elles	prot**é**gèrent
ils	prot**é**gèrent

PASSÉ ANTÉRIEUR

j'	eus	protégé
tu	eus	protégé
elle	eut	protégé
il	eut	protégé
nous	eûmes	protégé
vous	eûtes	protégé
elles	eurent	protégé
ils	eurent	protégé

FUTUR SIMPLE

je	prot**é**gerai
tu	prot**é**geras
elle	prot**é**gera
il	prot**é**gera
ns	prot**é**gerons
vs	prot**é**gerez
elles	prot**é**geront
ils	prot**é**geront

FUTUR ANTÉRIEUR

j'	aurai	protégé
tu	auras	protégé
elle	aura	protégé
il	aura	protégé
nous	aurons	protégé
vous	aurez	protégé
elles	auront	protégé
ils	auront	protégé

CONDITIONNEL PRÉSENT

je	prot**é**gerais
tu	prot**é**gerais
elle	prot**é**gerait
il	prot**é**gerait
nous	prot**é**gerions
vous	prot**é**geriez
elles	prot**é**geraient
ils	prot**é**geraient

CONDITIONNEL PASSÉ

j'	aurais	protégé
tu	aurais	protégé
elle	aurait	protégé
il	aurait	protégé
nous	aurions	protégé
vous	auriez	protégé
elles	auraient	protégé
ils	auraient	protégé

SUBJONCTIF

PRÉSENT

que	je	prot**è**ge
que	tu	prot**è**ges
qu'	elle	prot**è**ge
qu'	il	prot**è**ge
que	nous	prot**é**gions
que	vous	prot**é**giez
qu'	elles	prot**è**gent
qu'	ils	prot**è**gent

PASSÉ

que	j'	aie	protégé
que	tu	aies	protégé
qu'	elle	ait	protégé
qu'	il	ait	protégé
que	nous	ayons	protégé
que	vous	ayez	protégé
qu'	elles	aient	protégé
qu'	ils	aient	protégé

IMPARFAIT

que	je	prot**é**geasse
que	tu	prot**é**geasses
qu'	elle	prot**é**geât
qu'	il	prot**é**geât
que	nous	prot**é**geassions
que	vous	prot**é**geassiez
qu'	elles	prot**é**geassent
qu'	ils	prot**é**geassent

PLUS-QUE-PARFAIT

que	j'	eusse	protégé
que	tu	eusses	protégé
qu'	elle	eût	protégé
qu'	il	eût	protégé
que	nous	eussions	protégé
que	vous	eussiez	protégé
qu'	elles	eussent	protégé
qu'	ils	eussent	protégé

IMPÉRATIF

PRÉSENT

prot**è**ge
prot**é**geons
prot**é**gez

PASSÉ

aie	protégé
ayons	protégé
ayez	protégé

INFINITIF

PRÉSENT

prot**é**ger

PASSÉ

avoir protégé

PARTICIPE

PRÉSENT

prot**é**geant

PASSÉ

protégé, ée
ayant protégé

CONJUGAISON DU VERBE **REMETTRE**

INDICATIF

PRÉSENT

je	remets
tu	remets
elle	remet
il	remet
nous	remettons
vous	remettez
elles	remettent
ils	remettent

PASSÉ COMPOSÉ

j'	ai	remis
tu	as	remis
elle	a	remis
il	a	remis
nous	avons	remis
vous	avez	remis
elles	ont	remis
ils	ont	remis

IMPARFAIT

je	remettais
tu	remettais
elle	remettait
il	remettait
nous	remettions
vous	remettiez
elles	remettaient
ils	remettaient

PLUS-QUE-PARFAIT

j'	avais	remis
tu	avais	remis
elle	avait	remis
il	avait	remis
nous	avions	remis
vous	aviez	remis
elles	avaient	remis
ils	avaient	remis

PASSÉ SIMPLE

je	remis
tu	remis
elle	remit
il	remit
nous	remîmes
vous	remîtes
elles	remirent
ils	remirent

PASSÉ ANTÉRIEUR

j'	eus	remis
tu	eus	remis
elle	eut	remis
il	eut	remis
nous	eûmes	remis
vous	eûtes	remis
elles	eurent	remis
ils	eurent	remis

FUTUR SIMPLE

je	remettrai
tu	remettras
elle	remettra
il	remettra
nous	remettrons
vous	remettrez
elles	remettront
ils	remettront

FUTUR ANTÉRIEUR

j'	aurai	remis
tu	auras	remis
elle	aura	remis
il	aura	remis
nous	aurons	remis
vous	aurez	remis
elles	auront	remis
ils	auront	remis

CONDITIONNEL PRÉSENT

je	remettrais
tu	remettrais
elle	remettrait
il	remettrait
nous	remettrions
vous	remettriez
elles	remettraient
ils	remettraient

CONDITIONNEL PASSÉ

j'	aurais	remis
tu	aurais	remis
elle	aurait	remis
il	aurait	remis
nous	aurions	remis
vous	auriez	remis
elles	auraient	remis
ils	auraient	remis

SUBJONCTIF

PRÉSENT

que	je	remette
que	tu	remettes
qu'	elle	remette
qu'	il	remette
que	nous	remettions
que	vous	remettiez
qu'	elles	remettent
qu'	ils	remettent

PASSÉ

que	j'	aie	remis
que	tu	aies	remis
qu'	elle	ait	remis
qu'	il	ait	remis
que	nous	ayons	remis
que	vous	ayez	remis
qu'	elles	aient	remis
qu'	ils	aient	remis

IMPARFAIT

que	je	remisse
que	tu	remisses
qu'	elle	remît
qu'	il	remît
que	nous	remissions
que	vous	remissiez
qu'	elles	remissent
qu'	ils	remissent

PLUS-QUE-PARFAIT

que	j'	eusse	remis
que	tu	eusses	remis
qu'	elle	eût	remis
qu'	il	eût	remis
que	nous	eussions	remis
que	vous	eussiez	remis
qu'	elles	eussent	remis
qu'	ils	eussent	remis

IMPÉRATIF

PRÉSENT

remets
remettons
remettez

PASSÉ

aie	remis
ayons	remis
ayez	remis

INFINITIF

PRÉSENT

remettre

PASSÉ

avoir remis

PARTICIPE

PRÉSENT

remettant

PASSÉ

remis, ise
ayant remis

CONJUGAISON DU VERBE **RÉSOUDRE**

INDICATIF

PRÉSENT

je	résou**s**
tu	résou**s**
elle	résou**t**
il	résou**t**
nous	réso**lvons**
vous	réso**lvez**
elles	réso**lvent**
ils	réso**lvent**

PASSÉ COMPOSÉ

j'	ai	résolu
tu	as	résolu
elle	a	résolu
il	a	résolu
nous	avons	résolu
vous	avez	résolu
elles	ont	résolu
ils	ont	résolu

IMPARFAIT

je	réso**lvais**
tu	réso**lvais**
elle	réso**lvait**
il	réso**lvait**
nous	réso**lvions**
vous	réso**lviez**
elles	réso**lvaient**
ils	réso**lvaient**

PLUS-QUE-PARFAIT

j'	avais	résolu
tu	avais	résolu
elle	avait	résolu
il	avait	résolu
nous	avions	résolu
vous	aviez	résolu
elles	avaient	résolu
ils	avaient	résolu

PASSÉ SIMPLE

je	réso**lus**
tu	réso**lus**
elle	réso**lut**
il	réso**lut**
nous	réso**lûmes**
vous	réso**lûtes**
elles	réso**lurent**
ils	réso**lurent**

PASSÉ ANTÉRIEUR

j'	eus	résolu
tu	eus	résolu
elle	eut	résolu
il	eut	résolu
nous	eûmes	résolu
vous	eûtes	résolu
elles	eurent	résolu
ils	eurent	résolu

FUTUR SIMPLE

je	réso**udrai**
tu	réso**udras**
elle	réso**udra**
il	réso**udra**
nous	réso**udrons**
vous	réso**udrez**
elles	réso**udront**
ils	réso**udront**

FUTUR ANTÉRIEUR

j'	aurai	résolu
tu	auras	résolu
elle	aura	résolu
il	aura	résolu
nous	aurons	résolu
vous	aurez	résolu
elles	auront	résolu
ils	auront	résolu

CONDITIONNEL PRÉSENT

je	réso**udrais**
tu	réso**udrais**
elle	réso**udrait**
il	réso**udrait**
nous	réso**udrions**
vous	réso**udriez**
elles	réso**udraient**
ils	réso**udraient**

CONDITIONNEL PASSÉ

j'	aurais	résolu
tu	aurais	résolu
elle	aurait	résolu
il	aurait	résolu
nous	aurions	résolu
vous	auriez	résolu
elles	auraient	résolu
ils	auraient	résolu

SUBJONCTIF

PRÉSENT

que	je	réso**lve**
que	tu	réso**lves**
qu'	elle	réso**lve**
qu'	il	réso**lve**
que	nous	réso**lvions**
que	vous	réso**lviez**
qu'	elles	réso**lvent**
qu'	ils	réso**lvent**

PASSÉ

que	j'	aie	résolu
que	tu	aies	résolu
qu'	elle	ait	résolu
qu'	il	ait	résolu
que	nous	ayons	résolu
que	vous	ayez	résolu
qu'	elles	aient	résolu
qu'	ils	aient	résolu

IMPARFAIT

que	je	réso**lusse**
que	tu	réso**lusses**
qu'	elle	réso**lût**
qu'	il	réso**lût**
que	nous	réso**lussions**
que	vous	réso**lussiez**
qu'	elles	réso**lussent**
qu'	ils	réso**lussent**

PLUS-QUE-PARFAIT

que	j'	eusse	résolu
que	tu	eusses	résolu
qu'	elle	eût	résolu
qu'	il	eût	résolu
que	nous	eussions	résolu
que	vous	eussiez	résolu
qu'	elles	eussent	résolu
qu'	ils	eussent	résolu

IMPÉRATIF

PRÉSENT

résou**s**
réso**lvons**
réso**lvez**

PASSÉ

aie résolu
ayons résolu
ayez résolu

INFINITIF

PRÉSENT

réso**udre**

PASSÉ

avoir résolu

PARTICIPE

PRÉSENT

réso**lvant**

PASSÉ

résolu, ue
ayant résolu

CONJUGAISON DU VERBE **SAVOIR**

INDICATIF

PRÉSENT

je	sais
tu	sais
elle	sait
il	sait
nous	savons
vous	savez
elles	savent
ils	savent

PASSÉ COMPOSÉ

j'	ai	su
tu	as	su
elle	a	su
il	a	su
nous	avons	su
vous	avez	su
elles	ont	su
ils	ont	su

IMPARFAIT

je	savais
tu	savais
elle	savait
il	savait
nous	savions
vous	saviez
elles	savaient
ils	savaient

PLUS-QUE-PARFAIT

j'	avais	su
tu	avais	su
elle	avait	su
il	avait	su
nous	avions	su
vous	aviez	su
elles	avaient	su
ils	avaient	su

PASSÉ SIMPLE

je	sus
tu	sus
elle	sut
il	sut
nous	sûmes
vous	sûtes
elles	surent
ils	surent

PASSÉ ANTÉRIEUR

j'	eus	su
tu	eus	su
elle	eut	su
il	eut	su
nous	eûmes	su
vous	eûtes	su
elles	eurent	su
ils	eurent	su

FUTUR SIMPLE

je	saurai
tu	sauras
elle	saura
il	saura
nous	saurons
vous	saurez
elles	sauront
ils	sauront

FUTUR ANTÉRIEUR

j'	aurai	su
tu	auras	su
elle	aura	su
il	aura	su
nous	aurons	su
vous	aurez	su
elles	auront	su
ils	auront	su

CONDITIONNEL PRÉSENT

je	saurais
tu	saurais
elle	saurait
il	saurait
nous	saurions
vous	sauriez
elles	sauraient
ils	sauraient

CONDITIONNEL PASSÉ

j'	aurais	su
tu	aurais	su
elle	aurait	su
il	aurait	su
nous	aurions	su
vous	auriez	su
elles	auraient	su
ils	auraient	su

SUBJONCTIF

PRÉSENT

que	je	sache
que	tu	saches
qu'	elle	sache
qu'	il	sache
que	nous	sachions
que	vous	sachiez
qu'	elles	sachent
qu'	ils	sachent

PASSÉ

que	j'	aie	su
que	tu	aies	su
qu'	elle	ait	su
qu'	il	ait	su
que	nous	ayons	su
que	vous	ayez	su
qu'	elles	aient	su
qu'	ils	aient	su

IMPARFAIT

que	je	susse
que	tu	susses
qu'	elle	sût
qu'	il	sût
que	nous	sussions
que	vous	sussiez
qu'	elles	sussent
qu'	ils	sussent

PLUS-QUE-PARFAIT

que	j'	eusse	su
que	tu	eusses	su
qu'	elle	eût	su
qu'	il	eût	su
que	nous	eussions	su
que	vous	eussiez	su
qu'	elles	eussent	su
qu'	ils	eussent	su

IMPÉRATIF

PRÉSENT

sache
sachons
sachez

PASSÉ

aie su
ayons su
ayez su

INFINITIF

PRÉSENT

savoir

PASSÉ

avoir su

PARTICIPE

PRÉSENT

sachant

PASSÉ

su, sue
ayant su

CONJUGAISON DU VERBE **SERVIR**

INDICATIF

PRÉSENT
je	sers
tu	sers
elle	sert
il	sert
nous	servons
vous	servez
elles	servent
ils	servent

PASSÉ COMPOSÉ
j'	ai	servi
tu	as	servi
elle	a	servi
il	a	servi
nous	avons	servi
vous	avez	servi
elles	ont	servi
ils	ont	servi

IMPARFAIT
je	servais
tu	servais
elle	servait
il	servait
nous	servions
vous	serviez
elles	servaient
ils	servaient

PLUS-QUE-PARFAIT
j'	avais	servi
tu	avais	servi
elle	avait	servi
il	avait	servi
nous	avions	servi
vous	aviez	servi
elles	avaient	servi
ils	avaient	servi

PASSÉ SIMPLE
je	servis
tu	servis
elle	servit
il	servit
nous	servîmes
vous	servîtes
elles	servirent
ils	servirent

PASSÉ ANTÉRIEUR
j'	eus	servi
tu	eus	servi
elle	eut	servi
il	eut	servi
nous	eûmes	servi
vous	eûtes	servi
elles	eurent	servi
ils	eurent	servi

FUTUR SIMPLE
je	servirai
tu	serviras
elle	servira
il	servira
nous	servirons
vous	servirez
elles	serviront
ils	serviront

FUTUR ANTÉRIEUR
j'	aurai	servi
tu	auras	servi
elle	aura	servi
il	aura	servi
nous	aurons	servi
vous	aurez	servi
elles	auront	servi
ils	auront	servi

CONDITIONNEL PRÉSENT
je	servirais
tu	servirais
elle	servirait
il	servirait
nous	servirions
vous	serviriez
elles	serviraient
ils	serviraient

CONDITIONNEL PASSÉ
j'	aurais	servi
tu	aurais	servi
elle	aurait	servi
il	aurait	servi
nous	aurions	servi
vous	auriez	servi
elles	auraient	servi
ils	auraient	servi

SUBJONCTIF

PRÉSENT
que	je	serve
que	tu	serves
qu'	elle	serve
qu'	il	serve
que	nous	servions
que	vous	serviez
qu'	elles	servent
qu'	ils	servent

PASSÉ
que	j'	aie	servi
que	tu	aies	servi
qu'	elle	ait	servi
qu'	il	ait	servi
que	nous	ayons	servi
que	vous	ayez	servi
qu'	elles	aient	servi
qu'	ils	aient	servi

IMPARFAIT
que	je	servisse
que	tu	servisses
qu'	elle	servît
qu'	il	servît
que	nous	servissions
que	vous	servissiez
qu'	elles	servissent
qu'	ils	servissent

PLUS-QUE-PARFAIT
que	j'	eusse	servi
que	tu	eusses	servi
qu'	elle	eût	servi
qu'	il	eût	servi
que	nous	eussions	servi
que	vous	eussiez	servi
qu'	elles	eussent	servi
qu'	ils	eussent	servi

IMPÉRATIF

PRÉSENT
sers
servons
servez

PASSÉ
aie	servi
ayons	servi
ayez	servi

INFINITIF

PRÉSENT
servir

PASSÉ
avoir servi

PARTICIPE

PRÉSENT
servant

PASSÉ
servi, ie
ayant servi

CONJUGAISON DU VERBE **SORTIR**

INDICATIF

PRÉSENT

je	sors
tu	sors
elle	sort
il	sort
nous	sortons
vous	sortez
elles	sortent
ils	sortent

PASSÉ COMPOSÉ

je	suis	sorti, ie
tu	es	sorti, ie
elle	est	sortie
il	est	sorti
nous	sommes	sortis, ies
vous	êtes	sortis, ies
elles	sont	sorties
ils	sont	sortis

IMPARFAIT

je	sortais
tu	sortais
elle	sortait
il	sortait
nous	sortions
vous	sortiez
elles	sortaient
ils	sortaient

PLUS-QUE-PARFAIT

j'	étais	sorti, ie
tu	étais	sorti, ie
elle	était	sortie
il	était	sorti
nous	étions	sortis, ies
vous	étiez	sortis, ies
elles	étaient	sorties
ils	étaient	sortis

PASSÉ SIMPLE

je	sortis
tu	sortis
elle	sortit
il	sortit
nous	sortîmes
vous	sortîtes
elles	sortirent
ils	sortirent

PASSÉ ANTÉRIEUR

je	fus	sorti, ie
tu	fus	sorti, ie
elle	fut	sortie
il	fut	sorti
nous	fûmes	sortis, ies
vous	fûtes	sortis, ies
elles	furent	sorties
ils	furent	sortis

FUTUR SIMPLE

je	sortirai
tu	sortiras
elle	sortira
il	sortira
nous	sortirons
vous	sortirez
elles	sortiront
ils	sortiront

FUTUR ANTÉRIEUR

je	serai	sorti, ie
tu	seras	sorti, ie
elle	sera	sortie
il	sera	sorti
nous	serons	sortis, ies
vous	serez	sortis, ies
elles	seront	sorties
ils	seront	sortis

CONDITIONNEL PRÉSENT

je	sortirais
tu	sortirais
elle	sortirait
il	sortirait
nous	sortirions
vous	sortiriez
elles	sortiraient
ils	sortiraient

CONDITIONNEL PASSÉ

je	serais	sorti, ie
tu	serais	sorti, ie
elle	serait	sortie
il	serait	sorti
nous	serions	sortis, ies
vous	seriez	sortis, ies
elles	seraient	sorties
ils	seraient	sortis

SUBJONCTIF

PRÉSENT

que	je	sorte
que	tu	sortes
qu'	elle	sorte
qu'	il	sorte
que	nous	sortions
que	vous	sortiez
qu'	elles	sortent
qu'	ils	sortent

PASSÉ

que	je	sois	sorti, ie
que	tu	sois	sorti, ie
qu'	elle	soit	sortie
qu'	il	soit	sorti
que	nous	soyons	sortis, ies
que	vous	soyez	sortis, ies
qu'	elles	soient	sorties
qu'	ils	soient	sortis

IMPARFAIT

que	je	sortisse
que	tu	sortisses
qu'	elle	sortît
qu'	il	sortît
que	nous	sortissions
que	vous	sortissiez
qu'	elles	sortissent
qu'	ils	sortissent

PLUS-QUE-PARFAIT

que	je	fusse	sorti, ie
que	tu	fusses	sorti, ie
qu'	elle	fût	sortie
qu'	il	fût	sorti
que	nous	fussions	sortis, ies
que	vous	fussiez	sortis, ies
qu'	elles	fussent	sorties
qu'	ils	fussent	sortis

IMPÉRATIF

PRÉSENT

| sors |
| sortons |
| sortez |

PASSÉ

sois	sorti, ie
soyons	sortis, ies
soyez	sortis, ies

INFINITIF

PRÉSENT

sortir

PASSÉ

être sorti, ie

PARTICIPE

PRÉSENT

sortant

PASSÉ

sorti, ie
étant sorti, ie

CONJUGAISON DU VERBE **SOURIRE**

INDICATIF

PRÉSENT
je	souris
tu	souris
elle	sourit
il	sourit

nous	sourions
vous	souriez
elles	sourient
ils	sourient

PASSÉ COMPOSÉ
j'	ai	souri
tu	as	souri
elle	a	souri
il	a	souri

nous	avons	souri
vous	avez	souri
elles	ont	souri
ils	ont	souri

IMPARFAIT
je	souriais
tu	souriais
elle	souriait
il	souriait

nous	souriions
vous	souriiez
elles	souriaient
ils	souriaient

PLUS-QUE-PARFAIT
j'	avais	souri
tu	avais	souri
elle	avait	souri
il	avait	souri

nous	avions	souri
vous	aviez	souri
elles	avaient	souri
ils	avaient	souri

PASSÉ SIMPLE
je	souris
tu	souris
elle	sourit
il	sourit

nous	sourîmes
vous	sourîtes
elles	sourirent
ils	sourirent

PASSÉ ANTÉRIEUR
j'	eus	souri
tu	eus	souri
elle	eut	souri
il	eut	souri

nous	eûmes	souri
vous	eûtes	souri
elles	eurent	souri
ils	eurent	souri

FUTUR SIMPLE
je	sourirai
tu	souriras
elle	sourira
il	sourira

nous	sourirons
vous	sourirez
elles	souriront
ils	souriront

FUTUR ANTÉRIEUR
j'	aurai	souri
tu	auras	souri
elle	aura	souri
il	aura	souri

nous	aurons	souri
vous	aurez	souri
elles	auront	souri
ils	auront	souri

CONDITIONNEL PRÉSENT
je	sourirais
tu	sourirais
elle	sourirait
il	sourirait

nous	souririons
vous	souririez
elles	souriraient
ils	souriraient

CONDITIONNEL PASSÉ
j'	aurais	souri
tu	aurais	souri
elle	aurait	souri
il	aurait	souri

nous	aurions	souri
vous	auriez	souri
elles	auraient	souri
ils	auraient	souri

SUBJONCTIF

PRÉSENT
que	je	sourie
que	tu	souries
qu'	elle	sourie
qu'	il	sourie

que	nous	souriions
que	vous	souriiez
qu'	elles	sourient
qu'	ils	sourient

PASSÉ
que	j'	aie	souri
que	tu	aies	souri
qu'	elle	ait	souri
qu'	il	ait	souri

que	nous	ayons	souri
que	vous	ayez	souri
qu'	elles	aient	souri
qu'	ils	aient	souri

IMPARFAIT
que	je	sourisse
que	tu	sourisses
qu'	elle	sourît
qu'	il	sourît

que	nous	sourissions
que	vous	sourissiez
qu'	elles	sourissent
qu'	ils	sourissent

PLUS-QUE-PARFAIT
que	j'	eusse	souri
que	tu	eusses	souri
qu'	elle	eût	souri
qu'	il	eût	souri

que	nous	eussions	souri
que	vous	eussiez	souri
qu'	elles	eussent	souri
qu'	ils	eussent	souri

IMPÉRATIF

PRÉSENT
souris
sourions
souriez

PASSÉ
aie	souri
ayons	souri
ayez	souri

INFINITIF

PRÉSENT
sourire

PASSÉ
avoir souri

PARTICIPE

PRÉSENT
souriant

PASSÉ
souri
ayant souri

CONJUGAISON DU VERBE **SOUSTRAIRE**

INDICATIF

PRÉSENT		PASSÉ COMPOSÉ		
je	soustra**is**	j'	ai	soustrait
tu	soustra**is**	tu	as	soustrait
elle	soustra**it**	elle	a	soustrait
il	soustra**it**	il	a	soustrait
nous	soustra**yons**	nous	avons	soustrait
vous	soustra**yez**	vous	avez	soustrait
elles	soustra**ient**	elles	ont	soustrait
ils	soustra**ient**	ils	ont	soustrait

IMPARFAIT		PLUS-QUE-PARFAIT		
je	soustra**yais**	j'	avais	soustrait
tu	soustra**yais**	tu	avais	soustrait
elle	soustra**yait**	elle	avait	soustrait
il	soustra**yait**	il	avait	soustrait
nous	soustra**yions**	nous	avions	soustrait
vous	soustra**yiez**	vous	aviez	soustrait
elles	soustra**yaient**	elles	avaient	soustrait
ils	soustra**yaient**	ils	avaient	soustrait

PASSÉ SIMPLE		PASSÉ ANTÉRIEUR		
(n'existe pas)		j'	eus	soustrait
		tu	eus	soustrait
		elle	eut	soustrait
		il	eut	soustrait
		nous	eûmes	soustrait
		vous	eûtes	soustrait
		elles	eurent	soustrait
		ils	eurent	soustrait

FUTUR SIMPLE		FUTUR ANTÉRIEUR		
je	soustra**irai**	j'	aurai	soustrait
tu	soustra**iras**	tu	auras	soustrait
elle	soustra**ira**	elle	aura	soustrait
il	soustra**ira**	il	aura	soustrait
nous	soustra**irons**	nous	aurons	soustrait
vous	soustra**irez**	vous	aurez	soustrait
elles	soustra**iront**	elles	auront	soustrait
ils	soustra**iront**	ils	auront	soustrait

CONDITIONNEL PRÉSENT		CONDITIONNEL PASSÉ		
je	soustra**irais**	j'	aurais	soustrait
tu	soustra**irais**	tu	aurais	soustrait
elle	soustra**irait**	elle	aurait	soustrait
il	soustra**irait**	il	aurait	soustrait
nous	soustra**irions**	nous	aurions	soustrait
vous	soustra**iriez**	vous	auriez	soustrait
elles	soustra**iraient**	elles	auraient	soustrait
ils	soustra**iraient**	ils	auraient	soustrait

SUBJONCTIF

PRÉSENT		PASSÉ		
que je	soustra**ie**	que j'	aie	soustrait
que tu	soustra**ies**	que tu	aies	soustrait
qu' elle	soustra**ie**	qu' elle	ait	soustrait
qu' il	soustra**ie**	qu' il	ait	soustrait
que nous	soustra**yions**	que nous	ayons	soustrait
que vous	soustra**yiez**	que vous	ayez	soustrait
qu' elles	soustra**ient**	qu' elles	aient	soustrait
qu' ils	soustra**ient**	qu' ils	aient	soustrait

IMPARFAIT	PLUS-QUE-PARFAIT		
(n'existe pas)	que j'	eusse	soustrait
	que tu	eusses	soustrait
	qu' elle	eût	soustrait
	qu' il	eût	soustrait
	que nous	eussions	soustrait
	que vous	eussiez	soustrait
	qu' elles	eussent	soustrait
	qu' ils	eussent	soustrait

IMPÉRATIF

PRÉSENT	PASSÉ	
soustra**is**	aie	soustrait
soustra**yons**	ayons	soustrait
soustra**yez**	ayez	soustrait

INFINITIF

PRÉSENT	PASSÉ
soustra**ire**	avoir soustrait

PARTICIPE

PRÉSENT	PASSÉ
soustra**yant**	soustrait, aite
	ayant soustrait

CONJUGAISON DU VERBE **SUFFIRE**

INDICATIF

PRÉSENT

je	suffis
tu	suffis
elle	suffit
il	suffit
nous	suffisons
vous	suffisez
elles	suffisent
ils	suffisent

PASSÉ COMPOSÉ

j'	ai	suffi
tu	as	suffi
elle	a	suffi
il	a	suffi
nous	avons	suffi
vous	avez	suffi
elles	ont	suffi
ils	ont	suffi

IMPARFAIT

je	suffisais
tu	suffisais
elle	suffisait
il	suffisait
nous	suffisions
vous	suffisiez
elles	suffisaient
ils	suffisaient

PLUS-QUE-PARFAIT

j'	avais	suffi
tu	avais	suffi
elle	avait	suffi
il	avait	suffi
nous	avions	suffi
vous	aviez	suffi
elles	avaient	suffi
ils	avaient	suffi

PASSÉ SIMPLE

je	suffis
tu	suffis
elle	suffit
il	suffit
nous	suffîmes
vous	suffîtes
elles	suffirent
ils	suffirent

PASSÉ ANTÉRIEUR

j'	eus	suffi
tu	eus	suffi
elle	eut	suffi
il	eut	suffi
nous	eûmes	suffi
vous	eûtes	suffi
elles	eurent	suffi
ils	eurent	suffi

FUTUR SIMPLE

je	suffirai
tu	suffiras
elle	suffira
il	suffira
nous	suffirons
vous	suffirez
elles	suffiront
ils	suffiront

FUTUR ANTÉRIEUR

j'	aurai	suffi
tu	auras	suffi
elle	aura	suffi
il	aura	suffi
nous	aurons	suffi
vous	aurez	suffi
elles	auront	suffi
ils	auront	suffi

CONDITIONNEL PRÉSENT

je	suffirais
tu	suffirais
elle	suffirait
il	suffirait
nous	suffirions
vous	suffiriez
elles	suffiraient
ils	suffiraient

CONDITIONNEL PASSÉ

j'	aurais	suffi
tu	aurais	suffi
elle	aurait	suffi
il	aurait	suffi
nous	aurions	suffi
vous	auriez	suffi
elles	auraient	suffi
ils	auraient	suffi

SUBJONCTIF

PRÉSENT

que	je	suffise
que	tu	suffises
qu'	elle	suffise
qu'	il	suffise
que	nous	suffisions
que	vous	suffisiez
qu'	elles	suffisent
qu'	ils	suffisent

PASSÉ

que	j'	aie	suffi
que	tu	aies	suffi
qu'	elle	ait	suffi
qu'	il	ait	suffi
que	nous	ayons	suffi
que	vous	ayez	suffi
qu'	elles	aient	suffi
qu'	ils	aient	suffi

IMPARFAIT

que	je	suffisse
que	tu	suffisses
qu'	elle	suffît
qu'	il	suffît
que	nous	suffissions
que	vous	suffissiez
qu'	elles	suffissent
qu'	ils	suffissent

PLUS-QUE-PARFAIT

que	j'	eusse	suffi
que	tu	eusses	suffi
qu'	elle	eût	suffi
qu'	il	eût	suffi
que	nous	eussions	suffi
que	vous	eussiez	suffi
qu'	elles	eussent	suffi
qu'	ils	eussent	suffi

IMPÉRATIF

PRÉSENT

suffis
suffisons
suffisez

PASSÉ

aie suffi
ayons suffi
ayez suffi

INFINITIF

PRÉSENT

suffire

PASSÉ

avoir suffi

PARTICIPE

PRÉSENT

suffisant

PASSÉ

suffi
ayant suffi

CONJUGAISON DU VERBE **SUIVRE**

INDICATIF

PRÉSENT

je	suis
tu	suis
elle	suit
il	suit
nous	suivons
vous	suivez
elles	suivent
ils	suivent

PASSÉ COMPOSÉ

j'	ai	suivi
tu	as	suivi
elle	a	suivi
il	a	suivi
nous	avons	suivi
vous	avez	suivi
elles	ont	suivi
ils	ont	suivi

IMPARFAIT

je	suivais
tu	suivais
elle	suivait
il	suivait
nous	suivions
vous	suiviez
elles	suivaient
ils	suivaient

PLUS-QUE-PARFAIT

j'	avais	suivi
tu	avais	suivi
elle	avait	suivi
il	avait	suivi
nous	avions	suivi
vous	aviez	suivi
elles	avaient	suivi
ils	avaient	suivi

PASSÉ SIMPLE

je	suivis
tu	suivis
elle	suivit
il	suivit
nous	suivîmes
vous	suivîtes
elles	suivirent
ils	suivirent

PASSÉ ANTÉRIEUR

j'	eus	suivi
tu	eus	suivi
elle	eut	suivi
il	eut	suivi
nous	eûmes	suivi
vous	eûtes	suivi
elles	eurent	suivi
ils	eurent	suivi

FUTUR SIMPLE

je	suivrai
tu	suivras
elle	suivra
il	suivra
nous	suivrons
vous	suivrez
elles	suivront
ils	suivront

FUTUR ANTÉRIEUR

j'	aurai	suivi
tu	auras	suivi
elle	aura	suivi
il	aura	suivi
nous	aurons	suivi
vous	aurez	suivi
elles	auront	suivi
ils	auront	suivi

CONDITIONNEL PRÉSENT

je	suivrais
tu	suivrais
elle	suivrait
il	suivrait
nous	suivrions
vous	suivriez
elles	suivraient
ils	suivraient

CONDITIONNEL PASSÉ

j'	aurais	suivi
tu	aurais	suivi
elle	aurait	suivi
il	aurait	suivi
nous	aurions	suivi
vous	auriez	suivi
elles	auraient	suivi
ils	auraient	suivi

SUBJONCTIF

PRÉSENT

que	je	suive
que	tu	suives
qu'	elle	suive
qu'	il	suive
que	nous	suivions
que	vous	suiviez
qu'	elles	suivent
qu'	ils	suivent

PASSÉ

que	j'	aie	suivi
que	tu	aies	suivi
qu'	elle	ait	suivi
qu'	il	ait	suivi
que	nous	ayons	suivi
que	vous	ayez	suivi
qu'	elles	aient	suivi
qu'	ils	aient	suivi

IMPARFAIT

que	je	suivisse
que	tu	suivisses
qu'	elle	suivît
qu'	il	suivît
que	nous	suivissions
que	vous	suivissiez
qu'	elles	suivissent
qu'	ils	suivissent

PLUS-QUE-PARFAIT

que	j'	eusse	suivi
que	tu	eusses	suivi
qu'	elle	eût	suivi
qu'	il	eût	suivi
que	nous	eussions	suivi
que	vous	eussiez	suivi
qu'	elles	eussent	suivi
qu'	ils	eussent	suivi

IMPÉRATIF

PRÉSENT

suis
suivons
suivez

PASSÉ

aie suivi
ayons suivi
ayez suivi

INFINITIF

PRÉSENT

suivre

PASSÉ

avoir suivi

PARTICIPE

PRÉSENT

suivant

PASSÉ

suivi, ie
ayant suivi

CONJUGAISON DU VERBE **SURSEOIR**

INDICATIF

PRÉSENT
je	sursois			
tu	sursois			
elle	sursoit			
il	sursoit			
nous	sursoyons			
vous	sursoyez			
elles	sursoient			
ils	sursoient			

PASSÉ COMPOSÉ
j'	ai	sursis
tu	as	sursis
elle	a	sursis
il	a	sursis
nous	avons	sursis
vous	avez	sursis
elles	ont	sursis
ils	ont	sursis

IMPARFAIT
je	sursoyais
tu	sursoyais
elle	sursoyait
il	sursoyait
nous	sursoyions
vous	sursoyiez
elles	sursoyaient
ils	sursoyaient

PLUS-QUE-PARFAIT
j'	avais	sursis
tu	avais	sursis
elle	avait	sursis
il	avait	sursis
nous	avions	sursis
vous	aviez	sursis
elles	avaient	sursis
ils	avaient	sursis

PASSÉ SIMPLE
je	sursis
tu	sursis
elle	sursit
il	sursit
nous	sursîmes
vous	sursîtes
elles	sursirent
ils	sursirent

PASSÉ ANTÉRIEUR
j'	eus	sursis
tu	eus	sursis
elle	eut	sursis
il	eut	sursis
nous	eûmes	sursis
vous	eûtes	sursis
elles	eurent	sursis
ils	eurent	sursis

FUTUR SIMPLE
je	surseoirai
tu	surseoiras
elle	surseoira
il	surseoira
nous	surseoirons
vous	surseoirez
elles	surseoiront
ils	surseoiront

FUTUR ANTÉRIEUR
j'	aurai	sursis
tu	auras	sursis
elle	aura	sursis
il	aura	sursis
nous	aurons	sursis
vous	aurez	sursis
elles	auront	sursis
ils	auront	sursis

CONDITIONNEL PRÉSENT
je	surseoirais
tu	surseoirais
elle	surseoirait
il	surseoirait
nous	surseoirions
vous	surseoiriez
elles	surseoiraient
ils	surseoiraient

CONDITIONNEL PASSÉ
j'	aurais	sursis
tu	aurais	sursis
elle	aurait	sursis
il	aurait	sursis
nous	aurions	sursis
vous	auriez	sursis
elles	auraient	sursis
ils	auraient	sursis

SUBJONCTIF

PRÉSENT
que	je	sursoie
que	tu	sursoies
qu'	elle	sursoie
qu'	il	sursoie
que	nous	sursoyions
que	vous	sursoyiez
qu'	elles	sursoient
qu'	ils	sursoient

PASSÉ
que	j'	aie	sursis
que	tu	aies	sursis
qu'	elle	ait	sursis
qu'	il	ait	sursis
que	nous	ayons	sursis
que	vous	ayez	sursis
qu'	elles	aient	sursis
qu'	ils	aient	sursis

IMPARFAIT
que	je	sursisse
que	tu	sursisses
qu'	elle	sursît
qu'	il	sursît
que	nous	sursissions
que	vous	sursissiez
qu'	elles	sursissent
qu'	ils	sursissent

PLUS-QUE-PARFAIT
que	j'	eusse	sursis
que	tu	eusses	sursis
qu'	elle	eût	sursis
qu'	il	eût	sursis
que	nous	eussions	sursis
que	vous	eussiez	sursis
qu'	elles	eussent	sursis
qu'	ils	eussent	sursis

IMPÉRATIF

PRÉSENT
sursois
sursoyons
sursoyez

PASSÉ
aie	sursis
ayons	sursis
ayez	sursis

INFINITIF

PRÉSENT
surseoir

PASSÉ
avoir sursis

PARTICIPE

PRÉSENT
sursoyant

PASSÉ
sursis, ise
ayant sursis

CONJUGAISON DU VERBE **TRESSAILLIR**

INDICATIF

PRÉSENT
je tressaille
tu tressailles
elle tressaille
il tressaille

nous tressaillons
vous tressaillez
elles tressaillent
ils tressaillent

PASSÉ COMPOSÉ
j' ai tressailli
tu as tressailli
elle a tressailli
il a tressailli

nous avons tressailli
vous avez tressailli
elles ont tressailli
ils ont tressailli

IMPARFAIT
je tressaillais
tu tressaillais
elle tressaillait
il tressaillait

nous tressaillions
vous tressailliez
elles tressaillaient
ils tressaillaient

PLUS-QUE-PARFAIT
j' avais tressailli
tu avais tressailli
elle avait tressailli
il avait tressailli

nous avions tressailli
vous aviez tressailli
elles avaient tressailli
ils avaient tressailli

PASSÉ SIMPLE
je tressaillis
tu tressaillis
elle tressaillit
il tressaillit

nous tressaillîmes
vous tressaillîtes
elles tressaillirent
ils tressaillirent

PASSÉ ANTÉRIEUR
j' eus tressailli
tu eus tressailli
elle eut tressailli
il eut tressailli

nous eûmes tressailli
vous eûtes tressailli
elles eurent tressailli
ils eurent tressailli

FUTUR SIMPLE
je tressaillirai
tu tressailliras
elle tressaillira
il tressaillira

nous tressaillirons
vous tressaillirez
elles tressailliront
ils tressailliront

FUTUR ANTÉRIEUR
j' aurai tressailli
tu auras tressailli
elle aura tressailli
il aura tressailli

nous aurons tressailli
vous aurez tressailli
elles auront tressailli
ils auront tressailli

CONDITIONNEL PRÉSENT
je tressaillirais
tu tressaillirais
elle tressaillirait
il tressaillirait

nous tressaillirions
vous tressailliriez
elles tressailliraient
ils tressailliraient

CONDITIONNEL PASSÉ
j' aurais tressailli
tu aurais tressailli
elle aurait tressailli
il aurait tressailli

nous aurions tressailli
vous auriez tressailli
elles auraient tressailli
ils auraient tressailli

SUBJONCTIF

PRÉSENT
que je tressaille
que tu tressailles
qu' elle tressaille
qu' il tressaille

que nous tressaillions
que vous tressailliez
qu' elles tressaillent
qu' ils tressaillent

PASSÉ
que j' aie tressailli
que tu aies tressailli
qu' elle ait tressailli
qu' il ait tressailli

que nous ayons tressailli
que vous ayez tressailli
qu' elles aient tressailli
qu' ils aient tressailli

IMPARFAIT
que je tressaillisse
que tu tressaillisses
qu' elle tressaillît
qu' il tressaillît

que nous tressaillissions
que vous tressaillissiez
qu' elles tressaillissent
qu' ils tressaillissent

PLUS-QUE-PARFAIT
que j' eusse tressailli
que tu eusses tressailli
qu' elle eût tressailli
qu' il eût tressailli

que nous eussions tressailli
que vous eussiez tressailli
qu' elles eussent tressailli
qu' ils eussent tressailli

IMPÉRATIF

PRÉSENT
tressaille
tressaillons
tressaillez

PASSÉ
aie tressailli
ayons tressailli
ayez tressailli

INFINITIF

PRÉSENT
tressaillir

PASSÉ
avoir tressailli

PARTICIPE

PRÉSENT
tressaillant

PASSÉ
tressailli
ayant tressailli

CONJUGAISON DU VERBE **VAINCRE**

INDICATIF

PRÉSENT		PASSÉ COMPOSÉ		
je	vain**cs**	j'	ai	vaincu
tu	vain**cs**	tu	as	vaincu
elle	vain**c**	elle	a	vaincu
il	vain**c**	il	a	vaincu
nous	vain**quons**	nous	avons	vaincu
vous	vain**quez**	vous	avez	vaincu
elles	vain**quent**	elles	ont	vaincu
ils	vain**quent**	ils	ont	vaincu

IMPARFAIT		PLUS-QUE-PARFAIT		
je	vain**quais**	j'	avais	vaincu
tu	vain**quais**	tu	avais	vaincu
elle	vain**quait**	elle	avait	vaincu
il	vain**quait**	il	avait	vaincu
nous	vain**quions**	nous	avions	vaincu
vous	vain**quiez**	vous	aviez	vaincu
elles	vain**quaient**	elles	avaient	vaincu
ils	vain**quaient**	ils	avaient	vaincu

PASSÉ SIMPLE		PASSÉ ANTÉRIEUR		
je	vain**quis**	j'	eus	vaincu
tu	vain**quis**	tu	eus	vaincu
elle	vain**quit**	elle	eut	vaincu
il	vain**quit**	il	eut	vaincu
nous	vain**quîmes**	nous	eûmes	vaincu
vous	vain**quîtes**	vous	eûtes	vaincu
elles	vain**quirent**	elles	eurent	vaincu
ils	vain**quirent**	ils	eurent	vaincu

FUTUR SIMPLE		FUTUR ANTÉRIEUR		
je	vain**crai**	j'	aurai	vaincu
tu	vain**cras**	tu	auras	vaincu
elle	vain**cra**	elle	aura	vaincu
il	vain**cra**	il	aura	vaincu
nous	vain**crons**	nous	aurons	vaincu
vous	vain**crez**	vous	aurez	vaincu
elles	vain**cront**	elles	auront	vaincu
ils	vain**cront**	ils	auront	vaincu

CONDITIONNEL PRÉSENT		CONDITIONNEL PASSÉ		
je	vain**crais**	j'	aurais	vaincu
tu	vain**crais**	tu	aurais	vaincu
elle	vain**crait**	elle	aurait	vaincu
il	vain**crait**	il	aurait	vaincu
nous	vain**crions**	nous	aurions	vaincu
vous	vain**criez**	vous	auriez	vaincu
elles	vain**craient**	elles	auraient	vaincu
ils	vain**craient**	ils	auraient	vaincu

SUBJONCTIF

PRÉSENT			PASSÉ		
que je	vain**que**	que	j'	aie	vaincu
que tu	vain**ques**	que	tu	aies	vaincu
qu' elle	vain**que**	qu'	elle	ait	vaincu
qu' il	vain**que**	qu'	il	ait	vaincu
que nous	vain**quions**	que	nous	ayons	vaincu
que vous	vain**quiez**	que	vous	ayez	vaincu
qu' elles	vain**quent**	qu'	elles	aient	vaincu
qu' ils	vain**quent**	qu'	ils	aient	vaincu

IMPARFAIT			PLUS-QUE-PARFAIT		
que je	vain**quisse**	que	j'	eusse	vaincu
que tu	vain**quisses**	que	tu	eusses	vaincu
qu' elle	vain**quît**	qu'	elle	eût	vaincu
qu' il	vain**quît**	qu'	il	eût	vaincu
que nous	vain**quissions**	que	nous	eussions	vaincu
que vous	vain**quissiez**	que	vous	eussiez	vaincu
qu' elles	vain**quissent**	qu'	elles	eussent	vaincu
qu' ils	vain**quissent**	qu'	ils	eussent	vaincu

IMPÉRATIF

PRÉSENT	PASSÉ	
vain**cs**	aie	vaincu
vain**quons**	ayons	vaincu
vain**quez**	ayez	vaincu

INFINITIF

PRÉSENT	PASSÉ
vain**cre**	avoir vaincu

PARTICIPE

PRÉSENT	PASSÉ
vain**quant**	vaincu, ue
	ayant vaincu

CONJUGAISON DU VERBE **VALOIR**

INDICATIF

PRÉSENT

je	vaux
tu	vaux
elle	vaut
il	vaut
nous	valons
vous	valez
elles	valent
ils	valent

PASSÉ COMPOSÉ

j'	ai	valu
tu	as	valu
elle	a	valu
il	a	valu
nous	avons	valu
vous	avez	valu
elles	ont	valu
ils	ont	valu

IMPARFAIT

je	valais
tu	valais
elle	valait
il	valait
nous	valions
vous	valiez
elles	valaient
ils	valaient

PLUS-QUE-PARFAIT

j'	avais	valu
tu	avais	valu
elle	avait	valu
il	avait	valu
nous	avions	valu
vous	aviez	valu
elles	avaient	valu
ils	avaient	valu

PASSÉ SIMPLE

je	valus
tu	valus
elle	valut
il	valut
nous	valûmes
vous	valûtes
elles	valurent
ils	valurent

PASSÉ ANTÉRIEUR

j'	eus	valu
tu	eus	valu
elle	eut	valu
il	eut	valu
nous	eûmes	valu
vous	eûtes	valu
elles	eurent	valu
ils	eurent	valu

FUTUR SIMPLE

je	vaudrai
tu	vaudras
elle	vaudra
il	vaudra
nous	vaudrons
vous	vaudrez
elles	vaudront
ils	vaudront

FUTUR ANTÉRIEUR

j'	aurai	valu
tu	auras	valu
elle	aura	valu
il	aura	valu
nous	aurons	valu
vous	aurez	valu
elles	auront	valu
ils	auront	valu

CONDITIONNEL PRÉSENT

je	vaudrais
tu	vaudrais
elle	vaudrait
il	vaudrait
nous	vaudrions
vous	vaudriez
elles	vaudraient
ils	vaudraient

CONDITIONNEL PASSÉ

j'	aurais	valu
tu	aurais	valu
elle	aurait	valu
il	aurait	valu
nous	aurions	valu
vous	auriez	valu
elles	auraient	valu
ils	auraient	valu

SUBJONCTIF

PRÉSENT

que je	vaille
que tu	vailles
qu' elle	vaille
qu' il	vaille
que nous	valions
que vous	valiez
qu' elles	vaillent
qu' ils	vaillent

PASSÉ

que j'	aie	valu
que tu	aies	valu
qu' elle	ait	valu
qu' il	ait	valu
que nous	ayons	valu
que vous	ayez	valu
qu' elles	aient	valu
qu' ils	aient	valu

IMPARFAIT

que je	valusse
que tu	valusses
qu' elle	valût
qu' il	valût
que nous	valussions
que vous	valussiez
qu' elles	valussent
qu' ils	valussent

PLUS-QUE-PARFAIT

que j'	eusse	valu
que tu	eusses	valu
qu' elle	eût	valu
qu' il	eût	valu
que nous	eussions	valu
que vous	eussiez	valu
qu' elles	eussent	valu
qu' ils	eussent	valu

IMPÉRATIF

PRÉSENT

vaux
valons
valez

PASSÉ

aie valu
ayons valu
ayez valu

INFINITIF

PRÉSENT

valoir

PASSÉ

avoir valu

PARTICIPE

PRÉSENT

valant

PASSÉ

valu, ue
ayant valu

CONJUGAISON DU VERBE **VENIR**

INDICATIF

PRÉSENT

je	viens
tu	viens
elle	vient
il	vient
nous	venons
vous	venez
elles	viennent
ils	viennent

PASSÉ COMPOSÉ

je	suis	venu, ue
tu	es	venu, ue
elle	est	venue
il	est	venu
ns	sommes	venus, ues
vs	êtes	venus, ues
elles	sont	venues
ils	sont	venus

IMPARFAIT

je	venais
tu	venais
elle	venait
il	venait
nous	venions
vous	veniez
elles	venaient
ils	venaient

PLUS-QUE-PARFAIT

j'	étais	venu, ue
tu	étais	venu, ue
elle	était	venue
il	était	venu
ns	étions	venus, ues
vs	étiez	venus, ues
elles	étaient	venues
ils	étaient	venus

PASSÉ SIMPLE

je	vins
tu	vins
elle	vint
il	vint
nous	vînmes
vous	vîntes
elles	vinrent
ils	vinrent

PASSÉ ANTÉRIEUR

je	fus	venu, ue
tu	fus	venu, ue
elle	fut	venue
il	fut	venu
ns	fûmes	venus, ues
vs	fûtes	venus, ues
elles	furent	venues
ils	furent	venus

FUTUR SIMPLE

je	viendrai
tu	viendras
elle	viendra
il	viendra
nous	viendrons
vous	viendrez
elles	viendront
ils	viendront

FUTUR ANTÉRIEUR

je	serai	venu, ue
tu	seras	venu, ue
elle	sera	venue
il	sera	venu
ns	serons	venus, ues
vs	serez	venus, ues
elles	seront	venues
ils	seront	venus

CONDITIONNEL PRÉSENT

je	viendrais
tu	viendrais
elle	viendrait
il	viendrait
nous	viendrions
vous	viendriez
elles	viendraient
ils	viendraient

CONDITIONNEL PASSÉ

je	serais	venu, ue
tu	serais	venu, ue
elle	serait	venue
il	serait	venu
nous	serions	venus, ues
vous	seriez	venus, ues
elles	seraient	venues
ils	seraient	venus

SUBJONCTIF

PRÉSENT

que	je	vienne
que	tu	viennes
qu'	elle	vienne
qu'	il	vienne
que	nous	venions
que	vous	veniez
qu'	elles	viennent
qu'	ils	viennent

PASSÉ

que	je	sois	venu, ue
que	tu	sois	venu, ue
qu'	elle	soit	venue
qu'	il	soit	venu
que	nous	soyons	venus, ues
que	vous	soyez	venus, ues
qu'	elles	soient	venues
qu'	ils	soient	venus

IMPARFAIT

que	je	vinsse
que	tu	vinsses
qu'	elle	vînt
qu'	il	vînt
que	nous	vinssions
que	vous	vinssiez
qu'	elles	vinssent
qu'	ils	vinssent

PLUS-QUE-PARFAIT

que	je	fusse	venu, ue
que	tu	fusses	venu, ue
qu'	elle	fût	venue
qu'	il	fût	venu
que	nous	fussions	venus, ues
que	vous	fussiez	venus, ues
qu'	elles	fussent	venues
qu'	ils	fussent	venus

IMPÉRATIF

PRÉSENT

| viens |
| venons |
| venez |

PASSÉ

sois	venu, ue
soyons	venus, ues
soyez	venus, ues

INFINITIF

PRÉSENT

venir

PASSÉ

être venu, ue

PARTICIPE

PRÉSENT

venant

PASSÉ

venu, ue
étant venu, ue

CONJUGAISON DU VERBE **VÊTIR**

INDICATIF

PRÉSENT

je	vêt**s**
tu	vêt**s**
elle	vêt
il	vêt
nous	vêt**ons**
vous	vêt**ez**
elles	vêt**ent**
ils	vêt**ent**

PASSÉ COMPOSÉ

j'	ai	vêtu
tu	as	vêtu
elle	a	vêtu
il	a	vêtu
nous	avons	vêtu
vous	avez	vêtu
elles	ont	vêtu
ils	ont	vêtu

IMPARFAIT

je	vêt**ais**
tu	vêt**ais**
elle	vêt**ait**
il	vêt**ait**
nous	vêt**ions**
vous	vêt**iez**
elles	vêt**aient**
ils	vêt**aient**

PLUS-QUE-PARFAIT

j'	avais	vêtu
tu	avais	vêtu
elle	avait	vêtu
il	avait	vêtu
nous	avions	vêtu
vous	aviez	vêtu
elles	avaient	vêtu
ils	avaient	vêtu

PASSÉ SIMPLE

je	vêt**is**
tu	vêt**is**
elle	vêt**it**
il	vêt**it**
nous	vêt**îmes**
vous	vêt**îtes**
elles	vêt**irent**
ils	vêt**irent**

PASSÉ ANTÉRIEUR

j'	eus	vêtu
tu	eus	vêtu
elle	eut	vêtu
il	eut	vêtu
nous	eûmes	vêtu
vous	eûtes	vêtu
elles	eurent	vêtu
ils	eurent	vêtu

FUTUR SIMPLE

je	vêt**irai**
tu	vêt**iras**
elle	vêt**ira**
il	vêt**ira**
nous	vêt**irons**
vous	vêt**irez**
elles	vêt**iront**
ils	vêt**iront**

FUTUR ANTÉRIEUR

j'	aurai	vêtu
tu	auras	vêtu
elle	aura	vêtu
il	aura	vêtu
nous	aurons	vêtu
vous	aurez	vêtu
elles	auront	vêtu
ils	auront	vêtu

CONDITIONNEL PRÉSENT

je	vêt**irais**
tu	vêt**irais**
elle	vêt**irait**
il	vêt**irait**
nous	vêt**irions**
vous	vêt**iriez**
elles	vêt**iraient**
ils	vêt**iraient**

CONDITIONNEL PASSÉ

j'	aurais	vêtu
tu	aurais	vêtu
elle	aurait	vêtu
il	aurait	vêtu
nous	aurions	vêtu
vous	auriez	vêtu
elles	auraient	vêtu
ils	auraient	vêtu

SUBJONCTIF

PRÉSENT

que	je	vêt**e**
que	tu	vêt**es**
qu'	elle	vêt**e**
qu'	il	vêt**e**
que	nous	vêt**ions**
que	vous	vêt**iez**
qu'	elles	vêt**ent**
qu'	ils	vêt**ent**

PASSÉ

que	j'	aie	vêtu
que	tu	aies	vêtu
qu'	elle	ait	vêtu
qu'	il	ait	vêtu
que	nous	ayons	vêtu
que	vous	ayez	vêtu
qu'	elles	aient	vêtu
qu'	ils	aient	vêtu

IMPARFAIT

que	je	vêt**isse**
que	tu	vêt**isses**
qu'	elle	vêt**ît**
qu'	il	vêt**ît**
que	nous	vêt**issions**
que	vous	vêt**issiez**
qu'	elles	vêt**issent**
qu'	ils	vêt**issent**

PLUS-QUE-PARFAIT

que	j'	eusse	vêtu
que	tu	eusses	vêtu
qu'	elle	eût	vêtu
qu'	il	eût	vêtu
que	nous	eussions	vêtu
que	vous	eussiez	vêtu
qu'	elles	eussent	vêtu
qu'	ils	eussent	vêtu

IMPÉRATIF

PRÉSENT

vêt**s**
vêt**ons**
vêt**ez**

PASSÉ

aie	vêtu
ayons	vêtu
ayez	vêtu

INFINITIF

PRÉSENT

vêt**ir**

PASSÉ

avoir vêtu

PARTICIPE

PRÉSENT

vêt**ant**

PASSÉ

vêtu, ue
ayant vêtu

CONJUGAISON DU VERBE **VIVRE**

INDICATIF

PRÉSENT

je	vis
tu	vis
elle	vit
il	vit
nous	vivons
vous	vivez
elles	vivent
ils	vivent

PASSÉ COMPOSÉ

j'	ai	vécu
tu	as	vécu
elle	a	vécu
il	a	vécu
nous	avons	vécu
vous	avez	vécu
elles	ont	vécu
ils	ont	vécu

IMPARFAIT

je	vivais
tu	vivais
elle	vivait
il	vivait
nous	vivions
vous	viviez
elles	vivaient
ils	vivaient

PLUS-QUE-PARFAIT

j'	avais	vécu
tu	avais	vécu
elle	avait	vécu
il	avait	vécu
nous	avions	vécu
vous	aviez	vécu
elles	avaient	vécu
ils	avaient	vécu

PASSÉ SIMPLE

je	vécus
tu	vécus
elle	vécut
il	vécut
nous	vécûmes
vous	vécûtes
elles	vécurent
ils	vécurent

PASSÉ ANTÉRIEUR

j'	eus	vécu
tu	eus	vécu
elle	eut	vécu
il	eut	vécu
nous	eûmes	vécu
vous	eûtes	vécu
elles	eurent	vécu
ils	eurent	vécu

FUTUR SIMPLE

je	vivrai
tu	vivras
elle	vivra
il	vivra
nous	vivrons
vous	vivrez
elles	vivront
ils	vivront

FUTUR ANTÉRIEUR

j'	aurai	vécu
tu	auras	vécu
elle	aura	vécu
il	aura	vécu
nous	aurons	vécu
vous	aurez	vécu
elles	auront	vécu
ils	auront	vécu

CONDITIONNEL PRÉSENT

je	vivrais
tu	vivrais
elle	vivrait
il	vivrait
nous	vivrions
vous	vivriez
elles	vivraient
ils	vivraient

CONDITIONNEL PASSÉ

j'	aurais	vécu
tu	aurais	vécu
elle	aurait	vécu
il	aurait	vécu
nous	aurions	vécu
vous	auriez	vécu
elles	auraient	vécu
ils	auraient	vécu

SUBJONCTIF

PRÉSENT

que	je	vive
que	tu	vives
qu'	elle	vive
qu'	il	vive
que	nous	vivions
que	vous	viviez
qu'	elles	vivent
qu'	ils	vivent

PASSÉ

que	j'	aie	vécu
que	tu	aies	vécu
qu'	elle	ait	vécu
qu'	il	ait	vécu
que	nous	ayons	vécu
que	vous	ayez	vécu
qu'	elles	aient	vécu
qu'	ils	aient	vécu

IMPARFAIT

que	je	vécusse
que	tu	vécusses
qu'	elle	vécût
qu'	il	vécût
que	nous	vécussions
que	vous	vécussiez
qu'	elles	vécussent
qu'	ils	vécussent

PLUS-QUE-PARFAIT

que	j'	eusse	vécu
que	tu	eusses	vécu
qu'	elle	eût	vécu
qu'	il	eût	vécu
que	nous	eussions	vécu
que	vous	eussiez	vécu
qu'	elles	eussent	vécu
qu'	ils	eussent	vécu

IMPÉRATIF

PRÉSENT

vis
vivons
vivez

PASSÉ

aie	vécu
ayons	vécu
ayez	vécu

INFINITIF

PRÉSENT

vivre

PASSÉ

avoir vécu

PARTICIPE

PRÉSENT

vivant

PASSÉ

vécu, ue
ayant vécu

CONJUGAISON DU VERBE **VOIR**

INDICATIF

PRÉSENT

je	vois
tu	vois
elle	voit
il	voit
nous	voyons
vous	voyez
elles	voient
ils	voient

PASSÉ COMPOSÉ

j'	ai	vu
tu	as	vu
elle	a	vu
il	a	vu
nous	avons	vu
vous	avez	vu
elles	ont	vu
ils	ont	vu

IMPARFAIT

je	voyais
tu	voyais
elle	voyait
il	voyait
nous	voyions
vous	voyiez
elles	voyaient
ils	voyaient

PLUS-QUE-PARFAIT

j'	avais	vu
tu	avais	vu
elle	avait	vu
il	avait	vu
nous	avions	vu
vous	aviez	vu
elles	avaient	vu
ils	avaient	vu

PASSÉ SIMPLE

je	vis
tu	vis
elle	vit
il	vit
nous	vîmes
vous	vîtes
elles	virent
ils	virent

PASSÉ ANTÉRIEUR

j'	eus	vu
tu	eus	vu
elle	eut	vu
il	eut	vu
nous	eûmes	vu
vous	eûtes	vu
elles	eurent	vu
ils	eurent	vu

FUTUR SIMPLE

je	verrai
tu	verras
elle	verra
il	verra
nous	verrons
vous	verrez
elles	verront
ils	verront

FUTUR ANTÉRIEUR

j'	aurai	vu
tu	auras	vu
elle	aura	vu
il	aura	vu
nous	aurons	vu
vous	aurez	vu
elles	auront	vu
ils	auront	vu

CONDITIONNEL PRÉSENT

je	verrais
tu	verrais
elle	verrait
il	verrait
nous	verrions
vous	verriez
elles	verraient
ils	verraient

CONDITIONNEL PASSÉ

j'	aurais	vu
tu	aurais	vu
elle	aurait	vu
il	aurait	vu
nous	aurions	vu
vous	auriez	vu
elles	auraient	vu
ils	auraient	vu

SUBJONCTIF

PRÉSENT

que	je	voie
que	tu	voies
qu'	elle	voie
qu'	il	voie
que	nous	voyions
que	vous	voyiez
qu'	elles	voient
qu'	ils	voient

PASSÉ

que	j'	aie	vu
que	tu	aies	vu
qu'	elle	ait	vu
qu'	il	ait	vu
que	nous	ayons	vu
que	vous	ayez	vu
qu'	elles	aient	vu
qu'	ils	aient	vu

IMPARFAIT

que	je	visse
que	tu	visses
qu'	elle	vît
qu'	il	vît
que	nous	vissions
que	vous	vissiez
qu'	elles	vissent
qu'	ils	vissent

PLUS-QUE-PARFAIT

que	j'	eusse	vu
que	tu	eusses	vu
qu'	elle	eût	vu
qu'	il	eût	vu
que	nous	eussions	vu
que	vous	eussiez	vu
qu'	elles	eussent	vu
qu'	ils	eussent	vu

IMPÉRATIF

PRÉSENT

vois
voyons
voyez

PASSÉ

aie vu
ayons vu
ayez vu

INFINITIF

PRÉSENT

voir

PASSÉ

avoir vu

PARTICIPE

PRÉSENT

voyant

PASSÉ

vu, vue
ayant vu

CONJUGAISON DU VERBE **VOULOIR**

INDICATIF

PRÉSENT
je	veux
tu	veux
elle	veut
il	veut
nous	voulons
vous	voulez
elles	veulent
ils	veulent

PASSÉ COMPOSÉ
j'	ai	voulu
tu	as	voulu
elle	a	voulu
il	a	voulu
nous	avons	voulu
vous	avez	voulu
elles	ont	voulu
ils	ont	voulu

IMPARFAIT
je	voulais
tu	voulais
elle	voulait
il	voulait
nous	voulions
vous	vouliez
elles	voulaient
ils	voulaient

PLUS-QUE-PARFAIT
j'	avais	voulu
tu	avais	voulu
elle	avait	voulu
il	avait	voulu
nous	avions	voulu
vous	aviez	voulu
elles	avaient	voulu
ils	avaient	voulu

PASSÉ SIMPLE
je	voulus
tu	voulus
elle	voulut
il	voulut
nous	voulûmes
vous	voulûtes
elles	voulurent
ils	voulurent

PASSÉ ANTÉRIEUR
j'	eus	voulu
tu	eus	voulu
elle	eut	voulu
il	eut	voulu
nous	eûmes	voulu
vous	eûtes	voulu
elles	eurent	voulu
ils	eurent	voulu

FUTUR SIMPLE
je	voudrai
tu	voudras
elle	voudra
il	voudra
nous	voudrons
vous	voudrez
elles	voudront
ils	voudront

FUTUR ANTÉRIEUR
j'	aurai	voulu
tu	auras	voulu
elle	aura	voulu
il	aura	voulu
nous	aurons	voulu
vous	aurez	voulu
elles	auront	voulu
ils	auront	voulu

CONDITIONNEL PRÉSENT
je	voudrais
tu	voudrais
elle	voudrait
il	voudrait
nous	voudrions
vous	voudriez
elles	voudraient
ils	voudraient

CONDITIONNEL PASSÉ
j'	aurais	voulu
tu	aurais	voulu
elle	aurait	voulu
il	aurait	voulu
nous	aurions	voulu
vous	auriez	voulu
elles	auraient	voulu
ils	auraient	voulu

SUBJONCTIF

PRÉSENT
que	je	veuille
que	tu	veuilles
qu'	elle	veuille
qu'	il	veuille
que	nous	voulions
que	vous	vouliez
qu'	elles	veuillent
qu'	ils	veuillent

PASSÉ
que	j'	aie	voulu
que	tu	aies	voulu
qu'	elle	ait	voulu
qu'	il	ait	voulu
que	nous	ayons	voulu
que	vous	ayez	voulu
qu'	elles	aient	voulu
qu'	ils	aient	voulu

IMPARFAIT
que	je	voulusse
que	tu	voulusses
qu'	elle	voulût
qu'	il	voulût
que	nous	voulussions
que	vous	voulussiez
qu'	elles	voulussent
qu'	ils	voulussent

PLUS-QUE-PARFAIT
que	j'	eusse	voulu
que	tu	eusses	voulu
qu'	elle	eût	voulu
qu'	il	eût	voulu
que	nous	eussions	voulu
que	vous	eussiez	voulu
qu'	elles	eussent	voulu
qu'	ils	eussent	voulu

IMPÉRATIF

PRÉSENT
veuille/veux
voulons
veuillez/voulez

PASSÉ
aie	voulu
ayons	voulu
ayez	voulu

INFINITIF

PRÉSENT
vouloir

PASSÉ
avoir voulu

PARTICIPE

PRÉSENT
voulant

PASSÉ
voulu, ue
ayant voulu

DICTIONNAIRE DES VERBES

Le dictionnaire des verbes répertorie dans
l'ordre alphabétique la majorité des verbes de
la langue française et renvoie aux 76 modèles
complets de conjugaison (p. 200 à 275).
Le numéro de la page du modèle de conjugaison
figure à la droite de chaque verbe.

INDEX DES MOTS CLÉS

A